BLODBRØDRE

I John Rebus-serien er udkommet:

BLODBRØDRE
DÆMONER
ULVEMANDEN
STRIP JACK
FORTIDS SYNDER
DE HÆNGTES HAVE
SPØGELSESBYEN
I LY AF MØRKE
I INDVIET JORD

Ian
RANKIN

BLODBRØDRE

– EN JOHN REBUS-SAG

Oversat af Klavs Brøndum

KLIM

Blodbrødre
er oversat af Klavs Brøndum
fra den engelske udgave
Knots & Crosses

Omslagsfoto: Skuespilleren John Hannah i filmatiseringen
af John Rebus-bøgerne. Scottish Television/Clerkenwell Films
Omslagslayout: Joyce Grosswiler
Sats: Sabon11,7/14, Klim
Tryk: WS Bookwell, Finland

ISBN: 87-7955-305-2

2. udgave, 1. oplag, Århus 2004

Forlaget Klim
Ny Tjørnegade 19
DK-8200 Århus N
Tlf.: 86 10 37 00
Fax: 86 10 30 45
E-mail: forlaget@klim.dk
www.klim.dk

Til Miranda

uden hvem intet er værd at gøre færdigt

Prolog

1

PIGEN SKREG ÉN GANG og kun én gang.

Selvom det faktisk ikke havde været med i hans beregninger. Det kunne have været enden på alting, næsten før det var begyndt. Nysgerrige naboer, politi tilkaldt for at undersøge sagen. Nej, det ville slet ikke kunne gå. Næste gang måtte han binde kneblen lidt strammere, bare en lille smule strammere, bare den lille smule mere sikkert.

Bagefter gik han hen til kommoden og hentede en rulle snor. Med en spids neglesaks af den type, piger altid render rundt med, klippede han et stykke på cirka 15 cm af og lagde resten af snoren og saksen tilbage i kommoden. En bil gassede op udenfor, og da han gik hen til vinduet, kom han til at vælte en stabel bøger, der stod på gulvet. Men bilen var allerede forsvundet, og han smilede ved sig selv. Han bandt en knude på snoren, ikke nogen særlig knude, bare en knude. På skænken lå konvolutten allerede klar.

II

DET VAR DEN 28. APRIL. Det var naturligvis regnvejr, og græsset drev af vand, da John Rebus gik over til sin fars grav. Det var i dag fem år siden, faderen døde. Han placerede en krans, rød og gul, erindringens farver, så den lå mod det endnu blanke marmor. Han stod stille et øjeblik og prøvede at finde på et par ord, men det var, som om der intet var at sige, intet var at tænke. Faderen havde været god nok, og mere var der ikke at sige om det. Under alle omstændigheder ville den gamle ikke have ønsket, at der blev spildt ord på ham. Så han stod bare der med hænderne respektfuldt omme på ryggen, mens kragerne skræppede op fra murene omkring ham, indtil vandet, der sivede ind i hans sko, mindede ham om, at en varm bil ventede på ham foran indgangen til kirkegården.

Han kørte forsigtigt, mens han mukkede over at være tilbage her i Fife.

Her hvor gamle dage aldrig havde været 'de gode gamle dage', hvor spøgelser rumsterede i de tomme huskulisser, og hvor metalskodderne hver aften blev trukket ned over en håndfuld ligegyldige butikker, disse skodder, som gav vandalerne et sted at skrive deres navn. Hvor Rebus dog hadede det hele, denne enestående mangel på miljø. Det stank, som det altid havde gjort – af misrøgt, forfald og spildte liv.

Han kørte de otte kilometer ud til havet, hvor hans bror Michael stadig boede. Regnen stilnede af, da han nåede den grå kyst, og bilen sprøjtede kaskader af vand op fra de utallige huller i vejen. Han spekulerede på, hvordan det kunne være, at de aldrig fik ordnet vejene herude, mens de i Edinburgh arbejdede så meget på belægningen, at det næsten blev værre. Og hvorfor i alverden havde han taget den tåbelige beslutning at køre hele vejen til Fife, bare fordi det var femårsdagen for den gamles død? Han forsøgte at tænke på noget andet, men opdagede, at han kun kunne tænke på sin næste cigaret.

Gennem støvregnen kunne Rebus se en pige på alder med sin egen datter gå langs vejsiden. Han tog farten af bilen, studerede hende i bakspejlet, mens han passerede hende, og stoppede så. Han gjorde tegn til hende om at komme hen til vinduet.

Man kunne se hendes ånde i den kølige friske luft, og hendes mørke hår var sat op i rottehaler. Hun så frygtsomt på ham.

"Hvor skal du hen, min ven?"

"Kirkcaldy."

"Vil du have et lift?"

Hun rystede på hovedet, så dråberne fløj fra rottehalerne.

"Min mor siger, jeg aldrig må køre med folk, jeg ikke kender."

"Jaså," sagde Rebus og smilede, "det har din mor også helt ret i. Jeg har en datter på din alder, og jeg har fortalt hende det samme. Men nu regner det altså, og jeg er politimand, så du kan godt stole på mig. Du har trods alt et stykke vej at gå."

Hun kiggede op og ned ad vejen og rystede så igen på hovedet.

"Okay," sagde Rebus, "men pas nu på dig selv. Din mor har helt ret."

Han rullede vinduet op igen og satte i gang, mens de iagttog hinanden i bakspejlet. Klogt barn. Det var rart at vide, at nogle forældre stadig havde en smule ansvarsfølelse tilbage. Hvis man bare kunne sige det samme om hans eks-kone. Den måde, hun havde opdraget deres datter på, var en skændsel. Michael havde også givet sin datter al for lang line. Og hvem havde skylden?

Rebus' bror ejede et ret stort hus. Han var fulgt i den gamles fodspor og optrådte som hypnotisør. Efter alt at dømme var han også god til det. Rebus havde aldrig spurgt, hvordan man gjorde, ligesom han aldrig havde vist nysgerrighed eller interesse for den gamles optræden. Han havde lagt mærke til, at dette stadigvæk undrede Michael, som derfor kom med antydninger og halve sandheder om sit nummers ægthed, hvorved Rebus fik mulighed for at indhente det forsømte, hvis han ville.

Men John Rebus havde så meget forsømt at indhente, og sådan havde det været gennem alle de femten år, han havde været i korpset. Femten år, og alt, hvad han kunne fremvise, var en vis portion selvmedlidenhed og et ødelagt ægteskab med en uskyldig datter som skrøbeligt bindeled. Det var mere frastødende end sørgeligt. Og i mellemtiden var Michael blevet lykkeligt gift og havde to børn og et større hus, end Rebus nogensinde ville få råd til. Han var hovednavnet på hoteller, klubber og teatre så langt væk som Newcastle og Wick. En gang imellem kunne han tjene seks hundrede pund bare på en enkelt optræden. Det var skandaløst. Han kørte i en dyr bil, hans tøj var af god kvalitet, og han ville aldrig være at finde på en kirkegård i Fife i pissende regnvejr på den værste aprildag i mands minde. Nej, det var Michael for smart til. Og for dum.

"John! For fanden, hvad er der sket? Jeg mener, det er godt at se dig. Hvorfor ringede du ikke og advarede mig om, at du kom? Kom nu ind."

Det var den velkomst, Rebus havde forventet at få: forlegen overraskelse, som om det var pinligt at blive mindet om, at man stadig havde familie. Og Rebus havde bidt mærke i udtrykket 'advare', hvor 'fortælle' ville være tilstrækkeligt. Han var politimand. Han lagde mærke til sådan noget.

Michael Rebus stormede tilbage til stuen og skruede ned for stereoanlægget.

"Kom ind, John," råbte han. "Vil du have noget at drikke? Vil du have kaffe? Du kan også få noget stærkere. Hvad bringer dig på disse kanter?"

Rebus satte sig ned, som han ville gøre et fremmed sted, professionelt og med rank ryg. Han studerede panelerne på væggene – de var kommet til siden sidst – og de indrammede fotografier af sin niece og nevø.

"Jeg kom bare lige forbi," sagde han.

Michael vendte sig om fra barskabet med et par tomme glas i hånden, og pludselig slog det ned i ham – eller også fik han det bare til at se sådan ud.

"Åh, John, det havde jeg fuldstændig glemt. Hvorfor ringede du ikke? For helvede, jeg hader, når jeg glemmer far."

"Så er det godt, at du er hypnotisør og ikke 'Kenny den Kendte Klæbehjerne', ikke? Giv mig nu den drink, eller er I ved at blive forlovede?"

Michael smilede, nu hvor han var tilgivet, og rakte ham glasset med whisky.

"Er det din bil udenfor?" spurgte Rebus, da han tog glasset. "Jeg mener den der store BMW?"

Michael smilede stadig og nikkede.

"Jeg må sandelig sige, du er god ved dig selv," sagde Rebus.

"Lige så god, som jeg er mod Crissie og børnene. Vi er ved at lave en tilbygning bagtil. Så vi har et sted at anbringe et spa-bad eller en sauna. Det er jo ret moderne nu, og Crissie er opsat på at være med på noderne."

Rebus smagte på sin whisky. Det viste sig at være malt. Ingenting i stuen havde været billigt, men på den anden side var der ikke noget af det, han ligefrem kunne tænke sig. Glasnips, en krystalkaraffel på en sølvbakke, tv'et og videoen, det ufatteligt lille stereoanlæg, onykslampen. Rebus følte sig en lille smule brødebetynget ved synet af lampen. Rhonda og han havde givet den til Michael og Crissie i bryllupsgave. Crissie talte ikke længere til ham. Det var der vel ikke noget at sige til.

"Hvor er Crissie for resten?"

"Åh, hun er ude at handle. Hun har sin egen bil nu. Børnene er stadig i skole. Hun henter dem på vejen hjem. Bliver du og spiser med?"

Rebus trak på skuldrene.

"Du er velkommen til at blive," sagde Michael og mente, at det var han ikke. "Hvordan står det til hos lovens håndhævere? På lykke og fromme som sædvanlig?"

"Vi går glip af et par stykker, men de har ikke offentlighedens interesse. Vi fanger også et par stykker, og de er mere interessante. Det er det samme som altid, vil jeg tro."

Rebus lagde mærke til, at stuen duftede af karamelliserede æbler og forlystelsespark.

Michael var ved at sige noget:

"Det er noget skrækkeligt noget med de her piger, der bliver kidnappet."

Rebus nikkede.

"Ja," sagde han, "ja, det er det. Men strengt taget kan vi ikke kalde det kidnapning, ikke endnu. Der er ikke rejst krav om løsepenge eller noget. Det ser mere ud til, at der er tale om helt almindelige seksuelle overgreb."

Michael fløj op fra sin stol.

"Helt almindelige? Hvad helt almindeligt er der ved det?"

"Det er bare en vending, vi bruger, Mickey, ikke andet." Rebus trak igen på skuldrene og drak ud.

"John," sagde Michael og satte sig, "jeg mener bare, vi to har jo også døtre. Du taler om det med sådan en ligegyldighed. Jeg synes, det er frygteligt at tænke på." Han rystede langsomt på hovedet med et udtryk af almindelig deltagelse, men også lettelse over, at frygten i øjeblikket var en andens. "Det er frygteligt," gentog han. "Og så i Edinburgh af alle steder. Jeg mener, hvem ville nogensinde tro, at sådan noget kunne ske i Edinburgh, hva'?"

"Der foregår mere i Edinburgh, end vi nogensinde vil få at vide."

"Ja." Michael tøvede. "Jeg var derovre så sent som i sidste uge for at optræde på et af hotellerne."

"Det har du ikke sagt noget om."

Nu var det Michaels tur til at trække på skuldrene.

"Ville du have været interesseret?" spurgte han.

"Næh," sagde Rebus med et smil, "men jeg ville være kommet under alle omstændigheder."

Michael lo. Sådan en latter, man hører ved fødselsdage, eller når man finder en mønt i en gammel lomme.

"Skulle det være en whisky mere?" spurgte han.
"Jeg troede aldrig, du ville spørge."
Rebus fordybede sig igen i stuen, mens Michael gik over til barskabet.
"Hvordan går det med showet?" spurgte han. "Og jeg er faktisk interesseret."
"Det går godt," sagde Michael. "Faktisk så går det rigtig godt endda. Man taler om en tv-optræden, men det tror jeg først, når jeg ser det."
"Alle tiders."
En ny drink nåede frem til Rebus' udstrakte hånd.
"Ja, og jeg arbejder på en ny vinkel. Men den er lidt uhyggelig."
Guldet lynede fra Michaels håndled, da han satte glasset til munden. Det var et dyrt ur, uden tal. Det slog Rebus, at jo dyrere en ting var, desto mindre så der ud til at være af den: Små bitte stereoanlæg, ure uden tal, de halvgennemsigtige Dior-ankelsokker på Michaels fødder.
"Må jeg høre," sagde han og bed på broderens madding.
"Jaah," Michael lænede sig frem i stolen, "jeg fører frivillige fra publikum tilbage til deres tidligere liv."
"Tidligere liv?"
Rebus stirrede på gulvet, som om han beundrede gulvtæppets grønne nuancer.
"Ja," fortsatte Michael. "Reinkarnation, genfødsel, alt sådan noget. Jeg burde ikke have behov for at skære det ud i pap for dig. Når alt kommer til alt, er det jo *dig*, der er den kristne."
"Kristne tror ikke på tidligere liv, Mickey, kun på et fremtidigt."
Michaels blik opfordrede ham til at holde bøtte.
"Undskyld," sagde Rebus.
"Som jeg var ved at sige, så prøvede jeg det første gang foran et publikum i sidste uge, selvom jeg har praktiseret det et stykke tid med mine private klienter."
"Private klienter?"

"Ja, de betaler mig for privat hypnoterapi. Jeg får dem til at holde op med at ryge, giver dem mere selvtillid eller forhindrer dem i at tisse i sengen. Nogle er overbevist om, at de har levet før, og de beder mig om at hypnotisere dem, så de kan bevise det. Men du skal ikke være urolig. Alt foregår lige efter bogen. Skattefar får, hvad han skal have."

"Kan du så bevise det? Har de levet før?"

Michael kørte rundt med fingeren på kanten af sit tomme glas.

"Du ville blive overrasket," sagde han.

"Giv mig et eksempel."

Rebus fulgte tæppets mønster med øjnene. Tidligere liv, tænkte han. Se, der var måske noget. Der var masser af tidligere liv i *hans* fortid.

"Kan du huske," sagde Michael, "at jeg fortalte dig om mit show i Edinburgh i sidste uge? Der skete der det," han lænede sig længere frem i stolen, "at denne her kvinde fra publikum kom op på scenen. Hun var ikke ret stor, midaldrende. Hun var kommet sammen med nogle arbejdskollegaer. Hun faldt ret nemt i trance, sikkert fordi hun ikke havde drukket så meget som resten af følget. Lige så snart hun var i trance, fortalte jeg hende, at vi skulle foretage en rejse tilbage i tiden til en tid, langt før hun blev født. Jeg bad hende gå tilbage til det allerførste, hun kunne huske ..."

Michaels stemme var blevet let honningsød og professionel. Han bredte hænderne ud, som om han stod foran et publikum. Rebus kørte lidt rundt med sin drink og mærkede, at han slappede af. Han tænkte tilbage på en episode i sin barndom, en fodboldkamp, den ene bror mod den anden. Det varme mudder efter et regnskyl i juli og deres mor, der med opsmøgede ærmer klædte dem af og smed den fnisende klump af arme og ben ned i vaskebaljen ...

"... hun begyndte," fortsatte Michael, "at tale, men ikke med sin egen stemme. Det var underligt, John. Jeg ville ønske, du *havde* været der. Publikum blev helt stille, og jeg blev skifte-vis varm og kold over det hele, og det havde altså ingenting at gøre med hotellets varmesystem. Jeg havde gjort det, at du bare ved det. Jeg havde bragt kvinden tilbage til et tidligere liv. Hun var nonne. Hvad siger du så? En *nonne*. Og hun fortalte, at hun var alene i sin celle. Hun beskrev nonneklosteret og alt muligt, og så reciterede hun et eller andet på latin, og et par stykker blandt publikum slog faktisk *kors* for sig. Jeg var sgu helt ude af den. Mit hår strittede sikkert lige i vejret. Jeg bragte hende tilbage, så hurtigt jeg kunne, og der gik et godt stykke tid, inden folk klappede. Så begyndte hendes venner, måske af bare lettelse, at skåle og grine, og det fik brudt isen. I slutningen af showet fandt jeg ud af, at denne kvinde var ærke-protestant, en tro tilhænger af Glasgow Rangers, for at det ikke skal være løgn, og hun svor, at hun intet kendskab havde til latin. Men det var der altså *nogen* inden i hende, der havde. Det er både sikkert og vist."

Rebus smilede.

"Det var en god historie, Mickey," sagde han.

"Det er sandheden." Michael bredte armene ud i en ydmyg gestus. "Tror du ikke på mig?"

"Måske."

Michael rystede på hovedet.

"Du må være en elendig politibetjent, John. Jeg havde omkring halvanden hundrede vidner. Det er skudsikkert."

Rebus kunne ikke løsrive sig fra mønsteret i tæppet.

"Der er masser af mennesker, der tror på tidligere liv, John."

Tidligere liv ... Ja, der var noget, han troede på ... I hvert fald på Gud ... Men tidligere liv ... Pludselig så han et ansigt skrige op imod sig fra gulvtæppet, fanget i dets celle.

Han tabte sit glas.

"John? Er der noget galt? Du ligner en, der har set et ..."

"Nej, nej, der er ikke noget." Rebus samlede glasset op og rejste sig. "Det var bare ... Jeg har det fint. Der er bare det," han så på sit ur, et ur med tal på, "jeg må hellere se at komme af sted. Jeg har vagt i aften."

Michael smilede svagt, lettet over, at hans bror ikke blev, men flov over at føle sådan.

"Vi må ses igen snart," sagde han, "på neutral grund."

"Ja," sagde Rebus og fangede igen duften af karamelliserede æbler. Han følte sig en lille smule bleg, en lille smule rystet, som om han var for langt uden for eget territorum. "Det må vi."

En eller to eller tre gange om året, ved bryllupper, begravelser eller i telefonen til jul lovede de hinanden at ses. Løftet var mere et ritual i sig selv, så derfor kunne det med lige stor sikkerhed aflægges som ignoreres.

"Det må vi."

Rebus gav Michael hånden i døren. Mens han sneg sig forbi BMW'en hen til sin egen bil, tænkte han på, hvor meget de lignede hinanden, broderen og ham. Onkler og tanter i deres begravelses-kolde værelser kunne tit finde på at sige: "Åh, I er som snydt ud af næsen på jeres mor." Så holdt ligheden også op. John Rebus vidste, at hans hår var en tand mindre brunt end Michaels og hans øjne lidt mørkere grønne. Men han vidste også, at forskellene mellem dem var af en sådan karakter, at enhver lighed måtte fremstå som uendeligt overfladisk. De var brødre uden tilhørsforhold til hinanden. Hvad de følte for hinanden, hørte fortiden til.

Han vinkede en enkelt gang fra bilen og var væk. Han ville være tilbage i Edinburgh om en times tid og på vagt en halv time efter. Han vidste, at grunden til, at han aldrig kunne føle sig hjemme i Michaels hjem, var Crissies had til ham, hendes urokkelige tro på, at han alene havde skylden for det forliste ægteskab. Måske havde hun ret. Han forsøgte at gennemgå arbejdsopgaverne for de næste syv-otte timer. Han skulle udrede trådene i en sag om røveri og voldeligt overfald. Det var en modbydelig én. Kriminalpolitiet var underbemandet nok i forvejen, og nu ville disse bortførelser belaste dem endnu mere. To unge piger, piger på alder med hans egen datter. Det var bedst ikke at spekulere på det. De ville være døde nu eller ønske, at de var det. Gud se nåde i dem. I Edinburgh af alle steder, i hans egen elskede by.

En galning var på fri fod.

Folk holdt sig inden døre.

Og skriget i hans baghoved.

Rebus skuttede sig og mærkede en svag krampetrækning i sin ene skulder. Rent faktisk var det ikke hans bord. Ikke endnu.

Hjemme i sin stue fik Michael Rebus sig en whisky mere. Han gik over til stereoanlægget og skruede op på fuld styrke. Så rakte han ned under sin stol, og efter lidt fumlen fik han hevet et askebæger ud, som var gemt der.

FØRSTE DEL

"DER ER SPOR OVERALT"

I

PÅ TRAPPERNE OP TIL POLITISTATIONEN på Great London Road i Edinburgh fik John Rebus ild på sin sidste cigaret i dagens ration, før han skubbede den pompøse dør op og gik ind.

Det var en gammel station med mørke marmorgulve. Den havde lidt af den falmede storhed af et forgangent aristokrati over sig. Den havde personlighed.

Rebus vinkede til den vagthavende betjent, der var ved at pille gamle billeder ned fra opslagstavlen og erstatte dem med nye. Han gik op ad den pompøst buede trappe til sit kontor. Campbell var på vej ud.

"Hej, John."

McGregor Campbell, kriminalassistent ligesom Rebus, var ved at tage hat og frakke på.

"Sker der noget, Mac? Bliver det en travl nat?" Rebus rodede i beskederne på sit skrivebord.

"Det skal jeg ikke kunne sige, John, men jeg kan fortælle dig, at det har været et rent helvede herinde i dag. Der er brev til dig fra øverstbefalende."

"Nåh," Rebus var optaget af et andet brev, han lige havde åbnet.

"Det er rigtigt, så du må hellere rette ryggen. Jeg tror, du bliver overført til kidnapningssagen. Held og lykke. Nå, men jeg forsvinder ned på pubben. Jeg vil gerne nå at se boksekampen på BBC. Jeg kan lige nå det." Campbell så på sit ur. "Der er masser af tid. Er der noget galt, John?"

Rebus viftede med den nu tomme konvolut.

"Hvem kom med det her?"

"Det aner jeg ikke. Hvad er det?"

"Et nyt tossebrev."

"Det siger du ikke?" Campbell kantede sig hen til Rebus og studerede den maskinskrevne seddel over skulderen på ham. "Det ser ud til at være den samme fyr, hva'?"

"Det var dog fantastisk godt set, Mac, eftersom teksten er nøjagtigt den samme."

"Hvad med snoren?"

"Åh, den er der skam også." Rebus tog et lille stykke snor op fra sit skrivebord. Der var bundet en simpel knude midtpå.

"Det er sgu noget underligt noget." Campbell gik hen mod døren. "Vi ses i morgen, John."

"Ja ja, farvel så længe." Rebus ventede, indtil hans ven var gået helt ud. "Du, Mac!" Campbell stak hovedet ind.

"Hvad er der?"

"Maxwell vandt den store kamp," sagde Rebus og grinede.

"Hold kæft, hvor er du bare for meget, mand." Campbell drejede tænderskærende om på hælen.

"En af den gamle skole," sagde Rebus til sig selv. "Hvem er det, der kan tænkes at have et horn i siden på mig?"

Han studerede brevet igen og tjekkede så konvolutten. Der stod ingenting ud over hans eget navn, maskinskrevet med ujævne typer. Brevet var blevet leveret direkte, akkurat som det første. Det var sgu godt nok noget underligt noget.

Han gik nedenunder og hen til skranken.

"Jimmy?"

"Ja, John."

"Har du set det her?" Han viste konvolutten til den vagthavende betjent.

"Det der?" Betjenten rynkede ikke blot panden, men, sådan så det i hvert fald ud for Rebus, hele hovedet. Kun fyrre år ved politiet kunne få en mand til at se sådan ud, fyrre år med spørgsmål, gåder og bebyrdelser. "Det må være blevet skubbet ind under døren, John. Jeg fandt det selv på gulvet lige der ovre." Han pegede over imod stationens hoveddør. "Er der sket noget?"

"Næh, egentlig ikke, men tak alligevel, Jimmy."

Men Rebus vidste, at han ikke ville få lukket et øje i nat på grund af det anonyme brev. Det var ikke mere end et par dage siden, han havde modtaget det første. Han kiggede på de to breve på sit skrivebord. De var skrevet på en gammel skrivemaskine, efter al sandsynlighed transportabel. Bogstavet S sad cirka en millimeter højere end de andre bogstaver. Papiret var billigt og uden vandmærke. Snoren havde en knude på midten og var skåret af med en skarp kniv eller en saks. Teksten. Det var den samme maskinskrevne tekst:

DER ER SPOR OVERALT.

Okay, det var måske rigtigt nok. Det var en gal mands værk, en form for practical joke. Men hvorfor lige ham? Det gav ingen mening. Og så ringede telefonen.

"Kriminalassistent Rebus?"

"Ja, det er mig."

"Rebus, Kriminalkommissær Anderson her. Har du fået min besked?"

Anderson. Røvhullet Anderson. Det var lige det, der manglede. Fra den ene idiot til den anden.

"Ja, sir," sagde Rebus, mens han med røret klemt fast mellem hage og skulder flåede brevet på skrivebordet op.

"Godt. Kan du være her om tyve minutter? Briefingen vil finde sted i kommandocentralen på Waverley Road."

"Jeg skal nok være der, sir."

Telefonen begyndte at dutte, mens Rebus læste. Så var det rigtigt. Nu var det officielt. Han var blevet overflyttet til kidnapningssagen. Gudfader for et liv. Han puttede sedlerne, konvolutterne og snoren i sin jakkelomme og så sig frustreret om i kontoret. Hvem narrede hvem? Det ville mindst kræve Guds indgriben at få ham frem til Waverley Road på den rigtige side af en halv time. Og hvornår skulle han egentlig få tid til at gøre alt det andet arbejde færdigt? Han havde tre sager, der snart skulle i retten, og tolv-sytten andre, der skreg på papirarbejde, inden hans hukommelse svigtede fuldstændigt.

Det ville være skønt, hvis han bare kunne få dem til at forsvinde. Gøre dem usynlige. Han lukkede øjnene. Han åbnede dem igen. Papirarbejdet lå der stadig, bjerge af det. Nytteløst. Altid halvgjort. Aldrig så snart var en sag afsluttet, før to eller tre andre dukkede op. Hvad var det nu, det der uhyre hed? Hydraen, var det ikke sådan? Det var sådan en, han kæmpede imod. Hver gang han huggede ét hoved af, dukkede der et nyt op i hans indgående post. At komme tilbage fra ferie var et mareridt.

Og nu ville de oven i købet give ham klippestykker, som han kunne rulle op ad bjerget.

Han kiggede op i loftet.

"Med Guds nåde," hviskede han og gik ud for at finde sin bil.

II

THE SUTHERLAND BAR VAR EN VELBESØGT OASE. Dér fandtes ingen jukeboks, ingen videospil eller spilleautomater. Udsmykningen var sparsom, og fjernsynet hoppede og dansede altid. Kvinder havde ikke været velkomne før et godt stykke oppe i 1960'erne. Der havde sandelig også været noget at skjule, nemlig den bedste fadøl i Edinburgh. McGregor Campbell gjorde indhug i sit fyldte ølkrus, mens han opmærksomt fulgte med på tv-skærmen over baren.

"Hvem vinder?" spurgte en stemme ved siden af.

"Det aner jeg ikke," sagde han og drejede hovedet i retning af stemmen. "Jamen, goddag, Jim."

En fedladen mand havde sat sig ved siden af ham og sad nu med pengene i hånden og ventede på, det blev hans tur. Også han kiggede intenst på skærmen.

"Det ser ud til at blive noget af en kamp. Jeg tror, Mailer vinder."

Mac Campbell fik en idé.

"Nej, jeg tror, Maxwell står distancen og vinder på point. Skal vi vædde?"

Den kraftige mand fiskede i sin lomme efter en cigaret og så politimanden i øjnene.

"Hvor meget?" spurgte han.

"En femmer?" sagde Campbell.

"Det er i orden. Tom, send lige en øl herover. Skal du have en med, Mac?"

"Det samme igen, tak."

De sad et stykke tid uden at sige noget, mens de nippede til deres øl og betragtede kampen. De kunne høre dæmpede udbrud bag dem, hver gang et stød gik ind eller blev pareret.

"Det ser godt ud for din mand, hvis de går tiden ud," sagde Campbell og bestilte en omgang til.

"Ja ja, men lad os nu vente og se, ikke? Hvordan går det på jobbet forresten?"

"Fint, hvad med dig?"

"Siden du spørger, så har jeg skide forbandet travlt for øjeblikket." Asken dryssede ned på hans slips, mens han talte, cigaretten forlod ikke munden, selvom om den gyngede faretruende. "Skide travlt."

"Er du stadig i gang med den narkohistorie?"

"Ikke for alvor. Jeg skal dække den her kidnapningssag."

"Det siger du ikke? Den er Rebus også på. Pas på ikke at komme i vejen for *ham*."

"Bladsmørere kommer i vejen for *alle*, Mac. Det er en naturlov."

Mac Campbell vidste, at man skulle være på vagt over for Jim Stevens, men var alligevel taknemmelig for det venskab, der skønt spinkelt og anspændt til tider forsynede ham med informationer, der var nyttige for hans karriere. Stevens holdt selvfølgelig altid det bedste for sig selv. Det var 'enerettens' privilegium. Men han var altid villig til at bytte, og Campbell havde indtryk af, at selv de mest harmløse sladderhistorier var i stand til at dække Stevens behov. Han var ligesom en skade, der samler alting uden skelen og gemmer langt mere, end den nogensinde vil få brug for. Men man vidste aldrig med journalister. Campbell var i hvert fald glad for, at Stevens var hans ven og ikke hans fjende.

"Hvad skal der så ske med dit narkomateriale?"

Jim Stevens trak på sine blankslidte skuldre.

"Der er alligevel ikke noget i det, I kan bruge til noget for øjeblikket. Desuden har jeg ikke i sinde at droppe historien, hvis det er det, du mener. Nej, det er for stor en hvepserede til, at man kan lade den sidde. Jeg holder stadig øjnene åbne."

Gongongen lød for kampens sidste omgang. To svedende

og dødtrætte kroppe vaklede mod hinanden og blev til en klump af arme og ben.

"Det ser stadig godt ud for Mailer," sagde Campbell og fik pludselig en grim mistanke. Det kunne ikke være sandt. Det ville Rebus ikke gøre mod ham. Pludselig fik Maxwell, den tungeste og langsomste af de to boksere, et slag i hovedet og vaklede. Bargæsterne fløj op af stolene og vejrede blod og sejr. Campbell stirrede ned i sit glas. Maxwell tog stående tælling. Alt var forbi. Ifølge kommentatoren en sensation i de allersidste sekunder.

Jim Stevens rakte hånden frem.

Rebus, jeg slår dig fandeme ihjel, tænkte Campbell. Jeg er fuldstændig ligeglad, men jeg slår dig ihjel.

Senere, mens de sad over de drinks, der var indkøbt for Campbells penge, begyndte Jim Stevens at fiske om Rebus.

"Det ser åbenbart ud til, at jeg omsider kommer til at møde ham?"

"Måske, måske ikke. Han er ikke ligefrem perlevenner med Anderson, så han kan lige så godt få tildelt den tvivlsomme ære at sidde ved skrivebordet dagen lang. Men på den anden side er Rebus ikke ligefrem perlevenner med nogen."

"Nåh?"

"Årh, så galt er det vel heller ikke, men han er ikke den nemmeste at holde af." Campbell dukkede sig lidt under den andens spørgende blik og studerede journalistens slips. Det sidste nye lag af cigaretaske dækkede knap nok de gamle pletter. Æg måske, fedt, sprut. De mest lurvede journalister var altid de skrappeste, og Stevens var skrap, så skrap, som ti år hos den lokale avis kunne gøre en mand. Der gik rygter om, at han havde sagt nej tak til tilbud fra aviser i London, bare fordi han godt kunne lide at bo i Edinburgh. Og det, han allerbedst kunne lide ved sit job, var muligheden for at kunne afsløre byens mere lyssky affærer, kriminaliteten, korruptionen, banderne og narkotikaen. Han var en bedre detektiv end nogen, Campbell kendte, og måske netop derfor var han upopulær og stemplet som upålidelig hos politiets allerøverste. Det var bevis nok for, at han gjorde sit job godt. Campbell så, hvordan en lille smule øl dryppede fra Stevens' glas ned på hans bukser.

"Ham Rebus," sagde Stevens og tørrede sig om munden, "er han ikke bror til hypnotisøren?"

"Det må han være. Jeg har aldrig spurgt ham, men der kan ikke være ret mange med det navn heromkring, kan der?"

"Det mente jeg nok." Han nikkede for sig selv, som om han fik bekræftet noget af stor vigtighed.

"Og hvad så?"

"Åh, ingenting. Det var bare noget. Og du siger, han ikke er særlig populær?"

"Det var ikke præcis, hvad jeg sagde. Faktisk har jeg ondt af ham. Den stakkels fyr har meget at bære rundt på. Og nu er han oven i købet begyndt at få tossebreve."

"Tossebreve?" Stevens forsvandt et øjeblik i en røgsky, mens han tændte en ny cigaret. Der lå en tynd, blå værtshuståge mellem de to mænd.

"Det skulle jeg ikke have fortalt dig. Det her er altså *totalt* uofficielt."

Stevens nikkede.

"Selvfølgelig. Jeg var bare interesseret. Den slags ting forekommer vel?"

"Det er sjældent. Og aldrig helt så mærkelige som dem, han får. Jeg mener, de er ikke stødende eller noget. De er bare ... mærkelige."

"Fortsæt. Hvordan mener du?"

"Jo, de indeholder alle sammen et stykke snor med en knude på, og så er der en besked, der lyder noget i retning af 'der er spor overalt'."

"Fy for fanden. Det er underligt. Det er en underlig familie. Den ene er en skide hypnotisør, og den anden får anonyme breve. Var han ikke i hæren?"

"Jo, John var. Hvordan vidste du det?"

"Jeg ved alting, Mac. Det er mit job."
"En anden sjov ting er, at han ikke vil tale om det."
Journalisten virkede interesseret igen. Når han var interesseret i noget, dirrede hans skuldre umærkeligt. Han stirrede på fjernsynet.
"Han vil ikke tale om sin tid i hæren?"
"Ikke en stavelse. Jeg har spurgt ham et par gange."
"Som jeg sagde, Mac, det er en underlig familie. Drik nu ud, jeg har en masse af dine penge, jeg skal have brugt."
"Skiderik."
"En gang skiderik, altid skiderik," sagde journalisten og smilede for anden gang den aften.

III

"MINE HERRER, OG MINE DAMER SELVFØLGELIG, tak fordi De kunne samles her så hurtigt. Dette vil være centeret for operationerne under hele efterforskningen. Som De alle ved ..."

Kriminalinspektør Wallace stoppede midt i sætningen, da døren til kommandocentralen pludseligt blev åbnet, og alles øjne rettedes mod John Rebus, som trådte ind. Rebus så sig forlegent omkring, smilede forhåbningsfuldt, men forgæves undskyldende hen imod sin overordnede og satte sig ned på en stol nærmest døren.

"Som jeg var ved at sige," fortsatte kriminalinspektøren.

Rebus tog forsamlingen af detektiver i øjesyn, mens han gned sig i panden. Han vidste, hvad den gamle var ved at sige, og lige nu var en gammeldags flammetale det sidste, han havde brug for. Lokalet var stopfyldt. Mange af dem så trætte ud, som om de havde været på sagen et stykke tid. De mere friske og opmærksomme ansigter tilhørte de nye, nogle af dem hentet fra stationer uden for byen. To eller tre af dem havde papir og blyant klar, næsten som om de var i skole. Og forrest i gruppen, med benene over kors, sad to kvinder og kiggede op på Wallace, som nu gav den hele armen foran tavlen og lignede en af Shakespeares helte i en dårlig skoleforestilling.

"To dødsfald. Ja, dødsfald er jeg bange for." Lokalet vibrerede forventningsfuldt. "Liget af den elleveårige Sandra Adams blev fundet på en ubebygget grund i nærheden af Haymarket Station klokken seks her til aften, og Mary Andrews' lig blev fundet klokken seks halvtreds i en kolonihave i Oxgangdistriktet. Vi har folk ude på begge steder, og når denne briefing er slut, vil flere af jer blive pålagt at deltage."

Rebus lagde mærke til, at den sædvanlige hakkeorden var

gældende: kommissærer forrest i rummet, kriminalassistenter og betjente bagest. Selv midt i en mordsag vil der være en hakkeorden. Den engelske syge. Og han lå underst i bunken, fordi han var kommet for sent. Endnu en anmærkning om ham i en eller andens usynlige karakterbog.

Han havde altid været en af de bedste, mens han var i hæren. Han havde været faldskærmssoldat. En Para. Han var trænet af SAS og var den bedste på sit hold. Han var blevet udvalgt til en speciel udholdenhedstest. Han havde sin medalje og sine udmærkelser. Det havde været en god tid, og alligevel havde det også været en frygtelig tid med stress og afsavn, løgnagtighed og vold. Og da han forlod hæren, havde politikorpset været modvillig til at tage ham. Han forstod nu, at grunden til, at han fik det job, han gerne ville have, var, at hæren havde presset på. Visse folk kunne ikke lide sådan noget og havde lige siden forsøgt at lægge ham hindringer i vejen. Men han havde undgået dem og udført sit job og havde på trods af stor modvilje også fået sine udmærkelser her. Men det havde været småt med forfremmelser, og det havde fået ham til at sige sin uforbeholdne mening, og det var noget, der altid kunne bruges imod ham. Og en nat havde han så lagt en urolig svinehund i håndjern. Gud tilgive ham, han havde simpelthen tabt hovedet et øjeblik. Men det havde givet ham ikke så få problemer. Det var ikke den bedste verden, slet ikke. Det var et gammeltestamenteligt land, han befandt sig i, et barbarisk og fordømmende land.

"Vi vil selvfølgelig have flere oplysninger klar til jer i morgen, efter obduktionen. Men for indeværende tror jeg, at dette må være nok. Jeg vil så overlade jer til kriminalkommissær Anderson, som vil uddelegere jeres foreløbige arbejdsopgaver."

Rebus så, at Jack Morton sad og nikkede med hovedet ovre i hjørnet, og hvis ingen lagde mærke til det, ville han snart begynde at snorke. Rebus smilede, men smilet falmede brat, da det blev afbrudt af Andersons stemme oppe foran. Det var lige, hvad Rebus manglede. Anderson havde været offeret for hans uforbeholdne mening. Et kort kvalmende øjeblik føltes det som noget forudbestemt. Anderson havde kommandoen. Anderson skulle uddelegere arbejdsopgaverne. Rebus mindede sig selvom, at han skulle holde op med at bede. Måske hvis han holdt op med at bede, ville Gud forstå en fin hentydning og lade være med at opføre sig som en skiderik over for en af sine få tilhængere på denne så godt som gudsforladte jord.

"Gemmill og Hartley tager sig af forhøringen."

Nå, nå, gudskelov han ikke kom på den. Der var kun én ting, der var værre end at rende rundt og stemme dørklokker ...

"Kriminalassistenterne Morton og Rebus gennemgår kartoteket over sex-forbrydere."

... og det var det.

Tusind tak, Gud, tusind tak, skal du have. Det er lige det, jeg altid har ønsket at tilbringe mine aftener med: at gennemlæse samtlige optegnelser over hver eneste skide, perverse afviger og sex-forbryder i den østlige del af Midtskotland. Du må virkelig være ude efter mig. Tror du, jeg er Job eller sådan noget? Er det det, der er i vejen?

Men der opløftedes ingen overjordisk røst, ikke en lyd ud over den, der kom fra den djævleagtige Anderson, hvis fingre langsomt bladrede i navnelisten med fugtige og kødfulde læber. Anderson, med en kone, der var kendt for at bedrage ham, og en søn, der – af alle ting – var omvandrende poet. Rebus påkaldte den ene forbandelse efter den anden over sin pedantiske overordnede og sparkede så Jack Morton over benet og bragte ham gryntende og gnaven tilbage til bevidstheden.

En af de her nætter.

IV

"DET BLIVER EN AF DE HER NÆTTER," sagde Jack Morton. Han sugede velbehageligt på sin korte filtercigaret, hostede voldsomt, tog sit lommetørklæde frem og spyttede et eller andet ud i det. Han studerede indholdet af lommetørklædet. "Aha, nyt fældende bevismateriale." Men han så alligevel ret bekymret ud.

Rebus smilede. "Det er på tide at holde op med at ryge, Jack," sagde han.

De sad sammen ved et skrivebord, der var dynget til med cirka et hundrede og halvtreds rapporter om kendte sexforbrydere i Midtskotland. En smart, ung sekretær, der uden tvivl var glad for den overtid, en mordsag afstedkom, blev ved med at bære rapporter ind på kontoret, og Rebus stirrede på hende i forstilt raseri, hver gang hun kom. Han håbede at kunne skræmme hende væk, for hvis hun kom tilbage én gang til, ville raseriet blive til virkelighed.

"Nej, John, det er de her filterdimser. Jeg kan ikke klare dem, helt ærligt, det kan jeg ikke. Skide være med den doktor."

Morton tog cigaretten ud af munden, brækkede filteret af og anbragte den nu latterligt korte cigaret mellem de tynde, blodløse læber.

"Det var bedre. Det her minder mere om en smøg."

Rebus havde altid undret sig over to ting. Den ene var, at han godt kunne lide Jack Morton, og at det også gjaldt den anden vej rundt. Den anden, at Morton kunne suge så kraftigt på en cigaret og slippe så lidt røg ud igen. Hvor forsvandt al den røg hen? Det kunne han ikke regne ud.

"Jeg kan se, at du er afholdende i aften, John."

"Jeg har begrænset det til ti om dagen."

Morton rystede på hovedet.

"Ti, tyve, tredive om dagen. Hør på mig, John, det gør ingen forskel, når det kommer til stykket. Det, det drejer sig om, er, at enten holder man op, eller også gør man ikke, og holder man ikke op med at ryge, så kan man lige så godt ryge så mange, man har lyst til. Det er bevist. Jeg har selv læst om det i et blad."

"Ja, men vi ved jo så også, hvad det er for nogen blade, *du* læser, Jack."

Morton klukkede, frembragte endnu et overdådigt host og ledte efter sit lommetørklæde.

"Sikke et lortejob," sagde Rebus og rakte ud efter den første rapport.

De to mænd sad tavse i tyve minutter, mens de skimmede sig igennem fantasi og virkelighed for voldtægtsforbrydere, blottere, skørlevnere, børnelokkere og ruffere. Rebus mærkede sin mund blive fyldt med slam. Det var, som om han så sig selv igen og igen, det jeg, der lurede bag hans almindelige samvittighed. Hans egen Mr. Hyde af Robert Louis Stevenson. Født i Edinburgh.

Han skammede sig over, at han undertiden fik erektion. Det fik Jack Morton uden tvivl også. Den fulgte med de forbudne frugter akkurat som modviljen, afskyen og fascinationen.

Rundt omkring dem summede stationen af nattens aktiviteter. Mænd i skjorteærmer gik målrettet forbi deres åbne dør, døren til deres tildelte kontor, afskåret fra alle andre, så ingen kunne blive besmittet med deres overvejelser. Rebus holdt inde et øjeblik for at tænke på, at hans eget kontor hjemme på Great London Road godt kunne bruge en del af udstyret her. Det moderne skrivebord (intakt og med skuffer, der let kunne åbnes), kartoteksskabet (ditto), drikkeautomaten lige udenfor. Der var oven i købet tæpper i stedet for hans eget lever-røde linoleum med dets løse og farlige hjørner. Det var nogle meget smagfulde omgivelser at skulle efterspore den perverse afviger eller morder i.

"Hvad er det egentlig, vi leder efter, Jack?"

Morton gryntede, kastede en tynd brun sagsmappe fra sig, så over på Rebus, trak på skuldrene og tændte en cigaret.

"Affald," sagde han og tog en anden mappe op. Om det var ment som svar, fandt Rebus aldrig ud af.

"Kriminalassistent Rebus?"

En ung betjent, nybarberet og med bumser på halsen, stod i den åbne dør.

"Ja."

"Besked fra chefen, sir."

Han gav Rebus en blå, sammenfoldet seddel.

"Gode nyheder?" spurgte Morton.

"Åh, det er rigtig gode nyheder, fantastisk gode nyheder. Vores chef sender os følgende broderlige meddelse: 'Har I fundet noget at gå efter?' Slut på meddelelse."

"Er der noget svar, sir?" spurgte betjenten.

Rebus krøllede sedlen sammen og smed den i en ny papirkurv af aluminium.

"Ja, min dreng, det er der," sagde han, "men jeg tvivler stærkt på, at du kunne tænke dig at give det videre."

Jack Morton skraldgrinede og børstede aske af sit slips.

Det var en af de nætter. Jim Stevens, som omsider var på vej hjemad, havde ikke fundet ud af noget interessant siden hans samtale med Mac Campbell for hele fire timer siden. Han havde dengang fortalt Mac, at han ikke havde i sinde at droppe sin egen efterforskning af Edinburghs voksende narkotikahandel, og det havde været i overensstemmelse med sandheden. Det var ved at udvikle sig til en personlig besættelse, og selvom hans chef kunne finde på at flytte ham til en mordsag, ville han stadig følge op på den gamle efterforskning i sin egen, helt private fritid. Tid, der blev fundet sent om natten, mens aviserne var i trykken, tid, der blev brugt på mere og mere snuskede beværtninger, længere og længere væk fra byen. For han var tæt på en stor fisk, det vidste han, men ikke tæt nok til at gøre brug af lovens håndhævere. Han ville have, at historien skulle være vandtæt, før han sendte bud efter kavaleriet.

Han var også opmærksom på faren. Han vidste, at jorden altid kunne forsvinde under fødderne på ham og lade ham glide ned i vandet ved dokkerne i Leith en mørk og stille morgen, eller at han kunne blive fundet kneblet og bagbundet i en motorvejsgrøft uden for Perth – det bekymrede ham ikke. Det var ikke andet end en strøtanke frembragt af træthed og et behov for at holde sine følelser fri af Edinburghs rå og sammensatte narkoverden. En verden, der udspillede sig mere i de spredte genhusningsbebyggelser og ulovlige beværtninger end i de glamourøse diskoteker og smarte caféer i New Town.

Hvad han afskyede, hvad han virkelig afskyede, var, at de folk, der stod bag, var så hemmelighedsfulde, så diskrete, så fremmede over for det hele. Han kunne godt lide, at hans gangstere engagerede sig i det, de lavede, påtog sig rollen og bekendte kulør. Han havde mere tilovers for 1950'ernes og 60'ernes Glasgowgangstere, som boede i slumkvarteret the Gorbals og lånte sorte penge ud til naboer. Naboer, som de senere ville skære halsen over på, når det viste sig nødvendigt. Det var som et internt familieanliggende. Ikke ligesom det her, slet ikke som det her. Det her var noget andet, og derfor hadede han det.

Men hans snak med Campbell havde været interessant, interessant af andre grunde. Der var noget muggent ved ham Rebus. Det samme med broderen. Måske var de begge blandet ind i det. Hvis politiet var involveret i det her, så ville hans arbejde blive endnu sværere og derfor endnu mere tilfredsstillende.

Det, han havde brug for, var et gennembrud, et dejligt lille gennembrud. Han skulle efter sigende have næse for den slags.

V

Klokken halv to holdt de pause. Der var en lille kantine i bygningen, åben selv på dette ukristelige tidspunkt. Udenfor blev størstedelen af døgnets småforbrydelser begået, men indenfor var der trygt og varmt, og der var varm mad og masser af kaffe til de årvågne politimænd.

"Det er noget værre rod," sagde Morton og hældte kaffe fra underkoppen tilbage i sin kop. "Anderson har ikke den fjerneste idé om, hvad han leder efter."

"Giv mig lige en cigaret. Jeg er løbet tør." Rebus klappede sig overbevisende på lommerne.

"For helvede, John." Morton hostede som en gammel mand og skubbede cigaretterne over. "Den dag, du holder op med at ryge, skifter jeg underbukser."

Jack Morton var ikke en gammel mand, på trods af den umådeholdenhed, der ledte ham hurtigt og ubønhørligt mod en tidlig død. Han var femogtredive, seks år yngre end Rebus. Også han havde et ødelagt ægteskab bag sig, og de fire børn boede nu hos deres bedstemor, mens moderen var på en mistænkelig lang ferie med sin nuværende elsker. Hele lortet var én stor elendighed, havde han betroet Rebus, der måtte give ham ret, fordi han selv havde en datter, der tog hårdt på hans samvittighed.

Morton havde aldrig været andet end politimand og var i modsætning til Rebus startet helt fra den allerdybeste bund og havde arbejdet sig op til sin nuværende rang ved hårdt slid alene. Han havde fortalt Rebus sin livshistorie, engang de var på en dags fluefiskeri i nærheden af Berwick. Det havde været en pragtfuld dag, begge havde gjort gode fangster, og i løbet af dagen var de blevet venner. Alligevel havde Rebus ikke overvundet sig til at fortælle sin livshistorie. Det virkede på Jack Morton, som om manden befandt sig i sin egen lille selvkonstruerede fængselscelle. Han var især tavs om sin tid i hæren. Morton vidste, hvad hæren undertiden kunne gøre ved mennesker, og respekterede Rebus' tavshed. Måske var der ikke så få skeletter i dét skab. Det vidste han selv alt om; et par af hans mest bemærkelsesværdige anholdelser var ikke ligefrem foretaget, 'som proceduren foreskrev'.

Nu om stunder var Morton ligeglad med hovedoverskrifter og stjerneanholdelser. Han affandt sig med jobbet, hævede sin løn, tænkte nu og da på sin pensionering og fiske-årene forude og drak sin kone og børn ud af sin bevidsthed.

"Det er ellers en dejlig kantine," sagde Rebus, mens han røg, i et forsøg på at starte en konversation.

"Ja, det er det. Jeg kommer her tit. Jeg kender en af fyrene fra computerafdelingen. Det kan godt betale sig at være venlig over for en edb-operatør. De kan spore en bil, et navn eller en adresse hurtigere, end du kan nå at blinke. Det koster kun en drink en gang imellem."

"Kan du så ikke få dem til at klare vores bunker?"

"Giv tid, John. Så vil alle rapporter være i en computer. Og lidt efter vil de finde ud af, at de ikke længere har brug for arbejdsheste som os. Alt, hvad der behøves, er et par kriminalkommissærer og en terminal."

"Det vil jeg skrive mig bag øret," sagde Rebus.

"Det er fremskridtet, John. Hvor ville vi være uden det? Så ville vi stadig gå rundt med vores piber og gætteværk og forstørrelsesglas."

"Du har nok ret, Jack. Men husk på, hvad kommissæren siger. 'Bare giv mig en håndfuld dygtige mænd hver gang og send så jeres maskiner tilbage til, hvor de kom fra.'"

Rebus kiggede sig om, mens han talte. Han lagde mærke til, at en af kvinderne fra auditoriet havde sat sig ved et bord for sig selv.

"Og desuden," sagde Rebus, "vil der altid være brug for folk som os, Jack. Samfundet vil aldrig kunne undvære os. Computere kan ikke arbejde med intuition. På det felt kan vi altid slå dem."

"Måske, jeg ved det ikke. Men nu må vi nok hellere se at komme tilbage." Morton så på sit ur, tømte sin kop og skubbede stolen tilbage.

"Gå bare i forvejen, Jack. Jeg kommer lige om et øjeblik. Intuition, du ved."

"Må jeg sætte mig her?"

Rebus havde forsynet sig med en ny kop kaffe og trak nu stolen ud over for den kvindelige betjent, der sad med ansigtet begravet i dagens avis. Han lagde mærke til hovedoverskriften på forsiden. Nogen havde ladet oplysninger sive til den lokale presse.

"Selvfølgelig," sagde hun uden at se op.

Rebus smilede hen for sig og satte sig. Han nippede til sit grumsede pulversprøjt.

"Har du travlt?" spurgte han.

"Ja, burde du ikke også have det? Din ven gik for et par minutter siden."

Hun var altså skarpsindig. Meget skarpsindig endda. Rebus blev pludselig nervøs. Han brød sig ikke om nosseknusere, og her var alle ydre tegn på en til stede.

"Jo, det gjorde han da, men han er også morakker. Vi arbejder med *Modus Operandi*. Jeg vil gøre alt for at undgå den udsøgte fornøjelse."

Hun så endelig op, ude af stand til at afgøre, om det var en fornærmelse.

"Er det dét, jeg er? En taktisk forsinkelse?"

Rebus smilede og trak på skuldrene.

"Hvad ellers?" sagde han.

Nu var det hendes tur til at smile. Hun lukkede avisen, foldede den to gange og lagde den foran sig på det laminatbelagte bord. Hun bankede på avisen.

"Det ser ud til, at vi er kommet på forsiden," sagde hun.

Rebus vendte avisen om mod sig.

EDINBURGH-KIDNAPNINGERNE – NU ER DET MORD!

"Det er en værre lortesag," forsøgte han sig. "Bare ad helvede til – og aviserne gør det ikke spor bedre."

"Næh, men nu har vi obduktionsrapporten om et par timer, og det kunne måske give os noget at gå efter."

"Det håber jeg. Så kan jeg da i det mindste få lov til at lægge de skide sager fra mig."

"Jeg troede, at politimænd," med tryk på sidste stavelse, "lod sig ophidse af den slags?"

Rebus slog ud med hænderne, en vane, han åbenbart havde tillagt sig efter Michael.

"Meget morsomt. Hvor længe har du været i korpset?"

Rebus anslog hende til at være tredive, plus-minus et par år. Hun havde kraftigt kort, brunt hår og næse som en skihopbakke – lang og lige. Hun bar ingen ringe på fingrene, men nu om dage sagde det ingenting.

"Længe nok," sagde hun.

"Jeg mente nok, du ville sige sådan."

Hun smilede stadigvæk, ergo var hun ingen nosseknuser.

"Så er du smartere, end jeg troede," sagde hun.

"Du ville blive forbavset."

Han var ved at være træt af det her. Spillet var gået i stå. Lutter midtbane. Det lignede mere en venskabskamp end en pokalfinale. Han så demonstrativt på sit ur.

"Jeg må nok hellere se at komme tilbage," sagde han.

Hun samlede avisen op.

"Skal du noget i weekenden?" spurgte hun.

John Rebus satte sig ned igen.

VI

HAN FORLOD STATIONEN KLOKKEN FIRE. Fuglene gjorde deres bedste for at overbevise alle om, at det var morgen, men det så ikke ud til, at nogen lod sig narre. Det var stadigvæk mørkt, og luften var kølig.

Han besluttede sig for at lade vognen stå og gå hjem, en tur på et par kilometer. Han trængte til det, trængte til at mærke den kølige, fugtige luft. En lille regnbyge ville ikke være af vejen. Han fyldte lungerne og prøvede at slappe af og glemme, men alle sagerne kørte rundt i hovedet på ham. Små bidder af sammenstillede teorier, brudstykker af terror, hjemsøgte ham, mens han gik.

Seksuelt overgreb på et otte uger gammelt spædbarn. Babysitteren havde åbenlyst erkendt, at hun havde gjort det for 'sjov'.

En bedstemor, der blev voldtaget for øjnene af sine børnebørn, hvorefter børnene blev tilbudt slik af gerningsmanden. Overlagt forbrydelse begået af en halvtredsårig ungkarl.

En tolvårig pige, der havde fået brændt navnet på en gadebande ind i sine bryster med en cigaret, hvorefter hun var blevet efterladt i et brændende skur i den tro, at hun var død. Sagen aldrig opklaret.

Og det aktuelle problem: to piger bortført og stranguleret *uden* at være seksuelt misbrugt. Alene det var, som Anderson havde pointeret for kun en halv time siden, perverst i sig selv. På en eller anden måde måtte Rebus give ham ret. Det gjorde blot dødsfaldene endnu mere tilfældige, endnu mere formålsløse – og endnu mere chokerende.

I det mindste havde de ikke at gøre med en seksualforbryder, ikke umiddelbart. Hvilket Rebus tvungent måtte indrømme kun gjorde deres opgave endnu vanskeligere, for nu var de stillet over for noget i retning af en seriemorder, der slog til tilfældigt og sporløst, og som stilede mere hen imod en plads i rekordbøgerne end mod 'fornøjelsen'. Spørgsmålet var nu, ville han stoppe ved to? Det var nok usandsynligt.

Strangulation. Det var en uhyggelig måde at dø på. Man vrider og sparker sig hen imod forglemmelsen, går i panik, hiver efter vejret, og morderen står efter al sandsynlighed bag dig, så du kun ser frygtens anonyme ansigt, en død uden kendskab til hvem og hvorfor. Rebus havde lært, hvordan man slog ihjel, i SAS. Han vidste, hvordan det føltes, når garotten strammedes om halsen, og man måtte stole på modstanderens sunde fornuft. En uhyggelig måde at dø på.

Edinburgh sov videre, som den havde gjort i århundreder. Der var spøgelser i de brolagte gyder og på trappegangene i husene i Old Town. Men det var velopdragne spøgelser, velformulerede og høflige. De sprang ikke pludselig ud fra mørket med et stykke reb i hænderne. Rebus standsede og så sig omkring. Det var faktisk morgen nu, og ethvert spøgelse med respekt for sig selv ville ligge hjemme i sin seng. Det ville en nulevende John Rebus også – snart.

I nærheden af sin lejlighed kom han forbi en lille købmand, hvor der stod mælk og rundstykker stablet op udenfor. Ejeren havde klaget til Rebus privat over lejlighedsvise smårapserier, men ville ikke indgive en formel anmeldelse. Butikken var lige så død som resten af gaden, og øjeblikkets stilhed blev kun afbrudt af den fjerne rumlen fra en taxa, der rullede hen over brostenene, og fuglenes insisterende morgensang. Rebus kiggede sig omkring og tjekkede de nedrullede gardiner. Så tog han lynhurtigt seks rundstykker fra en bakke, stak dem i lommerne og gik derfra i et usædvanligt højt tempo. Et øjeblik senere standsede han tøvende og listede så tilbage til butikken som en forbryder, der vender tilbage til gerningsstedet, eller en hund til sit opkast. Rebus havde godt nok aldrig set en hund gøre sådan, men han havde det fra særdeles pålidelig kilde.

Han så sig om igen, løftede så en halv liter mælk ud af stativet og gik fløjtende hjemad.

Der var intet i verden, der smagte så godt som stjålne rundstykker med smør og marmelade og et krus kaffe med mælk. Forbuden frugt smager nu en gang bedst. I opgangen kunne han mærke den svage lugt af kattepis. Han holdt vejret på vej op ad trapperne og fumlede efter sin nøgle mellem de maste rundstykker.

Inde i lejligheden var der koldt og klamt. Han tjekkede centralvarmen, og vågeblusset var selvfølgelig gået ud. Han bandede, da han tændte igen, og skruede helt op for varmen, inden han gik ind i stuen.

Der var stadig ledige pladser på bogreolen, i reolsystemet og på kaminhylden, hvor Rhondas nips plejede at stå, men mange af hullerne var allerede fyldt ud af hans egne nyanskaffelser: regninger, ubesvarede breve, ringe fra dåser med billigt øl, bøger, han havde købt, men aldrig fået læst. Rebus samlede på bøger, han ikke fik læst. Engang for længe siden læste han faktisk de bøger, han købte, men nu om stunder syntes der aldrig at være tid til det. Desuden var han blevet mere kritisk, end han var dengang; i gamle dage ville han læse en bog til dens bitre ende, uanset om han kunne lide den eller ej. I dag ville en bog, han ikke brød sig om, have en levetid på under ti sider.

Det var sådan nogle bøger, der lå spredt rundt i stuen. De bøger, han ville læse, havde han samlet i sit soveværelse, hvor de stod stablet i velordnede rækker på gulvet som patienter i en læges venteværelse. En af dagene ville han tage ferie, og så ville han leje en hytte i højlandet eller ved kysten i Fife og medbringe alle sine venter-på-at-blive-læst-eller-genlæst-bøger. Alene tanken om al den viden, der lå og ventede på ham. Det krævede kun, at han åbnede en bog. Han yndlingsbog, som han læste mindst en gang om året, var *Forbrydelse og Straf*. Hvis bare, tænkte han, nutidens mordere ville udvise en eller anden form for samvittighedsnag. Men sådan var det ikke. Moderne mordere ville prale af deres bedrifter over for vennerne og bagefter spille pool på den lokale pub, hvor de selvsikkert kridtede deres køer overbevist om, i hvilken rækkefølge ballerne ville gå i hul ...

Alt imens en politibil holdt i nærheden, med politifolk, der ikke kunne gøre noget, bortset fra at beklage sig over bjergene af regler og regulativer og begræde kriminalitetens dybe afgrunde. Kriminaliteten var alle steder. Den var kraften, blodet, nosserne i dagligdagen. Man snød, man balancerede på en knivsæg, man forkastede autoriteterne, man dræbte. Jo højere man kravlede op ad forbrydelsens rangstige, desto sværere blev det at gennemskue forbrydelsen, kun ganske få advokater var i stand til at afsløre dig, og de var altid til købs. Alt det vidste Dostojevski, den snu ræv. Han havde følt lyset brænde i begge ender.

Men stakkels gamle Dostojevski var død og var ikke blevet inviteret til fest i weekenden, det var til gengæld han, John Rebus. Som oftest sagde han nej tak, når han blev inviteret, fordi et ja tak betød, at han så var nødt til at pudse sit sprog af, stryge en skjorte, børste sit pæne jakkesæt, gå i bad og bruge aftershave. Han var også nødt til at være selskabelig, drikke og være glad og snakke med fremmede, han ellers ikke havde intentioner om at snakke med, hvis han da ikke ligefrem blev betalt for det. Sagt på en anden måde, så følte han sig altid som en hund i et spil kegler ved sådanne sammenkomster. Men han havde sagt ja tak til Cathy Jacksons invitation i kantinen på Waverly Road. Hvem ville ikke det?

Alene tanken fik ham til at fløjte, da han var på vej ud i køkkenet for at lave morgenmad. Han tog den med sig ind i soveværelset som et led i ritualet efter en nattetjans. Han tog tøjet af og kravlede ned under dynen. Fadet med rundstykkerne anbragte han på brystet, så han kunne ligge og læse samtidig. Det var ikke en særlig god bog. Den handlede om kidnapning. Rhona havde taget selve sengen med sig, men havde efterladt madrassen, så det var ret nemt for ham at nå sin kaffe eller skifte bogen ud med en anden.

Han faldt hurtigt i søvn, og lampen brændte stadig, da bilerne begyndte at køre forbi uden for vinduet.

For en gang skyld virkede hans vækkeur og fik ham ud af sengen som en raket. Han havde sparket dynen af sig og var badet i sved. Han følte det, som om han var ved at kvæles, og kom pludselig i tanke om, at han havde ladet varmeapparaterne stå og koge. På vej ud for at slukke for termostaten stoppede han ved hoveddøren for at samle dagens post op. Et af brevene var ufrankeret og ustemplet. Der var kun hans navn, skrevet på maskine. Rebus' mave krympede sig omkring rundstykkerne. Han rev konvolutten op og fandt et enkelt ark papir.

TIL DEM, DER LÆSER MELLEM TIDERNE.

Så nu vidste galningen altså, hvor han boede. Han kiggede nærmest automatisk efter i konvolutten for at finde snoren med knuden, men fandt i stedet to tændstikker, der var bundet sammen med tråd, så det lignede et kors.

ANDEN DEL

TIL DEM,
DER LÆSER MELLEM TIDERNE

VII

ORGANISERET KAOS, sådan kunne man bedst beskrive avisredaktionens kontor. Organiseret kaos i allerstørste målestok. Stevens rodede i stakken af papirer efter den berømte nål. Måske havde han arkiveret det i sin bakke et andet sted. Han trak ud i en af de store tunge skuffer i sit skrivebord, men lukkede den hurtigt igen, for at rodet dernede ikke skulle slippe væk. Så tog han sig sammen, tog en dyb indånding og åbnede den igen. Han stak forsigtigt en hånd ned i bunken af papirer i skuffen, som om der var noget dernede, der kunne bide. En kæmpestor papirclips, der sprang af en bestemt sag, bed ham faktisk. Den nappede ham i tommelfingeren, og han smækkede skuffen i. Med cigaretten gyngende i mundvigen forbandede han kontoret, den journalistiske profession i det hele taget og træerne, der var skyld i, at man kunne lave papir. Han lænede sig tilbage i stolen og kneb øjnene sammen, da røgen fra hans cigaret begyndte at svide. Klokken var elleve om formiddagen, og kontoret var allerede indhyllet i en blå tåge, så man skulle tro, at man befandt sig midt i en større militær offensiv. Så greb han et maskinskrevet stykke papir, vendte det om og skrev med en diminutiv blyant, han havde neglet fra en bookmaker.

'X (mr. Big?) leverer til Rebus, M. Hvor kommer politimanden ind? Svar – måske over det hele, måske ingen steder.'

Han stoppede, mens han tog cigaretten ud af munden og tændte en ny med stumpen af dens forgænger.

'Nu – anonyme breve. Trusler? Kode?'

Stevens fandt det usandsynligt, at John Rebus ikke havde kendskab til sin brors engagement i den skotske narkotikaverden. Og hvis han vidste noget, var der store chancer for, at han selv var involveret og nu måske ledte efterforskningen i den forkerte retning for at hytte sit eget skind. Det ville blive et vaskeægte scoop, når det først kom ud, men han vidste også, at fra nu af måtte han gå stille med dørene. Ingen ville løfte en finger for at hjælpe ham med at få en politimand i fængsel, og hvis nogen fandt ud af, hvad han var i gang med, ville han få meget alvorlige problemer. Der var to ting, han skulle gøre. Punkt et: tjekke sin livsforsikring, og punkt to: ikke sige noget til nogen om det her.

"Jim!"

Redaktøren gjorde tegn til, at han skulle komme ind i torturkammeret. Han rejste sig med en bevægelse, der mindede om et træ, man rykker op med rode, glattede sit pink- og lillastribede slips og gjorde sig klar til skideballen.

"Hvad er der, Tom?"

"Skulle du ikke have været på pressekonference?"

"Der er masser af tid, Tom."

"Hvem tager du med som fotograf?"

"Kan det ikke være lige meget? Jeg kunne sgu lige så godt tage mit eget instamatic med derover. De her unge fyre ved ikke en skid, Tom. Hvad med Andy Fleming? Kan jeg ikke tage ham med?"

"Det er helt umuligt, Jim. Han dækker den kongelige rundrejse."

"Hvad for en kongelig rundrejse?"

Tom Jameson var lige ved at gøre noget så usædvanligt som at rejse sig igen fra sin stol, men nøjedes i stedet med at rette ryggen og trække skuldrene tilbage. Han stirrede skeptisk på sin såkaldte 'stjerne'-reporter.

"Du er da journalist, ikke? Jeg mener, du er da ikke gået på førtidspension eller blevet eneboer? Der er ikke fortilfælde af tidlig senilitet i familien?"

"Hør lige her, Tom. Når kongefamilien begår en forbrydelse, skal jeg nok være på pletten. Indtil da eksisterer den for mit vedkommende ikke. I hvert fald ikke uden for mine mareridt."

Jameson stirrede demonstrativt på sit armbåndsur.

“Okay, okay, jeg går nu.”

Med de ord drejede Stevens forbløffende hurtigt om på hælen og forlod kontoret uden at høre sin chef råbe op om, hvilken af de ledige fotografer han skulle tage med.

Det havde ingen betydning. Han havde endnu ikke mødt en politimand, der var fotogen. Og dog, da han forlod bygningen, kom han i tanke om, hvem der var pressetalsmand i denne specielle sag, og ændrede smilende synspunkt.

“‘Der er spor overalt for dem, der læser mellem tiderne’. Det er det rene volapyk, John.”

Morton dirigerede bilen over mod Haymarket-distriktet. Det var endnu en eftermiddag med vedvarende, silende regn. Fin og kølig regn af den slags, der gjorde én våd til skindet. Det havde været gråvejr hele dagen, og bilisterne var begyndt at bruge lys allerede ved middagstid. En helt rigtig dag til udendørsarbejde.

“Det er jeg ikke sikker på, Jack. Anden del hænger på den første, som om der var en logisk forbindelse.”

“Jamen, så må vi håbe, at han sender dig nogle flere breve. Måske kan det gøre det hele mere forståeligt.”

“Måske. Jeg så nu hellere, at han stoppede med sit pis. Det er ikke særligt rart at vide, at en galning ved, både hvor du bor og arbejder.”

“Står du i telefonbogen?”

“Nej, jeg har hemmeligt nummer.”

“Så kan vi da udelukke den mulighed. Hvorfra kender han så din privatadresse?”

“Han eller hende,” sagde Rebus og proppede brevene tilbage i lommen. “Hvor skulle jeg vide det fra?”

Han tændte to cigaretter, brækkede filteret af den ene og gav den til Morton.

“Tak,” sagde Morton og anbragte den lille cigaret i mundvigen. Regnen var ved at stilne af. “Oversvømmelse i Glasgow,” sagde han uden at forvente svar.

Begge mænd havde sorte rande under øjnene af træthed, men sagen havde fået greb i dem, og nu kørte de tomme i hovederne mod efterforskningens triste udgangspunkt. Man havde stillet et skur op på byggegrunden ved siden af det sted, hvor man havde fundet pigens lig. Derfra kunne man koordinere forhøringen. Familie og venner blev også afhørt. Rebus forudså næste dags trælse arbejde.

"Det, der bekymrer mig," havde Morton sagt, "er, at hvis de to mord har forbindelse med hinanden, så har vi at gøre med en, der efter al sandsynlighed ikke kendte nogen af pigerne. Det gør det først rigtigt besværligt."

Rebus havde nikket. Der var dog stadig en chance for, at begge piger havde kendt deres morder, eller at de på en eller anden måde havde stolet på ham. Ellers ville de have kæmpet imod ved bortførelsen. De var trods alt næsten tolv år og sikkert ikke tabt bag en vogn. Og ingen vidner havde overværet sådan et optrin. Det virkede temmelig underligt.

Det var holdt op med at regne, da de trådte ind i det trange kommandorum. Den kommissær, der ledede udendørsoperationen, var der for at give dem lister med navne og adresser. Rebus var lykkelig over at være væk fra hovedkvarteret og fra Anderson med hans tørst efter resultater. Det var her, det egentlige arbejde foregik, her, der blev fundet sammenhænge, og hvor et enkelt fejltrin fra en mistænkt kunne påvirke en sag på den ene eller anden måde.

"Hvis De ikke har noget imod, jeg spørger, sir, så kunne jeg godt tænke mig at vide, hvem det var, der foreslog min kollega og mig til netop dette job?"

Kommissæren så ud, som om han morede sig, og studerede Rebus et øjeblik.

"Jamen, det har jeg sgu noget imod, Rebus. Det er også fuldstændig lige meget. Hver eneste opgave i den her sag er lige så vigtig og betydningsfuld som enhver anden. Glem ikke det."

"Nej, sir," sagde Rebus.

"Det her må være lidt ligesom at arbejde i en skotøjsæske, sir," sagde Morton og så sig om i det trange lokale.

"Ja, min dreng, jeg sidder i skotøjsæsken, men I er skoene, og se så at komme i omdrejninger."

Den kommissær, tænkte Rebus, så ud til at være god nok. Han talte et sprog, som man forstod.

"De skal ikke være nervøs, sir," sagde han så, "det her vil ikke tage os ret lang tid."

Han håbede, at kommissæren fangede ironien i tonefaldet.

"Den, der kommer sidst, er en tøsedreng," sagde Morton.

De gjorde det altså efter bogen, selvom sagen så ud til at kræve et par nye regler. Anderson sendte dem ud for at lede efter de sædvanlige mistænkte: familie, bekendte og folk med en kriminel fortid. Hjemme i hovedkvarteret var de garanteret i gang med at undersøge grupper som Pædofiles Informationsudveksling. Rebus håbede, at Anderson ville modtage en masse opkald fra sindsforvirrede, som han var nødt til at tjekke. Det mest almindelige var folk, der tilstod forbrydelsen, clairvoyante, der kunne hjælpe med at få kontakt til afdøde, eller mennesker, der viftede én om næsen med falske oplysninger. Fælles for dem alle var, at de var underlagt fortidens synder og nutidens fantasier. Men det var de måske ikke ene om.

Rebus bankede på døren til det første hus og ventede. Døren blev åbnet af en snusket, gammel kone i bare fødder og med en cardigan bestående af halvfems procent huller og ti procent uld slynget over de spidse skuldre.

"Hva' er der?"

"Det er politiet, mrs. Det drejer sig om mordet."

"Hva'? Jeg ska' ikke ha' noget. Se så at komme væk, inden jeg ringer til panserne."

"Det drejer sig om mordene," råbte Rebus. "Jeg er politimand. Jeg er her for at stille Dem et par spørgsmål."

"Hva'?" Hun trådte et skridt tilbage for at se rigtigt på ham, og Rebus var overbevist om, at han kunne spore et svagt glimt af forstand i hendes pupillers dunkle mørke.

"Hvaffor no'en mord?" sagde hun.

Det skulle nok blive sjovt det her. Og for at gøre det hele fuldendt begyndte det at regne igen, tunge klatter af iskoldt vand løb ned over ansigt og nakke på ham og sivede ind i hans sko. Akkurat som den dag ved faderens grav ... var det i går? Der kunne ske en masse på fireogtyve timer, men at det hele absolut skulle ske for ham.

Ved syvtiden havde han besøgt seks ud af de fjorten på listen. Han gik tilbage til kommando-skotøjsæsken med ømme fødder og en mave, der var fyldt med te og nu krævede noget stærkere.

Jack Morton stod og stirrede ud over den forsømte byggegrund. Oversået med mursten, byggeaffald og leret jord var det et paradis for børn.

"Sikken et usselt sted at dø."

"Det var ikke her, hun døde, Jack. Husk, hvad retsmedicineren sagde."

"Du ved, hvad jeg mener."

Selvfølgelig vidste Rebus, hvad han mente.

"Forresten," sagde Morton, "så er du en tøsedreng."

"Skål på det," sagde Rebus.

De drak deres øl på en af Edinburghs mere ydmyge barer, en af dem, som turisterne aldrig kommer på. selvom de forsøgte at få sagen lidt på afstand, ville det ikke rigtigt lykkes. Det var ligesom i de store mordsager. De fik tag i dig, fysisk og psykisk, de åd dig op indefra og fik dig til at arbejde endnu hårdere. Der var et sus af adrenalin gemt i ethvert mord. Det var det, der fik én til at bryde grænser.

"Jeg må hellere se at komme tilbage til lejligheden," sagde Rebus.

"Ska' du ikke lige ha' en mere?" Morton vinkede over mod baren med det tomme glas i hånden.

Rebus var tung i hovedet og sad og tænkte på sin mystiske brevskriver. Han mistænkte Rhona, skønt det ikke ligefrem kunne siges at være hendes stil. Han mistænkte sin datter Sammy, det kunne jo være en eller anden forsinket hævnakt for, at han så tidligt havde forladt hende. Familie og venner var altid, i hvert fald i princippet, hovedmistænkte. Men det kunne være alle og enhver, alle, der vidste, hvor han arbejdede og boede. Selv inden for korpset var der mulige emner at at være bange for.

10.000 dollar-spørgsmålet var som altid: hvorfor?

"Her skal du bare se, to dejlige glas øl, helt på husets regning.

"Det kalder jeg ægte samfundssind," sagde Rebus.

"Eller ægte forretningssind, hva', John?" Morton fnisede af sin egen vits og tørrede skum af overlæben. Han lagde mærke til, at Rebus ikke smilede. "Hvad tænker du på?" spurgte han.

"En seriemorder," sagde Rebus. "Det må det være. Og det betyder, at vi endnu ikke har set det sidste mord."

Morton satte glasset fra sig og var pludselig ikke tørstig mere.

"Disse piger gik på forskellige skoler," fortsatte Rebus, "de boede i forskellige områder af byen, deres smag var forskellig, de havde forskellige venner og hver sin religion, men blev dræbt af den samme morder, på den samme måde og uden at lide synderlig overlast. Vi har at gøre med en sindssyg. Han kunne være hvor som helst."

Et par stykker var ved at komme op at slås i baren, tilsyneladende over et spil domino, der ikke var gået, som det skulle. Et glas faldt på gulvet efterfulgt af almindelig tyssen. Så syntes alle at falde til ro. En mand blev fulgt udenfor af sine støtter i skænderiet. Den anden blev siddende ved baren, mens han mumlede et eller andet til en kvinde ved siden af.

Morton tog en slurk af sin øl.

"Gudskelov, at vi ikke er i tjeneste," sagde han. Og så: "Hvad siger du til en gang indisk?"

• • •

Morton blev færdig med sin kylling vindaloo og smed gaflen ned på tallerkenen.

"Egentlig burde jeg ringe til drengene fra sundhedsstyrelsen," sagde han stadig med mad i munden. "Enten det eller levnedsmiddelkontrollen. Det der har i hvert fald aldrig været kylling."

De sad på en lille indisk restaurant i nærheden af Haymarket Station. Lilla belysning, rødt fløjlstapet og inciterende citarmusik.

"Du så ud, som om du ku' li' det," sagde Rebus og drak ud.

"Det smagte også godt, men det var altså ikke kylling."

"Jamen, du skal da ikke brokke dig, hvis du kunne li' det." Rebus sad som en anden verdensmand med benene strakt ud foran sig og den ene arm over stoleryggen, mens han røg på sin cigaret nummer hundrede og sytten den dag.

Morton lænede sig uroligt over mod sin partner.

"John, man kan *altid* finde på et eller andet at beklage sig over, især hvis man tror, man kan slippe for at betale regningen på den måde."

Han blinkede til Rebus, bøvsede og rakte ned i lommen efter en cigaret.

"Det skidt," sagde han.

Rebus prøvede at regne ud, hvor mange cigaretter han selv havde røget den dag, men hans hjerne fortalte ham, at en sådan udregning ville blive alt for indviklet.

"Gad vide, hvad vores morderven laver i dette øjeblik?" sagde han.

"Måske spiser han på en indisk restaurant?" foreslog Morton. "Problemet er, han sagtens kan ligne hr. Hvemsomhelst, udadtil den hårdtarbejdende familiefar fra forstaden, men under overfladen fuldstændig kulret."

"Vores mand er ikke dum."

"Nej, det er rigtigt."

"Men det kan godt være, du har ret. Du mener, han er en slags dr. Jekyll og mr. Hyde?"

"Lige præcis." Morton askede ned på bordpladen, der allerede var sovset ind i karry og ølsjatter. Han så på sin tomme tallerken, som om han ikke kunne forstå, hvor al den mad var blevet af. "Dr. Jekyll og mr. Hyde, det er sagens kerne i en nøddeskal. Jeg skal få de skiderikker spærret inde i en million år, en million år i en isolationscelle på størrelse med en skotøjsæske. Det er lige præcis, hvad jeg vil gøre."

Rebus stirrede på fløjlstapetet. Han tænkte tilbage på sin egen tid i isolationscelle, dengang SAS forsøgte at knække ham, den ultimative test, tavshed, vemod, sult og skidt. Nej, aldrig mere. Det var ikke lykkedes dem at besejre ham, ikke for alvor. De andre havde ikke været helt så heldige.

Et skrigende ansigt, fanget i en celle.

Luk mig ud! Luk mig ud!

Luk mig ud ...

"John? Har du det godt? Hvis du skal brække dig, ligger toiletterne bag ved køkkenet. Når du går forbi, så gør mig lige den tjeneste at se, hvad det er, de hakker i stykker og kommer i gryden ..."

Rebus gik med skråsikre skridt mod toilettet, præget af den overforsigtighed, der kendetegner fulderikken, og alligevel følte han sig ikke fuld, i hvert fald ikke *så* fuld. Hans næse fyldtes med lugten af karry, desinfektionsmidler og lort. Han slog koldt vand i ansigtet. Nej, han skulle ikke brække sig. Det var ikke øllets skyld, for han havde følt den samme isnen ude ved Michael, den samme angst. Hvad var der ved at ske med ham? Det var, som om alt stivnede inde i ham, bremsede ham og lod fortiden indhente ham. Det føltes lidt lige som det nervesammenbrud, han havde gået og ventet på, og alligevel var det ikke noget nervesammenbrud. Det var ingenting. Det var overstået.

• • •

"Vil du ha' et lift, John?"

"Nej, ellers tak. Jeg går. Jeg har godt af lidt frisk luft."

De skiltes i døren til restauranten. Et selskab med løsnede slips og kraftig, kvalmende parfume var på vej mod Haymarket Station. Haymarket var den sidste station ind mod Edinburgh før den langt mere imponerende Waverly Station. Rebus kom i tanke om, at udtrykket for coitus interruptus i folkemunde var 'at stå af ved Haymarket'. Hvem sagde, at folk i Edinburgh var kedelige? Et smil, en sang og en strangulation. Rebus tørrede sved af panden. Han følte sig stadig sløj og lænede sig op ad en lygtepæl. Han havde en svag idé om, hvad der var i vejen. Det var en fornægtelse af hele hans fortid, på samme måde som hans krop ville afvise et donorhjerte. Han havde skubbet træningens gru så langt tilbage i sit sind, at ethvert ekko ville blive bekæmpet skånselsløst. Alligevel var det i den samme periode, han havde vundet venskaber, broderskab og sammenhold, man kunne kalde det, hvad man ville. Og han havde lært mere om sig selv end i på noget andet tidspunkt i sit liv. Han havde lært så meget.

Han var ikke blevet knækket. Han havde fuldført træningen uden at kny. Og så kom nervesammenbruddet.

Nu måtte det være nok. Han begyndte at gå og beroligede sig selv med at tænke på dagen i morgen. Han ville bruge dagen på at sove og læse og gøre sig klar til en fest, Cathy Jacksons fest.

Og dagen efter igen, søndag, ville han bruge som en af de sjældne dage, han tilbragte med sin datter. Og så ville han, måske, finde ud af, hvem der stod bag de tossebreve.

VIII

PIGEN VÅGNEDE MED EN TØR, salt smag i munden. Hun følte sig træt og ør i hovedet og undrede sig over, hvor hun var. Hun havde da ikke været søvnig før, før han gav hende et stykke af sin chokolade. Nu var hun vågen, men hun var ikke i sit værelse derhjemme. Værelset her havde billeder på væggene, billeder, der var klippet ud af kulørte blade. Nogle af dem var fotografier af soldater med barske udtryk, andre var af piger og kvinder. Hun kiggede nærmere på nogle amatørfremkaldte fotografier, der var samlet på en af væggene. Der var et billede af hende selv, mens hun lå og sov på sengen med armene ud til siden. Hun åbnede munden i et svagt gisp.

På den anden side af døren, inde i stuen, kunne han høre hendes bevægelser, mens han gjorde garotten klar.

Den nat havde Rebus et af sine mareridt igen. Et langt dvælende kys blev efterfulgt af en ejakulation såvel i drømme som i virkeligheden. Han vågnede lige efter og tørrede sig. Han kunne stadig mærke smagen af kysset, det hang omkring ham som en aura. Han rystede sig fri af det. Han havde brug for en kvinde. Så kom han i tanke om festen og slappede lidt mere af. Men hans læber var tørre. Han sjoskede ud i køkkenet og fandt en sodavand. Så huskede han, at han stadig var fuld og ville få tømmermænd, hvis han ikke var forsigtig. Han skænkede sig tre glas vand og tvang dem i sig. Tilfreds konstaterede han, at termostaten stadig virkede. Det var ligesom et godt varsel. Da han krøb tilbage i sengen, huskede han endda at sige sine bønner. Det ville overraske Den Store Mester deroppe. Han ville gøre et notat i sin tykke bog: Rebus huskede mig i nat. Måske vil jeg give ham en god dag i morgen. Amen.

IX

MICHAEL REBUS ELSKEDE SIN BMW, som han elskede selve livet, måske endda mere.

Trafikken til venstre for ham syntes næsten at være gået i stå, da han drønede ud ad motorvejen, og i dette øjeblik følte han det, som om bilen *var* livet, på en underlig tilfredsstillende måde. Han lod køleren sigte mod den lysende horisont og lod den føre sig ind i fremtiden, pressede den til det yderste uden at tage hensyn til noget eller nogen.

Sådan kunne han lide det, hurtig og kontant luksus, et tryk på knappen og så derudad. Han trommede med fingrene på rattets læder, legede lidt med stereoanlægget og lænede hovedet tilbage mod den polstrede nakkestøtte. Han drømte tit om bare at tage af sted, forlade sin kone og børn, bare ham og hans bil. Bare køre og køre, kun stoppe for at spise og få benzin på, køre og køre, indtil han døde. Det var sådan, han forestillede sig paradis, og han elskede at fantasere om det, for han vidste jo, at han aldrig ville turde at omsætte paradis til praksis.

Da han fik sin første bil, kunne han vågne om natten og trække gardinerne til side for at se, om den stadig ventede på ham udenfor. Nogle gange stod han op klokken fire eller fem om morgenen bare for at køre et par timer, altid duperet over, hvor langt man kunne komme på et øjeblik. Han elskede at køre på de tomme veje, hvor kun kaniner og krager gjorde ham selskab, og hvor et enkelt tryk på hornet kunne få flokke af fugle til at flagre op i luften. Han havde aldrig mistet sin kærlighed til biler, og nu kunne han udleve sin drøm.

Nu kiggede folk på hans bil. Han kunne finde på at parkere den i en tilfældig gade i Kirkcaldy og fra diskret afstand iagttage, hvordan folk beundrede den. De yngre mænd ville med dristig forventning stirre ind gennem ruden og beglo læderet og instrumentbrættet, som havde det været dyr i en zoologisk have. De ældre mænd, nogle af dem med deres koner på slæb, ville vurdere hele maskinen og nogen gange spytte på vejen bagefter, fordi den repræsenterede alt, hvad de altid havde ønsket sig, men aldrig fik. Michael Rebus havde fået opfyldt sin drøm, og det var en drøm, han kunne kigge på, når som helst han ville.

Nu var det sådan i Edinburgh, at det ikke var ligegyldigt, hvor man parkerede, hvis man ønskede, at ens bil skulle vække opmærksomhed. Engang havde han parkeret bilen i George Street kun for at opdage, at en Rolls-Royce ville til at holde bag ham. Spruttende af raseri havde han sat bilen i gang igen og parkerede snart efter uden for et diskotek. Han vidste, at hvis man parkerede en dyr bil uden for en restaurant eller et diskotek, var der ikke så få, der ville tro, at man var ejeren af etablissementet, og det var en frydefuld fornemmelse, der kunne udviske enhver erindring om Rolls-Roycen og give nyt liv til hans drøm.

Der kunne også være en vis sport i at holde ved en lyskurve, undtagen når en eller anden halvhjerne på en kæmpestor motorcykel drønede op i røven af ham eller endnu værre – op på siden af ham. Nogle af disse motorcykler var skabt til hurtig acceleration, og ikke så få gange var han blevet nådesløst besejret i kampen om at komme først ud af starthullerne. Det prøvede han også at lade være med at spekulere på.

I dag parkerede han der, hvor han havde fået besked på, på parkeringspladsen på toppen af Carlton Hill. Han kunne se ud til Fife gennem frontruden, og bagtil lå Princes Street spredt ud som et byggesæt. Der var ro og fred heroppe, turistsæsonen var ikke startet endnu, og det var koldt. Han vidste, at der var mere liv om natten, bilræs, drenge og piger, der håbede på en køretur, fester på Queensferry Beach. Edinburghs bøsseverden ville blande sig med de ensomme og de nysgerrige, og efterhånden ville et par stykker forsvinde hånd i hånd ind på kirkegården ved foden af bakken. Når mørket faldt på, ville den østlige del af Princes Street forvandles til en verden for sig selv, til ét stort fællesskab.

Men han ville ikke dele sin bil med nogen. Hans drøm var alt for skrøbelig.

Han iagttog Fife hen over Firth of Forth, på afstand var det et smukt syn, indtil manden tog farten af sin bil og kørte op på siden af ham. Michael skubbede sig over på passagersædet og rullede vinduet ned. Det gjorde manden ved siden af også.

"Har du varerne?" spurgte han.

"Selvfølgelig," sagde manden. Han kiggede i bakspejlet. Der kom nogen op over bakketoppen, en hel familie, for at det ikke skulle være løgn. "Vi må hellere vente lidt."

De tav og stirrede tomt ud over landskabet.

"Ingen problemer ovre på Fife?" spurgte manden.

"Nej."

"Rygtet siger, at du har haft din bror på besøg. Passer det?" Der var et hårdt udtryk i mandens øjne, hele hans fremtoning var hård. Men hans bil var en skrotdynge. Det beroligede Michael.

"Ja, men det betyder ingenting. Det var årsdagen for den gamles død. Andet var det ikke."

"Han ved ikke noget?"

"Selvfølgelig gør han ikke det. Hvad regner du mig for?"

Blikket i mandens øjne fik Michael til at tie. Han fattede ikke, hvordan denne mand kunne gøre ham så bange. Han hadede disse møder.

"Hvis der sker noget," sagde manden, "hvis *noget som helst* går galt, så er du på røven. Og det mener jeg. For fremtiden må du se at undgå den snushane."

"Det var ikke min skyld. Han kom tilfældigt forbi. Han ringede ikke en gang i forvejen. Hvad kunne jeg gøre?"

Han klemte hårdt om rattet, ude af stand til at røre sig. Manden kastede et blik i bakspejlet igen.

"Klar bane," sagde han og rakte om bag i bilen. En lille pakke gled ind gennem Michaels bilrude. Han tjekkede kort indholdet, tog en konvolut ud af lommen og drejede tændingsnøglen.

"Vi ses igen, mr. Rebus," sagde manden og åbnede konvolutten.

"Ja," sagde Michael og tænkte, at det håbede han ikke. Det her var ved at blive lidt for farligt for ham. Disse mennesker syntes at vide alt om ham. Men han var også klar over, at frygten altid tog af og blev erstattet af eufori, når han havde skilt sig af med en ny ladning og kunne stikke en pæn fortjeneste i lommen. Det var øjeblikket, når frygten gled over i eufori, der fik ham til at fortsætte. Det var den hurtigste acceleration bort fra en lyskurve, man kunne opleve – nogensinde.

Fra bakkens victorianske ruin, en latterlig, aldrig fuldført kopi af et græsk tempel, stod Jim Stevens og iagttog Michael Rebus køre bort. Det her var ikke nyt for ham, han var mere interesseret i forbindelsen fra Edinburgh, en mand, han ikke kunne spore og ikke kendte, en mand, der havde rystet ham af to gange før og sikkert ville gøre det igen. Der var tilsyneladende ingen, der vidste, hvem denne mystiske mand var, og ingen var specielt interesseret i at vide det. Han lignede en, man skulle undgå. Stevens følte sig pludselig meget gammel og træt, og han kunne ikke gøre andet end at notere bilens nummer. Måske kunne McGregor Campbell få noget ud af det, men han var nervøs for, at Rebus skulle få nys om noget. Han følte sig låst fast i noget, der havde udartet sig til at være mere kompliceret end først antaget.

Rystende prøvede han at overbevise sig selvom, at han kunne lide det på denne måde.

"KOM IND, KOM IND, hvem end du er."

Rebus' frakke, handsker og vin blev bortført af nogen, han ikke kendte, og han blev kastet ind i et af disse tætpakkede, støjende og tilrøgede selskaber, hvor det var nemt at få øjenkontakt, men næsten umuligt at lære nogen at kende. Han gik fra entréen ud i køkkenet og derfra via en svingdør ind i selve stuen.

Stole, borde og sofa var rykket ud til væggene, og gulvet var fyldt med hoppende og hujende par, mændene uden slips og med skjorter, der klistrede til kroppen.

Det så ud til, at festen var startet noget før, end han havde regnet med.

Han genkendte et par af ansigterne omkring sig og under sig, da han måtte skræve over et par kriminalassistenter for at komme videre ind i stuen. Han kunne se, at bordet i den anden ende var fyldt med flasker og plastickrus. Som udkigspost kunne det være et lige så godt sted som så mange andre og måske endda også sikrere.

Men at komme derover var et problem, det var et held, han havde gennemgået hærens kursus i selvforsvar.

"Hej med dig!"

Cathy Jackson, der åbenbart forsøgte at efterligne en slaskedukke, hvirvlede kort forbi ham, inden hun blev kastet op i luften af den store – meget store – mand, hun skulle forestille at danse med.

"Hej," fik Rebus fremstammet og lavede en grimasse, der skulle gøre det ud for et smil. Han nåede frem til det relativt sikre område omkring bordet med flaskerne og fik skænket sig en whisky og endnu én til at skylle efter med. Det måtte være nok til at begynde med. Så så han Cathy Jackson (hende, han havde badet, poleret, barberet, assimileret og indsmurt sig for) skubbe sin tunge ind i sin dansepartners grotteagtige mund. Rebus fik det dårligt. Hans aftens udkårne var stukket af, allerede inden det hele var begyndt. Det fik man ud af sin optimisme. Hvad skulle han så nu? Lige så stille sive hjemad eller afprøve sine talegaver?

En fedladen mand, en ikke-politimand, kom ud fra køkkenet med en cigaret i munden og styrede mod bordet med to tomme glas i hånden.

"Hold da helt kæft mand," sagde han uden at henvende sig til nogen bestemt, mens han rodede mellem flaskerne, "det her er sgu da ved at være for meget. Undskyld, jeg siger det."

"Ja, lidt."

Rebus tænkte ved sig selv, okay, det var så det, nu har jeg gjort det, nu har jeg talt med nogen, isen er brudt. Så jeg kan lige så godt gå hjem, mens legen er god.

Men han tog ikke hjem. Han så til, mens manden mesterligt snoede sig ind og ud mellem de dansende uden at spilde så meget som en eneste dråbe af sine drinks. Han så, at de dansende genoptog deres krigsdans, efter at en ny plade begyndte at dundre ud af det usynlige stereoanlæg, og en kvinde, der så mindst lige så ukomfortabel ud som ham selv, klemte sig ind i stuen og blev vist hen imod Rebus' bord.

Hun så ud til at være omkring hans alder, lidt slidt i kanterne. Han gik ud fra, at hendes kjole var nogenlunde moderne (men på den anden side var han nok ikke den rette til at udtale sig om mode – sammenlignet med de andre gæster lignede han en, der skulle til begravelse), og hendes hår var blevet sat for nylig, måske så sent som for et par timer siden. Hun bar briller på samme måde som en sekretær, men hun var ikke sekretær. Så meget kunne Rebus da se på måden, hun kæmpede sig over til ham.

Han havde skyndt sig at lave en Bloody Mary og rakte den nu frem mod hende.

"Kan du bruge sådan én?" råbte han. "Jeg håber, jeg har gættet rigtigt?"

Hun nedsvælgede taknemmeligt sin drink og holdt inde for at få vejret, mens han fyldte glasset op.

"Tak," sagde hun. "Jeg drikker normalt ikke, men det her var lige, hvad jeg kunne bruge."

Det var lige, hvad der manglede, tænkte Rebus stadig med et glimt i øjet, Cathy Jackson er skidefuld og på rulleskøjter, og jeg er strandet med en tørvetriller. Han fortrød straks sin uværdige tankegang. Desuden var det uretfærdigt over for hans nye bekendtskab. Han bad uhørligt om syndsforladelse.

"Skal vi danse?" spurgte han som bod.

"Det er da løgn?"

"Nej, det er da ej. Hvorfor siger du det?"

Rebus kunne ikke helt aflægge sig sin chauvenisme og var oprigtigt overrasket.

Hun havde rang af kriminalassistent og var desuden pressetalsmand i mordsagen.

"Njah," sagde han, "jeg arbejder såmænd også på den sag."

"Hør lige her, John, hvis det fortsætter sådan her, så vil alle politifolk i Skotland snart arbejde på sagen. Det kan du roligt regne med."

"Hvad mener du?"

"Endnu en kidnapning. Pigens mor har meldt hende savnet her til aften."

"Fandens også, undskyld udtrykket."

De havde danset, drukket, var kommet væk fra hinanden, havde mødtes igen og var nu gamle venner for aftenen, så det ud til. De stod i entréen, lidt væk fra larmen og tumulten på dansegulvet. Køen til lejlighedens eneste toilet ved at blive uregerlig.

Rebus tog sig selv i at stirre forbi Gill Templers briller, forbi alt glas og plastic, lige ind i de smaragdgrønne øjne bag ved.

Han havde lyst til at fortælle hende, at hun havde de smukkeste øjne, han nogensinde havde set, men han var bange for, at hun skulle tro, at det var en kliché. Hun var nu på appelsinjuice, mens han havde slået sig løs med et par ekstra whiskies, uden at forvente sig det helt store af aftenen.

"Hej, Gill."

Rebus genkendte den tykke mand foran dem som manden, han havde talt med ved bordet med drikkevarerne.

"Det er søreme længe siden."

Manden forsøgte at kysse Gill Templer på kinden, men ramte ved siden af og kyssede væggen i stedet for.

"Har man fået lidt for meget at drikke, Jim?" sagde Gill køligt.

Manden trak på skuldrene og så på Rebus.

"Vi har alle vort kors at bære, ikke?"

En hånd blev rakt frem imod Rebus.

"Jim Stevens," sagde manden.

"Aha, journalisten?"

Rebus trykkede mandens fugtigvarme hånd et øjeblik.

"Dette er kriminalassistent John Rebus," sagde Gill.

Rebus lagde mærke til en lynhurtig forandring i mandens ansigt, hans øjne mindede om en forskrækket hares. Han fik dog hurtigt taget sig sammen, professionelt.

"Hyggeligt at møde dig," sagde han. Han nikkede over i retning af Gill. "Gill og jeg har kendt hinanden længe, er det ikke rigtigt, Gill?"

"Ikke så lang tid, som du åbenbart tror, Jim."

Så lo han og kikkede på Rebus.

"Hun er bare genert," sagde han. "Jeg hører, at endnu en pige er blevet myrdet?"

"Jim har spioner overalt."

Stevens bankede sig på siden af sin blodskudte næse og grinede til Rebus.

"Overalt," sagde han, "og jeg kommer også overalt."

"Ja, han kører sig selv hårdt, vores lille Jim," sagde Gill med en stemme, der mindede om et barberblad, og øjne, der pludselig var uindtagelige, låst inde bag glas og plastic.

"Kommer der så en ny pressekonference i morgen, Gill?" spurgte Stevens, mens han gennemsøgte sine lommer efter de cigaretter, der for længst var forsvundet.

"Ja."

Journalisten klappede Rebus på skulderen.

"Vi har kendt hinanden i lang tid, Gill og jeg."

Så gik han, uden at vende sig om rakte han en hånd i vejret og vinkede, travlt optaget af at finde sine cigaretter og indprente sig Rebus ansigt.

Gill Templer sukkede og lænede sig ind mod den væg, som Stevens havde kysset.

"En af de bedste journalister i Skotland," sagde hun nærmest som en konstatering.

"Og det er dit job at tage dig af journalister?"

"Han er ikke så slem."

Inde i stuen var man begyndt at skændes.

"Nå," sagde Rebus med sit allerstørste smil, "skal vi ringe efter politiet, eller skal vi snige os hen til min yndlingsrestaurant?"

"Sig mig, er du ude på noget?"

"Måske. Det kan du bedre vurdere end mig, det er jo dig, der er detektiven."

"Du er en heldig mand, kriminalassistent Rebus. Jeg er faktisk ved at dø af sult. Jeg finder lige min frakke."

Rebus var yderst tilfreds med sig selv. Han kom i tanke om, at hans egen frakke lå gemt et eller andet sted. Den lå i et af soveværelserne sammen med hans handsker og – til hans store overraskelse – også vinen i uåbnet tilstand. Han puttede den i lommen og tog det som et guddommeligt tegn på, at han ville få brug for den senere.

Gill befandt sig i det andet soveværelse i færd med at gennemrode bunken af overtøj på sengen. Der var åbenbart indledt forhandlinger under sengetæppet, for hele virvaret af frakker og sengetøj vred og vendte sig som en gigantisk amøbe. Gill fandt omsider fnisende sin overfrakke og gik hen imod Rebus, der stod og smilede konspiratorisk i døren.

"Farvel, Cathy," råbte hun over skulderen, "og mange tak for i aften."

Der lød et dæmpet, om end et lidt udefinerligt grynt fra sengetøjets dyb. Rebus stod med opspærrede øjne og så sin moralske grundsten smuldre som en tør ostekiks.

De sad lidt fra hinanden i taxaen.

"Nå, så I har kendt hinanden længe, Stevens og dig?"

"Kun i hans fantasi." Hun stirrede forbi chaufføren ud på den regnvåde vej foran dem. "Jim husker åbenbart ikke så godt længere. For at sige det, som det er, så gik vi ud sammen en enkelt gang og kun den ene gang." Hun holdt en finger i vejret. "Jeg tror, det var en fredag aften. Men under alle omstændigheder var det én stor fejltagelse."

Hvilket var godt nok for Rebus. Han begyndte at føle sig sulten igen.

Men da de nåede hen til restauranten, var den lukket, selv for Rebus, så de blev i taxaen, og Rebus dirigerede vognen hjem til sig selv.

"Jeg er ret skrap til at lave baconsandwiches," sagde han.

"Det var en skam," sagde hun. "Jeg er vegetar."

"Gud fri mig vel, vil det sige, at du slet ikke spiser grøntsager?"

"Hvordan kan det være," sagde hun syrligt, "at kødspisere altid skal gøre nar? Det er akkurat det samme med mænd og kvindebevægelsen. Hvorfor er det sådan?"

"Det er fordi, vi er bange for dem," sagde Rebus, der pludselig var blevet ædru.

Gill så på ham, men han kiggede ud ad vinduet ud på byens sidste fulderikker, der vaklede op og ned ad Lothian Roads farlige forhindringsbane på udkig efter sprut, kvinder og lykke. For mange af dem var det skruen uden ende, vakle ind og ud af klubber, pubber og grillbarer blot for at bevise, at man var til. Lothian Road var Edinburghs skraldespand. Det var også dér, Hotel Sheraton og Usher Hall lå. Rebus havde engang været i Usher Hall, hvor han sammen med Rhona og andre velbjergede sjæle havde lyttet til Mozarts Rekviem. Det var typisk for Edinburgh at lade kulturhuse og grillbarer eksistere side om side. Et rekviem og en pose chips.

"Og hvordan har vi det så med pressen i øjeblikket?"

De sad i hans dagligstue, der lynhurtigt var blevet gjort præsentabel. Hans hjertebarn, en Nakamichi-båndoptager, udsendte en af hans opsamlinger af jazzmusik, der var forbeholdt de sene nattetimer; Stan Getz eller Coleman Hawkins.

Da Gill havde indrømmet, at hun af og til spiste fisk, havde han i en fart fået smurt en stak sandwiches med tun og tomat. Han havde åbnet vinen og lavet en kande rigtig kaffe (en luksus, der ellers var forbeholdt søndagsmorgenmaden). Han sad nu over for sin gæst og så på hende, mens hun spiste. Han kom til at tænke på, at dette var hans første kvindelige gæst, siden Rhona havde forladt ham, men huskede så svagt, at der havde været et par løse forbindelser før hende.

"Det går faktisk udmærket. Det er ikke rent tidsspilde, at du bare ved det. I vore dage er det vigtigt med en presseafdeling."

"Jamen, jeg anfægter det skam ikke."

Hun så på ham og prøvede at regne ud, om han var alvorlig eller ej.

"Måske," fortsatte hun, "jeg ved bare, at en del af vore kolleger mener, at et job som mit er spild af tid og arbejdskraft. Men jeg er overbevist om, at i en sag som denne er det af afgørende betydning at have pressen på *vores* side og lade den viderebringe de oplysninger, vi finder nødvendige, *når* vi finder det nødvendigt. Det sparer os for en masse problemer."

"Hørt, hørt."

"Vær nu alvorlig, dit fjols."

Rebus lo.

"Jeg er altid alvorlig. Jeg er jo politimand til fingerspidserne."

Gill Templer stirrede på ham igen. Hun havde virkelig et blik som en kommissær, et blik, der borede sig ind i ens samvittighed, mens det ledte efter motiv og årsag, skyldfølelse og overgivelse.

"Og når man er pressetalsmand," sagde Rebus, "betyder det så, at man er nødt til at have ... en ret tæt forbindelse til pressen?"

"Jeg ved godt, hvad du hentyder til, kriminalassistent Rebus, og som din overordnede befaler jeg dig at holde op med det pjat."

"Sir!" Rebus gjorde honnør.

Han kom tilbage fra køkkenet med en kande kaffe.

"Synes du ikke, det var en skrækkelig fest?" spurgte Gill.

"Det var den bedste fest, jeg nogensinde har været med til," sagde Rebus. "For hvis jeg ikke var kommet, havde jeg måske aldrig mødt dig."

Denne gang skraldgrinede hun, med munden fuld af tunfisk og tomat.

"Du er skør," lo hun, "du er virkelig skør."

Rebus hævede øjenbrynene og smilede. Var han måske ude af træning? Nej vel.

Miraklernes tid var ikke forbi.

Senere skulle hun på toilettet. Rebus var ved at skifte båndet, og det var så småt begyndt at gå op for ham, hvor begrænset hans musiksmag var. Hvem var alle disse grupper, hun blev ved med at snakke om?

"Det er ude i gangen," sagde han. "Døren til venstre."

Da hun kom tilbage, var der sat jazzmusik på igen, og Rebus var tilbage i sin stol. Musikken var så svag, at det var svært at høre den.

"Hvad er der i værelset over for badeværelset, John?"

Rebus skænkede kaffe op. "Det plejede at være min datters, men nu er det fyldt med skrammel. Jeg bruger det aldrig."

"Hvornår gik I egentlig fra hinanden?"

"Det er ikke så lang tid siden, som det burde have været. Det mener jeg faktisk alvorligt."

"Hvor gammel er din datter?" Hun lød helt familiær nu. Det forretningsmæssige var forsvundet sammen med den enlige kvindes vagtsomhed.

"Hun bliver snart tolv," sagde han. "Snart tolv."

"Det er en svær alder."

"Er det ikke det hele tiden?"

Da vinen var sluppet op og kaffen blevet kold, blev de enige om at gå i seng. De udvekslede fårede blikke og stiltiende løfter om ikke at love hinanden noget, og da kontrakten ordløst var blevet vedtaget og underskrevet, gik de ind i soveværelset.

Det hele startede for så vidt godt nok. De var voksne mennesker, der ikke lod sig gå på af startbesværligheder. Rebus var imponeret over hendes livlighed og opfindsomhed og håbede, at hun også var imponeret over hans. Hun spændte kroppen som en bue op mod ham i et forsøg på at opnå den ultimative og uopnåelige indtrængen.

"John," hun var ivrig nu.

"Hvad er der?"

"Ingenting. Jeg vender mig bare lige om, okay?"

Han rejste sig på knæene, mens hun vendte ryggen til ham, hun lod knæene glide i stilling på lagenet og hagede sig fast til den glatte væg med fingerspidserne og ventede. Rebus så sig et kort øjeblik rundt i værelset, hvor det blege blå lys lå hen over hans bøger og hjørnerne på madrassen.

"Åh, en futon," havde hun sagt, mens hun hev tøjet af. Han havde smilet ud i mørket.

...

Han var ved at miste grebet.

"Kom nu, John. Kom nu."

Han bøjede sig hen over hende og lagde hovedet på hendes ryg. Han havde snakket om bøger med Gordon Reeve, mens de sad i fangenskab. Det var, som om han havde talt i én uendelighed, læst op for ham fra sin hukommelse, mens torturen fandt sted på den anden side af døren til deres snævre celle. Men de havde klaret det. Det var en del af træningen.

"John, åh, John."

Gill løftede sig op og drejede ansigtet for at kysse ham. Gill, Gordon Reeve, begge ville de have noget, han ikke kunne give. På trods af træningen, på trods af de mange års erfaring, år med arbejde og udholdenhed.

"John?"

Men han var langt væk nu. Han var tilbage i træningslejren, han travede over den mudrede mark, mens hans overordnede skreg til ham om at sætte farten op, han sad i sin celle og iagttog en kakkerlak pile hen over det beskidte gulv, han sad i en helikopter med en sæk over hovedet og havet piskende omkring ham ...

"John?"

Hun vendte sig lidt kejtet om. Bekymret. Hun så tårerne i hans øjne og hvilede sit hoved mod hans.

"Åh, John, det gør ikke noget. Det er helt i orden."

Og lidt senere: "Kan du ikke li' det på den måde?"

Da de lå sammen bagefter, var han fuld af skyldfølelse og forbandede årsagen til hans mangel på koncentration. Han forbandede også, at han var løbet tør for cigaretter, mens hun halvsovende, men stadig bekymret, lå og fortalte småbidder fra sin livshistorie.

Efter et stykke tid glemte Rebus at føle sig skyldig. Han havde jo heller ikke noget at føle sig skyldig over. Trangen til nikotin voksede, og han kom i tanke om, at han skulle hente Sammy om cirka seks timer, og at hendes mor instinktivt ville vide, hvad han, John Rebus, havde bedrevet de sidste par timer. Hun havde denne overnaturlige evne til at se ind i hans sjæl, og hun havde oplevet hans jævnlige grædeture på meget nært hold. Han gik ud fra, at det bar en del af skylden for, at de var gået fra hinanden.

"Hvad er klokken, John?"

"Fire. Måske lidt mere."

Han trak sin arm til sig og rejste sig.

"Vil du have noget at drikke?"

"Hvad kan du tilbyde?"

"Hvad med noget kaffe? Det kan næsten ikke betale sig at lægge sig til at sove, men hvis du er søvnig, så ..."

"Nej, jeg vil gerne have kaffe."

Rebus kunne høre på hendes stemme, der nu var en sagte brummen, at hun ville sove som en sten, inden han nåede køkkenet.

"Okay," sagde han.

Han lavede sig en kop sort, sød kaffe og satte sig i en stol. Han tændte for stuens lille gaskamin og gav sig til at læse i en af sine bøger. Han skulle være sammen med Sammy i dag, og hans tanker vandrede væk fra bogen, en eller anden historie om en intrige, som han ikke kunne huske, at han var begyndt på. Sammy var næsten tolv. Hun havde overlevet en del farefulde år og måtte nu indstille sig på nye farer. Perverse, gamle mænd og unge lømler ville få selskab af drengene på hendes egen alder, der nu begyndte at føle noget røre på sig, og de drenge, som hun hidtil havde anset for sine venner, ville pludselig begynde at gå på pigejagt. Hvordan mon hun ville klare det? Hvis hendes mor havde noget at skulle have sagt, så ville hun klare det beundringsværdigt, hun skulle nok få lært at slå fra sig. Ja, hun skulle nok overleve uden sin fars gode råd og beskyttelse.

Børn var mere hårdføre nu om dage. Han tænkte tilbage på sin egen barndom. Han havde været Mickeys storebror og sloges for dem begge, kun for at se sin bror få kærtegnene, når de kom hjem. Han selv havde skubbet sig dybere ned i puderne på sofaen og håbet, at han en dag ville forsvinde helt. Så ville de fortryde. Så ville de fortryde ...

Klokken halv syv gik han ind i det moskusduftende soveværelse. Det lugtede af to dele sex og en del dyrehule. Han kyssede Gill vågen.

"Så er det op," sagde han. "Hvis du står op nu, skal jeg fylde badekarret til dig."

Hun lugtede godt, ligesom en baby i et varmt håndklæde. Han stod og beundrede hendes velformede krop, efterhånden som den foldede sig ud i det tynde, udvandede sollys. Hun havde en flot krop. Ingen strækmærker af betydning. Ingen ar på benene. Og hendes hår tilpas pjusket til at være tiltrækkende.

"Tak."

Hun skulle være i hovedkvarteret klokken ti for at koordinere næste pressemeddelelse. Der var ingen tid at spilde. Sagen voksede som en kræftsvulst. Rebus fyldte badekarret og rynkede på næsen ad sørgeranden på indersiden. Han havde brug for en rengøringskone. Måske kunne han få Gill til at hjælpe.

Endnu en uværdig tanke, tilgiv mig.

Hvilket fik ham til at tænke på kirkegang. Det var igen søndag, og han havde lovet sig selv i ugevis, at han ville prøve en gang til, at han ville finde en anden kirke inde i byen og begynde helt forfra.

Han hadede frimenighederne. Han hadede smilene og manererne hos de søndagsklædte, skotske protestanter, understregningen af et fællesskab snarere med din nabo end med Gud. Han havde forsøgt sig med syv forskellige kirker af forskellig observans i Edinburgh, og han brød sig ikke om nogen af dem. Han havde prøvet at sidde hjemme en søndag og brugt to timer på at bede og læse i Bibelen, men det hjalp tilsyneladende heller ikke noget. Han var fanget; en troende uden for sin tro. Ville en individuel tro være nok til at stille Gud tilfreds? Måske, men ikke *hans* private tro, der så ud til at være afhængig af skyldfølelse og hykleri, hver gang han syndede, en skyldfølelse, der kun kunne finde lindring i fuld offentlighed.

"Er badet klar, John?"

Hun stod, nøgen og tillidsfuld, og purrede op i håret, brillerne havde hun ladet blive tilbage i soveværelset. John Rebus følte sin sjæl blive bragt i fare. Skide være med det, tænkte han og greb hende om hofterne. Skylden kan vente. Skylden kan altid vente.

Han måtte tørre op på badeværelsesgulvet bagefter, nu da Arkimedes' lov endnu en gang var blevet empirisk bevist. Badevandet havde flydt som mælk og honning, og Rebus var nær druknet.

Alligevel havde han det bedre nu.

"Herre, jeg er en stakkels synder," hviskede han, mens Gill klædte sig på. Da hun åbnede hoveddøren, lignede hun næsten en, der havde været på tyve minutters officielt besøg, alvorlig og effektiv.

"Skal vi lave en aftale?" foreslog Rebus.

"Det kan vi godt," svarede hun og rodede i sin taske. Rebus kunne godt tænke sig at vide, hvorfor kvinder altid gjorde det, især på film, efter at de havde været i seng med en mand. Mistænkte kvinder deres sengekammerater for at negle deres punge?

"Men det kan godt blive vanskeligt," fortsatte hun, "sådan som sagen udvikler sig i øjeblikket. Lad os nøjes med at love, at vi ses igen, okay?"

"Okay."

Han håbede, hun lagde mærke til undertonen af utilfredshed i hans stemme, den lille dreng, der bliver skuffet, fordi han ikke får sin vilje.

Et sidste kys med tørre læber, og så var hun væk. I det mindste kunne han stadig mærke hendes duft, og han trak vejret dybt, mens han indstillede sig på sin dag. Han fandt en skjorte og et par bukser, der ikke stank af tobak, og klædte sig langsomt på. Med våde fødder beundrede han sig selv i badeværelsesspejlet, mens han nynnede en lille salme.

Nogen gange var det dejligt at være i live. Nogen gange.

XI

JIM STEVENS kastede endnu tre aspiriner i munden og drak sin appelsinjuice. Det var temmelig ydmygende at skulle indtage frugtsaft i fuld offentlighed på en bar i Leith, men alene tanken om at drikke bare et lille glas godt skummende øl var nok til at give ham kvalme. Han havde drukket alt for meget til den fest. Alt for meget, alt for hurtigt og i alt for mange kombinationer.

Leith prøvede på at gøre fremskridt. En eller anden et eller andet sted havde besluttet sig for at tage støvekosten frem, så man nu kunne prale af sine franske caféer, vin-barer, studio-lejligheder og delikatesseforretninger. Men derfor var det stadig Leith, stadigvæk den gamle havn, et ekko af dens brølende fortid, hvor Bordeauxvinene blev losset i tønder og solgt fra hestevogne rundt om i gaderne. Og hvis Leith ikke havde andet i behold, så havde den i det mindste bevaret havnementaliteten og knejperne.

"Gudfader," buldrede en stemme bag ham, "manden drikker alting dobbelt, om det så er frugtsaft!"

En næve i dobbeltstørrelse landede tungt på Stevens' ryg og en mørkhudet skikkelse dumpede ned på barstolen ved siden af. Hånden blev, hvor den var.

"Hej, Podeen," sagde Stevens. Han var begyndt at svede i den tunge luft i lokalet, og hans hjerte hamrede. Det var tømmermændenes sidste krampetrækninger, og han kunne lugte alkoholen klemme sig ud af porerne i huden.

"For helvede, knægt, hva' i alverden er det, du står og sutter i? Bartender, stik den mand en whisky, hurtigt. Han er ved at gå til af alt det sundhedsvand."

Mens han brølede, løftede han hånden fra journalistens ryg

lige akkurat nok til at lette presset, inden han klaskede den ned igen med dobbelt kraft. Stevens følte sine indvolde falde fra hinanden.

"Hva' kan jeg så gøre for dig i dag?" spurgte Podeen i et noget lavere toneleje.

Big Podeen havde sejlet i tyve år, og tusindvis af havne havde sat deres ar og hak i hans krop. Hvordan han tjente sine penge nu om dage, ville Stevens helst ikke vide. Han blev brugt som udsmider i et par pubber på Lothian Road og andre dubiøse udskænkningssteder rundt omkring i Leith, men det var kun toppen af hans økonomiske isbjerg. Podeens hænder var så tilsølede, at han egenhændigt kunne have gravet den sorte økonomi ud af den rådne frugtbare jord under ham.

"Egentlig ikke noget, Big Man. Jeg sidder bare og varmer op."

"Gi'r du ikke morgenmad? Dobbelt portion af alting."

Det var lige før, bartenderen slog hælene sammen, inden han gik ud for at afgive Podeens' ordre.

"Ka' du se," sagde Podeen, "du er ikke den eneste, der skal ha' alting dobbelt, hva', Jimmy?"

Hånden blev igen løftet fra Stevens ryg. Han kneb øjnene i og ventede på slaget, men armen faldt i stedet ned på bardisken ved siden af. Han sukkede højt.

"Hård nat, hva', Jimmy?"

"Bare jeg kunne huske det."

Han var faldet i søvn i et af soveværelserne meget sent på aftenen. Men så var der kommet et par ind, der havde løftet ham ud på badeværelset og anbragt ham i badekarret. Der havde han sovet et par timer eller tre. Han var vågnet med en forfærdelig krampe i nakke, ryg og ben, og så havde han drukket noget kaffe, men ikke nok, aldrig helt nok.

Og så var han gået hjemad i den kølige morgenluft, havde sludret lidt med et par taxachauffører i en aviskiosk og havde siddet og drukket sød te og diskuteret fodbold med en rødøjet natportier på et af de store hoteller på Princes Street. Men han havde vidst, at han ville ende hernede, fordi han havde fri og nu kunne koncentrere sig om sin egen lille sag, narkohistorien.

"Er der meget stof på gaden i øjeblikket, Big?"

"Se, det kommer jo an på, hva' du kigger efter, Jimmy. Rygtet siger, at du har næsen lidt for langt fremme alle steder. Det ville være bedst for dig, hvis du holdt dig til de bløde sager. Hold dig væk fra de hårde stoffer."

"Er det en advarsel i tide eller en trussel, eller hvad er det?" Stevens var ikke i humør til trusler, ikke med så alvorlige tømmermænd.

"Det er en *venlig* advarsel, en advarsel fra en ven."

"Hvaffor en ven, Big?"

"Mig, din dumme skid. Du ska' ikke være så mistænksom hele tiden. Hør her, der er lidt cannabis på gaden, men mere er der heller ikke. Det er slut med de hårde stoffer i Leith. De losser det ovre ved Fife eller oppe ved Dundee. De steder, hvor der ikke længere findes toldere. Det er sandheden."

"Det er jeg godt klar over, Big. Men der *bliver* leveret her i området. Jeg har selv set det. Jeg ved ikke, hvad det er, om det er hårde stoffer eller ej. Men jeg har set en udveksling. For ganske nylig."

"Hvor nylig?"

"I går."

"Hvor?"

"Calton Hill."

Big Podeen rystede på hovedet.

"Så har det ikke noget at gøre med nogen eller noget, jeg kender til, Jimmy."

Stevens kendte Big Man. Han kendte ham godt. Hans oplysninger var gode nok, men det var altid kun det, som man ønskede, Stevens skulle vide noget om. Heroinfolkene ville, via Big, informere om handelen med cannabis. Hvis Stevens bed på, var der chancer for, at cannabisfolkene ville blive fanget, og så ville kontrollen med territoriet overgå til heroinfolkene.

Det var dygtigt spil. Træk og modtræk. Indsatserne var også høje. Heldigvis var Stevens selv en dygtig spiller. Han vidste, at der mellem linjerne var indføjet, at han aldrig skulle gå efter de helt store fisk, for det ville betyde klapjagt på byens embedsmænd, forretningsfolk og godsejere – alle Mercedes-ejerne i New Town.

Og det ville man aldrig tillade. Derfor fik han tilbudt småbidder nok til at holde aviserne gående og rygtet ved lige om, at Edinburgh var ved at udvikle sig til en skrækkelig by. Altid en lille smule, aldrig en hel masse. Alt det forstod Stevens udmærket. Han havde spillet med så længe, at han knapt nok vidste, hvis side han var på. Til syvende og sidst betød det nok heller ikke så meget.

"Det kender du ikke noget til?"

"Intet, Jimmy. Men jeg skal nok snuse lidt rundt. Se, hvad der er gang i. Forresten – der er åbnet en ny bar oppe ved Mackays' udstilling. Ved du hvaffor en, jeg mener?"

Stevens nikkede.

"Nå," fortsatte Podeen, "udadtil er det et værtshus, men i baglokalet er det et bordel. Der er en drøm af en barpige, der stripper om eftermiddagen, hvis det skulle ha' din interesse."

Stevens smilede. Nå, så der var én ude fra, der forsøgte at mænge sig, og det var ikke velset hos de gamle drenge, Podeens ultimative arbejdsgivere. Så derfor fik han, Jim Stevens, information nok til at lukke bulen, hvis han ønskede det. Det kunne blive en dejlig, lille hovedoverskrift, men mere var der heller ikke i det.

Hvorfor ringede de ikke bare til politiet anonymt? Men det troede han nok også, han havde svaret på, selvom det engang havde undret ham. De spillede efter de gammeldags regler, der sagde ingen fraternisering med fjenden. Derfor blev han stikirenddreng, en stikirenddreng med indflydelse. Ganske vidst en ringe indflydelse, men mere virkningsfuld end at gøre tingene efter bogen.

"Tak, Big. Det vil jeg overveje."

Så kom maden. Store dynger af krøllet, fedtet bacon, to bløde, næsten gennemsigtige æg, champignoner, ristet brød og bønner. Stevens holdt øjnene på disken og fattede pludselig interesse i en af ølbrikkerne, der stadig var fugtig efter lørdag nat.

"Jeg går over til mit bord og spiser det her, ikk', Jimmy?"

Stevens kunne ikke tro sit eget held.

"Joda, Big Man, det er helt i orden."

"Jamen, så ses vi."

Og så var han alene, kun duften var blevet tilbage. Han opdagede, at bartenderen stod foran ham og holdt en fedtskinnende hånd frem.

"To pund og tres," sagde han.

Stevens sukkede. Det kan du takke dig selv for, tænkte han, mens han betalte – eller dine tømmermænd. Men festen havde været det hele værd, fordi han havde mødt John Rebus. Og Rebus var ven med Gill Templer. Det hele var ved at være en lille smule forvirrende. Men også interessant. Rebus var i hvert fald interessant, selvom hans fremtoning ikke mindede det mindste om broderens. Manden havde set reel nok ud, men hvordan kan man se, om en panser er på lønningslisten? Det var indeni, man var rådden. Så Rebus gik altså ud med Gill Templer. Han huskede den nat, de havde tilbragt sammen, og skuttede sig. Sikken en fiasko.

Han tændte dagens anden cigaret. Han var stadig tung i hovedet, men hans mave var faldet lidt mere til ro. Måske kunne han endda blive sulten. Rebus lignede en hård nød at knække, men ikke så hård, som han ville have været for ti år siden. I dette øjeblik var han sikkert i seng med Gill Templer. Det dumme svin. Det heldige svin. Hans mave vendte sig lidt i jalousi. Cigaretten gjorde godt. Den gav ham liv og kræfter tilbage, eller sådan føltes det i hvert fald. Han var godt klar over, at den ødelagde ham, forvandlede hans indvolde til trevler af sort kød. Til helvede med det. Han kunne ikke tænke uden cigaretter. Og han tænkte nu.

"Hallo, giv mig lige en dobbelt."
Bartenderen kom over.
"Appelsinjuice igen?"
Stevens så overbærende på ham.
"Hold nu op," sagde han – "whisky, Grouse, hvis det er det, der er i Grouseflasken."
"Det her er en ærlig bar."
"Det er jeg søreme glad for at høre."
Han drak sin whisky og fik det bedre. Og så fik han det værre. Han gik ud på toilettet, men lugten fik ham til at føle sig endnu dårligere. Han lænede sig over vasken og gylpede et par ynkelige dråber op ... højlydt forsøgte han at brække sig, men han var helt tom. Han måtte holde op med at drikke. Han måtte stoppe med smøgerne. De var ved at slå ham ihjel, og de var med til at holde ham i live.
Han følte sig gammel som Methusalem, da han svedende gik over til Big Podeens' bord.
"Det var en rigtig go' morgenmad," sagde menneskebjerget med julelys i øjnene.
Stevens satte sig ned ved siden af ham.
"Hvad ved du om korrupte pansere?"

XII

"HEJ, FAR."

Hun var elleve år, men både lignede og opførte sig som én på enogtyve. Det var, hvad der var kommet ud af at bo sammen med Rhona. Han kyssede hende på kinden, mens han tænkte på Gills afsked. Hun duftede af parfume og havde en snert af makeup på øjnene.

Han kunne slå Rhona ihjel.

"Hej, Sammy," sagde han.

"Mor siger, at jeg skal kaldes Samantha, nu hvor jeg bliver så hurtigt stor, men det er nok i orden, at *du* kalder mig Sammy."

"Det ved mor nok bedre end mig, Samantha."

Han kiggede efter sin kones hastigt svindende skikkelse, en krop, der var presset, skubbet og proppet i en form, der kun kunne opnås ved hjælp af et superstærkt korset. Han var lettet over at se, at hun ikke klarede sig så godt, som hun gav udtryk for i deres sjældne telefonsamtaler. Hun satte sig ind i sin bil, uden at have kigget sig tilbage en eneste gang. Det var en lille og dyr model, men havde en temmelig stor bule i den ene side. Han var taknemmelig for den bule.

Han kunne huske, at han havde været stolt af hendes krop, når de elskede, af det bløde kød, hendes polstring, som hun kaldte det, på hendes hofter og ryg. I dag havde hun set koldt på ham, uvedkommende, og havde set hans øjne skinne af seksuel tilfredsstillelse. Så var hun drejet om på hælen. Det var altså sandt, hun kunne stadig se ind i hans hjerte. Men det var ikke lykkedes hende at se ind i hans sjæl. Hun var gået glip af det allervigtigste organ.

"Hvad synes du, vi skal lave?"

De stod ved indgangen til Princes Street Gardens, der grænsede op til turisternes jagtmarker i Edinburgh. Enkelte mennesker gik forbi de søndagslukkede butikker på Princes Street, mens andre sad på bænkene i parken og fodrede duer og egern med brødkrummer eller læste i tykke søndagsaviser. Borgen knejsede over dem, og flaget smældede i den friske brise, der var så typisk. Sir Walter Scott Mindesmærkets gotiske raket viste de troende i den rigtige retning, men det var kun få af de turister, der tog billeder af det med deres dyre japanske kameraer, der overhovedet var interesseret i monumentets symbolske betydning. Det kunne være lige meget, hvad det betød, bare de fik nogle billeder med hjem, de kunne vise deres venner. Disse turister var så optaget af at fotografere, at de i virkeligheden aldrig fik *set* noget, i modsætning til de unge mennesker, der stod og hang rundt omkring, de havde så travlt med at nyde livet, at de for enhver pris ikke ville gå glip af noget.

"Hvad synes du, vi skal lave?"

Dette var turisternes område i den store by. De interessede sig ikke for lejekasernerne uden for centrums kerne. De ville aldrig skulle besøge Pilton eller Niddrie eller Oxgangs for at foretage en arrest i en pis-stinkende ejendom, de var ligeglade med pusherne og junkierne i Leith, trækkerdrengene på herretoiletterne i centrum og lommetyverierne i et samfund, der var trukket så dybt ind i materialismen, at tyveri var den eneste mulighed for at opnå det, de troede var deres behov. Og det var næsten fuldstændigt sikkert, at de ikke vidste noget om Edinburghs nyeste medie-stjerne (de var jo ikke kommet her for at læse de lokale aviser og se lokal-tv), barnemorderen, som politiet ikke kunne fange, morderen, som trak lovens håndhævere rundt ved næsen uden det mindste spor eller ledetråd, og som de ikke havde en kinamands chance for at finde, før hans held slap op. Han havde ondt af Gill og hendes arbejde. Han havde ondt af sig selv. Han havde ondt af byen, helt ned til svindlerne og banditterne, luderne og spillerne, de evige tabere og vindere.

"Hvad synes du, vi skal lave?"
Hans datter trak på skuldrene.
"Det ved jeg ikke. Skal vi gå en tur? Vi kan også gå hen og spise pizza eller gå i biografen?"
De gik en tur.

John Rebus havde mødt Rhona Phillips umiddelbart efter, han var kommet ind til politiet. Han havde haft et nervesammenbrud lige inden (*hvorfor forlod du egentlig hæren, John?*) og boede i en lille fiskerby på Fife-kysten for at rekreere sig. Han havde aldrig fortalt Michael om sin tilstedeværelse i Fife dengang.

På hans allerførste ferie fra politiarbejdet, hans første rigtige *ferie* i årevis, de andre havde han brugt på kurser og eksamensforberedelser, var han taget tilbage til den fiskerby, og der havde han mødt Rhona. Hun var skolelærer og var allerede fri af sit første korte og stormfulde ægteskab. Hun så John Rebus som en stærk og god ægtemand, en, der aldrig ville komme op at slås, en, hun kunne pylre om også, da det viste sig, at hans styrke dækkede over et skrøbeligt indre. Hun kunne se, at han stadig blev jaget af sine år i hæren, især hans tid i 'elitekorpset'. Han kunne vågne grædende om natten, nogen gange kunne han græde, mens de elskede, lige så stille, mens tårerne dryppede, hårde og langsomme ned på hendes bryster. Han ville ikke fortælle ret meget om det, og hun pressede ham ikke. Hun var klar over, at han havde mistet en ven under træningsperioden. Så meget forstod hun, og han appellerede til moderen og barnet i hende. Han så ud til at være perfekt. Alt, alt for perfekt.

Det var han ikke. Han skulle aldrig have giftet sig. Det hele gik ellers godt nok, mens hun underviste i engelsk i Edinburgh, og indtil Samantha blev født. Så forvandlede de små magtkampe og små irritationsmomenter sig til lange perioder af mistænksomhed og vrede. Havde hun en anden, en eller anden lærer på skolen? Havde han en anden, alle de gange, han påstod, han skulle på dobbeltvagt? Var hun på stoffer uden hans vidende? Tog han imod bestikkelse, uden hun vidste det? Svaret på alle disse spørgsmål var jo selvfølgelig nej, men det var ikke det, det hele gik ud på. Det var noget meget større, der lå og ulmede, og ingen af dem ville erkende det uundgåelige, før det var for sent, så derfor kastede de sig i hinandens arme og blev gode venner igen, gang efter gang som i en moralsk fortælling eller en sæbeopera. Der var, og det var de enige om, barnet at tage hensyn til.

Barnet Samantha var blevet til en ung kvinde, og Rebus skævede anerkendende og brødebetynget (nu igen) til hende, mens de gik gennem parken, rundt om borgen og op imod ABC-biografen på Lothian Road. Hun var ikke smuk, for det er kun kvinder, der kan være det, men hun var ved at vokse sig smuk med en sådan uafvendelighed, at det alene var nok til at tage vejret fra én – og gøre en skrækslagen. Han var trods alt hendes far. Sådan nogle følelser skulle man have. Det var en naturlov.

"Ku' du tænke dig at høre noget om mors nye kæreste?"

"Det ved du sgu da godt, at jeg gerne vil."

Hun fnisede, så var der trods alt lidt af den lille pige tilbage i hende, og dog, selv hendes fnisen syntes anderledes nu, den var mere beregnende, mere kvindelig.

"Han skal forestille at være digter, men han har ikke udgivet noget som helst endnu. Desuden er hans digte noget værre lort, men mor vil ikke sige det til ham. Hun synes, at solen skinner ud af hans du-ved-nok."

Var det meningen, han skulle være imponeret over alt det 'voksensnak'. Det var det nok.

"Hvor gammel er han?" spurgte Rebus og krympede sig under sin pludseligt blottede forfængelighed.

"Aner det ikke. Tyve måske."

Rebus holdt op med at krympe sig og begyndte at vakle. Tyve. Hun var sandelig ude efter ungt kød. Min Gud og Skaber. Hvilken indflydelse ville det ikke få på Sammy? På Samantha, hende, der forsøgte at ligne en voksen? Han turde ikke tænke på det, men han var jo heller ikke psykoanalytiker, det var Rhonas afdeling, eller havde været engang.

"Helt ærligt, far, han er en *forfærdelig* digter. Jeg har skrevet stile i skolen, der er meget bedre end det, *han* laver. Jeg skal til at gå i den store skole efter sommerferien. Det bliver ret sjovt at gå i skole samme sted, som mor arbejder."

"Ja, det gør det." En nagende mistanke krøb ind over Rebus. En digter på tyve år. "Hvad hedder den unge mand?" spurgte han.

"Andrew, Andrew Anderson. Lyder det ikke sjovt? Han er meget flink i virkeligheden, men lidt skør."

Rebus bandede indvendigt. Andersons søn, den idiotiske Andersons omvandrende digterspire havde slået kludene sammen med Rebus' hustru. Det var virkelig skæbnens ironi. Han vidste ikke, om han skulle le eller græde. Der syntes at være overvejende stemning for at le.

"Hvad griner du af, far?"

"Ingenting, Samantha. Jeg er bare glad, det er det hele. Hvad var det, du var ved at sige?"

"Jeg sagde, at mor mødte ham på biblioteket. Vi går tit på biblioteket. Mor kan godt lide at læse rigtig litteratur, men jeg kan bedst lide kærlighedsromaner og eventyr. Jeg kan ikke forstå det, mor læser. Læste I de samme bøger, dengang I ... før I ...?"

"Ja, det gjorde vi. Men jeg kunne heller aldrig forstå dem, så det skal du ikke tage dig af. Jeg er glad for, at du læser meget. Hvordan er der på biblioteket?"

"Det er kæmpestort. Mange af bumserne går derind for at sove, og de bruger en masse tid derinde. De tager en bog og sætter sig ned, og så falder de bare i søvn. De lugter ulækkert."

"Du behøver jo ikke at gå hen til dem, vel? Det er bedst at lade dem passe sig selv."

"Ja, far." Der var en let bebrejdelse i hendes tonefald, der antydede, at han var i gang med en moralprædiken, og at det var unødvendigt.

"Har du lyst til at gå i biografen?"

Desværre var biografen lukket, så de gik hen på en isbar ved Tollcross. Rebus så på Samantha, mens hun skovlede fem forskellige farver is i sig fra et højt glas. Hun befandt sig stadig på myggestadiet, hvor hun kunne spise løs uden at tage det mindste på i vægt. Rebus var opmærksom på sin forkælede hængemave. Den kunne få lov at knurre, som den havde lyst til. Han nippede til sin cappuccino (uden sukker) og så ud af øjenkrogen en gruppe drenge, der hviskende og grinende gloede over på ham og hans datter. De lod hænderne glide gennem håret og røg på deres cigaretter, som om det gjaldt livet selv. Hvis Sammy ikke havde været der, ville han have arresteret dem for selvforskyldt væksthæmmelse.

Desuden misundte han dem deres cigaretter. Han røg ikke, når han var sammen med Sammy. Hun brød sig ikke om, at han røg. Det gjorde hendes mor heller ikke. Og engang for længe siden havde hun råbt og skreget til ham, at han skulle stoppe, og havde gemt hans cigaretter og lighter, sådan at han var nødt til at have små gemmesteder med cigaretter og tændstikker rundt om i huset. Han havde røget hensynsløst videre og grinede sejrsstolt, da han kunne slentre ind i stuen med en tændt cigaret mellem læberne. Rhona havde højlydt bedt ham om at slukke den og jog ham rundt mellem møblerne, mens hun forsøgte at slå brandbomben ud af hans mund.

Det havde været en god tid, en tid med kærlige uoverensstemmelser.

"Hvordan går det i skolen?"

"Godt nok. Er du med til at efterforske mordet?"

"Ja." For fanden, han kunne dræbe for en cigaret, han kunne rive hovedet af en ung dreng.

"Fanger I ham?"

"Ja."

"Hvad gør han ved pigerne, far?" Hun forsøgte at lyde hen-kastet og studerede det næsten tomme isglas meget grundigt.

"Han gør ikke noget ved dem."

"Slår han dem bare ihjel?" Hendes læber var blege. Pludselig var hun hans datter med hud og hår, hans datter, der i høj grad havde brug for beskyttelse. Rebus fik lyst til at tage hende i sine arme og trøste hende, fortælle hende, at den store stygge verden var udenfor, ikke herinde, at hun kunne være tryg.

"Såmænd," sagde han i stedet.

"Jeg er glad for, at det er det eneste, han gør."

Drengene var begyndt at pifte, i et forsøg på at tiltrække hendes opmærksomhed. Rebus følte blodet stige op i kinderne. På en hvilken som helst anden dag ville Rebus være marcheret hen til dem og have banket loven ned oven i deres forkølede, små hoveder. Men han var ikke i tjeneste. Han var i gang med at nyde en frieftermiddag sammen med sin datter, det obskure resultat af et enkelt gryntende klimaks, det klimaks, der havde sørget for, at en enkelt heldig sædcelle havde fundet vej gennem mørket til førstepladsen. Rhona var uden tvivl allerede i gang med at fumle på natbordet efter dagens bog, hendes litteratur. Hun ville skubbe sin elskers slappe opbrugte krop fra sig, uden at der blev vekslet et ord mellem dem. Tænkte hun på sine bøger hele tiden? Måske. Og han, elskeren, ville føle sig tom og flad som en plads, der pludselig bliver ledig, uden at nogen har flyttet sig. Det var hendes sejr.

Og så ville han skrige hende i møde med et kys. Et skrig af længsel og ensomhed.

Luk mig ud. Luk mig ud ...

"Kom, lad os gå."

"Okay."

Da de gik forbi bordet med de længselsfulde drenge med deres udtryk af slet skjult lider og deres abepludren, smilede Samantha til én af dem. *Hun smilede til en af dem.*

Mens Rebus indåndede den friske luft, spekulerede han på, hvad det var, der var ved at ske med hans verden. Han overvejede, om han overhovedet havde grund til at tro på en verden bag ved denne, eftersom hverdagen var så skræmmende og trist. Hvis dette var alt, der var, så var livet det mest ynkelige påfund nogensinde. Han havde lyst til at slå drengene ihjel, han ville tage sig af sin datter og beskytte hende mod det, hun ønskede – og også ville få. Det gik op for ham, at han intet havde at sige til hende, men at drengene havde, at han intet havde tilfælles med hende ud over slægtskabet, men at der bestod et fællesskab mellem hende og dem. Himlen var sort som i en Wagner-opera, sort som en morders sind. Et sindbillede på det mørke, der fik Rebus' verden til at gå i stykker.

"Jeg skal hjem nu," sagde hun. Hun fyldte så meget mere end ham, var så meget mere i live. "Jeg skal hjem nu."

Og det var på høje tid.

"Vi må hellere skynde os," sagde Rebus, "det begynder snart at regne."

Han var træt og kom i tanke om, at han ikke havde sovet, at han havde arbejdet hårdt hele natten. Han tog en taxa tilbage til lejligheden – skide være med udgiften – og kravlede op ad trapperne til sin hoveddør. Stanken fra kattene var ved at slå ham i gulvet. På den anden side af døren lå der et ustemplet brev og ventede på ham. Han bandede højlydt. Svinet var overalt, overalt, og alligevel var han usynlig. Han flænsede brevet op og læste.

DU KOMMER INGEN VEGNE. INGEN VEGNE. VEL? HILSEN

Men der var ingen underskrift, ikke på papiret i hvert fald. Men inden i konvolutten lå der, ligesom et stykke legetøj, et stykke snor med en knude på.

"Hvorfor gør du det, Knudemand?" sagde Rebus og fingerede ved snoren. "Og hvad er det egentlig, du er i gang med?"

Lejligheden var kold som et køleskab – vågeblusset var gået ud igen.

TREDJE DEL

KNUDEN

XIII

MEDIERNE SKØNNEDE, at 'Kvæleren fra Edinburgh' ikke ville forsvinde lige med det samme, og tog tyren ved hornene og skabte et monster. Tv-mandskaber flyttede ind på de bedre hotelværelser i centrum, og eftersom det ikke helt var turistsæson endnu, var man stort set tilfredse med deres tilstedeværelse.

Tom Jameson var en dygtig redaktør og havde sat et hold på fire journalister til at arbejde på historien. Han kunne dog ikke undgå at bemærke, at Jim Stevens ikke var helt på toppen. Han lod til at være uinteresseret – og det er ikke et godt tegn for en journalist. Jameson var bekymret. Stevens var hans bedste mand, et stjernenavn. Han ville snakke med ham om det, snart.

Efterhånden som sagen voksede i takt med interessen, var forbindelsen mellem John Rebus og Gill Templer blevet begrænset til telefonen og de tilfældige møder i og omkring hovedkvarteret. Rebus var næsten aldrig på sin gamle station nu. Strengt taget var han selv et mordsags-offer, og han var blevet pålagt ikke at tænke på noget som helst andet, mens han var vågen. Men han tænkte på alt muligt andet: på Gill, på brevene, på, at hans bil var ude af stand til at overleve et syn. Og hele tiden iagttog han Anderson, faderen til Rhonas elsker, så, hvordan han blev mere vanvittig end nogensinde før i jagten på et motiv, et spor, hvad som helst. Det var lige før, det var en fornøjelse at se manden i aktion.

Hvad brevene angik, havde Rebus stort set udelukket sin kone og datter. En lille plet på Knudemandens sidste skrivelse var blevet tjekket af drengene fra teknikken (det kostede kun en øl) og viste sig at være blod. Havde manden måske skåret sig, da han skar snoren over? Se, det var et nyt, lille mysterium. Rebus' liv var fyldt med mysterier, som for eksempel hvor hans dagsration på ti cigaretter blev af. Han kunne åbne sin pakke sent på eftermiddagen, tælle indholdet og opdage, at han allerede havde røget alle de ti cigaretter, der var afsat. Det var helt absurd, han kunne knap nok huske at have røget bare én af de tilladte ti, for ikke at tale om dem alle sammen. Alligevel ville en sammentælling af skodderne i hans askebæger fremkomme med så stærkt et empirisk bevis, at han umuligt kunne tilbagevise det. Derfor var det fandeme mærkeligt alligevel. Det var, som om han fortrængte en del af sin vågne tilstand.

I øjeblikket sad han placeret i hovedkvarterets kommandocentral, mens Jack Morton, den stakkel, var ude at stemme dørklokker. Fra sin fremskudte post kunne han se, hvordan Anderson ledede forestillingen. Det kunne ikke undre én, at mandens søn havde vist sig at være mindre begavet. Rebus skulle også tage sig af de mange telefonopkald, lige fra de 'hjælpsomme' til de sindssyge, der ville tilstå på stedet, samtidig skulle han holde rede på de afhøringer, der blev foretaget i selve bygningen på alle tider af døgnet. Der var flere hundred af dem, og alle skulle sorteres og arkiveres efter vigtighed i en eller anden rækkefølge. Det var et kæmpestort arbejde, men der var altid en chance for, at der kunne komme et spor ud af det, så han kunne ikke tillade sig at sjuske.

I den fortravlede, svedstinkende kantine røg han cigaret nummer elleve og løj for sig selv, at det var fra næste dags ration, og læste dagens avis. Man anstrengte sig for at finde på nye, rystende adjektiver, nu da man havde udtømt synonym-ordbøgerne. Kvælerens forfærdende, vanvittige, onde forbrydelser. Denne sindssyge, onde, sexgale mand. (Man var åbenbart ligeglad med, at morderen aldrig havde forulempet sine ofre seksuelt.) Skolepigemorderen! 'Hvad gør politiet? Alverdens teknologi kan ikke erstatte trygheden ved patruljerende betjente. VI HAR BRUG FOR DEM NU!' Det var fra Jim Stevens, vor kriminalreporter. Rebus kunne huske den kraftige, berusede mand fra festen. Han genkaldte sig ansigtsudtrykket hos Stevens, da han blev præsenteret for Rebus. Det var underligt. Alting var temmelig underligt. Rebus lagde avisen fra sig. Journalister. Endnu en gang ønskede han Gill held og lykke i arbejdet. Han studerede det uskarpe billede på forsiden af formiddagsavisen. Det viste et korthåret, uintelligent pigebarn. Hun smilede nervøst, som om det var taget pludseligt. Hun havde et lille, charmerende mellemrum mellem fortænderne. Stakkels tolvårige Nicola Turner, elev på en af kommuneskolerne i sydbyen. Hun havde ingen forbindelse til nogen af de to andre døde piger. Der var ingen synlige lighedspunkter imellem dem, desuden var morderen rykket et klassetrin op ved at vælge et barn fra en tidlig årgang. Så der var ingen konsekvens i hans valg af aldersgruppe. Vilkårligheden fortsatte uformindsket. Det var ved at drive Anderson til vanvid.

Men Anderson ville aldrig vedgå sig, at morderen havde bundet hans kære politikorps på hænder og fødder. Bundet dem med store knuder. Alligevel *måtte* der være spor. Det måtte der være. Rebus drak sin kaffe, det hele kørte rundt i hovedet på ham. Han følte sig som detektiven i en billig kriminalroman og ønskede, at han kunne bladre om på sidste side og gøre en ende på sin forvirring, alle dødsfaldene, galskaben og sin summen i ørene.

Da han kom tilbage til kommandorummet, samlede han alle rapporterne fra de telefonopkald, der var kommet ind, mens han holdt pause. Telefonisterne arbejdede på højtryk, og i nærheden stod en telex, der næsten konstant printede nye oplysninger ud, man mente var relevante for sagen, fra stationer i hele landet.

Anderson skubbede sig vej gennem larmen, som om han svømmede i sirup.

"Vi har brug for en bil, Rebus. En bil. Jeg vil ha' alle observationer af mænd, der er kørt væk med børn, sammenholdt og på mit skrivebord om en time. Jeg vil ha' skiderikkens bil."

"Ja, sir."

Og så var han væk igen, vadende i en sirup så dyb, at det ville drukne ethvert normalt menneske. Men ikke udødelige Anderson, uimodtagelig over for ethvert faresignal. Det gjorde ham til en belastning, tænkte Rebus, mens han gennemgik bunkerne af papir på sit skrivebord, der skulle forestille at ligge i en eller anden slags orden.

Biler. Anderson ville have biler, og biler skulle han få. Der var edsvorne beskrivelser af en mand i en blå Ford Escort, i en hvid Ford Capri, en bordeauxfarvet Morris Mini, en gul BMW, en sølvfarvet TR7, en ombygget ambulance, en isbil (ham, der ringede, lød italiensk og ønskede at være anonym) og en dejlig stor Rolls-Royce med personlige nummerplader. Ja, lad os putte dem alle sammen ind i computeren og få den til at tjekke alle blå Escorter, hvide Caprier og Rolls-Roycer i Storbritannien. Og med alle de informationer til rådighed ... hvad så? Flere forhøringer, flere registreringer af telefonopkald, flere forhør, mere papirarbejde og pis og lort. Men det var lige meget, Anderson ville svømme igennem det hele, ukuelig midt i al galskaben i hans egen lille verden, og når det hele var slut, ville han dukke frem ren, skinnende og urørlig ligesom en reklame for et vaskepulver. Skål på det.

Og hip hip hurra.

Rebus havde heller ikke været meget for, at der ikke var mening med tingene, mens han var soldat, og det var der næsten aldrig. Men han havde været en god soldat, en rigtig god soldat, når det gjaldt for alvor. Men så havde han i et anfald af vanvid søgt over i Jægerkorpset, og der havde der ikke været så meget pjat, til gengæld herskede der en ufattelig brutalitet. De havde tvunget ham til at løbe fra banegården til lejren bagefter sergeantens jeep. De havde plaget ham med fireogtyve-timers marcher, brutale instruktører, hele baduljen. Og da Gordon Reeve og han havde fået baretten, havde SAS forlænget deres prøvelser lidt længere, lige lidt for langt. De havde spærret dem inde, krydsforhørt dem, sultet dem, forgiftet dem for en værdiløs oplysning, nogle få ord, der ville bevise, at de var knækket. To nøgne, rystende dyr, der med sække over hovederne klamrede sig til hinanden for at holde varmen.

"Jeg vil ha' den liste om en time, Rebus," råbte Anderson, da han gik forbi igen. Han skulle nok få sin liste. Han skulle nok få sit kødben.

Jack Morton var kommet tilbage, udaset og ikke særlig venligstemt over for livet. Han luntede over til Rebus med en stak papirer under armen og en cigaret i hånden.

"Se lige her," sagde han og løftede sit ben. Rebus så den lange flænge i buksebenet.

"Hvad er der sket?"

"Hvad tror du? Jeg blev jagtet af en kæmpestor schæferhund, det er, hvad der er sket. Og kan jeg måske få det erstattet? Min bare røv."

"Du kan da prøve at søge om det alligevel."

"For hvad? Jeg vil bare ligne en idiot."

Morton trak en stol over til bordet.

"Hvad har du gang i?" spurgte han og satte sig med synligt velbehag.

"Biler. Masser af biler."

"Hvad med en lille en senere?"

Rebus kiggede på sit ur og overvejede forslaget.

"Måske, Jack. Ser du, jeg håber at få en aftale i stand til i aften."

"Med den bedårende Templer?"

"Hvor vidste du det fra?" Rebus var oprigtig overrasket.

"Det er godt med dig, John. Du kan ikke holde sådan noget hemmeligt – især ikke for politimænd. Men du må nok hellere passe på. Regler og regulativer, ved du."

"Ja, jeg er godt klar over det. Ved Anderson noget om det?"

"Har han sagt noget?"

"Nej."
"Så kan han ikke vide det, vel?"
"Du kunne blive en god politimand, min dreng. Du spilder din tid i det her job."
"Fortæl mig noget, jeg ikke ved, far."
Rebus tændte cigaret nummer tolv for at gøre et eller andet. Det var rigtigt, man kunne ikke holde noget hemmeligt på en politistation, ikke for fodfolket i hvert fald. Han håbede Anderson og Chefen ikke ville finde ud af det alligevel.
"Kom der noget ud af dine husbesøg?"
"Hvad tror du?"
"Morton, du har en irriterende vane med at besvare et spørgsmål med et nyt."
"Har jeg? Det må være på grund af mit arbejde, jeg bruger jo ret meget tid på at stille spørgsmål i disse dage. Tror du ikke, det er derfor?"
Rebus talte sine cigaretter. Han fandt ud af, at han var ved at ryge nummer tretten. Det her var ved at være latterligt. Hvor var nummer tolv blevet af?
"Men jeg kan godt sige dig én ting, John, der er intet at hente derude, der er ingenting at gå efter. Ingen har set noget, ingen ved noget. Det er lige før, man skulle tro, det var en sammensværgelse."
"Måske *er* det en sammensværgelse."

"Er det blevet fastslået, at alle tre mord er begået af den samme person?"
"Ja."
Politiinspektøren var en mand af få ord, især over for pressen. Han sad som en klippe bag bordet, med hænderne foldet foran sig og med Gill Templer til højre. Hendes briller – der i øvrigt var ganske unødvendige, eftersom hendes syn var næsten perfekt – lå i hendes taske. Hun bar dem aldrig i tjenesten, medmindre omstændighederne talte for det. Hvorfor havde så hun haft dem på til festen? Hun betragtede dem som et smyk-

ke. Hun syntes også, det var interessant at se, hvor forskelligt man reagerede over for hende, afhængigt af om hun havde dem på eller ej. Når hun forklarede det til sin venner, kiggede de mærkeligt på hende og troede, at hun spøgte. Måske stammede det helt tilbage fra hendes første rigtige kæreste, der havde fortalt hende, at ifølge hans erfaring var piger med briller de bedste til at kneppe. Det var over femten år siden, men hun kunne stadig huske hans ansigtsudtryk, hans smil og glimt i øjet. Hun kunne også huske sin egen reaktion, hvor chokeret hun var blevet over hans brug af ordet 'kneppe'. I dag bandede hun lige så meget som sine mandlige kolleger og kunne godt lide at se, hvordan de reagerede. Alt var en leg for Gill Templer, alt undtagen hendes arbejde. Hun var ikke blevet kriminalassistent, fordi hun så godt ud eller havde været heldig, men fordi hun havde arbejdet hårdt og målrettet og havde viljen til at klatre så højt, som de nu tillod hende. Og nu sad hun sammen med sin politiinspektør, hvis tilstedeværelse var ren symbolsk ved sådanne sammenkomster. Det var Gill, som skrev pressemeddelelserne, briefede politiinspektøren og bagefter tog sig af medierne, det var noget, alle vidste. En kriminalinspektør kunne måske tilføje pressemødet et strejf af højtidelighed, men det var Gill Templer, som kunne give journalisterne det, de kom efter, alle de små hentydninger.

Ingen vidste det bedre end Jim Stevens. Han sad bagest i lokalet og røg uden at fjerne cigaretten fra munden en eneste gang. Han interesserede sig ikke så meget for det, politiinspektøren sagde. Han kunne vente. Alligevel kradsede han en sætning eller to ned, til senere brug. Han var jo stadig journalist. Gamle vaner dør aldrig. Fotografen, en ivrig ungersvend, der nervøst skiftede linse hvert femte minut, var forsvundet med sin rulle film. Stevens så sig omkring efter nogen, han måske kunne tage en drink sammen med bagefter. De var her alle sammen. Alle de gamle drenge fra den skotske presse. Der var også engelske journalister. Skotske, engelske, græske – det kom ud på ét, alle journalister lignede hinanden. Deres ansigter var hærdede, de røg, og deres skjorter var ikke blevet skiftet i et par dage. De så underbetalte ud, men var i virkeligheden særdeles godt aflønnede og havde flere frynsegoder end de fleste andre. Men de arbejdede for deres penge, arbejdede hårdt for at opbygge et kontaktnet, kæmpede sig vej til de fjerneste afkroge, trådte alle over tæerne.

Han så på Gill Templer. Hvad kunne hun vide om John Rebus? Og var hun villig til at fortælle det? Når alt kom til alt, var de stadig venner, hende og ham. Stadig venner.

Måske ikke gode venner, i hvert fald ikke gode venner – selvom han havde forsøgt. Og nu var hun og Rebus ... bare vent, til han fik skovlen under det røvhul, hvis der altså *var* noget at få skovlen under. Selvfølgelig var der noget at grave i. Han havde det på fornemmelsen. Og så ville hun få øjnene op, helt op. Og så måtte de se, hvad de ville. Han var allerede i gang med overskriften. Et eller andet med 'Brødre inden og uden for loven!' Ja, det lød godt. Rebusbrødrene bag lås og slå, og det var helt hans fortjeneste. Han vendte sin opmærksomhed mod mordsagen igen. Det var alt for nemt, det var alt for nemt at sætte sig ned og skrive om politiets manglende effektivitet og den formodede galning. Men i øjeblikket var det det, der gav smør på brødet. Og så var der jo Gill Templer at kigge på.

"Gill!"

Han fangede hende, netop som hun var ved at sætte sig ind i sin bil.

"Goddag, Jim." Koldt og forretningsmæssigt.

"Hør lige her, jeg ville bare undskylde min opførsel ved festen." Han var forpustet efter den korte løbetur over parkeringspladsen, og ordene kom langsomt fra hans brændende indre. "Jeg mener, jeg var jo ret så fuld. Undskyld."

Men Gill Templer kendte ham alt for godt og vidste, at dette bare var indledningen til et spørgsmål eller en anmodning. Hun fik pludselig ondt af ham, ondt af hans kraftige, lyse hår, der trængte til at blive vasket, ondt af hans lille, tykke krop – den, hun engang havde anset for kraftfuld – og for den måde, han en gang imellem rystede på. Men det gik hurtigt over. Det havde været en hård dag.

"Hvorfor fortæller du mig det først nu? Du kunne da have sagt noget ved pressemødet i søndags."

Han rystede på hovedet.

"Jeg nåede det ikke i søndags. Jeg havde tømmermænd. Du må da have lagt mærke til, at jeg ikke var der?"

"Hvorfor skulle jeg have lagt mærke til det? Der var masser af andre mennesker til stede, Jim."

Den sved. Men han lod sig ikke mærke med det.

"Nå, men altså undskyld," sagde han.

"Det er i orden." Hun bøjede sig for at sætte sig ind i bilen.

"Må jeg ikke byde dig på noget, for ligesom at understrege min undskyldning?"

"Ellers tak. Jeg har travlt."

"Skal du møde ham Rebus?"

"Måske."

"Pas på, Gill. Han er måske ikke helt den, du tror, han er."

Hun rettede sig op igen.

"Jeg mener bare," sagde Stevens, "at du skal passe på dig selv."

Han ville ikke sige mere nu. Nu havde han plantet et lille, mistænksomt frø, og det skulle have tid til at vokse. Så ville han spørge hende mere indgående, og så var hun måske villig til at fortælle. Han vendte sig om og gik med hænderne plantet i lommen mod pubben Sutherland.

XIV

På Edinburghs hovedbibliotek, en stor og upåfaldende, gammel kasse, der lå klemt inde mellem en boghandel og en bank, gjorde bumserne sig klar til den daglige lur. De kom her for at udvente skæbnen så at sige, for at vente de sidste par dage i total fattigdom, indtil understøttelsen igen kunne udbetales. Den ville de så bruge på én dags (måske to, hvis de sparede) tant og fjas. Vin, kvinder og sang for en offentlighed, der ikke satte pris på det.

Personalet på biblioteket så meget forskelligt på disse udstødte, rangerende fra umådelig intolerance (sædvanligvis fra de ældre bibliotekarer) til bedrøvet refleksion (de yngste bibliotekarer). Men nu var det altså et offentligt bibliotek, og så længe vagabonderne havde frækhed nok til at begynde på en bog lige efter åbningstid, var der intet, man kunne stille op, medmindre de blev voldsomme, og i sådan et tilfælde ville en sikkerhedsvagt hurtigt være på pletten.

Så de sov i de magelige stole, mens der en gang imellem blev skulet olmt til dem af folk, der ikke kunne lade være med at spekulere over, om det mon nu også var det, Andrew Carnegie havde tænkt på, da han finansierede de første offentlige biblioteker for mange år siden. De sovende havde ikke noget imod, at der blev kigget på dem, så de drømte videre, på trods af at ingen var interesseret i at vide, hvad de drømte om, og heller ikke fandt det vigtigt.

De fik dog ikke lov til at komme ind i børneafdelingen. Faktisk blev der kigget skævt til enhver voksen, der gik og kiggede uden et barn på slæb, og det var ikke blevet bedre efter mordene på de stakkels småpiger. Bibliotekarerne talte om det indbyrdes. Han skulle hænges, så var der ikke mere at sige om det.

Og selvfølgelig diskuterede man hængning igen i parlamentet, som man altid gør, når en seriemorder dukker frem af mørket i det civiliserede England. Men den mest almindelige udtalelse blandt folk i Edinburgh drejede sig overhovedet ikke om hængning. Den blev udtalt meget rammende af en af bibliotekarerne: 'Men *her*, i Edinburgh! Det er umuligt.' Seriemordere hørte hjemme i de tågede gyder i Syd- og Midtengland, ikke i Skotlands pittoreske Edinburgh. Tilhørerne nikkede skræmte og bedrøvede over, at dette var noget, der vedrørte dem alle; hver eneste kvinde fra den baptistiske frimenighed på Morningside Road, med hendes forstilte fromhed; hver eneste bølle, der strejfede om i gaderne mellem lejekasernerne; hver eneste sagfører, bankmand, børsmægler, butiksassistent og avismand. Private vagtværn blev hurtigt oprettet og lige så hurtigt nedlagt igen af et hurtigt reagerende politi. Dette var ikke svaret, sagde politiinspektøren. Vær endelig på vagt, men loven må aldrig tages i egen hånd. Han gned sine egne behandskede hænder, mens han talte, og nogle journalister spekulerede på, om det ikke var hans underbevidsthed, der vaskede sine freudianske hænder. Jim Stevens' redaktør besluttede at udtrykke det således: LÅS JERES DØTRE INDE! og lod det være nogenlunde ved det.

Og døtrene *blev* låst inde. Nogle af dem blev holdt hjemme fra skole af deres forældre eller blev fulgt til og fra skole under massiv eskorte, med et ekstra tjek af deres velbefindende i spisefrikvarteret. Børneafdelingen på hovedbiblioteket var blevet mærkbart stille på det sidste, så bibliotekarerne havde ikke meget andet at lave end at diskutere hængning og læse de makabre spekulationer i den britiske presse.

Den britiske presse var nu travlt beskæftiget med det faktum, at Edinburghs fortid var noget flosset i kanten. De bragte baggrundsartikler om Deacon Brodie (det var ham, der skulle have været inspirationen til Stevensons dr. Jekyll og mr. Hyde), Burke og Hare og alt muligt andet, der kom for dagens lys i deres efterforskning, lige ned til spøgelserne, der huserede i et mistænkeligt antal af byens gregorianske huse. Disse historier holdt gang i bibliotekarernes fantasi, når der ikke var så meget at lave. De sikrede sig, at de hver især købte forskellige aviser, så de kunne indsamle så mange informationer som muligt, men blev skuffet over, hvor ofte journalisterne delte nøglehistorierne imellem sig, så den samme artikel kunne optræde i to eller tre forskellige aviser. Man skulle tro, at journalisterne havde rottet sig sammen.

Nogle børn kom der dog stadig på biblioteket. Det store flertal var i selskab med en mor, far eller barnepige, men et par af dem kom stadig alene. Dette bevis på visse forældres ubetænksomhed over for deres afkom generede de godhjertede bibliotekarer endnu mere, og de ville forfærdet spørge børnene, hvor deres far og mor var henne.

Samantha kom sjældent i bibliotekets børneafdeling, da hun foretrak bøger for lidt ældre, men i dag var hun gået derned for at slippe for sin mor. En mandlig bibliotekar kom over til hende, mens hun stod og kiggede på bøgerne for de helt små.

"Er du her alene, min pige?" spurgte han.

Samantha kendte ham godt. Han havde arbejdet der, lige så længe hun kunne huske.

"Min mor er ovenpå," sagde hun.

"Det er jeg glad for at høre. Jeg vil råde dig til at følges med hende."

Hun nikkede, mens hun kogte indvendigt. Hendes mor havde sagt nogenlunde det samme for kun fem minutter siden. Hun var ikke noget barn, men det var der åbenbart ingen, der var parat til at acceptere. Da bibliotekaren gik over for at tale med en anden pige, tog Samantha den bog, hun ville låne, og gav sit lånerkort til den gamle, kvindelige bibliotekar med det farvede hår, som børnene kaldte fru Slocum. Så skyndte hun sig op ad trapperne til bibliotekets afdeling for fagbøger, hvor hendes mor var i gang med at finde et kritisk studie i George Eliot. Hendes mor havde fortalt hende, at George Eliot var en kvinde, som havde skrevet bøger med en fabelagtig realistisk og psykologisk dybde på et tidspunkt, hvor det var meningen, at store realister og psykologer skulle være mænd, og kvinder ikke burde kunne andet end at holde hus. Det var derfor, hun var tvunget til at kalde sig George, hvis hun ville udgives.

Som modvægt til disse forsøg på indoktrinering havde Samantha i børneafdelingen lånt en billedbog, der handlede om en dreng, der flyver bort på en kæmpestor kat, og som kommer på eventyr i et fantasiland, der overgår hans vildeste drømme. Det, håbede hun, ville gøre moren gal i skralden. I afdelingen for fagbøger sad der en masse mennesker ved skriveborde og hostede, så det gav ekko rundt i korridorerne. Hendes mor, der med brillerne yderst på næsen i høj grad lignede en skolelærer, stod og snakkede med en bibliotekar om en eller anden bog, hun havde bestilt. Samantha gik mellem rækkerne af skriveborde og skelede til, hvad folk læste og skrev. Hun undrede sig over, hvorfor folk brugte så meget tid på at læse, når der var så mange andre ting, man kunne lave. Hun ville rejse jorden rundt. Bagefter ville hun måske være klar til at sidde i et trist lokale og studere gamle bøger. Men ikke endnu.

Han iagttog hende, mens hun gik mellem rækkerne af skriveborde. Han stod med ansigtet vendt halvt imod hende og lod, som om han studerede en hylde med bøger om fiskeri. Men hun lagde ikke mærke til noget. Der var ingen fare. Hun befandt sig i sin egen lille, opdigtede verden og havde sine egne regler. Det var godt. Alle pigerne havde været sådan. Men hende her var sammen med nogen. Det kunne han se. Han tog en bog ned fra hylden og bladrede hurtigt igennem den. Et af kapitlerne fangede hans opmærksomhed og fik hans tanker væk fra Samantha. Det var et kapitel om fluebinding. Her kunne han læse om mange forskellige slags knuder. Mange forskellige.

XV

EN NY BRIEFING. Rebus var kommet til at holde af disse orienteringsmøder, for der var altid en chance for, at Gill ville være der, og at de bagefter kunne tage en kop kaffe sammen. I går aftes havde de spist sent på en restaurant, men hun havde været træt og kigget underligt på ham, set lidt mere undersøgende på ham end ellers, til at begynde med uden briller, men havde så taget dem på igen, da de var halvvejs igennem måltidet.

"Jeg vil vil se, hvad det er, jeg spiser."

Men han vidste, at hun så udmærket. Brillerne var bare et psykologisk forsvarsværk. De beskyttede hende. Måske var han bare paranoid. Måske havde hun bare været træt. Men han havde mistanke om, at det var mere end det, selvom han ikke kunne se, hvad det skulle være. Havde han fornærmet hende på en eller anden måde? Affærdiget hende uden at være klar over det? Han var selv træt. De tog hjem til hver sin lejlighed og lå vågne, fordi de ikke ville være alene. Så drømte han drømmen om kysset og vågnede med det sædvanlige resultat: sveden, der haglede ned over hans ansigt, og tørre læber. Ville han vågne til et nyt brev? Til et nyt mord?

Han havde det ad helvede til på grund af manglen på søvn. Men han nød alligevel briefingen – og ikke kun på grund af Gill. Der havde endelig vist sig en skygge af et spor, og Anderson var meget opsat på at få det efterprøvet.

"En lyseblå Ford Escort," sagde Anderson. Bag ved ham sad politiinspektøren, hvis tilstedeværelse syntes at gøre kommissæren nervøs. "En lyseblå Ford Escort." Anderson tørrede sig over panden. "Vi har efterretninger om, at en sådan bil er blevet set i Haymarket-distriktet den aften, liget af det første offer blev fundet, og vi har to øjenvidneskildringer af en mand og en pige, pigen tilsyneladende sovende, i en sådan bil den aften, offer nummer tre forsvandt." Anderson løftede blikket fra dokumentet foran sig, tilsyneladende for at stirre hver enkelt tilstedeværende detektiv ind i øjnene. "Jeg ønsker, at dette får første prioritet eller endnu mere. Jeg vil ha' alle detaljer om ejermændene til samtlige blå Ford Escorter i Lothian, og jeg vil ha' disse oplysninger, *før* det er menneskeligt muligt. Jeg er godt klar over, at I alle ligger vandret i øjeblikket, men med en lille ekstra indsats kan vi fange fyren, inden han begår nye drab. Til slut har kommissær Hartley lavet et vagtskema: Hvis dit navn er på, så drop alt, hvad du har i hænderne, og kom af sted ud at jagte den bil. Nogen spørgsmål?"

Gill Templer skrev noter på sin lillebitte notesblok, måske var hun ved at brygge en historie sammen til pressen. Var de mon interesserede i, at dette kom ud? Sikkert ikke, ikke lige med det samme. De ville vente, indtil de så, hvad der kom ud af den indledende efterforskning. Hvis der ikke dukkede noget op, ville offentligheden blive bedt om at hjælpe. Rebus var ikke meget for det. Indsamling af oplysninger om ejerskab, slæbe sig ud til forstæderne for at interviewe et halvt ton mistænkte, forsøge at snuse sig frem til, om de var sandsynlige eller mulige mistænkte og så måske endnu et interview. Nej, han var ikke meget for det. Han ville meget hellere følges med Gill Templer tilbage til sin hule for at elske med hende. Fra sin plads ved siden af døren var ryggen det eneste, han kunne se af hende. Han var igen ankommet som den sidste, fordi han var kommet til at blive på pubben lidt længere end beregnet. Det havde været en meget vigtig aftale, frokost (flydende) med Jack Morton. Morton fortalte ham om de langsomme, men sikre fremskridt, der blev gjort i marken: Fire hundrede mennesker var blevet interviewet, hele familier var blevet tjekket og tjekket igen, alle de sædvanlige galninge og usædelige grupper efterforsket. Og ikke det mindste lille lys havde det kunnet kaste over sagen.

Men nu havde de en bil, eller det troede de i det mindste. Det var et spinkelt spor, men de var nu i besiddelse af et sandsynligt faktum, og det var allerede noget. Rebus var selv en lille smule stolt over sin andel i efterforskningen, for det var hans grundige gennemgang af de forskellige observationer, der havde ført til denne svage sammenkædning. Han havde lyst til at fortælle Gill om det og få arrangeret et stævnemøde senere på ugen. Han måtte se hende igen eller bare se en eller anden, for hans lejlighed var ved at forvandle sig til en fængselscelle. Han kom vaklende hjem sent om natten eller ud på morgenen, faldt om på sengen og sov, gad hverken rydde op, læse eller købe (eller endda stjæle) madvarer. Han havde hverken tiden eller kræfterne. I stedet frekventerede han kebab-husene og grillbarerne, konditorierne og slikautomaterne. Han var blevet blegere, og hans mave var udspilet til bristepunktet. Han barberede sig dog stadig og tog slips på, som det nødvendige onde det nu var, men det var også alt. Anderson havde bemærket, at hans skjorter ikke var helt så rene, som de kunne have været, men havde indtil nu ladet det passere. For det første, fordi Rebus var i kridthuset, da det var ham, der havde givet dem noget at arbejde med, for det andet, fordi enhver kunne se, at med det humør, Rebus var i i øjeblikket, ville man få en lige højre, hvis man kritiserede ham.

Mødet var ved at være forbi. Der var ingen, der havde spørgsmål, ud over det mest oplagte: Hvornår begynder vi at bryde sammen? Rebus drev rundt lige uden for døren og ventede på Gill. Hun kom ud med den sidste gruppe, i lavmælt diskussion med Wallace og Anderson. Politiinspektøren havde diskret lagt hånden om livet på hende og ledte hende blidt ud af lokalet. Rebus stirrede på den brogede forsamling af overordnede. Han forsøgte at fange Gills blik, men hun så ikke ud til at lægge mærke til ham. Rebus så sin lille plasticbil blive bugseret tilbage til start uden chance for at indkassere 200 kroner. Så dette var kærlighed. Hvem narrer hvem?

Mens de tre gik ned ad gangen, stod Rebus som en forsmået teenager og bandede og svovlede. Endnu en gang var han blevet svigtet. Ja, svigtet.

Du må ikke svigte mig, John. Vel?

Vel? Vel? Vel?

Og skriget i erindringen ...

Han følte sig svimmel, og havet susede i hans ører. Han vaklede lidt og forsøgte at støtte sig til den sikre væg, men selv den syntes at pulsere. Han tog et par dybe indåndinger og tænkte tilbage på sine dage på stranden med klipperne, hvor han havde rekreeret sig efter sit sammenbrud. Dengang havde havet også suset i hans ører. Gulvet begyndte så småt at holde op med at gynge. Folk gik spørgende forbi ham, men ingen stoppede op for at hjælpe. Skide være med dem. Og skide være med Gill Templer. Han kunne klare sig selv. Han kunne klare sig selv, måtte Gud hjælpe ham. Han skulle nok komme til hægterne. Det eneste, han havde brug for, var en cigaret og en kop kaffe.

Men det, han i virkeligheden havde brug for, var deres skulderklap, deres lykønskninger for vel udført arbejde, deres accept. Han havde brug for en eller anden til at forsikre sig om, at det hele nok skulle gå.

Det skulle nok gå det hele.

Samme aften – efter indtagelsen af et par fyraftensbajere – besluttede han sig for at få en aften ud af det. Morton skulle noget andet, men det var også helt i orden. Rebus behøvede ikke selskab. Han gik ned ad Princes Street, mens han fordøjede sit løfte for aftenen. Når alt kom til alt, var han en fri mand, mindst lige så fri som enhver af de unger, der stod og hang foran grillbaren. De pralede og pjattede og ventede. Hvad de ventede på? Det vidste han godt. De ventede på, at tiden var inde til, at de kunne komme hjem og sove til næste dag. Han ventede også på sin måde. Slog tiden ihjel.

På Rutherford Arms mødte han et par svirebrødre, som han

kendte fra aftener som denne, lige efter Rhona havde forladt ham. Han sad og drak med dem en times tid, bællede øl i sig, som om det var modermælk. De diskuterede fodbold, hestevæddeløb og arbejde, hele situationen fik Rebus til at slappe af. Det var ganske almindelig hyggesnak, og han kastede sig grådigt ud i den og bidrog med sine egne småbidder af nyheder. Da han havde fået nok, sagde han farvel til sine venner med løftet om en anden god gang og gik smådinglende ud ad baren og begyndte at kante sig vej ned ad gaden mod Leith.

Jim Stevens sad ved baren og så i spejlet, at Michael Rebus lod sin drink stå på bordet og gik på toilettet. Et øjeblik senere fulgte den mystiske mand, der havde siddet ved et andet bord, efter. Det så ud til, at de var mødtes for at diskutere den næste leverance, for de var begge alt for skødesløse til at have medbragt noget inkriminerende. Stevens røg på sin cigaret og ventede. Mindre end et minut senere kom Rebus tilbage og gik op til baren efter en ny drink.

John Rebus kunne ikke tro sine egne øjne, da han kom ind ad svingdøren til baren. Han slog sin bror på skulderen.

"Mickey! Hvad laver du her?"

Michael Rebus var lige ved at få et slagtilfælde. Hjertet skød op i halsen på ham og fik ham til at hoste.

"Jeg får mig bare en lille en, John." Men han var sikker på, at han lignede en med en allerhelvedes dårlig samvittighed. "Du gjorde mig forskrækket," fortsatte han og prøvede at smile, "ved at slå mig på den måde."

"Årh, et lille broderligt klap, det var det hele. Hvad vil du have at drikke?"

Mens brødrene sad og snakkede, smuttede manden ud fra toilettet og forlod baren uden at kigge til højre eller venstre. Stevens så ham gå, men havde fået noget andet at tænke på. Han måtte ikke lade politimanden se ham. Han vendte sig væk fra baren, som om han ledte efter en eller anden ved bordene. Nu var han helt sikker. Politimanden måtte være med i det. Hele aktionen havde været meget smart tilrettelagt, men nu var han sikker.

"Nå, så du er i gang med et show hernede?" John Rebus var i strålende humør, godt hjulpet på vej af det, han allerede havde drukket, og følte nu, at tingene for en gang skyld gik, som de skulle. Han var genforenet med sin bror over den drink, de altid havde lovet hinanden. Han bestilte whisky og øl til dem begge. "Det her er lige en pub efter mit hoved," sagde han til Michael. "Her kigger de ikke så nøjagtigt på målebægeret."

Michael smilede og smilede og smilede, som gjaldt det hans liv. Hans hjerne arbejdede på højtryk. Det sidste, han havde brug for, var en drink mere. Hvis det her rygtedes, ville hans Edinburgh-forbindelse ikke længere tro ham, det var for mistænkeligt. Han, Michael, ville få brækket benene, hvis det nogensinde kom ud. Han var blevet advaret. Og hvad lavede John overhovedet her? Han så ud til at være i godt nok humør, han var endda fuld, men hvad hvis det hele var en fælde? Hvad hvis hans forbindelse allerede var blevet arresteret udenfor? Han havde det som dengang, han som dreng havde stjålet penge fra sin fars tegnebog og havde nægtet det i ugevis, tynget af skyld.

Skyldig, skyldig, skyldig.

Imens fortsatte John Rebus med at sludre og drikke uden at bemærke det pludselige omslag i stemningen og den interesse, han pludselig var genstand for. Det eneste, han gik op i, var den drink, der stod foran ham, og det faktum, at Michael lige straks skulle af sted for at lave et show i den lokale bingohal.

"Må jeg ikke godt komme med?" spurgte han. "Jeg kan lige så godt få set, hvordan min bror tjener til livets ophold."

"Hvorfor ikke," sagde Michael. Han kørte lidt rundt med glasset. "Jeg må nok hellere lade være med at drikke det her, John. Jeg er nødt til at være klar i hovedet."

"Det er klart. Du er nødt til at lade dine mystiske kræfter

fylde dig." Rebus lod, som om han hypnotiserede Michael med hænderne. Hans øjne var store og smilende.

Jim Stevens tog sine cigaretter og forlod, stadig med ryggen til dem, den støjende og tilrøgede pub. Hvis bare man havde haft ørenlyd derinde. Hvis bare han kunne have overhørt deres samtale. Rebus så ham, da han gik.

"Jeg tror, jeg kender ham der," sagde han til Michael og gjorde et kast med hovedet mod døren. "Han er journalist på den lokale sprøjte."

Michael Rebus forsøgte at smile og smile og smile, men det forekom ham, at hans verden var ved at falde sammen.

Rio Grande Bingohal havde engang været biograf. De første tolv stolerækker var blevet fjernet og havde gjort plads til bingoborde og plasticstole, men bagved var der stadig mange rækker af støvede, røde sæder, og balkonens siddepladser var stadig intakte. John Rebus ville helst sidde ovenpå, så han ikke distraherede Michael. Han fulgtes med en ældre mand og hans kone op ad trapperne. Sæderne så magelige nok ud, men da han lempede sig ind på anden række, kunne Rebus mærke fjedrene stikke sig i ballerne. Han flyttede lidt rundt på sig for at komme til at sidde ordentligt og besluttede sig til sidst for en position, hvor den ene balle understøttede det meste af hans vægt.

Der så ud til at være mange mennesker nedenunder, men her oppe i mørket på den forsømte balkon var der kun ham og det ældre par. Så hørte han et par hæle klapre på sidegangen. De stoppede et øjeblik, hvorefter en velvoksen kvinde banede sig vej ind på anden række. Rebus blev tvunget til at se op og så, at hun smilede til ham.

"Må jeg sætte mig her?" spurgte hun. "Du venter vel ikke på nogen?"

Der var håb i hendes øjne. Rebus rystede på hovedet og smilede høfligt. "Det tænkte jeg nok," sagde hun og satte sig ned ved siden af ham. Han smilede. Han havde aldrig før set

Michael smile så meget og så usikkert. Var han flov over at møde sin storebror? Nej, der måtte stikke noget andet under. Michaels smil mindede om lommetyvens, når han endnu en gang var blevet taget. De måtte se at få snakket sammen.

"Jeg kommer her tit for at spille bingo. Men jeg tænkte, at det her kunne blive sjovt. Lige siden min mand døde," sigende pause, "jah, så har det jo ikke været det samme. Jeg kan godt lide at komme lidt ud en gang imellem. Hvem kan ikke det? Og så gik jeg altså herhen. Jeg ved ikke, hvad der fik mig til at gå ovenpå. Måske var det skæbnen." Hendes smil blev bredere. Rebus smilede tilbage.

Hun var i begyndelsen af fyrrerne, lidt for meget makeup og parfume, men ellers ret velholdt. Det lød, som om hun ikke havde talt med nogen i dagevis, som om det var vigtigt for hende at fastslå, at hun stadig kunne tale og blive lyttet til og forstået. Rebus havde ondt af hende. Han kunne se lidt af sig selv i hende, ikke ret meget, men mere end nok.

"Og hvad laver du så her?" Hun tvang ham til at sige noget.

"Jeg er her bare for at se forestillingen, ligesom dig." Han turde ikke fortælle, at hypnotisøren var hans bror. Det ville bare rode ham ud i en masse forklaringer.

"Kan du godt lide sådan noget?"

"Det er første gang, jeg prøver det."

"Også for mig." Hun smilede igen, denne gang konspiratorisk. Hun havde fundet ud af, at de havde noget tilfælles. Heldigvis blev lyset slukket – det lys, der nu var – og der kom spot på scenen. En eller anden introducerede forestillingen. Kvinden åbnede sin håndtaske og frembragte en støjende pose bolsjer. Hun bød Rebus et.

Rebus fandt til sin overraskelse ud af, at han kunne lide showet, men ikke halvt så meget som kvinden ved siden af. Hun skreg af grin, da en frivillig deltager havde efterladt sine bukser på scenen for at svømme op og ned mellem rækkerne. En anden forsøgskanin blev overbevist om, at han var ufattelig sulten. En anden igen, at hun var en professionel stripper midt i en optræden. En tredje, at han var ved at falde i søvn.

Selvom han stadig morede sig, begyndte Rebus at nikke med hovedet. Det var effekten af for meget alkohol, for lidt søvn og det rugende mørke i teatret. Han vågnede først, da alle klappede til sidst. Michael, der svedte i sit glitrende scenetøj, tog imod bifaldet som en narkoman og kom frem igen og bukkede, da de fleste allerede var ved at gå. Han havde fortalt sin bror, at han var nødt til at tage hjem umiddelbart efter showet, så de kunne ikke ses bagefter, men han ville ringe til ham en af dagene for at høre, hvad han syntes om det.

Og John Rebus havde sovet det meste af tiden.

Han følte sig friskere nu og kunne høre sig selv sige ja tak til den parfumerede kvindes tilbud om en 'godnatdrink' på den lokale pub. De forlod leende teatret arm i arm. Rebus følte sig afslappet som et barn. Denne kvinde behandlede ham faktisk som sin søn, og han var lykkelig over at blive pylret om. En sidste drink, og så ville han tage hjem. Bare én drink.

Jim Stevens så dem forlade teatret. Det var ved at blive temmelig mærkeligt. Rebus så nu ud til at ignorere sin bror og havde en kvinde med sig. Hvad skulle det betyde? Det betød blandt andet, at Gill skulle have besked om det på et belejligt tidspunkt. Stevens smilede, da han tilføjede det til sin samling af slige tidspunkter. Indtil nu havde det været en givtig aften.

Hvornår på aftenen var moderkærligheden blevet skiftet ud med fysisk kontakt? Måske på pubben, da hendes rødlakerede negle borede sig ind i hans lår? Måske udenfor i den kølige luft, da han lagde armene om halsen på hende i et klodset forsøg på at kysse hende? Eller her i hendes gammeldags lejlighed, der stadig lugtede af hendes mand, da hun og Rebus lå henslængt på en gammel sofa og udvekslede mundvand?

Det var også lige meget. Det var for sent at fortryde noget – og for tidligt. Så han sjoskede efter hende, da hun trak sig tilbage til sit soveværelse. Han kastede sig ned på den enorme, fjedrene dobbeltseng, der var dækket af tykke quiltede tæpper. Han så på hende, mens hun klædte sig af i mørket. Sengen føltes som den, han havde haft som dreng, hvor kun varmedunken og bjergene af jordslåede vattæpper kunne holde kulden ude. Tung, kvælende og umulig at kæmpe imod.

Skidt med det.

Rebus nød ikke ligefrem enkelthederne ved hendes tunge krop og måtte anlægge en åndelig synsvinkel. Da han rørte ved hendes udtjente bryster, mindede det ham om de sene nætter med Rhona. Hendes lægge var fede, i modsætning til Gills, og hendes ansigt var hærget af for megen udsvævelse. Men hun var kvinde, og hun var sammen med ham, så han forvandlede hende til noget uvirkeligt og forsøgte at gøre dem begge tilfredse. Men det tunge sengetøj var ved at kvæle ham, spærrede ham inde og fik ham til at føle sig lille og indespærret og isoleret fra resten af verden. Han kæmpede imod det, kæmpede imod erindringen om Gordon Reeve og ham selv, da de sad i isolationscelle og lyttede til skrigene fra de andre. De holdt ud, de holdt ud, lige til de til sidst blev genforenet. De havde vundet. Og tabt. Tabt alting. Hans hjerte hamrede i takt til hendes grynten, der nu syntes at være langt væk. Han følte den første bølge af definitiv afsky ramme sig i maven som en knippel, og hans hænder gled ned omkring den slappe eftergivende hals under ham. Klagelydene var nu uvirkelige, katteagtige, gennemtrængende. Hans hænder klemte til, fingrene låste sig fast omkring hud og lagen. De låste ham inde og smed nøglen væk. De pressede ham til det yderste, og de forgiftede ham. Han skulle ikke have overlevet. Han skulle være død dengang, i hans snævre dyrecelle med deres vandslanger og konstante forhør. Men han havde overlevet. Han havde overlevet. Og han var ved at komme.

Han alene, helt alene!

Og skrigene!

Skrigene!

Rebus nåede lige at opfatte rallelydende under sig, inden

hans hoved begyndte at syde. Han faldt hen over den gispende skikkelse og mistede bevidstheden. Det var som en kontakt, der blev slukket.

XVI

HAN VÅGNEDE I ET HVIDT RUM. Det mindede temmelig meget om det rum på hospitalet, han var vågnet op på efter sit nervesammenbrud for mange år siden. Han kunne høre dæmpede lyde udenfor. Han satte sig op, og hans hoved begyndte at dunke. Hvad var der sket? Gud fri mig vel, kvinden, den stakkels kvinde. Han havde forsøgt at slå hende ihjel! Fuld, alt for fuld. Barmhjertige Gud, han havde forsøgt at kvæle hende, havde han ikke? Hvorfor i alverden havde han gjort det? Hvorfor?

En læge kom ind ad døren.

"Ah, mr. Rebus, det er godt, at De er vågnet. Vi skulle lige til at flytte Dem ind på en af stuerne. Hvordan har De det?"

Han fik taget pulsen.

"Almindelig overanstrengelse. Almindelig nervebetonet overanstrengelse. Deres ven, som ringede efter ambulancen ..."

"Min ven?"

"Ja, hun fortalte, at De pludselig kollapsede. Og efter hvad vi kan forstå på deres arbejdsgivere, har De arbejdet temmelig hårdt med denne skrækkelige morderjagt. Almindelig overanstrengelse. De har bare brug for at slappe af."

"Hvor er ... min ven?"

"Aner det ikke. Hjemme, vil jeg tro."

"Og ifølge hende kollapsede jeg altså bare?"

"Det er rigtigt."

Rebus følte en øjeblikkelig lettelse skylle ind over sig. Hun havde ikke sagt noget. Så begyndte hans hoved at dunke igen. Lægens håndled var behårede og renskurede. Han puttede et termometer ind i munden på Rebus og smilede. Vidste han, hvad Rebus havde gjort, lige inden han besvimede? Eller havde vennen klædt ham på, inden hun ringede efter ambulancen.

Han måtte kontakte kvinden. Han vidste ikke, hvor hun boede, ikke helt præcist, men ambulancefolkene ville vide det, og han kunne tjekke det.

Overanstrengelse. Rebus følte sig ikke overanstrengt. Han var begyndt at føle sig udhvilet, og selvom han stadig var lettere rystet, så han nu ret ubekymret på tilværelsen. Havde de givet ham noget, mens han sov?

"Må jeg se en avis?" mumlede han forbi termometeret.

"Jeg får en portør til at hente en til Dem. Er der nogen, De ønsker at kontakte? En slægtning eller en ven?"

Rebus tænkte på Michael.

"Nej," sagde han, "der er ingen at kontakte. Jeg vil bare ha' en avis."

"Alt i orden." Termometeret blev fjernet og resultatet noteret.

"Hvor lang tid vil I beholde mig her?"

"To-tre dage. Måske skal De se en psykiater."

"Glem psykiateren. Jeg vil gerne ha' nogle bøger at læse i."

"Jeg skal se, hvad jeg kan gøre."

Rebus lagde sig til rette fast besluttet på at lade tingene udvikle sig, som de ville. Han ville ligge her og slappe af, selvom han ikke behøvede det, og ville så lade de andre bekymre sig om mordsagen. Skide være med dem. Skide være med Anderson. Skide være med Wallace. Skide være med Gill Templer.

Men så huskede han sine hænder glide ned omkring den rynkede hals, og han gøs. Det var, som om hans tanker ikke var hans egne. Havde han været ved at slå kvinden ihjel? Skulle han se en psykiater alligevel? Spørgsmålene gjorde hans hovedpine værre. Han prøvede ikke at tænke på noget overhovedet, men tre skikkelser blev ved med at dukke op. Hans gamle ven Gordon Reeve, hans ny kæreste Gill Templer og kvinden, han havde bedraget hende med og næsten kvalt. De dansede rundt i hans hovede, indtil dansen blev sløret, og han faldt i søvn.

• • •

"John!"

Hun kom ilende hen imod hans seng, med frugt og vitamindrik i hænderne. Hun havde makeup på, og hendes tøj var strengt ikke-tjenstligt. Hun kyssede ham på kinden, og han kunne lugte hendes franske parfume. Han kunne også se ned i hendes silkebluse. Han følte sig en lille smule skyldig.

"Goddag, kriminalassistent Templer. Værsgo og hop ind." sagde han og løftede dynen.

Hun grinede og trak en umagelig stol over. Andre besøgende strømmede ind på stuen med smil og stemmer tilpasset sygdom. Men Rebus følte sig ikke syg.

"Hvordan har du det, John?"

"Forfærdeligt. Hvad har du med til mig?"

"Vindruer, bananer, fortyndet appelsinjuice. Jeg er bange for, det ikke er særlig opfindsomt."

Rebus plukkede en drue fra klasen, stak den i munden og lagde den kioskroman fra sig, som han havde været så pinligt optaget af.

"Det er ikke småting, man skal udsætte sig for for at få en aftale med dig!" Rebus rystede bedrøvet på hovedet. Gill smilede nervøst.

"Vi har været bekymrede for dig, John. Hvad skete der?"

"Jeg besvimede. Hjemme hos en ven, for at det ikke skal være løgn. Det er ikke noget alvorligt. Jeg har et par uger mere at leve i."

Gills smil var fuld af varme.

"De siger, det er overanstrengelse." Så holdt hun inde. "Hvad mener du med det 'kriminalassistent-fis'?"

Rebus trak på skuldrene og så tvær ud. Hans skyldfølelse blev blandet med erindringen om den kolde skulder, han havde fået, og som havde fået hele lavinen til at skride. Han forvandlede sig til patient igen og lagde afkræftet hovedet til rette på puden.

"Jeg er en meget syg mand, Gill. Alt for syg til at besvare spørgsmål."

"Jamen, når det forholder sig sådan, behøver jeg jo heller ikke give dig de cigaretter, Jack Morton sendte med."

Rebus satte sig op igen.

"Gud velsigne ham. Hvor er de?"

Hun frembragte to pakker fra sin jakkelomme og skubbede dem ind under dynen. Han greb hendes hånd.

"Jeg har savnet dig, Gill." Hun smilede og trak ikke hånden til sig.

Eftersom tidsbegrænset besøgstid ikke gjaldt for politiet, blev Gill i to timer, mens hun fortalte om sin fortid og spurgte til hans. Hun var født på en flybase i Wiltshire lige efter krigen. Hun fortalte Rebus, at hendes far havde været ingeniør i RAF.

"Min far," sagde Rebus, "var i hæren under krigen. Jeg blev undfanget under en af hans sidste orlover. Han optrådte som hypnotisør." Folk løftede som regel et øjenbryn, når de fik det at høre, men ikke Gill Templer. "Han plejede at optræde i koncertsale og teatre på sin sommerturne rundt til Blackpool og Ayr. Vi var altid sikre på en sommerferie uden for Fife."

Hun sad med hovedet lidt på skrå, opsat på at få fortalt historier. Stuen var blevet stille, så snart de andre besøgende havde adlydt klokken. En sygeplejerske skubbede en vogn rundt med en kæmpestor kande te på. Gill fik en kop, og sygeplejersken smilede søsterligt til hende.

"Hun er en go' pige, hende sygeplejersken," sagde Rebus afslappet. Han havde fået to piller, en blå og en brun, og de gjorde ham døsig. "Hun minder mig om en pige, jeg kendte, mens jeg var faldskærmssoldat."

"Hvor længe var du faldskærmssoldat, John?"

"Seks år. Nej, otte år må det være."

"Hvad fik dig til at forlade hæren?"

Hvad der fik ham til at forlade hæren? Rhona havde stillet det samme spørgsmål om og om igen med en nysgerrighed, der var pirret af, at han havde noget at skjule, et eller andet kæmpeskelet i skabet.

"Jeg ved det faktisk ikke. Det er svært at huske så langt tilbage. Jeg blev udtaget til specialtræning, og jeg brød mig ikke om det."

Og det var sandheden. Han havde ikke brug for at huske sin træning, dunsten af angst og mistro, skrigene, skrigene inde i hovedet. *Luk mig ud.* Ensomhedens ekko.

"Nå, men," sagde Gill, "hvis *min* hukommelse ikke svigter mig, så har jeg en sag, der venter på mig hjemme i hovedkvarteret."

"Det minder mig om noget," sagde han. "Jeg tror, jeg så din ven i aftes, journalisten. Han var på en pub på samme tidspunkt som mig. Mærkeligt."

"Det er ikke så mærkeligt. Det er sådan, hans jagtmarker ser ud. Det er sjovt, han minder lidt om dig på mange måder. Men bare ikke så sexet." Hun smilede og kyssede ham på kinden igen, før hun rejste sig fra den hårde stol.

"Jeg vil prøve at kigge ind igen, før du bliver udskrevet, men du ved, hvordan det er. Jeg kan ikke love noget, kriminalassistent Rebus."

Stående syntes hun højere, end Rebus havde forestillet sig. Hendes hår faldt ned i ansigtet på ham, da hun bøjede sig for at kysse ham rigtigt, på munden denne gang, og han stirrede på den mørke kløft mellem hendes bryster. Han følte sig lidt træt, meget træt. Han tvang sine øjne til at være åbne, mens hun gik. Hendes hæle klaprede højt på flisegulvet, mens sygeplejerskerne svævede forbi som spøgelser på deres rågummisåler. Han skubbede sig op, så han hunne se hendes ben forsvinde. Hun havde pæne ben. Det havde han alligevel husket. Han kunne huske, hvordan de havde omklamret ham, mens hendes fødder havde hvilet på hans baller. Han hunne huske hendes hår falde hen over puden som et af Turners billeder af havet. Han kunne huske hendes stemme hvisle i hans øre, hvisle. Åh ja, John, åh, John, ja, ja, ja.

Hvorfor forlod du hæren?

Hun vendte sig om, og under hans orgasmes halvkvalte udbrud blev hun forvandlet til kvinden.

Hvorfor gjorde du det?
Åh, åh, åh, åh.
Åh ja, man er i sikkerhed, når man drømmer.

XVII

REDAKTØRERNE ELSKEDE, hvad Kvæleren fra Edinburgh gjorde for avisernes oplagstal. De elskede, hvordan hans historie næsten voksede organisk, som om den blev gødet nænsomt. *Modus Operandi* havde ændret sig en lille bitte smule for Nicola Turners vedkommende. Det så ud til, at Kvæleren havde bundet en knude på snoren før strangulationen. Denne knude var presset så hårdt ind mod pigens strube, at den var blevet knust. Politiet tillagde det ikke nogen særlig betydning. De havde alt for travlt med at tjekke rapporter om blå Ford Escorter til at beskæftige sig med en teknisk detalje. De var ude for at kontrollere samtlige blå Ford Escorter i området og udspørge samtlige ejere og førere.

Gill Templer havde frigivet detaljerne om bilen til pressen i håbet om en massiv offentlig respons. Den kom også: Naboer anmeldte naboer, fædre deres sønner, hustruer deres mænd og mænd deres hustruer. Der var over to hundrede blå Escorter, der skulle efterforskes, og hvis der ikke kom noget ud af det, skulle de efterforskes én gang til, inden man gik over til andre mærker af lyseblå familiebiler. Det kunne tage måneder, ville i hvert fald tage uger.

Jack Morton, udstyret med en ny fotokopieret liste, havde konsulteret sin læge for sine ophovnede fødder. Lægen havde fortalt ham, at han gik for meget i billige sko, der ikke støttede hans fødder ordentligt. Det vidste Morton allerede i forvejen. Han havde nu afhørt så mange mistænkte, at de flød sammen for ham. De lignede alle sammen hinanden, og de opførte sig alle på samme måde: nervøse, underdanige og uskyldige. Hvis bare Kvæleren ville gøre en fejl. Der var ingen spor, der var værd at gå efter. Morton havde mistanke om, at bilen var et falsk spor. Et spor, det ikke var værd at gå efter. Han kom i tanke om John Rebus' anonyme breve. *Der er spor overalt.* Mon det var rigtigt? Var sporene så tydelige, at man ikke kunne se dem, eller var de for abstrakte? Det var under alle omstændigheder en ualmindelig – en højst ualmindelig – mordsag, der ikke indeholdt et eller andet superspor, der lå et sted og bare ventede på at blive samlet op. Men han anede ikke, hvor han skulle lede, og det var derfor, han havde opsøgt sin læge i håbet om lidt sympati og et par fridage. Rebus *var* sluppet helskindet igennem, den heldige rad. Morton misundte ham hans sygeseng.

Han parkerede sin bil på den dobbelte gule linje uden for biblioteket og sjoskede ind. Den store forhal mindede ham om dengang, han selv brugte biblioteket, da han klamrede sig til sine billedbøger, han havde lånt i børneafdelingen. Den plejede at ligge nedenunder. Gad vide, om den stadig lå der? Hans mor ville give ham til busbilletten, hvorefter han kørte ind til byen under påskud af at skulle bytte biblioteksbøger, men i stedet brugte tiden på at gå rundt i gaderne, en time eller to, mens han forestillede sig, hvordan det ville være at være voksen og fri. Han fulgte efter de amerikanske turister og indprentede sig deres arrogante selvsikkerhed, deres fede tegnebøger og hængemaver. Kiggede på dem, mens de fotograferede statuen af Bobby fra Freyfriar over for kirkegården. Han havde stirret længe og intenst på statuen af den lille hund, men havde ikke følt noget som helst. Han havde læst om Covenanterne, om Deacon Brodie og om offentlige henrettelser på High Street og undret sig over, hvad det var for en by, og hvad det var for et land. Han rystede på hovedet – det var for sent at fortabe sig i fantasien – og gik over til informationsskranken.

"Goddag, mr. Morton."

Han vendte sig om og så en pige, nej, snarere en ung dame, stå foran sig med en bog trykket ind mod sit spinkle bryst. Han rynkede panden.

"Det er mig, Samantha Rebus."

Han så oprigtig forbavset ud.

"Jamen, det er det jo også. Det må jeg sige. Du er søreme vokset, siden jeg sidst så dig. Husk på, det må jo være et par år siden. Hvordan har du det?"

"Godt, tak. Jeg er her sammen med min mor. Er du på politiarbejde?"

"Noget i den retning, ja." Morton kunne føle hendes øjne brænde sig ind i ham. Hun havde godt nok sin fars øjne. Han havde sat sine spor.

"Hvordan har far det?"

Skulle han sige noget eller ej? Hvorfor ikke fortælle hende det? På den anden side, var det her det rette sted at fortælle hende den slags?

"Han har det godt, så vidt jeg ved," sagde han. Det vidste han i hvert fald var halvfjerds procent sandt.

"Jeg var lige på vej ned i ungdomsafdelingen. Mor er oppe ved fagbøgerne. Der er altså dødkedeligt."

"Jeg går med dig. Det var lige præcis der, jeg skulle hen."

Hun smilede til ham, fornøjet over et eller andet, der foregik i hendes ungdommelige hoved, og det faldt Jack Morton ind, at hun alligevel ikke lignede sin far. Hun var alt for sød og høflig.

En fjerde pige var meldt savnet. Det var ikke svært at regne ud, hvad der var sket. Ingen bookmaker ville have indgået væddemål.

"Vi må intensivere patruljeringen," understregede Anderson. "Der bliver indkaldt flere folk til i aften. I må huske på," de tilstedeværende detektiver var huløjede og demoraliserede, "når og hvis han dræber sit nye offer, vil han forsøge at skille sig af med liget, og hvis vi kan tage ham, når han gør det, eller hvis et medlem af offentligheden ser ham gøre det, bare én gang, så har vi ham." Anderson slog en knyttet næve i sin åbne hånd. Ingen så særlig opmuntrede ud. Indtil nu havde Kvæleren skilt sig af med tre lig, med ret stor succes, i tre forskellige dele af byen: Oxgangs, Haymarket og Colinton. Politiet kunne ikke være alle steder på én gang (selvom det i øjeblikket så sådan ud for offentligheden), lige meget hvor hårdt de prøvede.

"Desuden," fortsatte politiinspektøren og kiggede i en rapport, "ser det ud til, at den seneste bortførelse ikke har så lidt tilfælles med de andre. Offerets navn er Helen Abbot. Otte år gammel, lidt yngre end de andre, kan I se, lysebrunt, skulderlangt hår. Hun blev sidst set med sin mor i en forretning i Princes Street. Moderen siger, at hun bare forsvandt. Det ene øjeblik var hun der, det næste var hun væk, akkurat som det var tilfældet med det andet offer."

Da Gill Templer senere spekulerede over dette, fandt hun det besynderligt. Pigerne kunne ikke være blevet bortført, mens de var inde i butikkerne. Det ville have været umuligt uden skrig og skrål, og uden der var nogen, der så det. Et vidne havde set en pige, der lignede Mary Andrews – det andet offer – gå op ad trapperne fra National Gallery op mod The Mound. Hun havde været alene og set ud til at være i godt humør. Hvis det var rigtigt, tænkte Gill, måtte pigen have sneget sig væk fra sin mor. Men hvorfor det? På grund af et hemmeligt stævnemøde med en, hun kendte, en, der senere viste sig at være hendes morder? I så tilfælde var det sandsynligt, at *alle* piger havde kendt deres morder, så derfor *måtte* de have noget tilfælles. Forskellige skoler, forskellige venner, forskellige aldersgrupper. Hvad var fællesnævneren?

Hun gav op, da hun var ved at få hovedpine. Desuden var hun nået hen til Johns gade og havde andre ting at tænke på. Han havde sendt hende hen for at hente noget rent tøj, til han skulle udskrives, og for at se, om der var kommet noget post. Hun skulle også se efter, om centralvarmen stadig fungerede. Han havde givet hende en nøgle. Da hun gik op ad trapperne, var stanken af katte så intens, at hun måtte holde sig for næsen. Hun følte, at der var et bånd mellem hende og John Rebus. Hun overvejede, om deres forhold var ved at blive seriøst.

Han var en dejlig mand, men lidt fastlåst, lidt hemmeligheds-fuld. Måske var det det, hun kunne lide.

Hun åbnede hans dør, samlede et par breve op fra gulvtæp-pet i entréen og gik en hurtig runde i lejligheden. Da hun stod ved soveværelsesdøren, genkaldte hun sig lidenskaben den nat. Det var, som om duften stadig hang i luften.

Relæstyringen fungerede stadig. Det ville han blive overra-sket over. Sikke en masse bøger han havde, men hans kone havde selvfølgelig også været engelsklærer. Hun samlede et par stykker op fra gulvet og satte dem på plads i reolsystemet. Ude i køkkenet lavede hun sig en kop kaffe og satte sig ned for at drikke den sort, mens hun gennemgik posten. En reg-ning, en reklame og et maskinskrevet brev, postet i Edinburgh for tre dage siden. Hun puttede brevene i tasken og gik ind for at kigge i klædeskabet. Hun lagde mærke til, at Samanthas værelse stadig var låst. Flere minder stuvet sikkert af vejen. Stakkels John.

Jim Stevens havde alt for meget at lave. Kvæleren fra Edin-burgh havde mere i sig end først antaget. Man kunne ikke ignorere idioten, selvom man havde vigtigere ting for. Stevens havde tre mand til at hjælpe sig med de daglige artikler og referater til avisen. Børnemisbrug i dagens England var tema-et for næste dags indlæg. Tallene var skræmmende nok i sig selv, men værre endnu var fornemmelsen af stilstand, mens man ventede på, at den døde pige blev fundet. Ventede på, at den næste blev meldt savnet. Edinburgh havde forvandlet sig til en spøgelsesby. Børnene blev holdt indendørs, og de, der fik lov at komme ud, pilede gennem gaderne som små jagede dyr. Stevens havde mest lyst til at koncentrere sig om narko-sagen med de overvældende beviser og forbindelsen til politiet. Han havde lyst til det, men der var simpelthen ikke tid. Tom Jameson var på nakken af ham døgnets fireogtyve timer og kom altid vadende gennem kontoret. Hvor er den artikel, Jim? Det er på tide, at du laver noget for din løn, Jim! Hvornår er den næste briefing, Jim? Stevens var fuldstændig færdig, når han skulle hjem. Han besluttede at lægge Rebus-sagen på hylden indtil videre. Selvom det var en skam. Nu hvor politiet lagde alle kræfter i mordsagen, var bagdøren åben for alle de andre forbrydelser, inklusive narkotikahandel. Edinburgh-mafiaen måtte have kronede dage. Han havde brugt historien om Leith-bordellet i håb om at få et par oplysninger til gengæld, men de store drenge ville åbenbart ikke lege. Nå, op i røven med dem. Hans tid ville komme.

Da hun kom ind på stuen, var Rebus ved at læse i en bibel, som hospitalet havde været så venlig at fremskaffe. Da sygeplejersken hørte hans anmodning, havde hun spurgt, om han ville tale med en præst, men han havde forlegent sagt nej tak til tilbuddet. Han var tilfreds – mere end tilfreds – med at skimme nogle af de bedre passager i Det Gamle Testamente og få genopfrisket deres kraft og moralske styrke. Han læste historierne om Moses, Samson og David, inden han kom til Jobs Bog. Her fandt han en kraft, han ikke kunne huske, han var stødt på før:

Når en flodbølge spreder pludselig død,
spotter han de uskyldige i deres fortvivlelse.
Landet lægges i hænderne på uretfærdige,
dommerne giver han bind for øjnene.
Hvis ikke det er ham, hvem er det så?

Hvis jeg siger: "Jeg vil glemme min klage,
lægge ansigtet i andre folder og være glad igen,"
så må jeg tænke med gru på mine lidelser;
jeg ved, at du ikke lader mig ustraffet.
Når jeg skal være skyldig,
hvorfor skal jeg da anstrenge mig til ingen nytte?
Om jeg så vaskede mig med sæbe
og rensede hænderne i lud,

ville du dyppe mig i slampølen,
så mine klæder ville afsky mig.

Rebus følte det løbe koldt ned ad ryggen, selvom stuen var godt varmet op, og hans hals skreg efter vand. Mens han var ved at hælde noget af det lunkne vand op i et plasticbæger, så han Gill komme hen imod sig på et par mere lydløse hæle end tidligere. Hun smilede og bragte den sidste rest af glæde med sig ind på stuen. Et par af mændene vurderede hende anerkendende. Rebus følte lige pludselig en usigelig glæde ved at skulle forlade dette sted i dag. Han lagde Bibelen fra sig og tog imod hende med et kys i nakken.

"Hvad er det, du har der?"

Han tog pakken og så, at den indeholdt hans skiftetøj.

"Tak," sagde han. "Jeg troede ikke, at den skjorte var vasket."

"Det var den heller ikke," lo hun og trak en stol over. "Det var der ingenting, der var. Jeg var nødt til at vaske og stryge alt dit tøj. Det var til fare for den offentlige sundhed."

"Du er en engel," sagde han og lagde pakken fra sig.

"Apropos engel, hvad var det så, du var ved at læse i bogen?" Hun tappede på den røde kunstlæderbibel.

"Åh, det var ikke noget. Job, faktisk. Jeg læste det engang for længe siden. Det synes endnu mere skræmmende i dag. Om manden, der begynder at tvivle og derfor anråber sin Gud for svar, og som får ét. 'Landet lægges i hænderne på de uretfærdige', siger han et sted og 'Hvorfor skal jeg da anstrenge mig til ingen nytte?' et andet."

"Det lyder interessant. Men han bliver ved med at anstrenge sig?"

"Ja, det er det, der er det utrolige."

Teen kom, og den unge sygeplejerske gav Gill en kop. Der var også en tallerken med småkager til dem.

"Jeg har taget nogle breve med fra lejligheden, og her er din nøgle."

Hun holdt den lille Yalenøgle hen imod ham, men han rystede på hovedet.

"Behold den bare," sagde han, "jeg har en ekstra."

De kiggede på hinanden.

"Okay," sagde Gill til sidst. "Så gør jeg det. Tak." Og så gav hun ham de tre breve. Han så dem kort igennem.

"Han er begyndt at sende dem med posten, kan jeg se." Rebus flåede konvolutten op. "Den her fyr," sagde han, "hjemsøger mig. Knudemanden, kalder jeg ham. Min egen private, anonyme tåbe."

Gill så interesseret til, mens Rebus læste brevet igennem. Det var længere, end det plejede.

DU HAR STADIG IKKE GÆTTET DET, VEL? DU HAR INGEN ANELSE. INGEN ANELSE OVERHOVEDET. OG NU ER DET NÆSTEN FORBI, NÆSTEN FORBI. KOM IKKE OG SIG, AT DU IKKE FIK DIN CHANCE. FOR DET FIK DU JO. HILSEN

Rebus rystede et lille tændstikskors ud af konvolutten.

"Nå, man er nok knotten i dag. Gudskelov holder han snart op. Det er nok begyndt at kede ham, vil jeg tro."

"Hvad er alt det her for noget, John?"

"Har jeg ikke fortalt dig om mine anonyme breve? Det er ikke en særlig spændende historie."

"Hvor lang tid har det stået på?" Gill havde læst brevet og undersøgte nu konvolutten.

"Seks uger. Måske lidt længere. Hvorfor?"

"Fordi dette brev er afsendt samme dag, som Helen Abbot forsvandt, såmænd."

"Hvad?" Rebus tog konvolutten og studerede poststemplet. 'Edinburgh, Lothian, Fife, Borders', stod der. Det var et stort område. Han tænkte igen på Michael.

"Jeg går ikke ud fra, at du kan huske, hvornår du fik de andre breve?"

"Hvad mener du?" Han så op på hende og så pludselig en professionel kvindelig politibetjent stirre tilbage på sig. "For himlens skyld, Gill. Den her sag går os alle på. Vi er begyndt at se spøgelser."

"Jamen, jeg er bare nysgerrig." Hun læste brevet igen. Det var ikke en galnings sædvanlige stemme, heller ikke en galnings stil. Det var det, der bekymrede hende. Og nu, hvor Rebus tænkte nærmere efter, så det ud til, at brevene dukkede op omkring tidspunkterne for de enkelte forsvindinger. Havde der været en forbindelse af en eller anden slags, der havde skreget ham op i ansigtet hele tiden? Han måtte have været nærsynet eller haft skyklapper på. Enten det, eller også var det hele et gigantisk tilfælde.

"Det er bare et tilfælde, Gill."

"Så fortæl mig, hvornår de andre breve kom."

"Det kan jeg ikke huske."

Hun bøjede sig over ham, hendes øjne var store bag brillerne. "Skjuler du noget for mig?"

"Nej!"

Alle på stuen vendte sig om ved hans udbrud, og han følte sine kinder brænde.

"Nej," hviskede han, "jeg skjuler ingenting. Du kan i det mindste ..."

Men hvordan kunne han være sikker? Alle de år, hvor han havde foretaget arrestationer, rejst sigtelser, glemt ting og skaffet sig så mange fjender. Men der var da ingen, der ville pine ham på denne måde? Eller var der?

De gennemgik ankomsterne for hvert enkelt brev – med blyant og papir og en hel del eftertanke fra hans side: datoer, leveringsmåde. Gill tog sine briller af, gned sig på næseryggen og sukkede.

"Det kan simpelthen ikke være en tilfældighed, John."

Og han vidste, hun havde ret, dybt indeni. Han vidste, at intet nogensinde var, som det så ud til, at intet var tilfældigt. "Gill," sagde han til sidst og løftede dynen, "jeg må se at komme ud her fra."

• • •

Hun blev ved med at plage ham i bilen. Hvem kunne det være? Hvor var forbindelsen? Hvorfor?

"Hvad er det her for noget?" brølede han til hende. "Er jeg nu under mistanke eller hvad?"

Hun så ham ind i øjnene, forsøgte at trænge igennem dem, at bide sig lige ind til sandheden bag dem. Hun var den fødte detektiv, og en god detektiv stoler ikke på nogen. Hun stirrede på ham, som om han var en uartig skoledreng, der havde mere på samvittigheden og flere synder at bekende. Bekende.

Gill vidste, at det hele bare var en svagt underbygget fornemmelse. Alligevel kunne hun føle et eller andet, måske inde bag disse brændende øjne. Hun havde set ting, der var endnu mere utrolige, i sin tid inden for korpset. Der skete altid noget, der var mere utroligt. Sandheden var altid mere utrolig end fiktionen, og ingen kunne nogensinde sige sig fri for skyld. Det skyldige blik, når man forhørte nogen, hvem som helst. Alle havde noget at skjule. Som regel var det småting skjult af de mellemliggende år. Der skulle et tankepoliti til for at afsløre sådan noget. Men hvis John ... hvis det viste sig, at John var involveret i det her miskmask, så ... det var for absurd at tænke på.

"Selvfølgelig er du ikke under mistanke, John," sagde hun. "Men det kunne jo være vigtigt."

"Det må være op til Anderson," sagde han og tav. Han rystede.

Og pludselig slog det ned i Gill: Hvad nu, hvis han havde sendt brevene til sig selv?

XVIII

HAN HAVDE ONDT I ARMENE, og da han så ned, var pigen holdt op med at stritte imod. Der kom et punkt, et pludseligt lyksaligt punkt, hvor det var nytteløst at leve videre, og hvor krop og tanke accepterede tingenes tilstand. Det var et smukt og fredfyldt øjeblik, det mest afslappede øjeblik i ens liv. Han havde for mange år siden forsøgt at tage livet af sig selv og strejfet øjeblikket. Men de havde gjort noget ved ham på hospitalet og på klinikken bagefter. De havde givet ham viljen til at leve tilbage, og nu fik de deres betaling, de fik alle sammen, hvad de havde fortjent. Han tænkte på sit livs ironi og klukkede, mens han trak tapen af Helen Abbots mund og brugte den lille saks til at klippe rebene over med. Han trak et smart lille kamera op af bukselommen og tog et nyt billede af hende, en slags *memento mori*. Hvis de nogensinde fangede ham, ville de slå hovedet ned i maven på ham, men de ville aldrig kunne benævne ham sexmorder. Det havde ikke noget at gøre med sex, pigerne var skakbrikker og deres skæbne beseglet af deres navne. Den næste og sidste var den, det hele drejede sig om, og han ville ordne hende i dag, hvis han kunne. Han klukkede. Det her var et bedre spil end kryds og bolle. Han var en mester i dem begge.

XIX

KRIMINALKOMMISSÆR WILLIAM ANDERSON elskede selve jagten, kampen mellem instinkt og møjsommeligt detektivarbejde. Han kunne også godt lide fornemmelsen af at have sit mandskab bag sig. Han var som en fisk i vandet, når han kunne uddele ordrer, visdom og strategier.

Godt nok så han helst, at Kvæleren allerede nu var under lås og slå – det sagde sig selv. Han var ikke sadist. Loven skulle opretholdes. Men alligevel, jo længere en efterforskning som denne varede, jo skønnere var fornemmelsen af at nærme sig sit bytte, og det at kunne fryde sig over det langstrakte øjeblik var en af ansvarets helt store frynsegoder.

Kvæleren havde begået en utilsigtet fejl, og det var det, der betød noget for Anderson på dette stadium. Den blå Ford Escort og nu den interessante teori om, at morderen havde været eller stadig var militærmand, en teori, som var udsprunget af, at der var bundet en knude på garrotten. Sådan nogle småting ville på et eller andet tidspunkt resultere i et navn, en adresse, en anholdelse. Og i det øjeblik ville Anderson stå i spidsen for sine mænd i både legeme og ånd. Der ville blive endnu et interview på tv, endnu et flatterende billede i avisen (han var ret fotogen). Åh ja, sejren ville være sød. Medmindre selvfølgelig, at Kvæleren pludselig forsvandt ud i intetheden, som så mange før ham. Den mulighed måtte ikke overvejes, den fik hans ben til at ryste.

Han havde ikke ligefrem noget imod Rebus. Manden var såmænd en rimelig politimand, måske lidt overdreven i sine metoder. Og han kunne forstå, at der var rod i Rebus' privatliv. Han havde oven i købet fået at vide, at den kvinde, som hans egen søn levede sammen med, var Rebus' ekskone. Han forsøgte at skyde det fra sig. Dengang Andy havde smækket med hoveddøren, var han forsvundet direkte ud af sin fars liv. Hvordan kunne man bruge sin tid på at skrive digte nu om dage? Det var jo latterligt. Og så flytte ind hos Rebus' kone ... nej, han havde ikke noget imod Rebus, men at se Rebus komme hen imod sig sammen med den yndige pressetalsmand fik Andersons mave til at vende sig. Han lænede sig op mod et ledigt skrivebord. Den betjent, der skulle have siddet ved det, holdt pause.

"Det er rart at have dig tilbage, John. Klar til kamp?"

Anderson havde rakt hånden frem, og Rebus blev så overrasket, at han var nødt til at tage den og gengælde håndtrykket.

"Alt i orden, sir," sagde han.

"Sir," afbrød Gill Templer, "må vi tale med Dem et øjeblik. Der er sket en ny udvikling i sagen."

"Nærmere betegnet så er der *måske* sket en ny udvikling i sagen, sir," rettede Rebus og kiggede på Gill.

Anderson så fra den ene til den anden.

"Så må I hellere komme med ind på mit kontor."

Anderson sad godt bænket bag sit skrivebord, da Gill forklarede ham situationen fra sin synsvinkel, og mens han lyttede, skelede han en gang imellem over mod Rebus, der smilede undskyldende til ham. Undskyld, at vi spilder Deres tid, fortalte Rebus' smil.

"Nå, Rebus?" sagde Anderson, da Gill var færdig. "Hvad siger du til det? Er der nogen, der har interesse i at informere dig om deres planer? Jeg mener, er det muligt, at Kvæleren *kender* dig?"

Rebus trak på skuldrene og smilede og smilede og smilede.

Jack Morton sad i sin bil og kradsede et par bemærkninger ned til sin dagsrapport. Mødte mistænkte. Talte med samme. Hjælpsom, men uinteresseret. Endnu et blindspor, var det, han i virkeligheden ønskede at skrive. En parkeringsvagt havde fået kig på ham og prøvede at skræmme ham væk, mens hun nærmede sig bilen. Han sukkede og lagde pen og papir fra sig. Han fumlede efter sit id-kort. Det var en af de her dage.

Rhona Phillips havde regnfrakke på, for det var sidst i maj, og regnen fossede ned fra himlen, som om den var malet på en kunstners lærred. Hun kyssede sin krølhårede digter-elsker farvel, mens han så eftermiddagsfjernsyn, og forlod huset, fumlende efter sine bilnøgler i tasken. Hun hentede Sammy fra skole i disse dage, selvom skolen kun lå halvanden kilometer derfra. Hun gik også med hende på biblioteket i frokostpausen og lod hende aldrig alene. Med den galning stadig på fri fod tog hun ingen chancer. Hun løb hen til bilen, satte sig ind og smækkede døren i. Regnen i Edinburgh er som dommedag. Den sivede ind i knoglerne, ind i fugerne på husene og i turisternes hukommelse. Den varede ved i dagevis og sprøjtede op fra pytterne i vejsiden, den ødelagde ægteskaber. Den var isnende, dræbende og allestedsnærværende. Det typiske postkort fra et pensionat i Edinburgh: 'Edinburgh er en dejlig by. Folk her er ret reserverede. Så borgen og Scottmonumentet i går. Det er en meget lille by, næsten en provinsby. Man kunne lægge den i New York, uden at nogen ville bemærke det. Vejret kunne være bedre.'

Vejret kunne være bedre. Kunsten at underdrive. Pissende regnvejr. Det var bare typisk, nu hun havde dagen fri. Det var selvfølgelig også typisk, at hun og Andrew havde skændtes. Og nu sad han og surmulede i sin stol med benene trukket op under sig. Det var en af de her dage. Og hun skulle rette stile i aften. Gudskelov var det eksamenstid. Børnene var lettere at have med at gøre i den tid. De ældste var grebet af eksamensangst eller eksamensapati, og de yngre kunne se deres egen uafvendelige fremtid malet i ansigterne på deres fortabte frænder. Det var en interessant tid. Snart ville Sammy opleve den samme angst, eller Samantha, som hun hed, nu hvor hun snart var voksen. Det ville afføde en anden slags frygt – for en forælder. Frygten for uafhængigheden og eksperimenterne.

Han iagttog hende fra sin Escort, mens hun bakkede ud fra indkørslen. Det var perfekt. Han havde ventet knapt et kvarter. Da hendes bil var forsvundet, kørte han op foran huset og stoppede. Han kiggede på husets vinduer. Hendes mand var alene hjemme. Han stod ud af bilen og gik op mod hoveddøren.

Da Rebus var tilbage i kommandocentralen efter det resultatløse møde, var han uvidende om, at Anderson havde sat ham under overvågning. Kommandocentralen lignede et udbombet lokum. Hver eneste overflade var dækket af papir, en lille computer var klemt ind i et ledigt hjørne, og kort, vagtskemaer og alt muligt andet dækkede hver eneste ledige centimeter på væggene.

"Jeg har en pressekonference," sagde Gill. "Vi ses senere. Hør lige, John. Jeg tror, der er en forbindelse. Kald det bare kvindelig intuition eller et kvalificeret gæt, du kan kalde det, hvad du vil, men vær sød at tage mig alvorligt. Tænk det igennem. Overvej, hvem der kunne bære nag til dig. Vil du ikke nok gøre det?"

Han nikkede og så hende forsvinde ned mod hendes egen del af bygningen, ned mod hendes eget kontor. Rebus var ikke længere sikker på, hvilket skrivebord der var hans. Han lod blikket glide rundt i lokalet. Det så på en eller anden måde forandret ud, som om et par af skrivebordene havde skiftet plads eller var skubbet sammen. Telefonen ringede på skrivebordet ved siden af ham. Og selvom der var andre betjente og telefonpassere i nærheden, tog han røret i et forsøg på at komme tilbage i efterforskningen. Han bad til, at han ikke selv var genstand for efterforskning. Han bad, idet han glemte, hvad bøn ville sige.

"Kommandocentralen," sagde han. "De taler med kriminalassistent Rebus."

"Rebus? Det var dog et mærkværdigt navn." Stemmen var gammel, men klangfuld, veluddannet. "Rebus," lød det igen, som om vedkommende var ved at skrive det ned på et stykke papir. Rebus kiggede på telefonen.

"Og deres navn, hr.?"

"Åh, mit navn er Michael Eiser, E-I-S-E-R, professor i engelsk litteratur ved universitetet."

"Javel." Rebus greb en blyant og kradsede navnet ned. "Og hvad kan jeg så gøre for Dem?"

"Ser De, mr. Rebus, det er mere et spørgsmål om, hvad jeg *tror*, jeg kan gøre for Dem, selvom jeg selvfølgelig kunne tage fejl." Rebus kunne se manden for sig, hvis det altså ikke var et svindelnummer: uregerligt hår, butterfly, krøllet tweedjakke, gamle sko og hænder, der gestikulerede ud i rummet, mens han talte. "Jeg interesserer mig for ordspil, ser De. Faktisk er jeg ved at skrive en bog om det. Den hedder *Læseøvelser og generelle impressive konstruktioner.* Kan De se ordspillet? Det er akrostisk. Det første bogstav i hvert ord giver tilsammen et nyt ord – *logik* i dette tilfælde. Det er en leg, der er lige så gammel som litteraturen selv. Min bog koncentrerer sig derimod om dens tilstedeværelse i nyere værker. Det kunne være Nabokov eller Burgess. Selvfølgelig er akrostik kun en lille del af de trick, en forfatter bruger for at underholde, dirigere eller overbevise sin læser." Rebus forsøgte at afbryde manden, men det var som at prøve at stoppe et godstog. Så han var tvunget til at lytte, mens han hele tiden spekulerede på, om manden var gal, og om han selv – strengt imod reglementet – skulle knalde røret på. Han havde vigtigere ting at tænke på. Det dunkede i baghovedet på ham.

"... og sagen er den, mr. Rebus, at jeg helt tilfældigt har opdaget en slags mønster i morderens valg af ofre."

Rebus satte sig ned på hjørnet af skrivebordet. Han holdt så hårdt om blyanten, at han var lige ved at knække den.

"Ja?" sagde han.

"Jo, jeg har her foran mig, navnene på ofrene på et stykke papir. Måske burde jeg have lagt mærke til det før, men det var først i dag, jeg læste en artikel i en avis, hvor de stakkels piger var nævnt i rækkefølge. Jeg læser normalt *The Times*, ser De, men jeg kunne simpelthen ikke finde en i morges, så jeg købte en anden avis, og der var det. Måske er det ikke noget, det kan være en tilfældighed, på den anden side kan der jo godt være noget i det. Det må I gutter selv afgøre. Jeg kommer bare med et forslag."

Jack Morton kom ind på kontoret indhyllet i røg og vinkede, da han fik øje på Rebus. Rebus gjorde et kast med hovedet. Jack så ud til at være fuldstændig færdig. Alle så ud til at være fuldstændig færdige, og her sad han, frisk efter et par dages hvile og afslapning og talte i telefon med en idiot.

"Og hvad er det så, De egentlig foreslår, professor Eiser?"

"Jamen, kan De da ikke se det? I rækkefølge er ofrenes navne Sandra Adams, Mary Andrews, Nicola Turner og Helen Abbot." Jack slentrede over til Rebus' bord. "Hvis man anskuer det akrostisk," fortsatte stemmen, "så giver deres navne tilsammen et nyt navn – Samantha. Måske er det morderens næste offer? Eller måske er det bare en tilfældighed, en leg, hvor der i virkeligheden ingen leg er."

Rebus hamrede røret på, røg op af stolen og trak Jack Morton hårdt i slipset. Morton gispede, og cigaretten fløj ud af munden på ham.

"Holder din bil udenfor, Jack?"

Morton nikkede rallende.

Min Gud og Skaber. Så var det hele altså sandt. Det hele havde noget at gøre med *ham*. Samantha. Alle sporene, alle drabene var blot ment som et budskab til *ham*. Kære Gud, hjælp mig, åh, hjælp mig.

Hans datter var Kvælerens næste offer.

• • •

Rhona Phillips så bilen holde uden for sit hus, men tænkte ikke nærmere over det. Hun var kun interesseret i at komme i tørvejr. Hun løb op til hoveddøren med Samantha sjokkende efter sig og låste op.

"Det er forfærdeligt udenfor!" råbte hun ind i stuen. Hun rystede sin regnfrakke og gik ind til fjernsynet, der stadig kørte. Hun så Andy sidde i sin stol. Hans hænder var bundet på ryggen, og hans mund var lukket med hæfteplaster. Garotten dinglede stadig fra hans hals.

Rhona skulle lige til at udstøde det mest gennemtrængende skrig i sit liv, da noget hårdt ramte hende i baghovedet. Hun vaklede over imod sin elsker og faldt sammen over hans ben.

"Goddag, Samantha," lød en stemme, hun genkendte, selvom hans ansigt var dækket af en maske, der skjulte hans smil.

Mortons bil skar sig igennem byen med fuld udrykning, så man skulle tro, at den Onde selv var i hælene på den. Rebus forsøgte at forklare, mens de kørte, men han var alt for rystet til at gøre sig forståelig, og Jack Morton havde alt for travlt med at undgå sammenstød til at forstå noget. De havde bedt om assistance: en patruljevogn til skolen, hvis hun stadig skulle befinde sig der, og to patruljevogne til huset, med advarsel om, at Kvæleren stadig kunne befinde sig der. Der skulle udvises forsigtighed.

Bilen nåede de hundrede og fyrre på Queensferry Road og med et vanvittigt sving, på tværs af den modkørende trafik, drønede de ind i det nydelige kvarter, hvor Rhona, Samantha og Rhonas elsker nu boede.

"Drej til højre her," skreg Rebus gennem brølet fra motoren og klamrede sig til håbet. Da de drejede ind på vejen, k unne de se to politibiler holde uden for huset og Rhonas bil stå i indkørslen som en skamstøtte over håbløsheden.

XX

De ville give ham noget beroligende, men han ville ikke have noget af deres medicin. De ville have, at han skulle gå hjem, men han ville ikke gøre, som de sagde. Hvordan kunne han tage hjem, når Rhona lå et eller andet sted her på hospitalet? Når hans datter var bortført og hele hans liv flået i stykker som et gammelt lagen lavet til klude? Han gik frem og tilbage i venteværelset. Han var okay, havde han fortalt dem, okay. Han vidste, at Gill og Anderson befandt sig et eller andet sted længere nede ad gangen. Stakkels Anderson. Igennem det snavsede vindue kunne han se sygeplejersker gå forbi udenfor, mens de lo i regnen. Kapperne flagrede omkring dem, som var de taget lige ud af en gammel Draculafilm. Hvordan kunne de le? Tåge gled hen over træerne og stadig leende forsvandt sygeplejerskerne, uvidende om verdens elendighed, ind i tågen. Det var, som om et forgangent Edinburgh trak dem ind i sin fiktion og med dem al latter, der var tilbage i verden.

Det var næsten mørkt nu og solen kun et minde bag det tunge skydække. De religiøse malere i gamle dage måtte have kendt himle som denne og accepteret skyernes forrevne farvespil som symbolet på Guds tilstedeværelse, essensen af skabelsens magt. Rebus var ingen maler. Hans øjne havde nærmere beskuet skønheden gennem det skrevne ord end i virkeligheden. Da han stod der i venteværelset, gik det op for ham, at han havde godtaget erfaringer fra andenhånd som gældende for sit liv – erfaringen ved at læse andres tanker – i stedet for at hente dem fra virkelighedens verden. Og nu blev det slynget i ansigtet på ham: Han var tilbage hos faldskærmstropperne, tilbage i SAS, med ansigtet hærget af udmattelse, smertende hoved og hver eneste muskel spændt.

Han fangede sig selv i at begynde at fantasere igen, og han klaskede med åbne hænder på væggen for at blive klar i hovedet. Sammy var et eller andet sted derude, i hænderne på en galning, mens han stod og fandt på undskyldninger, lovtaler og lignelser. Det var ikke nok.

Ude på gangen holdt Gill øje med Anderson. Han var også blevet bedt om at tage hjem. Han var blevet undersøgt af en læge for eftervirkningerne af chok, og man havde anbefalet ham at tage hjem i seng.

"Jeg venter lige her," havde Anderson sagt med rolig overbevisning. "Hvis alt dette har noget at gøre med John Rebus, så vil jeg også være i nærheden af John Rebus. Jeg har det godt nok. Helt ærligt." Men han havde det ikke godt nok. Han var fortumlet og angerfuld og en lille smule forvirret over alting. "Jeg kan ikke tro det," sagde han til Gill. "Jeg kan ikke tro, at det hele bare har været forspillet til bortførelsen af Rebus' datter. Det er for fantastisk. Manden må være splittergal. John må da have en anelse om, hvem der står bag?"

Gill Templer spekulerede over det samme.

"Hvorfor har han ikke sagt noget til os?" fortsatte Anderson. Og så, uden videre overgang, blev han faren igen og begyndte at snøfte stille. "Andy," sagde han, "min Andy." Han satte hænderne for ansigtet og tillod Gill at lægge sin arm om hans sammensunkne skuldre.

John Rebus så mørket falde på og tænkte på sit ægteskab og sin datter. Hans datter Sammy.

For de, der læser mellem tiderne.

Hvad var det, han havde fortrængt? Hvad var det, han havde fornægtet for alle de år siden, da han gik langs med kysten i Fife og skulle komme sig endeligt oven på sit nervesammenbrud? Han havde lukket fortiden lige så grundigt ude, som man lukker en dør for et Jehovas Vidne. Det var slet ikke nemt. Den uvelkomne fremmede havde ventet længe, inden han besluttede sig for at bryde ind i Rebus' liv igen. Foden i døren. Erkendelsens dør. Hvad havde han ud af sine bøger nu? Eller sin tro, hvor spinkel den end måtte være? Samantha. Sammy, hans datter. Kære Gud, lad hende være i god behold. Kære Gud, lad hende leve.

John, du må vide, hvem det er.

Men han havde rystet på hovedet, rystet sine tårer ned i folderne på sine bukser. Han vidste det ikke, det gjorde han ikke. Det var Knude. Det var Kors. Navne havde ikke længere betydning for ham. Knuder og kors. Man havde sendt ham knuder og kors, snor og tændstikker og en masse volapyk, som Jack Morton kaldte det. Det var det hele. Kære Gud.

Han gik ud på gangen og stødte ind i Anderson, der stod foran ham som et stykke vraggods, der bare ventede på at blive samlet op og smidt væk. Og de to mænd omfavnede hinanden, klemte livet tilbage i hinanden; to gamle fjender, der i et øjeblik indså, at de alligevel var på samme side. De omfavnede hinanden og græd, satte alt det fri, de havde gået og gemt på, fra alle årene i tjeneste, hvor de havde været tvunget til at være følelsesløse og ligevægtige. Nu kom det hele ud: De var mennesker, ligesom alle andre.

Og til sidst, efter at have fået at vide, at Rhona var sluppet med kraniebrud, og efter at have fået lov til at komme ind på hendes stue for at se hende få ilttilførsel, havde Rebus ladet dem køre sig hjem. Rhona ville overleve. Det var allerede noget. Andy Anderson, derimod, lå kold på et stenbord, mens en læge undersøgte resterne af ham. Stakkels, skide Anderson. Stakkels mand, stakkels far, stakkels strisser. Det var ved at blive meget personligt nu, var det ikke? Lige pludselig var det blevet større, end de nogensinde havde regnet med. Det var blevet en besættelse.

De havde i det mindste en beskrivelse, selvom den ikke var særlig god. En nabo havde set manden bære den livløse pige ud til bilen. En lys bil, havde hun fortalt dem. Bilen så normal ud. Manden så normal ud. Ikke alt for høj, med et sammenbidt udtryk. Han havde travlt. Hun havde ikke nået at se ham ordentligt.

Anderson ville være sat af sagen nu, og det ville Rebus også. Det var stort nu. Kvæleren var brudt ind i et hus og havde myrdet der. Han var gået alt for langt over stregen. Journalisterne og kameraerne uden for hospitalet ville vide alt om det. Politiinspektør Wallace ville have organiseret en pressekonference. Avislæserne, voyeurerne, var nødt til at vide alt om det. Det var store nyheder. Edinburgh var forbrydelsens hovedstad i Europa. En kriminalkommissærs søn var myrdet og en kriminalassistents datter bortført, muligvis allerede myrdet.

Hvad kunne han gøre andet end at sidde og vente på det næste brev? Han ville have det bedre i sin lejlighed, ligegyldigt hvor trist og kold den end var, ligegyldigt om den føltes som en fængselscelle. Gill havde lovet at besøge ham senere, efter pressekonferencen. En diskret bil ville holde uden for hans lejlighed, bare for en sikkerheds skyld. Det var ikke til at vide, hvor personligt Kvæleren ønskede, det her skulle blive.

I mellemtiden blev Rebus' journal tjekket i hovedkvarteret uden hans vidende. Hans fortid blev støvet af og gransket. Kvæleren måtte findes der, et eller andet sted. Det skulle han.

Selvfølgelig skulle han findes der. Rebus vidste, at han alene havde nøglen. Men den syntes at befinde sig i den skuffe, den selv var nøglen til. Han kunne kun lirke lidt med den låste skuffe.

Gill Templer havde ringet til Rebus' bror, og selvom Rebus ville hade hende for det, havde hun bedt Michael om at komme til Edinburgh med det samme for at være ved sin bror. Han var nu engang den eneste familie, Rebus havde. Han havde lydt nervøs i telefonen, nervøs, men bekymret. Og nu tænkte hun over den akrostiske teori. Professoren havde haft ret. De ville prøve at få fat på ham i aften, så de kunne afhøre ham. Igen, for en god ordens skyld. Men hvis Kvæleren havde planlagt det således, så måtte han uden tvivl have haft mulighed for at få fingre i en liste over de folk, der passede ind i billedet, og hvordan havde han fået det? En embedsmand, måske?

En lærer? En eller anden, der i ro og mag arbejdede ved en computerterminal et eller andet sted? Der var mange muligheder, og de ville gå dem alle sammen igennem, én efter én. Men allerførst ville Gill foreslå, at man afhørte alle, der hed Knott eller Cross i Edinburgh. Det var et skud i tågen, men på den anden side havde alt i denne sag indtil nu været uforudsigeligt.

Og så var der pressekonferencen. Den blev for nemheds skyld holdt i hospitalets administrationsbygning. Der var kun ståpladser tilbage bagest i hall'en. Gill Templers ansigt, menneskeligt, men alvorligt, var ved at være velkendt i den britiske offentlighed, i hvert fald mindst lige så kendt som tv-journalisterne. Men i aften var det politiinspektøren, der ville sige det meste. Hun håbede, at det ikke ville vare for længe. Hun ville gerne hen til Rebus. Og så ønskede hun at tale med hans bror. Det var måske endnu vigtigere. Nogen måtte have kendskab til Johns fortid. Han havde åbenbart aldrig snakket med nogen af sine venner i politiet om sin tid i hæren. Var det her, nøglen lå? Eller i hans ægteskab? Gill lyttede til chefens redegørelse. Kameraerne klikkede, og tobaksrøg fyldte den store hall.

Og der stod Jim Stevens og smilede underfundigt, som om han vidste noget. Gill blev nervøs. Han så på hende, mens hans pen skriblede hen over papiret på notesblokken. Hun mindedes den katastrofale aften, de havde tilbragt sammen, og den langt mindre katastrofale aften med John Rebus. Hvorfor var alle mændene i hendes liv så komplicerede? Måske fordi hun var tiltrukket af det komplicerede? Sagen var ikke længere så kompliceret. Den var ved at blive lettere.

Jim Stevens, der med et halvt øre lyttede til politiets redegørelse, tænkte på, hvor kompliceret hans historie var ved at være. Rebus og Rebus, narkotika og mord, anonyme breve fulgt af bortførelse af datter. Han måtte ind bag politiets officielle facade i denne her sag og vidste, at den bedste taktik hed Gill Templer og udveksling af informationer. Hvis narkotikaen og bortførelsen hang sammen, og det gjorde det sandsynligvis, så var der en af Rebusbrødrene, der ikke havde fulgt spillereglerne. Måske vidste Gill Templer noget om det.

Han fulgte efter hende, da hun forlod bygningen. Hun vidste, det var ham, men for en gang skyld ville hun gerne tale med ham.

"Hej, Jim. Kan jeg give dig et lift?"

Han besluttede, at det kunne hun godt. Hun kunne sætte ham af ved en bar, medmindre han selvfølgelig kunne få lov at tale med Rebus et øjeblik? Det kunne han ikke. Så de kørte.

"Den her sag bliver mere bizar for hvert øjeblik, der går, synes du ikke?"

Hun koncentrerede sig om at køre og lod, som om hun tænkte dybt over hans spørgsmål. I virkeligheden håbede hun, at han ville lukke lidt mere op, og at hendes tavshed fik ham til at tro, at hun gemte på noget, at hun havde noget at bytte med.

"Det ser ud til at være Rebus, der har hovedrollen. Det synes jeg faktisk er ret interessant."

Gill kunne mærke, at han var på vej med et udspil.

"Jeg mener," fortsatte han og tændte en cigaret, "... du har ikke noget imod, jeg ryger, vel?"

"Nej," sagde hun langsomt, selvom hun dirrede indeni.

"Tak. Jeg mener, det er interessant, fordi jeg har Rebus bundet op på en anden sag, jeg arbejder på."

Hun stoppede for rødt lys, men blev ved med at stirre ud gennem forruden.

"Ville du være interesseret i at høre om den anden sag, Gill?"

Var hun det? Selvfølgelig var hun det. Men hvad ville han have til gengæld ...

"Ja, det er en meget interessant mand, ham Rebus. Hans bror også."

"Hans bror?"

"Ja, du ved, Michael Rebus. Hypnotisøren. Det er et par interessante brødre."

"Nå?"

"Hør nu her, Gill, ikke flere julelege, okay?"

"Hvad er det så, du leger?" Hun satte bilen i gear og startede igen.

"Det, jeg godt kunne tænke mig at vide, er, om Rebus er genstand for en intern undersøgelse. Jeg mener, *ved* I i virkeligheden, hvem der står bag alt det her, men vil bare ikke sige det?"

Nu vendte hun sig om imod ham.

"Sådan arbejder vi ikke, Jim."

Han fnøs.

"Det kan godt være, du ikke arbejder sådan, Gill, men lad være med at bilde mig ind, at det ikke finder sted. Jeg tænkte bare, om du måske havde hørt noget, lidt rumlen fra de højere sfærer. Måske afledt af, at en eller anden havde klokket i det ved at lade tingene udvikle sig for meget."

Jim Stevens iagtog hendes ansigt intenst, mens han udviklede sine idéer og vage teorier i håbet om, at en af dem ville afsløre hende. Men hun så ikke ud til at bide på. Okay. Måske vidste hun ikke noget. Det behøvede ikke nødvendigvis at betyde, at hans teorier var forkerte. Det kunne også betyde, at tingene begyndte på et højere plan end det, Gill Templer og han arbejdede på.

"Jim, hvad er det, du *tror,* du ved om John Rebus? Det kan faktisk være vigtigt. Vi kunne hale dig ind på stationen, hvis vi troede, at du tilbageholdt ..."

Stevens rystede på hovedet og begyndte at lave små, utilfredse lyde.

"Vi ved begge, at sådan gør man ikke. Jeg mener, sådan noget gør man bare ikke."

Hun så på ham igen.

"Jeg kunne bryde traditionen," sagde hun.

Han gloede på hende. Ja, det kunne hun selvfølgelig.

"Bare sæt mig af her," sagde han og pegede ud ad vinduet. Noget aske fra cigaretten faldt ned på hans slips. Gill stoppede bilen og så på ham, mens han steg ud. Han lænede sig ind i bilen, inden han lukkede døren.

"Vi kan arrangere en byttehandel, hvis du vil. Du har mit nummer."

Ja, hun havde hans nummer. Han havde skrevet det ned til hende for meget længe siden, så længe siden, at de nu befandt sig på hver deres side af hegnet, og hun havde fået svært ved at forstå ham. Hvad var det, han vidste om John? Og om Michael? Mens hun kørte over til Rebus' lejlighed, håbede hun, at hun ville finde ud af det der.

XXI

JOHN REBUS LÆSTE ET PAR SIDER i sin *Good News Bibel*, men lagde den fra sig, da han opdagede, at han ikke læste overhovedet. I stedet for gav han sig til at bede, mens han kneb øjnene sammen til små kratere. Så begyndte han at gå rundt i lejligheden og røre ved tingene. Det havde han også gjort før sit første sammenbrud. Men han var nu ikke bange. Det kunne komme, hvis det ville, alting kunne komme, hvis det ville. Han havde ingen modstandskraft tilbage. Han underlagde sig sin ondskabsfulde skabers vilje.

Det ringede på døren. Han lukkede ikke op. De ville gå igen og lade ham være alene med sin sorg, sin ubrugelige vrede og sine støvede ejendele. Det ringede på igen, mere insisterende end første gang. Bandende gik han hen til døren og rev den op. Det var Michael, der stod udenfor.

"John," sagde han, "jeg kom, så hurtigt jeg kunne."

"Mickey, hvad laver du her?" Han gjorde stift tegn til broderen om at komme indenfor.

"Der var en eller anden, der ringede til mig. Hun fortalte mig det hele. Frygtelige nyheder, John, frygtelige." Han lagde en hånd på Rebus' skulder. Rebus dirrede, og det gik pludselig op for ham, hvor lang tid siden det var, at et menneske havde rørt ved ham, givet ham et medfølende, broderligt klap. "Jeg løb ind i to gorillaer udenfor. Det ser ud til, at man passer godt på dig."

"Procedure," sagde Rebus.

Det kunne godt være, at det bare var procedure, men Michael vidste, hvor skyldig han måtte have lydt, da de havde ringet til ham. Han havde spekuleret over telefonopkaldet og over muligheden for, at det måske var en fælde. Så derfor havde han lyttet til de lokale nyheder i radioen. Der havde været en bortførelse, og der var sket et drab. Det var sandt. Så han var kørt lige ind i løvens hule, udmærket klar over, at han skulle holde sig langt væk fra sin bror, og at de ville dræbe ham, hvis de fandt ud af det. Han spekulerede på, om bortførelsen kunne have noget at gøre med hans egen situation. Var dette en advarsel til begge brødre? Det var ikke til at sige. Men da de to gorillaer kom ud af opgangens skygger og var gået hen imod ham, havde han troet, at spillet var tabt. Først havde de været gangstere, der var ude efter ham. Så blev de til politibetjente, der ville arrestere ham. Men nej, de var bare 'procedure'.

"Du sagde, det var en kvinde, der ringede til dig. Fik du fat i hendes navn? Nej, skidt med det. Jeg ved godt, hvem det var."

De sad i dagligstuen. Michael tog sin fåreskindsjakke af og hev en flaske whisky op fra en af lommerne.

"Vil det her hjælpe?" spurgte han.

"Det vil i hvert fald ikke skade."

Rebus gik ud i køkkenet for at hente glas, mens Michael så sig om i stuen.

"Det er en dejlig lejlighed," råbte han.

"Den er bare lidt for stor til mig," sagde Rebus. Der lød et halvkvalt host ude fra køkkenet. Michael gik derud og så sin bror stå lænet over vasken, mens han hulkede lydløst.

"John," sagde Michael og tog om ham. "Det skal nok gå. Det skal nok gå alt sammen." Han følte skylden vælde op i sig.

Rebus famlede efter et lommetørklæde, pudsede støjende næse og tørrede øjnene.

"Det kan du sagtens sige," snøftede han og prøvede at smile, "du er hedning."

• • •

De drak halvdelen af whiskyen, mens de sad i stolene og tavse iagttog skyggerne i loftet. Rebus havde røde rande om øjnene, og det stak i hans øjenlåg. Han snøftede en gang imellem og tørrede næsen med bagsiden af hånden. For Michael var det ligesom at være barn igen, blot med rollerne byttet om et øjeblik. Ikke at de havde været så tæt på hinanden, men sentimentaliteten vinder altid over virkeligheden. Selvfølgelig kunne han huske, at John havde kæmpet for ham en gang eller to på legepladsen. Skyldfølelsen vældede op i ham igen. Han rystede svagt. Han måtte se at komme ud af det her, men måske sad han allerede uhjælpelig fast og havde trukket John, der var uvidende om det hele, med ind i det også ... det var ikke til at holde ud at tænke på. Han var nødt til at kontakte Manden og forklare det hele. Men hvordan? Han havde intet telefonnummer eller adresse. Det var altid Manden, der kontaktede ham, aldrig den anden vej rundt. Det var en ren farce, nu han kom til at tænke over det. Et mareridt.

"Hvad syntes du om forestillingen forleden?"

Rebus tvang sig selv til at tænke tilbage på showet, på den parfumerede og ensomme kvinde, på sine fingre, der lukkede sig om hendes hals, scenen, der havde været begyndelsen på enden.

"Det var interessant." Han var faldet i søvn, var han ikke? Skidt med det.

Tavshed igen, spredt larm fra trafikken udenfor, et par drukkenbolte, der råbte op et stykke derfra.

"De siger, at der er én, der har et horn i siden på mig," sagde han til sidst.

"Nåh, og er der så det?"

"Jeg ved det ikke. Det ser sådan ud."

"Jamen, sådan noget må du da *vide*?"

Rebus rystede på hovedet.

"Det er det, der er problemet. Jeg kan ikke huske det."

Michael satte sig op i stolen.

"Hvad er det mere nøjagtigt, du ikke kan huske?"

"Et eller andet. Jeg ved det ikke. Bare et eller andet. Hvis jeg vidste, hvad det var, så ville jeg *huske* det, ikke? Men der er et tomrum. Det ved jeg, at der er. Jeg ved, der er noget, som jeg burde huske."

"Noget fra din fortid?" Michael var pludselig fyr og flamme. Måske havde det hele slet ikke noget at gøre med ham. Måske havde det noget at gøre med noget andet, en anden. Han begyndte at få håbet tilbage.

"Ja, fra fortiden. Men jeg kan ikke huske det." Rebus gned sig i panden, som om den var en krystalkugle. Michael rodede i sin lomme.

"Jeg kan hjælpe dig med at huske, John."

"Hvordan det?"

"Sådan her." Michael holdt en sølvmønt mellem tommel- og pegefinger. "Kan du huske, hvad jeg fortalte dig, John. Jeg fører mine patienter tilbage til deres tidligere liv hver dag. Det skulle være nemt nok at føre dig tilbage til din *virkelige* fortid."

Nu var det Rebus' tur til at sætte sig op. Han rystede whiskydunsterne af sig.

"Okay," sagde han. "Hvad skal jeg gøre?" Men noget indeni ham sagde: *Du tør ikke, du ønsker ikke at vide det.*

Han ønskede at vide det.

Michael kom over til hans stol.

"Læn dig tilbage i stolen. Gør dig det behageligt. Lad være med at drikke mere whisky. Men husk, det er ikke alle, der er modtagelige over for hypnose. Lad være med at tvinge dig selv. Prøv ikke for hårdt. Hvis det sker, så sker det, hvad enten du vil det eller ej. Bare slap af, John, bare slap af."

Det ringede på døren.

"Ignorer det," sagde Rebus, men Michael havde allerede forladt stuen. Der lød stemmer ude i entréen, og da Michael kom tilbage, havde han Gill med.

"Telefonstemmen, ser det ud til," sagde Michael.

"Hvordan har du det?" Hun så bekymret på ham.

"Godt nok, Gill. Hør lige, det her er min bror, Michael. Hypnotisøren. Han vil føre mig tilbage – var det ikke det, du kaldte det, Mickey? – for at fjerne det, der blokerer min hukommelse. Måske skulle du gøre dig klar til at tage notater eller noget."

Gill kiggede fra den ene bror til den anden og følte sig lidt ude af trit med tingene. Det var et par interessante brødre. Det var det, Jim Stevens havde sagt. Hun havde været på arbejde i seksten timer og nu det her. Men hun smilede bare og trak på skuldrene.

"Kan en tørstig pige måske få noget at drikke først?"

Nu var det John Rebus' tur til at smile. "Tag bare for dig," sagde han. "Der er whisky, whisky og vand eller vand. Kom nu, Mickey. Lad os komme i gang med det her. Sammy er et eller andet sted derude. Måske er der stadig tid."

Michael spredte sine ben lidt og lænede sig ned over Rebus. Det så ud, som om han skulle til at æde sin bror, hans øjne var lige ud for Rebus', og munden bevægede sig spejlvendt. Sådan så det i hvert fald ud for Gill, der var i gang med at hælde whisky i et glas. Michael holdt mønten op og forsøgte at fange lysstrålen fra stuens eneste lavwattspære. Omsider reflekteredes lyset i Rebus' nethinde og pupillerne udvidede sig og trak sig sammen. Michael følte sig sikker på, at hans bror var modtagelig. Det ville han sandelig håbe.

"Hør godt efter, John. Lyt til min stemme. Se på mønten, John. Se, hvor den skinner og drejer rundt. Se, hvor den drejer rundt. Kan du se den dreje rundt, John? Slap af, bare lyt til mig. Og se den dreje rundt, se den gløde."

Et øjeblik så det ud til, at Rebus ikke ville overgive sig. Måske var det familiebåndet, der gjorde ham immun over for stemmen, for dens suggestive kraft. Men så så Michael øjnene forandre sig en lille smule, umærkeligt for den uindviede. Men han var indviet. Hans far havde oplært ham godt. Hans bror befandt sig nu i et ingenmandsland, fanget i lyset fra mønten, og kunne føres, hvorhen Michael måtte ønske det.

Han var i hans magt. Som altid følte Michael en lille gysen løbe igennem sig: Dette var magt, fuldstændig og total magt. Han kunne få sine patienter til alting. Alting.

"Michael," hviskede Gill, "spørg ham, hvorfor han forlod hæren."

Michael sank og vædede halsen med spyt. Ja, det var et godt spørgsmål. Et af dem, han selv havde ønsket at stille John.

"John?" sagde han. "John? Hvorfor forlod du hæren, John? Hvad skete der, John? Hvorfor forlod du hæren? Fortæl os det."

Og langsomt, som om han måtte lære ord, der var fremmede og ukendte for ham, begyndte Rebus at fortælle sin historie. Gill skyndte sig hen til sin taske efter en kuglepen og en notesblok. Michael nippede til sin whisky.

Så lyttede de.

FJERDE DEL

KORSET

XXII

JEG HAVDE VÆRET I FALDSKÆRMSREGIMENTET, siden jeg var atten år. Men så beluttede jeg mig for at søge optagelse i Special Air Service, hos jægersoldaterne. Hvorfor gjorde jeg det? Hvorfor vil alle soldater give en halv arm for at blive optaget i SAS? Det kan jeg ikke svare på. Alt, hvad jeg ved, er, at jeg pludselig befandt mig i SAS' træningslejr i Herefordshire. Jeg kaldte den for Korset, fordi jeg havde fået at vide, at de ville forsøge at korsfæste mig og de andre frivillige. Jeg gennemgik et helvede, jeg marcherede, jeg trænede, jeg blev sat på prøve og drevet fremad. De førte os frem til smertegrænsen. De lærte os at blive livsfarlige.

På det tidpunkt gik der rygter om en umiddelbart forestående opstand i Ulster og om, at SAS ville blive brugt til at udrydde oprørerne. Dagen kom for vores udnævnelse. Vi fik nye baretter og hueemblemer. Vi var i SAS. Men der kom mere. Gordon Reeve og jeg blev kaldt ind på chefens kontor og fik at vide, at vi var blevet bedømt til at være de to bedste rekrutter på holdet. Der lå en toårs træningsperiode foran os, før vi kunne blive optaget for alvor, men der blev spået os en stor fremtid.

Senere, da vi forlod bygningen, sagde Reeve til mig:

"Hør lige," sagde han, "jeg har hørt et par af rygterne. Jeg har hørt officererne tale sammen. De har planer med os, Johnny. *Planer.* Mærk dig mine ord."

Nogle uger senere skulle vi på overlevelseskursus og blev jagtet af andre regimenter, der, hvis de fangede os, ikke ville sky noget middel for at vriste oplysninger om vores mission ud af os. Vi skulle selv fange og jage vores mad, vi måtte skjule os og bevæge os over trøstesløse heder om natten. Det så ud til at være forudbestemt, at vi skulle gennemgå disse prøver sammen, selvom vi på denne mission arbejdede sammen med to andre.

"De har noget helt specielt i posen til os," blev Reeve ved med at sige. "Jeg kan føle det helt ind i mine knogler."

Da vi lå i vores bivuak, lige krøbet i poserne for at få et par timers søvn, stak vores vagtpost næsen indenfor.

"Jeg ved ikke rigtig, hvordan jeg skal sige det her," sagde han, og pludselig var der lys og skydevåben alle steder. Vi blev slået halvt bevidstløse, da læskærmen blev flået op. Fremmede tungemål flagrede omkring os, og ansigterne var maskerede bag stavlygterne. En riffelkolbe i nyrerne fortalte mig, at dette var virkelighed. *Virkelighed.*

Den celle, jeg blev kastet ind i, var også virkelig. Jeg blev smidt ind i en celle, der var oversmurt med blod, ekskrementer og andre ting. Den indeholdt en stinkende madras og en kakerlak. Det var det hele. Jeg lagde mig ned på den fugtige madras og forsøgte at falde i søvn, for jeg vidste, at søvn var det første, de ville berøve os for.

Pludselig blev det skærende lys i cellen tændt, og det blev ved med at brænde, til det skar sig ind i min hjerne. Så begyndte lydene, lyden af en, der blev gennembanket og forhørt i cellen ved siden af min.

"Lad ham være, I røvhuller! Jeg skal kraftedeme rykke jeres forpulede hoveder af."

Jeg slog og sparkede på væggen med knytnæver og støvler, og lydene stoppede. En celledør blev smækket i og et livløst legeme blev slæbt forbi min jerndør. Der blev stille. Jeg vidste, at min tur ville komme.

Jeg ventede. Jeg ventede i timer og dage, sulten, tørstig, og hver gang jeg lukkede øjnene, ville lyden af en støjsender flyde ud fra vægge og loft. Jeg lå med hænderne for ørerne.

Rend mig i røven, rend mig i røven, rend mig i røven.

Det var meningen, at jeg skulle bryde sammen nu, og hvis jeg brød sammen, ville alting have været forgæves, alle de mange måneders træning. Så jeg sang højt for mig selv. Jeg skrabede med neglene hen over cellevæggene, vægge, der var fugtige af svamp, og jeg indkradsede mit navn, som et anagram: BRUSE. Jeg spillede spil inde i hovedet, udtænkte krydsordsgåder og små ordlege. Jeg gjorde overlevelse til en leg. En leg, en leg, en leg. Jeg var hele tiden nødt til at minde mig selvom, at lige meget, hvor slemt det så ud til at blive, var det hele en leg.

Og jeg tænkte på Reeve, der havde advaret mig. Det var sandelig store planer. Reeve var det tætteste, jeg kom på en ven i delingen. Jeg spekulerede på, om det var ham, der var blevet slæbt hen over gulvet uden for min celle. Jeg bad for ham.

Og en dag bragte de mig mad og et krus med brunt vand. Maden lignede noget, der lige var hældt op fra en mudderpøl, og blev skubbet gennem et lille hul, der lige pludselig kom til syne i min dør og lige så pludseligt forsvandt igen. Jeg forvandlede det kolde svinefoder til en bøf med et par grøntsager til og puttede en skefuld af det i munden. Jeg spyttede det øjeblikkelig ud igen. Vandet smagte af jern. Jeg gjorde et stort nummer ud af at tørre munden i ærmet. Jeg var sikker på, at jeg blev iagttaget.

"Mine komplimenter til kokken," råbte jeg.

Det næste, jeg ved, er, at jeg faldt i søvn.

Jeg var oppe i luften. Det kunne der ikke herske tvivl om. Jeg befandt mig i en helikopter, med vinden blæsende i mit ansigt. Jeg kom langsomt til mig selv og åbnede mine øjne i mørke. Jeg havde en sæk over hovedet, og mine hænder var bundet på ryggen. Jeg mærkede helikopteren falde og stige og falde igen.

"Er du vågen?" En geværkolbe stødte til mig.

"Ja."

"Godt. Giv mig så navnet på dit regiment og enkelthederne om din mission. Vores tålmodighed er skidekort, sønnike, så du må hellere spytte ud nu."

"Rend mig."

"Jeg håber, du kan svømme, sønnike. Jeg håber, du får *chancen* for at svømme. Vi befinder os omkring to hundrede fod over Det Irske Hav, og om lidt smider vi dig ud fra den her skide kopter, og dine hænder vil stadig være bundne. Du vil ramme vandet, som om det var skide beton, er du klar over det? Det kan slå dig ihjel, eller det kan slå dig bevidstløs. Fiskene vil æde dig levende, sønnike. Og man vil aldrig finde dit lig, ikke herude. Forstår du, hvad jeg siger?"

Det var en formel og forretningsmæssig stemme.

"Ja."

"Godt. Giv mig så navnet på dit regiment og detaljerne om din mission."

"Rend mig." Jeg forsøgte at lyde rolig. Jeg ville blive endnu en ulykke i statistikken, dræbt under træning, ingen spørgsmål stillet. Jeg ville ramme havoverfladen, som en elektrisk pære rammer en mur.

"Rend mig," sagde jeg igen, mens jeg understregede for mig selv: Det er bare en leg, det er bare en leg.

"Det her er ikke nogen leg, at du bare ved det. Ikke længere. Dine venner har allerede spyttet ud, Rebus. En af dem, Reeve, tror jeg, det var, spyttede ud temmelig bogstaveligt. Okay, hæld ham ud, drenge."

"Vent ..."

"Nyd svømmeturen, Rebus."

Hænder greb mine ben og krop. Inde i sækkens mørke og med vinden piskende imod mig begyndte jeg at fornemme, at det hele var en alvorlig fejltagelse. "Vent ..."

Jeg kunne mærke mig selv hænge i luften, to hundrede fod over havet, med mågerne, der skrigende bad mine bødler om at slippe mig.

"Vent!"

"Ja, Rebus?"

"Fjern i det mindste den skide sæk fra mit hoved!" Jeg skreg nu, desperat.

"Slip bare røvhullet."

Og så slap de mig. Jeg hang i luften et øjeblik, og så faldt jeg, jeg faldt som en sten. Jeg drønede gennem luften, bundet sammen som en julegås. Jeg skreg et sekund, måske to, og så ramte jeg jorden.

Jeg ramte den bare jord.

Og der lå jeg, mens helikopteren landede. Folk grinede rundt omkring mig. De udenlandske stemmer var tilbage. De løftede mig op og trak mig tilbage til cellen. Jeg var glad for sækken over hovedet. Den skjulte den kendsgerning, at jeg græd. Jeg var reduceret til en dynge skælvende spiraler. Bittesmå slanger af angst og adrenalin og lettelse pumpede gennem min lever, mine lunger og mit hjerte.

Døren blev smækket i bag mig. Så hørte jeg en slæbende lyd bag min ryg. Hænder fumlede med knuderne på rebet. Det tog mig et par sekunder at få synet igen, da sækken var fjernet.

Jeg stirrede ind i et ansigt, der så ud til at være mit eget. En ny drejning i legen. Så genkendte jeg Gordon Reeve, på samme tid som han genkendte mig.

"Rebus?" sagde han. "De fortalte mig, at du ..."

"De sagde det samme om dig. Hvordan har du det?"

"Godt, godt. Gud, hvor er jeg glad for at se dig."

Vi omfavnede hinanden og følte den andens svækkede, men endnu menneskelige berøring. Vi kunne lugte lidelsen og viljestyrken. Der var tårer i hans øjne.

"Det *er* dig," sagde han. "Det er ikke en drøm."

"Lad os sætte os ned," sagde jeg, "jeg er ikke alt for sikker på benene."

Hvad jeg mente var, at han ikke var alt for sikker på benene. Han lænede sig op ad mig, som om jeg var en krykke. Han satte sig taknemmeligt ned.

"Hvordan har det været?" spurgte jeg.

"Jeg prøvede at holde mig i form et stykke tid." Han klappede sig på sit ene ben. "Gjorde armbøjninger og sådan. Men jeg blev hurtigt for træt. De har forsøgt sig med hallucinogener. Jeg bliver ved med at have syner, når jeg er vågen."

"Jeg blev pumpet med sovemidler."

"De her hallucinogener er anderledes. Og så er der vandslangen. Jeg tror, jeg bliver spulet over en gang om dagen. Isnende koldt. Jeg når aldrig at blive tør."

"Hvor lang tid tror du, vi har været her?" Så jeg lige så dårlig ud, som han gjorde? Det håbede jeg ikke. Han havde ikke sagt noget om helikopteren. Jeg besluttede mig for at tie stille med det.

"Alt for længe," sagde han. "Det her er sgu da fuldstændigt latterligt."

"Du blev ved med at hævde, at de havde noget specielt for med os. Jeg troede ikke på dig. Gud tilgive mig."

"Det var ikke lige det her, jeg havde tænkt mig."

"Men det *er* altså os, de er interesserede i."

"Hvad mener du?"

Indtil nu havde tanken kun strejfet mig, men nu var jeg sikker.

"Dengang vores vagtpost stak hovedet ind i bivuakken den aften, var der ingen overraskelse i hans øjne, endnu mindre frygt. Jeg tror, at de begge har været med i det fra starten."

"Hvad handler det her så om?"

Jeg så på ham, mens han sad der med hagen på knæene. Udadtil var vi skrøbelige væsener. Hæmorroider, der føltes som sultne bid fra vampyrflagermus, mundhuler fyldt med sår og bylder. Hår, der faldt af, løse tænder. Men sammen var vi stærke. Og det var det, jeg ikke kunne forstå: Hvorfor havde de sat os sammen, når vi hver for sig var på sammenbruddets rand?

"Hvad handler det her så om?"

Måske forsøgte de at give os en falsk fornemmelse af tryghed, inden de for alvor satte tommelskruerne på. Det værste er ikke nået endnu, når vi kan sige: 'Dette er det værste'. Shakespeare, *King Lear.* Jeg kunne ikke vide det på det tidspunkt, men jeg ved det nu. Men lad nu det være.

"Jeg ved det ikke," sagde jeg. "Det fortæller de os nok, når de synes, tiden er inde."

"Er du bange?" spurgte han pludselig. Hans blik var fæstnet på den skrammede celledør.

"Måske."

"Du burde være ved at skide i bukserne, Johnny. Det er jeg. Jeg kan huske, engang jeg var dreng, nogle af os var taget ned til en flod i nærheden af, hvor vi boede. Den var gået over sine bredder. Det havde pisset ned i en uge. Det var lige efter krigen, og der lå en masse sønderbombede huse rundt omkring. Vi gik op langs med floden og kom til en kloakledning. Jeg legede med de store børn. Jeg ved ikke hvorfor. Det var altid mig, der skulle tage skraldet for deres skide narrestreger, men jeg holdt mig til dem. Jeg tror, jeg kunne lide følelsen af at rende rundt med drenge, der kunne skræmme livet af børn på min egen alder. Så selvom de ældre drenge behandlede mig som lort, gav de mig magt over mine jævnaldrende kammerater. Forstår du?"

Jeg nikkede, men han så det ikke.

"Denne rørledning var ikke særlig bred, men lang, og den sad højt oppe over floden. De sagde, at jeg skulle gå over først. For satan, hvor var jeg bange. Jeg var så pissebange, at mine ben ikke ville lystre mig, og jeg stivnede, da jeg var kommet halvvejs over. Og så begyndte pisset at løbe ned ad mine ben, ud af mine shorts, og det så de og skraldgrinede. De grinede af mig, og jeg kunne ikke løbe, jeg kunne ikke bevæge mig. Og så de lod mig stå der, mens de gik."

Jeg tænkte på latteren, da de trak mig væk fra helikopteren.

"Prøvede du noget lignende, da du var barn, Johnny?"

"Det tror jeg ikke."

"Hvorfor i helvede meldte du dig så?"

"For at slippe væk hjemmefra. Jeg kunne ikke enes med min far, ser du. Han foretrak min lillebror. Jeg følte mig udenfor."

"Jeg har aldrig haft en bror."

"Det har jeg heller ikke, ikke rigtigt. Jeg havde en modstander."

Jeg bringer ham tilbage nu,
det kan du lige vove på,
det her bringer os ingen vegne,
bliv bare ved.

"Hvad lavede din far, Johnny?"

"Han var hypnotisør. Han lokkede folk op på en scene og fik dem til at opføre sig åndssvagt."

"Du tager pis på mig."

"Det er sandt. Min bror skulle gå i hans fodspor, jeg skulle ikke. Så jeg sagde farvel. De var ikke ligefrem kede af, at jeg tog af sted."

Reeve klukkede.

"Hvis man satte os to på udsalg, var man nødt til at skrive 'lettere beskadiget' på skiltet, hva', Johnny?"

Det grinede jeg af, lo længere og højere end nødvendigt, og vi lagde armen om hinanden og sad på den måde og holdt hinanden varme.

Vi sov ved siden af hinanden, pissede og sked i hinandens nærvær, opfandt hovedbrud til hinanden, prøvede at gøre gymnastik sammen og holde stand sammen.

Reeve havde et stykke snor, som han bandt og bandt op igen. Han bandt alle de knuder, vi havde lært under træningen. Dette fik mig til at forklare ham betydningen af en gordisk knude. Han vinkede med en miniatureudgave af en kællingeknude.

"Gordisk knude. Det kan være meget godt, men det her er en ægte Gordons knude, hvad si'r du så?"

Så var der igen noget, vi kunne grine af.

Vi spillede også kryds og bolle og kradsede spillene ind i cellens porøse vægge med neglene. Reeve viste mig en metode, der gjorde, at man højst kunne få uafgjort. Vi må have spillet omkring tre hundrede spil før det, og Reeve havde vundet to tredjedele af dem. Tricket var simpelt nok.

"Du sætter din første bolle i øverste venstre hjørne og din anden diagonalt over for. Det er en position, der er umulig at slå."

"Hvad nu hvis din modstander sætter sit kryds diagonalt over for den første bolle?"

"Du kan stadig vinde ved at gå efter hjørnerne."

Det så ud til, at det var noget, der kunne opmuntre Reeve. Han dansede rundt i cellen og stirrede så på mig med et mærkeligt udtryk i øjnene.

"Du er som den bror, jeg aldrig har haft, John." Og i samme øjeblik tog han min håndflade og skar kødet op med sin negl og gjorde det samme med sin egen hånd. Vi trykkede hænder og tværede blodet frem og tilbage.

"Blodbrødre," sagde Gordon og smilede.

Jeg smilede tilbage og vidste, at han allerede var blevet for afhængig af mig, og at han ikke ville være i stand til at klare det, hvis vi blev skilt ad.

Og så knælede han ned foran mig og omfavnede mig igen. Gordon blev mere rastløs. Han tog halvtreds armbøjninger hver eneste dag, og det var, vores diæt taget i betragtning, fænomenalt. Og han nynnede små melodier for sig selv. Effekten af mit selskab syntes at mindskes. Han havde svært ved at koncentrere sig. Så jeg begyndte at fortælle ham historier.

Først fortalte jeg ham om min barndom og om min fars numre, men så begyndte jeg at fortælle ham rigtige historier, refererede handlingsforløbene i mine yndlingsbøger. Tiden kom, hvor jeg skulle fortælle ham historien om Raskolnikov, den mest moralske af alle fortællinger, *Forbrydelse og Straf*. Han lyttede betaget, og jeg forsøgte at trække den ud, så længe jeg kunne. Jeg opfandt små ting, udtænkte hele dialoger og karakterer. Og da jeg var færdig, sagde han, "Fortæl den der igen."

Og det gjorde jeg så.

"Var det hele uundgåeligt, John?" Reeve sad på knæ og kørte hænderne hen over gulvet. Jeg lå på madrassen.

"Ja," sagde jeg, "det tror jeg, det var. Det er i hvert fald skrevet sådan. Slutningen får man allerede, inden historien rigtig er begyndt."

"Ja, det var også det indtryk, jeg fik."

Der blev en lang pause, og så rømmede han sig.
"Hvordan opfatter du Gud, John? Det kunne jeg godt tænke mig at vide."
Så det fortalte jeg ham, og mens jeg talte, krydrede jeg mine utroværdige argumenter med små historier fra Bibelen. Gordon Reeve lå ned og stirrede på mig med øjne så store som vintermåner. Han koncentrerede sig som bare pokker.
"Jeg kan ikke tro på noget af det," sagde han til sidst, da jeg var blevet tør i halsen. "Jeg ville ønske, jeg kunne, men jeg kan ikke. Jeg synes, Raskolnikov skulle have slappet af og nydt sin frihed. Han skulle have anskaffet sig en Browning og skudt dem alle sammen."
Den kommentar gav mig stof til eftertanke. Det forekom mig ikke blot at være uretfærdigt, men der var også en masse ting, der talte imod det. Reeve var som en mand, der var fanget i helvedes forgård. Han troede på troens fravær, men var ikke nødvendigvis ude af stand til at tro på, at han kunne tro.
Hvad fanden er det for noget vrøvl?
Sshhh.
Og indimellem spillene og historierne lagde han hånden om min nakke.
"John, vi er venner, ikke? Jeg mener rigtig gode venner? Jeg har aldrig haft en god ven før." På trods af kulden i cellen var hans ånde varm. "Men vi er gode venner, er vi ikke? Jeg mener, jeg har lært dig at vinde i kryds og bolle, har jeg ikke?" Hans øjne var ikke længere menneskelige. Det var ulveøjne. Jeg havde set det komme, men der havde ikke været noget at gøre.
Ikke før nu. Men nu så jeg alting med de klare, deliriske øjne, der tilhører én, der har set alt, der er at se, og mere til. Jeg kunne se Gordon hæve sit ansigt op imod mit og langsomt – så langsomt, at det måske slet ikke skete – placere et stakåndet kys på min kind, mens han forsøgte at dreje mit hovede, således at vore læber ville mødes.
Og jeg så mig selv give efter. Nej, nej, det her skete ikke i virkeligheden! Det kunne jeg ikke acceptere. Det var ikke det,

vi havde gået og bygget op i alle disse uger, var det? Hvis det var det, havde jeg været et fjols hele vejen igennem.

"Bare et kys," sagde han, "bare ét kys, John. Kom nu for fanden." Der var tårer i hans øjne, fordi han også kunne se, at alting var gået i hårdknude på et øjeblik. Han kunne også se, at noget var ved at være slut. Men det forhindrede ham ikke i at kante sig ind over mig, så vi lå som dyret med de to rygge. (Shakespeare. Men skidt nu med det.) Jeg rystede, men af en eller anden grund kunne jeg ikke røre mig. Jeg vidste, at dette var noget, jeg ikke forstod mig på, noget, jeg ikke var i stand til at kontrolere. Så jeg tvang tårerne frem i mine øjne, og min næse begyndte at løbe.

"Bare et kys."

Al den træning, al den stræben frem mod det endelige dødbringende mål, alt, hvad det havde resulteret i, var dette øjeblik. Når alt kommer til alt, er det stadig kærligheden, der står bag alt.

"John."

Jeg kunne kun ynkes over os begge to, stinkende, besudlede og golde i vores celle. Jeg kunne kun mærke frustrationen over situationen, de fattige tårer over et langt liv i forbitrelse. Gordon, Gordon, Gordon.

"John ..."

Celledøren blev åbnet, som om den aldrig havde været låst.

Der stod en mand. Engelsk, ikke udlænding og af høj rang. Han så på sceneriet med afsky. Han havde uden tvivl lyttet til det hele, hvis ikke han ligefrem havde set det. Han pegede på mig.

"Rebus," sagde han, "du har bestået. Du er på vores side nu."

Jeg så på hans ansigt. Hvad mente han? Jeg var udmærket klar over, hvad han mente.

"Du har bestået prøven, Rebus. Kom. Kom med mig. Vi får dig lappet sammen. Du er på vores side nu. Forhøret af din ... ven ... fortsætter. Du vil hjælpe os med forhøret fra nu af."

Gordon sprang op. Han var stadigvæk lige bag mig. Jeg kunne mærke hans ånde i nakken.

"Hvad mener du?" spurgte jeg. Jeg var tør i munden, og min mave snørede sig sammen. At se denne højst reglementerede officer gjorde mig pinefuldt opmærksom på mit eget skidt. På den anden side var han jo selv skyld i min tilstand.

"Det er et nummer," sagde jeg. "Det må det være. Jeg siger ingenting. Jeg går ikke med dig. Jeg har ikke røbet noget. Jeg er ikke brudt sammen. Du kan ikke svigte mig nu!" Jeg råbte nu, delirisk. Alligevel vidste jeg, at han talte sandt. Han rystede langsomt på hovedet.

"Jeg kan forstå din mistænksomhed, Rebus. Du har været under stort pres. Et fantastisk stort pres. Men det er fortid. Du er ikke dumpet, du har bestået. Bestået med kryds og slange. Så meget tror jeg godt, vi kan sige. Du har bestået, Rebus. Du er på vores side nu. Du skal hjælpe os med at knække Reeve her. Forstår du?"

Jeg rystede på hovedet.

"Det er et nummer," sagde jeg. Officeren smilede medfølende. Han havde haft med sådan nogle som mig at gøre hundredvis af gange.

"Hør her," sagde han, "kom nu bare med os, så vil alting blive forklaret."

Gordon sprang frem ved siden af mig.

"Nej!" råbte han. "Han har allerede fortalt dig, at han for fanden i helvede ikke går med! Skrid så ud herfra." Til mig sagde han, med hånden på min skulder: "Lyt ikke til ham, John. Det er et nummer. Det er altid et nummer med de skiderikker." Men jeg kunne se, at han var usikker. Hans øjne flakkede, og munden stod let åben. Da jeg følte hans hånd røre ved mig, vidste jeg, at jeg allerede havde truffet min beslutning, og Gordon så ud til at have forstået det.

"Det tror jeg, vi skal lade menig Rebus bestemme, synes du ikke?" sagde officeren.

Og så kiggede han på mig, og hans øjne var venlige.

Jeg behøvede ikke at kigge mig tilbage i cellen eller se på Gordon. Jeg blev bare ved med at tænke ved mig selv: Det er en ny del af spillet, bare en ny del af spillet. Beslutningen var truffet for lang tid siden. De løj ikke for mig, og jeg ville selvfølgelig gerne væk fra cellen. Det var forudbestemt. Intet var tilfældigt. Det havde jeg fået at vide, da træningen begyndte. Jeg gik et par skridt fremad, men Gordon holdt fast i laserne af min skjorte.

"John," sagde han med indtrængende stemme, "du må ikke svigte mig, John. Du må ikke."

Men jeg trak mig fri af hans kraftløse greb og forlod cellen.

"Nej, nej, nej!" Hans råb var tunge og voldsomme. "Du må ikke svigte mig, John! Luk mig ud! Luk mig ud!"

Og så skreg han – han skreg, så jeg næsten gik i stykker.

Det var en gal mands skrig.

Efter at være blevet grundigt vasket og tilset af en læge blev jeg ført til, hvad de med en formildende omskrivning kaldte et eksaminationslokale. Jeg havde været igennem et helvede – jeg var stadig i helvede – og nu skulle de til at diskutere det hele, som om det ikke havde været andet end en hjemmeopgave.

Der var fire til stede, tre kaptajner og en psykiater. De forklarede mig det hele. De fortalte, at man var ved at danne en ny elitegruppe inden for SAS, og at dens formål ville være at infiltrere og destabilisere terrorgrupper, først og fremmest Den Irske Republikanske Hær, der var ved at udvikle sig til lidt mere end en pestilens, nu hvor situationen i Irland var ved at eksplodere i borgerkrig. På grund af jobbets natur var det kun de bedste – de allerbedste – der kunne bruges, og Reeve og jeg var blevet bedømt som de bedste i vores gruppe. Derfor var vi faldet i baghold, blevet taget til fanget og havde gennemgået test af en karakter, der aldrig før var set i SAS. Det overraskede mig faktisk ikke. Jeg tænkte på de andre stakler, der havde gennemgået det samme sygelige forløb. Det hele med det ene formål, at vi ikke ville røbe, hvem vi var, når vi fik skudt knæskallerne i smadder.

Så kom de til Gordon.

"Vores holdning til menig Reeve er noget ambivalent." Det var manden i den hvide kittel, der talte. "Han er en skidego' soldat. Hvis han får en praktisk opgave, vil han løse den. Men han har altid arbejdet for sig selv, så derfor satte vi jer to sammen for at se, hvordan I ville reagere, når I skulle dele celle, og mere specifikt, hvordan Reeve ville klare sig, når hans ven blev taget fra ham."

Betød det, at de vidste noget om det kys, eller gjorde det ikke?

"Jeg er bange for," fortsatte dokteren, "at resultatet kan vise sig negativt. Han er blevet afhængig af dig, John. Er det ikke rigtigt? Vi er selvfølgelig opmærksomme på, at du ikke er blevet afhængig af ham."

"Hvad med skrigene fra de andre celler?"

"Båndoptagelser."

Jeg nikkede, pludselig træt og uinteresseret.

"Det hele var altså bare en skide test?"

"Selvfølgelig var det det." De smilede smørret. "Men det skal du ikke bekymre dig om nu. Det, der betyder noget, er, at du har bestået."

Men det bekymrede mig alligevel. Hvad var det, det hele handlede om? Jeg havde givet mit venskab i bytte for denne uformelle orientering. Jeg havde byttet kærlighed lige over med smiger. Gordons skrig lød stadig i mine ører. Hævn, skreg han, hævn. Jeg lagde mine hænder på knæene, bøjede mig fremover og begyndte at græde.

"Svin," sagde jeg, "forbandede svin."

Og havde jeg haft en Browning hos mig i det øjeblik, havde jeg skudt store huller i deres grinende kranier.

• • •

De havde undersøgt mig igen, noget grundigere denne gang, på et militærhospital. Borgerkrigen var i høj grad brudt ud i Ulster, men jeg opfattede det ikke, jeg kunne kun tænke på Gordon Reeve. Hvad var der sket med ham? Befandt han sig stadig i den stinkende celle, alene på grund af mig? Var han ved at gå i opløsning? Jeg tog det hele på mine skuldre og græd igen. De havde givet mig en kasse servietter. Sådan klarede man det.

Så begyndte jeg at græde hele dagen, nogle gange ukontrollabelt. Jeg tog alting på min samvittighed. Jeg fik mareridt. Jeg tilbød at indgive min afskedsbegæring. Jeg *forlangte* at blive afskediget. Det blev modstræbende accepteret. Jeg var jo, når alt kom til alt, forsøgskanin. Jeg tog til en lille fiskerby i Fife og gik langs den stenede strand, mens jeg kom mig over mit nervesammenbrud og fik det hele ud af hovedet. Jeg gemte den mest pinefulde episode i mit liv i min hjernes dybe skuffer og låste den inde. Jeg lærte at glemme.

Så jeg glemte.

De var flinke ved mig. De gav mig et kompensationsbeløb og trak i en masse tråde, da jeg besluttede, at jeg ville ind til politiet. Åh nej, jeg kunne ikke klage over deres måde at behandle mig på, men de gav mig ikke lov til at finde ud af, hvad der var sket med min ven, og jeg måtte aldrig sætte mig i kontakt med dem mere. Jeg var død, jeg eksisterede ikke længere i deres arkiver.

Jeg var en fiasko.

Jeg er stadig en fiasko. Et ødelagt ægteskab. Min datter er kidnappet. Men det hele giver mening nu. Alting giver mening nu. Jeg ved i det mindste, at Gordon er i live, selvom han ikke er rask, og jeg ved, at han har min lille pige og vil slå hende ihjel.

Og slå mig ihjel, hvis han kan.

For at få hende tilbage er jeg nødt til at slå ham ihjel.

Og det vil jeg gøre nu. Gud hjælpe mig, det vil jeg gøre nu.

FEMTE DEL

KNUDER & KORS

XXIII

...

...

...

Da Rebus vågnede, efter hvad der var forekommet ham at være en meget dyb og drømmefyldt søvn, opdagede han, at han ikke lå i sin seng. Han så Michael stå lænet ind over sig og smile skævt, mens Gill gik frem og tilbage med tårerne løbende ned ad kinderne.

"Hvad skete der?" spurgte Rebus.

"Ingenting," sagde Michael.

Så kom Rebus i tanke om, at Michael havde hypnotiseret ham.

"Ingenting?" råbte Gill. "Hvad kalder du ingenting?"

"John," sagde Michael, "jeg anede ikke, at du havde det sådan med den gamle og mig. Jeg er ked af, at vi fik dig til at føle dig udenfor." Michael lagde hånden på sin brors skulder, *den bror, han aldrig havde haft.*

Gordon, Gordon Reeve. Hvad skete der med dig? Laset og beskidt hvirvler du rundt om mig som støvet på en gade i stormvejr. Ligesom en bror. Du har min datter. Hvor er du?

"Åh, Gud." Rebus lod hovedet falde ned på brystet og kneb øjnene hårdt i. Gill strøg ham over håret.

Det var ved at blive lyst udenfor. Fuglene var tilbage i deres utrættelige rutine. Rebus var glad for, at de sang ham tilbage i den virkelige verden. De mindede ham om, at der måske var nogen derude et sted, der var lykkelige. Måske kæresteparret, der vågnede op i hinandens arme, eller manden, der fandt ud af, at dagen i dag var en fridag, eller den gamle kvinde, der takkede Gud for, at hun var i live til at se de første tegn på livets opvågnen.

"En mørk nat for sjælen," sagde han og begyndte at ryste. "Det er koldt herinde. Vågeblusset må være gået ud."

Gill pudsede næse og lagde armene over kors.

"Nej, her er varmt nok, John. Hør her," hun talte langsomt og hensynsfuldt, "vi har brug for et signalement af den mand. Jeg er udmærket klar over, at signalementet vil være femten år gammelt, men det er da et udgangspunkt. Derefter skal vi have tjekket, hvad der skete med ham, efter du svigt– ... efter du forlod ham."

"Hvis der overhovedet findes noget, vil det være hemmeligholdt."

"Og vi må fortælle chefen om alt det her." Gill fortsatte, som om han ikke havde sagt et ord. Hun så lige ud i luften. "Vi må finde det svin."

Rebus syntes, der var meget stille i stuen, næsten som om der var sket et dødsfald, selvom der jo nærmere havde været tale om en fødsel, hans hukommelses fødsel. Om Gordon. Om at gå ud af den kolde, nådesløse celle. Om at vende ryggen til ...

"Kan man være sikker på, at denne Reeve er jeres mand?" Michael skænkede mere whisky op. Rebus rystede på hovedet til det tilbudte glas.

"Ikke til mig, ellers tak. Jeg er helt ør i hovedet. Ja, jeg tror, vi kan være ret sikre på, hvem der står bag. Brevene, knuderne og korsene. Det hele giver mening nu. Det har givet mening hele tiden. Reeve må tro, at jeg er dum. Han har sendt mig klare spor hele tiden, og jeg har ikke været i stand til at forstå dem ... det er mig, der er skyld i, at pigerne døde ... bare fordi jeg ikke kunne tåle sandheden ... sandheden ..."

Gill bøjede sig ned bag ham og lagde hænderne på hans skuldre. Rebus sprang ud af stolen og vendte sig om mod hende. *Reeve.* Nej, Gill, Gill. Han rystede på hovedet i en tavs undskyldning. Så brast han i gråd.

Gill kiggede over på Michael, men Michael så ned i gulvet. Hun tog om Rebus og holdt ham fast ind til sig og tillod ham ikke at rive sig løs fra hende igen, mens hun hviskede om og om igen, at det var hende, Gill, der var ved siden af ham, ikke et spøgelse fra fortiden. Michael spekulerede på, hvad det var, han havde rodet sig ud i. Han havde aldrig set John græde før. Igen vældede skyldfølelsen op i ham. Han ville stoppe legen nu. Han ville holde lav profil, indtil hans mellemmand blev træt af at kigge efter ham, og hans kunder havde fundet nye kilder. Han ville gøre det, ikke for Johns skyld, men for sin egen.

Vi behandlede ham som det argeste skidt, tænkte han ved sig selv, det var sandt nok. Den gamle og jeg behandlede ham som en uvelkommen fremmed.

Senere da de sad og drak kaffe, syntes Rebus at være faldet til ro, selvom Gill stadig iagttog ham med nervøse blikke.

"Vi kan være sikre på, at denne Reeve er gået helt fra forstanden," sagde hun.

"Måske," sagde Rebus. "En ting *er* i hvert fald sikkert: Han er bevæbnet. Han vil være forberedt på alt. Manden var jægersoldat og medlem af SAS. Han er en hård hund."

"Det var du også, John."

"Det er derfor, jeg er den rette til at finde ham. Det må vi have chefen til at indse, Gill. Jeg er tilbage på sagen."

Gill spidsede læberne.

"Det er jeg ikke sikker på, vi får ham med på," sagde hun.

"Så kan det sgu også være lige meget. Jeg skal nok finde det røvhul alligevel."

"Ja, find ham, John," sagde Michael. "Find ham. Hør ikke efter, hvad de andre siger."

"Mickey," sagde Rebus, "du er den bedste bror, jeg nogensinde har haft. Er der overhovedet noget at spise? Jeg er dødsulten."

"Og jeg er helt smadret," sagde Michael og var ret tilfreds

med sig selv. “Har du noget imod, jeg lægger mig et par timer, inden jeg kører hjem?”

“Overhovedet ikke. Du kan gå ind i mit soveværelse, Mickey.”

“Godnat, Michael,” sagde Gill.

Han smilede ved sig selv, da han forlod dem.

Knuder og kors. Kryds og bolle. Det var jo indlysende. Reeve måtte have troet, han var et fjols, og på en måde havde han haft ret. Alle de spil, de havde spillet, alle trickene og varianterne og deres snak om kristendommen, Gordons knude og den gordiske knude. Og Korset. Hold kæft, hvor havde han været dum, da han tillod sin hukommelse at narre sig til at tro, at den var en sønderslået og værdiløs beholder, kraften var løbet ud af. Det var dumt.

“John, du spilder din kaffe.”

Gill kom ind fra køkkenet med en tallerken ostemadder. Rebus tvang sig til at vågne.

“Spis det her. Jeg har ringet til hovedkvarteret. Vi skal være der om to timer. De er allerede begyndt at køre Reeves navn igennem. Vi skal nok finde ham.”

“Det håber jeg, Gill. Åh Gud, det håber jeg.”

De knugede sig ind til hinanden. Hun foreslog, at de lagde sig ned på sofaen. Det gjorde de og lå tæt sammen i en varm omfavnelse. Rebus kunne ikke lade være med at spekulere over, om nattens begivenheder havde virket som en slags djævleuddrivelse, om fortiden stadig ville jage ham seksuelt. Det håbede han ikke. Under alle omstændigheder var det hverken tiden eller stedet til at efterprøve det.

Gordon, min ven, hvad har jeg gjort imod dig?

XXIV

STEVENS VAR EN TÅLMODIG MAND. De to politibetjente havde været meget bestemte. Ingen kunne komme til at tale med kriminalassistent Rebus i øjeblikket. Stevens var taget tilbage til kontoret på avisen, havde arbejdet på en artikel til formiddagens udgave og var så kørt tilbage til Rebus' lejlighed igen. Der var stadig lys i vinduerne deroppe, men der var også to nye gorillaer ved gadedøren. Stevens parkerede overfor og tændte en ny cigaret. Det passede alt sammen fint. De to tråde var ved at blive spundet sammen. Mordene og narkohandelen var forbundet på en eller anden måde, og Rebus så ud til at være nøglen. Hvad snakkede hans bror og han om på denne tid af døgnet? En slagplan, måske. Han ville have givet alt for at være en flue på stuevæggen lige nu. Alt. Han kendte journalister i Fleet Street, som gik ind for avancerede overvågningsteknikker – skjulte mikrofoner, lydfølsomme mikrofoner, telefonaflytningsudstyr – og han spekulerede på, om det mon ikke ville være umagen værd at investere i sådan noget udstyr selv.

Han formulerede nye teorier i hovedet, teorier med hundredvis af muligheder. Hvis narkohajerne i Edinburgh var begyndt at involvere sig i bortførelse og mord for at skræmme et par arme syndere, så var tingene begyndt at tage en særdeles ubehagelig drejning, og han, Jim Stevens, ville fremover blive nødt til at være endnu mere forsigtig. Alligevel havde Big Podeen ikke vidst noget. Men hvis man nu antog, at en ny bande var brudt ind i spillet, og at de havde nye regler med. Det ville betyde bandekrig på Glasgowmaner. Men sådan gjorde man ikke nu om dage. Eller gjorde man?

På den måde holdt Stevens sig vågen og opmærksom, mens

han skrev sine tanker ned i sin notesbog. Hans radio var tændt, og han lyttede til nyhederne hver halve time. En politimands datter var det nye offer for Edinburghs barnemorder. Ved den seneste bortførelse var en mand blevet dræbt, stranguleret i huset, der tilhørte barnets mor. Og så videre. Stevens fortsatte med at formulere og spekulere.

Det var endnu ikke kommet ud, at *alle* mordene havde forbindelse med Rebus. Det ville politiet ikke offentliggøre endnu, ikke engang til Jim Stevens.

Klokken halv otte lykkedes det Stevens at bestikke en forbipasserende avisdreng til at bringe sig mælk og rundstykker fra en nærliggende butik. Han skyllede de knastørre rundstykker ned med den iskolde mælk. Han havde varme på i bilen, men frøs helt ind i marven. Han havde brug for et bad, en barbering og lidt søvn. Ikke nødvendigvis i den rækkefølge. Men han var for tæt på til at slippe nu. Han besad den sejhed – nogen ville kalde det galskab eller fanatisme – der kendetegner enhver god journalist. Han havde set andre bladnegere ankomme i nattens løb og blive sendt væk igen. En eller to havde set ham sidde i sin bil og var kommet over for en sludder og lidt snusen efter godbidder. Så havde han gemt sin notesbog og foregøglet mangel på interesse, idet han fortalte dem, at han snart ville tage hjem. Løgne, fandens løgne.

Det var en del af spillet.

Og nu, omsider, kom de ud fra bygningen. Der var selvfølgelig et par kameraer og mikrofoner, men ikke noget smagløst, ingen skubben, puffen og chikanerier. For det første, fordi det var en far i sorg, for det andet, fordi han var politimand. Ingen var ude på at chikanere ham.

Stevens så til, mens Gill og Rebus fik lov til at forsvinde ind i en ventende Rover politibil. Han studerede deres ansigter. Rebus så udkørt ud. Det var kun, hvad man kunne forvente. Men bagved var der noget sammenbidt, noget ved den måde, hans mund formede en lige linje. Det bekymrede Stevens lidt.

Manden lignede en, der var på vej i krig. For fanden i helvede. Og så var der Gill Templer. Hun så også barsk ud, mere barsk end Rebus. Hendes øjne var røde, men også her var der noget ud over det sædvanlige. Noget, der ikke helt var, som det skulle være. Det ville enhver respektabel journalist kunne se, hvis han vidste, hvad han kiggede efter. Stevens blev irriteret på sig selv. Han havde brug for at vide mere. Den historie var ligesom narkotika. Han havde brug for større og større indsprøjtninger af den. Han var også en lille smule forundret over at se sig selv indrømme, at han ikke behøvede disse indsprøjtninger for jobbets skyld, men for sin egen nysgerrighed. Rebus fængslede ham. Gill Templer interesserede ham, selvfølgelig.

Og Michael Rebus ...

Michael Rebus var ikke kommet ud af lejligheden. Cirkusset tog af sted nu, Roveren drejede til højre ud fra den stille Marchmont Street, men gorillaerne blev stående. Nye gorillaer. Stevens tændte en cigaret. Det var måske værd at forsøge. Han gik tilbage til sin bil og låste den. Og mens han gik en tur rundt om blokken, blev en ny plan formet.

"Undskyld, mister, bor De her?"

"Selvfølgelig bor jeg her. Hvad er alt det her for noget? Jeg skal altså i seng nu."

"Har det været en hård nat?"

Den rødøjede mand rystede tre brune papirsposer foran politimanden. Poserne indeholdt hver seks rundstykker.

"Jeg er bager. Skifteholdsarbejde. Så hvis de lige vil ..."

"Og Deres navn, mr.?"

I forsøget på at komme forbi manden havde Stevens lige akkurat fået tid nok til at se et par af navnene på dørtelefonen.

"Laidlaw," sagde han. "Jim Laidlaw."

Politimanden tjekkede den navneliste, han havde i hånden.

"Det er i orden, mr. Undskyld besværet."

"Hvad er det her for noget?"

"Det vil De tidsnok finde ud af. Godnat."

Der var en forhindring mere, det vidste Stevens godt, snu som han var: Hvis døren var låst, så var døren låst, og spillet var ude. Han gav døren et overbevisende skub og mærkede den give efter. De havde ikke låst den. Hans skytshelgen tilsmilede ham i dag.

Han smed rundstykkerne i forhallen og udtænkte sit næste træk. Han gik de to etager op til Rebus' dør. Opgangen syntes udelukkende at lugte af kattepis. Han standsede foran Rebus' dør for at få vejret. Dels fordi han var ude af form, dels fordi han var spændt. Han havde ikke haft det sådan med en historie i årevis. Det føltes rart. Han besluttede sig for, at på en dag som i dag kunne han slippe godt fra hvad som helst. Han trykkede ubarmhjertigt på dørklokken.

Døren blev omsider åbnet af en gabende og forsovet Michael Rebus. Nu stod de omsider ansigt til ansigt. Stevens viste Michael et kort i en lynhurtig bevægelse. Kortet bekendtgjorde, at James Stevens var medlem af Edinburghs snookerklub.

"Kriminalassistent Stevens. Jeg er ked af at måtte vække Dem." Han lagde kortet væk. "Deres bror fortalte os, at De sandsynligvis stadig sov, men jeg tænkte, at jeg ville komme op alligevel. Må jeg komme indenfor? Bare et par spørgsmål. Det vil ikke tage lang tid."

De to politimænd stod med følelsesløse tæer på trods af termosokker og det faktum, at sommeren var startet, og skiftede fra den ene fod til den anden, mens de håbede på afløsning. De snakkede om bortførelsen og det, at kriminalkommissærens søn var blevet myrdet. Bag ved dem blev hoveddøren åbnet.

"Er I her stadig? Konen sagde, at der stod strissere uden for døren, men det troede jeg ikke på. Det var i går aftes. Hvad er der sket?"

Det var en gammel mand, han havde stadig sine hjemmesko på, men bar en tyk vinterfrakke. Han var kun halvt barberet, og protesen i undermunden var enten bortkommet eller glemt. Han satte en kasket på sit skaldede hovede, da han trissede ud ad døren.

"De skal ikke gøre Dem bekymringer. De vil tidsnok få alt at vide."

"Nå, men så ... Jeg skal bare lige hen og hente avisen og mælken. Vi plejer at få ristet brød om morgenen, men et eller andet fjols har efterladt to dusin friske rundstykker i forhallen. Og hvis der ikke er nogen, der vil ha' dem, skal de være velkomne hos mig."

Han klukkede og viste sin røde gumme i undermunden.

"Ska' jeg tage noget med til jer fra butikken?"

Men de to politimænd stod bare og stirrede på hinanden, oprørte og målløse.

"Gå derop," sagde den ene til sidst til den anden. Og så: "Og Deres navn, mister?"

Den gamle mand rettede sig op, man var vel gammel soldat.

"Jock Laidlaw," sagde han, "til Deres tjeneste."

Stevens drak taknemmeligt den sorte kaffe. Det var det første varme, han havde fået i umindelige tider. Han sad i stuen og overbegloede det hele.

"Jeg er glad for, De vækkede mig," sagde Michael Rebus. "Jeg må se at komme hjem."

Det tror fanden, tænkte Stevens. Det tror fanden. Rebus så noget mere afslappet ud, end han havde regnet med. Afslappet, udhvilet og med god samvittighed. Det blev mere og mere mærkeligt.

"Bare et par enkelte spørgsmål, mr. Rebus, som jeg sagde."

Michael Rebus satte sig ned, lagde benene over kors og nippede til sin kaffe.

"Ja?"

Stevens tog sin notesbog frem.

"Deres bror har fået et meget slemt chok."

"Ja."

"Men han kommer over det, vil De mene?"

"Ja."

Stevens lod, som om han skrev i sin bog.

"Havde han forresten en rolig nat? Sov han godt?"

"Faktisk fik ingen af os ret meget søvn. Jeg tror slet ikke, John fik sovet overhovedet." Michaels øjenbryn trak sig sammen. "Hør, hvad er det her for noget?"

"Bare rutine, mr. Rebus. Det må De forstå. Vi har brug for oplysninger fra alle involverede, hvis vi skal opklare denne sag."

"Men den er da opklaret, er den ikke?"

Stevens' hjerte sprang et slag over.

"Er den?" hørte han sig selv sige.

"Er De da ikke klar over det?"

"Jo, selvfølgelig, men vi er nødt til at indhente *alle* oplysninger –"

"Fra alle involverede. Jo, det fortalte De mig. Hør, må jeg lige se Deres identifikation igen? Bare for at være på den sikre side."

Man kunne høre lyden af en nøgle blive drejet rundt i entrédøren.

For satan, tænkte Stevens, de kommer allerede.

"Hør lige her," sagde han gennem tænderne, "vi ved alt om din lille narkobutik. Hvis du ikke fortæller os, hvem der står bag, skal jeg sørge for, at du bliver spærret inde i hundrede år, min dreng!"

Michaels ansigt blev først lyseblåt, så gråt. Hans mund så ud til at forme et ord, det ene ord, Stevens havde brug for.

Men så var en af betjentene inde i stuen og fik revet Stevens ud af stolen.

"Jeg er ikke engang færdig med min kaffe!" protesterede han.

"Du skal være heldig, hvis jeg ikke brækker halsen på dig," svarede politimanden.

Michael Rebus rejste sig også op, men sagde ingenting.

"Et navn!" råbte Stevens. "Bare giv mig navnet! Det her vil

blive klasket ud over hele forsiden, hvis du ikke samarbejder, min fine ven. Giv mig så det navn!"

Han blev ved med at råbe hele vejen ned ad trapperne. Helt ned til sidste trappetrin.

"Okay, jeg går nu," sagde han så og rev sig løs af det faste greb i armen. "Jeg går nu. Der var I nok lidt sløsede, hva', drenge? Jeg vil lade nåde gå for ret denne gang, men næste gang må I hellere være parate. Okay?"

"Se for helvede at forsvinde her fra," sagde den ene af betjentene.

Stevens skred ad helvede til. Han klemte sig ind i sin bil og følte sig mere frustreret og nysgerrig end nogensinde. Kors, hvor havde han været tæt på. Men hvad havde hypnotisøren ment? Sagen var opklaret. Var den det? Hvis det var tilfældet, *ville* han være den første med detaljerne. Han var ikke vant til at være kørt så langt bagud af dansen. Normalt blev der spillet efter hans regler. Nej, han var ikke vant til det her, og han brød sig ikke om det.

Han elskede det.

Men hvis sagen var opklaret, så var der ikke meget tid. Og hvis man ikke kunne få det, man ønskede, fra den ene bror, så måtte man gå til den anden. Han mente nok at vide, hvor han kunne finde John Rebus. Hans intuition kørte i højeste gear i dag. Han følte sig inspireret.

XXV

"Jeg må sige, John, at det hele lyder ret fantastisk, men jeg er sikker på, at det er en mulighed. Det er i hvert fald det bedste spor, vi har, selvom jeg har svært ved at forstå, at en mand kan hade så meget, at han vil myrde fire uskyldige piger bare for at lede dig hen imod sit ultimative offer."

Politiinspektør Wallace så fra Rebus til Gill Templer og tilbage igen. Til venstre for Rebus sad Anderson. Wallaces hænder lå som døde fisk på skrivebordet, og der lå en pen foran ham. Kontoret var stort og luftigt, en selvsikkerhedens oase. Her blev problemerne altid løst, beslutninger truffet – altid de rigtige.

"Problemet er nu bare at finde ham. Hvis vi offentliggør det her, skræmmer vi ham måske bare væk og bringer din datters liv yderligere i fare. På den anden side vil en appel til offentligheden være langt den hurtigste måde at finde ham på."

"De kan da ikke ...!" Det var Gill, på kanten af en eksplosion i det stille værelse, men Wallace vinkede afværgende med hånden.

"Jeg tænker bare højt i øjeblikket, kriminalassistent Templer, jeg prøver mig bare lidt frem."

Anderson sad som forstenet og stirrede ned i gulvet. Han var nu officielt på orlov og i sorg, men havde insisteret på at blive ajourført i sagen, og Wallace havde accepteret.

"Det er selvfølgelig umuligt, at du kan forblive på sagen, John," sagde Wallace.

Rebus rejste sig op.

"Sæt dig ned, John." Chefens øjne var alvorlige og ærlige, ægte strisserøjne, én af den gamle skole. "Jeg ved, hvordan du har det, tro det eller ej. Men der er for meget på spil her. For meget for os alle sammen. Du er alt for involveret til at være til objektiv nytte, og folk vil begynde at råbe op om selvtægt. Det må du kunne indse."

"Alt, hvad jeg kan se, er, at uden mig vil Reeve fortsætte i det uendelige. Det er mig, han vil have."

"Præcis. Og vil det ikke være dumt af os at servere dig på et sølvfad for ham? Vi vil gøre alt, hvad vi kan, lige så meget som du kunne gøre. Overlad det til os."

"Hæren vil ikke fortælle noget som helst. Det er De vel klar over?"

"Det bliver de nødt til." Wallace begyndte at lege med sin pen, som om det var dens eneste formål. "I sidste ende har de samme chef som os. De vil blive tvunget til at lukke op for posen."

Rebus rystede på hovedet.

"De har deres egne love. SAS er næsten ikke engang en del af hæren. Hvis de ikke vil sige noget, så vil de ikke sige en skid. Det kan jeg godt fortælle Dem." Rebus slog hånden i skrivebordet. "Ikke en skid."

"John." Gill klemte Rebus' skulder i et forsøg på at berolige ham. Hun var selv rasende, men hun vidste, hvornår man skulle tie stille og alene lade udtrykket viderebringe ens vrede og utilfredshed. Men for Rebus var det et spørgsmål om handling. Han havde befundet sig uden for virkeligheden i alt for lang tid.

Han rejste sig fra sin lille stol med et udtryk af styrke, der ikke længere var menneskelig, og forlod kontoret uden et ord. Politiinspektøren så på Gill.

"Han er taget af sagen, Gill. Det må skæres ud i pap for ham. Jeg har indtryk af at du," han holdt inde, mens han åbnede og lukkede en skuffe, "at du og han forstår hinanden. Det var i hvert fald sådan, man udtrykte det i min tid. Måske skulle du forklare ham sagens sammenhæng. Vi skal nok få vores mand, men ikke med Rebus lurende om hjørnet for at få sin hævn." Wallace kiggede over på Anderson, der stirrede udtryksløst tilbage. “Vi vil ikke tolerere selvtægt,” fortsatte han. “Ikke i Edinburgh. Hvad vil turisterne ikke sige?” Et koldt smil gled hen over hans ansigt. Han så fra Anderson til Gill og rejste sig så fra stolen. “Det her er ved at blive overordentligt ...”

“Altødelæggende?” foreslog Gill.

“Jeg ville nu have sagt indavlet. Vi har kriminalkommissær Anderson, hans søn og Rebus’ kone, dig selv og Rebus, Rebus og denne Reeve, Reeve og Rebus’ datter. Jeg håber ikke, pressen får nys om det her. Det bliver dit ansvar at sørge for, de ikke gør det, og at komme efter dem, der gør det. Har jeg udtrykt mig klart?”

Gill Templer nikkede og undertrykte et pludseligt gab.

“Godt.” Chefen nikkede over til Anderson. “Sørg så venligst for, at kriminalkommissær Anderson kommer sikkert hjem.”

William Anderson sad bag i bilen og gennemgik i hovedet sin liste over stikkere og venner. Han kendte et par stykker, som måske vidste noget om SAS. Han var sikker på, at sådan noget som Rebus/Reeve-affæren ikke helt var gået i glemmebogen, selvom den sandsynligvis var slettet i arkiverne. Soldaterne måtte have hørt noget alligevel. Jungletrommer findes overalt, især hvor man mindst forventer dem. Det kunne godt være, at han blev nødt til at vride et par arme om på ryggen og ofre et par pengesedler, men han ville finde det røvhul, om det så var det sidste, han gjorde på Guds grønne jord.

Eller også ville han være der, når Rebus gjorde.

Rebus havde forladt hovedkvarteret ad bagdøren, som Stevens havde håbet. Han fulgte efter politimanden, der så værre ud end nogensinde, da han vaklede bort. Hvad handlede det her om? Lige meget. Så længe han holdt sig til Rebus, var han sikker på at få sin historie, og hvilken historie så det ikke ud til at blive! Stevens blev ved med at se sig tilbage, men det så ikke ud til, at Rebus blev skygget. Ikke af politiet i hvert fald. Det forekom ham underligt, at de lod Rebus tage af sted alene, når man aldrig kunne vide, hvad en mand, hvis datter er blevet bortført, kunne finde på. Stevens håbede på det ultimative plot: Han håbede, at Rebus ville føre ham direkte til de tunge drenge bag den nye narkocirkel. Hvis ikke den ene bror, så den anden.

Han var som en bror for mig og jeg for ham. Hvad var der sket? Inderst inde kendte han jo årsagen. Metoden, der var skyld i det hele. Indespærringen og sammenbruddet og så sammenlapningen. Og man kunne ikke ligefrem sige, at sammenlapningen havde været nogen succes, kunne man? De var begge nedbrudte mænd på hver deres måde. Den viden skulle dog ikke forhindre ham i at flå hovedet af Reeve. Intet kunne forhindre ham i at gøre det. Men først måtte han finde røvhullet, og han vidste ikke, hvor han skulle begynde. Han følte byen lukke sig om sig, vægten af dens historie blev lagt på hans skuldre og tyngede ham ned. Religionsafvigelse, rationalisme og oplysning: Edinburgh havde specialiseret sig i alle tre, og nu ville også han få brug for disse egenskaber. Han måtte arbejde alene, hurtigt og alligevel metodisk, han måtte være opfindsom og bruge hvert eneste middel, han kunne få fat i. Allermest havde han brug for instinkt.

Efter fem minutter gik det op for ham, at han blev skygget, og hårene rejste sig i nakken på ham. Det var ikke den sædvanlige politiskygge. Den ville ikke have været så nem at få øje på. Men var det ... Kunne han være så tæt ... Han standsede ved et busstoppested og vendte sig hurtigt om, som om han ville se efter, om der kom en bus. Han så manden smutte ind i en portåbning. Det var ikke Gordon Reeve. Det var den skide journalist.

Rebus mærkede hjertet falde i slag igen, men adrenalinen pumpede allerede igennem ham og fyldte ham med en trang til at løbe, til at sætte af ned gennem denne lange, lige gade og løbe ind i den stærkest tænkelige modvind. Men så kom en bus skrumlende rundt om hjørnet, og i stedet for steg han på.

Fra bagruden kunne han se journalisten springe ud fra porten og desperat vinke efter en taxa. Rebus havde ikke tid til at bekymre sig om ham. Han havde brug for at tænke, han måtte tænke over, hvordan i alverden han fandt Reeve. Der var en mulighed, der nagede ham: Han skal nok finde *mig*. Jeg behøver ikke lede. Men på en eller anden måde var det det, han frygtede mest.

Gill Templer kunne ikke finde Rebus. Han var forsvundet, som om han havde været en skygge og slet ikke et menneske. Hun telefonerede og ledte og spurgte rundt og gjorde alle de ting, en god politimand skulle gøre, men hun hun måtte erkende, at hun ikke blot stod over for en mand, der selv var en god politimand, men også havde været en af de bedste i SAS til at skjule sig. Han kunne have gemt sig under hendes fødder, under hendes skrivebord, i hendes tøj, og hun ville aldrig kunne finde ham. Så han forblev usynlig.

Han forblev usynlig, gættede hun, fordi han var på farten, han bevægede sig hurtigt og metodisk gennem Edinburghs gader og barer på udkig efter sit bytte, velvidende, at byttet ville forvandle sig til jæger igen, når det blev fundet.

Men Gill blev ved med at prøve og fik kuldegysninger, når hun tænkte på sin elskers frygtelige og skrækindjagende fortid og på de mennesker, der besluttede, at sådan noget var nødvendigt. Stakkels John. Hvad ville hun have gjort? Hun ville være gået lige ud af cellen og blevet ved med at gå, akkurat som han havde gjort. Og alligevel ville hun have følt sig skyldig, akkurat som han havde gjort det, og hun ville have fortrængt det hele, skræmt ind i sjælen.

Hvorfor skulle mændene i hendes liv altid være sådan nogle komplicerede, brødebetyngede og forvirrede små lorte. Kunne hun kun tiltrække udsalgsvarerne? Det var lige til at grine over, hvis ikke det havde været for Samantha, og det var slet ikke morsomt. Hvor skulle man begynde at lede, hvis man kiggede efter en nål? Hun huskede politiinspektør Wallaces ord: *de har den samme chef som os.* Det var en sandhed, det nok kunne betale sig at overveje, med alle de aspekter den indeholdt. For hvis de havde den samme chef, så kunne man måske få arrangeret en mørklægning af sagen allerede nu, hvor den ældgamle og forfærdelige sandhed igen var kommet op til overfladen. Hvis det her kom i aviserne, ville helvede bryde løs på alle niveauer i SAS. Måske ville de samarbejde om at dysse sagen ned. Måske ville de have Rebus gjort tavs. Gud fri mig vel, hvad nu hvis de ville have Rebus gjort tavs? Det ville også betyde, at Anderson skulle gøres tavs og hende også. Det betød bestikkelse eller total udradering. Hun var nødt til at være yderst forsigtig. Et forkert træk, og det kunne betyde hendes afsked fra korpset, og det ville ikke engang være nok. Man skulle kunne se, at retfærdigheden skete fyldest. Der kunne ikke blive tale om mørklægning. Chefen, hvem eller hvad den unavngivne term så end dækkede over, ville ikke være tilfreds. Der måtte findes en sandhed, ellers ville det blot være komediespil og aktørerne hyklere.

Og hvad med hendes følelser for Rebus, der stod i spotlightet på den rødmende scene? Hun vidste knap, hvad hun skulle tænke. Ligegyldigt hvor absurd det måtte lyde, var hun stadig naget af en fornemmelse af, at John stod bag det hele: ingen Reeve, brevene sendt til sig selv, jalousidrab på konens elsker, hans datter gemt af vejen et eller andet sted – et eller andet sted, som lignede den låste celle.

Det havde man ikke taget med i sine overvejelser, og i betragtning af, hvordan tingene havde udviklet sig indtil nu, var det noget, som Gill overvejede temmelig kraftigt. Og afviste, afviste af ingen anden grund, end at John Rebus engang havde elsket med hende, engang havde krænget sin sjæl ud for hende, engang havde grebet hendes hånd under en dyne i en hospitalsseng. Ville en mand, der havde noget at skjule, gøre kur til en kvindelig kriminalassistent? Nej, det syntes ret usandsynligt.

Så det blev endnu engang til en mulighed blandt de andre.

Gills hoved begyndte at dunke. Hvor helvede var John henne? Og hvad nu hvis Reeve fandt ham, før de fandt Reeve? Hvis John var et levende mål for sin fjende, var det så ikke åndssvagt af ham at gå rundt derude, hvor end han så befandt sig? Selvfølgelig var det dumt. Det havde været dumt af ham at gå ud af kontoret, ud af bygningen og forsvinde som en hvisken. Pis. Hun greb røret igen og ringede til hans lejlighed.

XXVI

JOHN REBUS BEVÆGEDE SIG GENNEM BYENS JUNGLE, den jungle, som turisterne aldrig så, fordi de havde for travlt med at fotografere de gamle, gyldne templer. Selvom templerne ikke længere eksisterede, lå de der stadig som synlige skygger. Umærkeligt og ubarmhjertigt var junglen ved at vinde ind på turisterne, en naturkraft, ødelæggelsens og udsvævelsernes kraft.

Edinburgh var et nemt distrikt, ville hans kolleger fra vestkysten hævde. Prøv at være i Partick en enkelt nat og fortæl så, at det ikke er tilfældet. Men Rebus vidste bedre. Han vidste, at Edinburgh var et blændværk, der nok gjorde det sværere at få øje på kriminaliteten, men ikke gjorde den mindre nærværende. Edinburgh var en skizofren by, det sande tilholdssted for Jekyll & Hyde, Deacon Brodies by, byen, hvor man nok gik i pels, men havde glemt underbukserne (som man sagde ude vestpå). Men det var også en lille by, og det var til Rebus' fordel.

Han opsøgte drankernes tilholdssteder, gik på jagt i slumkvartererne, hvor heroin og arbejdsløshed var de sande guder, for han vidste, at et eller andet sted i dette ingenmandsland kunne en hård hund gemme sig, planlægge og overleve. Han forsøgte at sætte sig i Gordon Reeves sted. Men han havde forandret sig så mange gange, at Rebus til sidst måtte erkende, at han aldrig havde været længere væk fra sin sindssyge, morderiske blodbroder. Hvis han ikke havde fået øje på Gordon Reeve, var det fordi, Reeve ikke ville findes. Måske kom der et nyt brev, et nyt drilagtigt spor. Åh, Sammy, Sammy, Sammy. Kære Gud, lad hende leve, lad hende leve.

Gordon Reeve havde løftet sig op over Rebus' verden. Han

svævede oven over ham, skadefro over sin nyfundne magt. Det havde taget ham femten år at forberede sit nummer, men gud i himlen sikken et nummer. Femten år, hvor han sikkert havde ændret navn og livsstil, fået et almindeligt arbejde og studeret Rebus' tilværelse. Hvor længe havde denne mand holdt øje med ham? Hvor længe havde han iagttaget, hadet og planlagt? Alle de gange, han havde følt det løbe koldt ned ad ryggen, når telefonen havde ringet, uden at der var nogen i røret, alle de små episoder, som man så nemt glemte. Og Reeve, grinende oven over ham, som hans skæbnes lille herre. Rebus gik rystende ind på en pub for at finde adspredelse og bestilte en tredobbelt whisky.

"Vi serverer kun dobbelte i forvejen, kammerat. Er du sikker på, at du så vil ha' en tredobbelt?"

"Selvfølgelig."

Hvad fanden. Det kunne være det samme. Hvis Gud svingede rundt i sin himmel for at læne sig ud og røre ved sine skabninger, så var det et højst mærkværdigt strejf, han gav dem. Da han så sig omkring, kiggede Rebus lige ind i fortvivlelsens hjerte. Gamle mænd, der sad med deres små fadøl og stirrede tomt på døren. Spekulerede de mon på, hvad der var udenfor? Eller var de bare bange for, at hvad end der lå uden for døren, en dag ville tvinge sig adgang og mase sig ind i deres mørke kroge, ind bag deres nedslagne blikke, med en voldsomhed som et gammeltestamenteligt uhyre, et gigantisk monster eller en syndflod af ødelæggelse? Rebus kunne ikke se ind bag deres øjne, ligesom de ikke kunne se ind bag hans. Det var evnen til ikke at dele andres lidelser, der fik menneskeheden til at fortsætte, mens man koncentrerede sig om 'sig selv' og tromlede hen over tiggerne med deres foldede hænder. Bag sine øjne tiggede Rebus, han tiggede sin sælsomme Gud om tilladelse til at finde Reeve, til at forklare sig for galningen. Gud svarede ikke. Fjernsynet udspyede et eller andet banalt quizprogram.

"Bekæmp imperialismen, bekæmp racismen."

En ung pige i imiteret læderfrakke og små runde briller stod bag Rebus. Han vendte sig om imod hende. Hun havde en indsamlingsbøsse i den ene hånd og en stak aviser i den anden.

"Bekæmp imperialismen, bekæmp racismen."

"Det sagde du jo." Allerede nu kunne han mærke alkoholen bearbejde sine kæbemuskler og løsne op for stivheden. "Hvilket parti er du fra?"

"Arbejdernes Revolutionære Parti. Den eneste måde at knuse det imperialistiske system på er ved, at arbejderne forener sig og knuser racismen. Racisme er rygraden i undertrykkelse."

"Nå, så det mener du? Blander du ikke to fuldstændig forskellige begreber sammen, min pige?"

Hun rejste børster, men var parat til at diskutere. Det var de altid.

"De to hænger uløseligt sammen. Kapitalismen blev bygget på slavearbejde og bliver vedligeholdt af slavearbejde."

"Du lyder ikke særlig slaveagtig. Hvor har du fået den accent? Cheltenham?"

"Min far var slave af den kapitalistiske ideologi. Han vidste ikke, hvad han gjorde."

"Du har altså gået på en dyr skole?"

Hun var ved at koge over. Rebus tændte en cigaret. Han bød hende en, men hun rystede på hovedet. Et kapitalistisk produkt, gik han ud fra, tobakken var nok plukket af slaver i Sydamerika. Hun var faktisk ret køn. Atten, nitten. Hun havde et par underlige, victorianske sko på, snævre og spidse. En lang sort skjorte. Sort var farven for de anderledes tænkende. Han gik klart ind for en anderledes tankegang.

"Jeg går ud fra, du er studerende?"

"Ja," sagde hun og skrabede usikkert med fødderne. Hun kendte en køber, når hun så én. Det her var ikke en køber.

"Edinburgh University?"

"Ja."

"Hvad studerer du?"

"Engelsk og statskundskab."

"Engelsk? Har du hørt om en fyr, der hedder Eiser? Han underviser der."

Hun nikkede.

"Han er en gammel fascist," sagde hun. "Hans teorier om læsning er et stykke højrefløjspropaganda, der skal stikke proletariatet blår i øjnene."

Rebus nikkede.

"Hvad var det, du sagde, dit parti hed?"

"Revolutionære Arbejdere."

"Men du er student, ikke? Ikke en arbejder, og man kan høre på dig, at du ikke kommer fra proletariatet." Hun var rød i hovedet, og hendes øjne skød lyn. Når revolutionen kom, ville Rebus være den første, der blev stillet op ad muren. Men han havde endnu ikke spillet sin trumf. "Så i virkeligheden overtræder du loven om korrekt varebetegnelse, er det ikke rigtigt? Og hvad med den bøsse der? Har du tilladelse fra de relevante myndigheder til at indsamle penge i den bøsse?"

Det var en gammel bøsse, og den forrige mærkat var revet af. Det var en simpel, rød dåse, sådan en, man bruger på Valmuedagen den 11. november. Men det var ikke Valmuedag i dag.

"Er du strisser?"

"Det kan du bide dig selv i næsen på. *Har* du en tilladelse? Ellers bliver jeg nok nødt til at tage dig med på stationen."

"Strissersvin."

Idet hun anså dette for at være en passende afskedshilsen, vendte hun sig fra Rebus og gik over imod døren. Rebus klukkede ved sig selv, mens han drak ud. Stakkels pigebarn. Hun ville ændre sig. Idealismen ville forsvinde, i samme øjeblik hun indså, hvor hyklerisk hele legen var, og hvilken overdådighed der lå uden for universitetet. Når hun blev færdig, ville hun have det hele: det overordnede job i London, lejlighed, bil, løn, vinbar. Hun ville undsige det hele for et stykke af kagen. Men det forstod hun ikke nu. Nu handlede det om reaktionen mod hendes opdragelse. Det var det, universitetet drejede sig om. De troede alle sammen, at de kunne ændre verden, lige så snart de slap væk fra deres forældre. Det havde Rebus også troet. Han havde regnet med at vende hjem fra hæren med brystet fuldt af medaljer og en lang række udmærkelser, bare for at vise dem. Men sådan gik det ikke.

Han havde nu fået hold på sig selv og skulle lige til at gå, da der blev råbt til ham tre eller fire barstole længere nede.

"Det har aldrig hjulpet noget, har det vel?"

Det var en gammel kælling, der lod disse visdomsord flyde ud mellem sine rådne tænder. Rebus så, hvordan tungen kørte rundt i den sorte grotte.

"Næh," sagde han og betalte bartenderen, som takkede med et ægte Colgate-smil. Rebus kunne høre fjernsynet, lyden af kasseapparatet og de gamle mænds støjende samtale, men bag ved støjtæppet var der en anden lyd, lav og gennemtrængende, men mere virkelig for ham end alle de andre.

Det var lyden af Gordon Reeve, der skreg.

Luk mig ud! Luk mig ud!

Men Rebus blev ikke svimmel denne gang, han brød ikke ud i panik og løb sin vej. Han udholdt lyden og tillod den at udtrykke sin mening, lod den skylle ind over sig, til den havde fået sagt det, den ville. Han ville aldrig flygte fra sin erindring igen.

"Det har aldrig hjulpet noget at drikke, min dreng," fortsatte hans private heks. "Se bare på mig. Jeg var engang lige så god som alle andre, men så døde min mand, og alt gik i stykker. Forstår du, hvad jeg mener, dreng? Jeg drak, fordi jeg troede, det hjalp mig. Men man bliver snydt. Sprutten laver numre med dig. Man sidder bare der hele dagen og laver ikke andet end at drikke. Og livet går dig forbi."

Hun havde ret. Hvordan kunne han sidde her og drikke whisky og være sentimental, når hans datters liv hang i en tynd tråd? Han måtte være vanvittig; han var ved at tabe realitetssansen igen. Den måtte han for alt i verden holde fast i. Han kunne bede igen, men det bragte ham åbenbart længere væk fra de brutale kendsgerninger, og det var kendsgerninger, han jagtede, ikke drømme. Han jagtede den kendsgerning, at en galning fra hans skab med mareridt havde sneget sig ind i denne verden og ranet hans datter. Mindede det om et eventyr? Så meget desto bedre, så var man i hvert fald sikker på en lykkelig slutning.

"Det er rigtigt," sagde han. Han var klar til at gå og pegede på hendes tomme glas. "Vil du ha' en mere?"

Hun kiggede på ham med rindende øjne og nikkede så med slet skjult taknemmelighed.

"Det samme igen til damen," sagde Rebus til bartenderen med reklamesmilet. Han gav ham nogle mønter. "Og giv hende byttepengene." Så forlod han baren.

"Jeg må tale med dig. Jeg tror også, du har brug for at tale med mig."

Stevens var ved at tænde en cigaret på en måde, Rebus fandt temmelig melodramatisk, lige uden for baren. I gadelygtens skær var hans hud nærmest gul og så knap nok ud til at være tyk nok til at dække hans isse.

"Nå, kan vi snakke sammen?" Journalisten stak sin lighter tilbage i lommen. Hans lyse hår var fedtet. Han var ikke blevet barberet i et par dage. Han så sulten og forfrossen ud.

Men indeni var han elektrisk.

"Du har trukket mig grundigt rundt ved næsen, mr. Rebus. Må jeg sige John?"

"Hør lige her, Stevens, du ved, hvordan det forholder sig. Jeg har nok at se til i forvejen."

Rebus forsøgte at gå uden om journalisten, men Stevens greb ham i armen.

"Nej," sagde han, "jeg ved *ikke*, hvordan det forholder sig, ikke i virkeligheden. Det ser ud til, at jeg er blevet udvist fra kampen efter første halvleg."

"Hvad mener du?"

"Du ved præcis, hvem der står bag alt det her, ikke? Selvfølgelig gør du det, og det gør dine overordnede også. Eller gør de? Har du fortalt dem sandheden og kun sandheden, John? Har du fortalt dem om Michael?"

"Hvad med ham?"

"Lad nu være." Stevens begyndte at trippe lidt frem og tilbage, mens han så op på de høje huse omkring dem og den tidlige aftensol bag ved. Han smågrinede og rystede lidt. Rebus kunne huske, at han havde set den mærkelige rystebevægelse ved festen. "Hvor kan vi tale sammen?" spurgte journalisten så. "Hvad med baren? Eller er der nogen derinde, jeg helst ikke må se?"

"Stevens, du er sgu da helt fra den. Jeg mener det. Gå hjem, få noget søvn, spis, tag et bad, bare du holder dig allerhelvedes langt væk fra mig. Er den så feset ind?"

"Ellers vil du gøre hvad? Få din brors kammesjuk til at tjatte lidt til mig? Hør, Rebus, spillet er ude. Jeg *ved* det. Men jeg ved ikke det hele. Det vil være klogere af dig at beholde mig som ven end som fjende. Tro ikke, jeg er idiot. Jeg har højere tanker om dig. Svigt mig ikke."

Svigt mig ikke!

"Når alt kommer til alt, så har de din datter. Du har brug for min hjælp. Jeg har venner overalt. Vi er nødt til at stå sammen om det her."

Rebus rystede forvirret på hovedet.

"Jeg har ikke den fjerneste idé om, hvad du fabler om, Stevens. Gå hjem, vil du ikke nok?"

Jim Stevens sukkede og rystede bedrøvet på hovedet. Han smed cigaretten på fortorvet og trådte så hårdt på den, at han sendte små gnister ud over cementen.

"Det er jeg ked af, John. Det er jeg virkelig. Michael kommer ind og sidde i lang tid med de beviser, jeg har imod ham."

"Beviser? For hvad?"

"Hans pushervirksomhed, selvfølgelig."

Stevens så slet ikke slaget komme. Det ville heller ikke have hjulpet, om han så havde. Det var et grimt hug, der sprang i en halvbue op langs Rebus' ene side og ramte ham allernederst i maven. Journalisten hostede lidt luft op og faldt så på knæ.

"Løgner!"

Stevens hostede og hostede. Det var ligesom, han havde løbet et maraton. Han hev efter vejret, mens han sad på knæene og holdt sig på maven.

"Hvis du siger det, John, men det gør det ikke mindre sandt." Han kiggede op på Rebus. "Vil det sige, at du helt ærligt ikke ved noget om det? Overhovedet ingenting?"

"Du må hellere præsentere mig for nogle meget gode beviser, eller også skal jeg kraftedeme sørge for, at du kommer ind og sidde."

Det havde Stevens ikke regnet med, det havde han overhovedet ikke regnet med.

"Der kan man se," sagde han, "det gør kun tingene endnu mere indviklede. Nu kunne jeg sgu godt trænge til en drink. Må jeg invitere? Jeg tror, vi skal snakke lidt sammen nu, tror du ikke? Jeg skal nok lade være med at holde på dig, men jeg synes, du skal have noget at vide."

Og nu hvor han tænkte tilbage, gik det op for Rebus, at han selvfølgelig havde vidst det, han havde bare ikke været klar over, at han vidste det. Den dag, årsdagen for den gamles død, hvor han havde besøgt den regnvåde kirkegård, og han havde besøgt Mickey, havde han bemærket lugten af karamelliserede æbler i stuen. Nu vidste han, hvad det var for en lugt. Han havde tænkt på det dengang, men var blevet distraheret. For fanden i helvede. Rebus følte hele sin verden synke ned i en sump af personligt vanvid. Han håbede, at sammenbruddet ikke var langt væk, han kunne ikke holde til det her ret meget længere.

Karamelliserede æbler, eventyr, Sammy, Sammy, Sammy. Nogle gange var det svært at holde fast i virkeligheden, når virkeligheden overvældede én. Skjoldet kom for at beskytte dig. Sammenbruddets og glemslens skjold. Latter og glemsel.

"Det er min omgang," sagde Rebus og følte sig rolig igen.

• • •

Gill Templer vidste, hvad hun altid havde vidst: at der var et system i morderens valg af piger, så han måtte have haft adgang til deres navne før bortførelserne. Det betød, at fire af pigerne havde noget tilfælles på en måde, der gjorde, at Reeve havde kunnet udvælge dem alle sammen. Men hvad? De havde tjekket alting. De fritidsinteresser, pigerne havde tilfælles: basketball, popmusik, bøger.

Basketball, popmusik, bøger.

Basketball, popmusik, bøger.

Det betød, at alle basketballtrænere skulle tjekkes (alle sammen kvinder, så streg over det), alle ekspedienter i pladeforretninger, discjockeyer, boghandlere og bibliotekarer. Biblioteker.

Biblioteker.

Rebus havde fortalt historier for Reeve. Samantha benyttede byens hovedbibliotek. Det havde de andre piger også gjort. En af pigerne var blevet set på vej op ad The Mound i retning af biblioteket, samme dag som hun forsvandt.

Men Jack Morton havde allerede tjekket biblioteket. En af mændene, der arbejdede der, ejede en blå Ford Escort. Den mistænkte var allerede blevet afhørt. Men havde den ene samtale været nok? Hun måtte snakke med Morton. Så ville hun selv tage sig af det andet forhør. Hun skulle lige til at kigge efter Morton, da telefonen ringede.

"Kriminalassistent Templer," sagde hun ind i det beigefarvede rør.

"Barnet dør i aften," hvæsede en stemme i den anden ende.

Hun satte sig ret op og ned og var lige ved at vælte stolen.

"Hør," sagde hun, "hvis du er en svindler ..."

"Hold kæft, kælling. Jeg er ikke nogen svindler, og det ved du godt. Jeg er den ægte vare. Hør." Man kunne høre dæmpet gråd i baggrunden, en ung pige, der snøftede. Så kunne hun igen høre hans hvæsende stemme. "Sig til Rebus, at det var bare ærgerligt. Han kan ikke sige, at han ikke fik en chance."

"Reeve, hør her, jeg ..."

Det havde ikke været hendes mening at sige det, det havde ikke været meningen, at han skulle have haft det at vide. Men hun var gået i panik, da hun hørte Samantha græde. Nu hørte hun et andet udbrud, et isnende skrig fra en galning, der er blevet afsløret. Det fik de små hår i nakken på hende til at gemme sig bag hinanden. Luften frøs til is omkring hende. Det var selveste Dødens skrig i en af dets mange forklædninger. Det var den fortabte sjæls sidste triumferende skrig.

"Du ved det," gispede han med en stemme, der var en blanding af glæde og angst, "du ved det, du ved det, du ved det. Hvor er du dygtig. Og så har du endda en sexet stemme. Måske vil jeg komme efter dig en dag. Var Rebus god i sengen? Var han? Fortæl ham, at jeg har hans lille skat, og at hun dør i aften. Fik du fat i det? I aften."

"Hør lige, jeg ..."

"Nej, nej, nej. Ikke mere fra mig, miss Templer. Du har næsten haft tid nok til at spore mig. Farvel."

Klik. Brrr.

Tid til at spore mig. Hvor havde hun været dum. Det var det første, hun skulle have tænkt på, og hun havde ikke skænket det en tanke. Måske havde politiinspektør Wallace haft ret. Måske var det ikke kun John, der var for følelsesmæssigt involveret i det hele. Hun følte sig gammmel og træt og udbrændt. Hun følte det, som om efterforskningen pludselig var blevet en umulig byrde, at alle forbrydere var uovervindelige. Hendes øjne sved. Hun overvejede, om hun skulle tage briller på, hendes personlige skjold mod omverdenen.

Hun måtte finde Rebus. Eller skulle hun lede efter Jack Morton først? John måtte have det her at vide. De havde ikke meget tid. Det første valg skulle være det rigtige. Hvem først? Rebus eller Morton. Hun traf sin beslutning: John Rebus.

Efter Stevens' afsløringer var Rebus modløs på vej tilbage til sin lejlighed. Der var nogle ting, han skulle have undersøgt. Mickey kunne vente. Eftermiddagens fodarbejde havde ikke givet andet end nitter. Han måtte i forbindelse med sin gamle arbejdsgiver, hæren. Han måtte overbevise dem om, at der stod et liv på spil, for liv var noget, de værdsatte på deres egen obskure måde. Det kunne blive nødvendigt med en masse telefonopkald. Men hvis det var vilkårene ...

Han ringede dog først til hospitalet. Rhona havde det godt. Det var en lettelse. Men hun havde endnu ikke fået noget at vide om Sammys bortførelse. Rebus sank en klump. Havde de fortalt hende, at hendes elsker var død? Selvfølgelig ikke. Han sørgede for, at der blev sendt blomster til hende. Han var i gang med at samle mod til at ringe til det første nummer på en lang liste, da hans egen telefon ringede. Han lod den ringe et stykke tid, men den, der foretog opkaldet, var ikke til sinds at lade ham slippe.

"Hallo?"

"John! Gudskelov. Jeg har ledt efter dig alle vegne." Det var Gill, hun lød både ophidset og nervøs, og alligevel prøvede hun også at lyde medfølende. Hendes stemme modulerede i et vildt tempo, og Rebus følte sit hjerte – det, der var tilbage af det til offentlig fortæring – komme hende i møde.

"Hvad er der, Gill? Er der sket noget?"

"Reeve har lige ringet til mig."

Rebus' hjerte begyndte at hamre mod dets cellevægge. "Fortæl mig om det," sagde han.

"Altså, han har lige ringet og fortalt, at han har Samantha."

"Og?"

Gill gjorde en hård synkebevægelse. "Og at han slår hende ihjel i aften."

Der blev tavst i Rebus' ende, og hun kunne høre nogle underlige lyde. "John? Hallo, John?"

Rebus holdt op med at slå løs på telefonbordet. "Ja, jeg er her stadig. For fanden. Sagde han andet?"

"John, du burde ikke være alene. Jeg kunne ..."

"Sagde han andet?" Han råbte nu og lød, som om han hev efter vejret.

"Ja, jeg ..."
"Hvad?"
"Jeg kom til at røbe, at vi vidste, hvem han var."
Rebus trak vejret dybt ind og kiggede på sine knoer. Han opdagede, at han havde slået en af dem til blods. Han suttede blodet i sig og kiggede ud ad vinduet. "Hvordan reagerede han på det?" sagde han til sidst.
"Han gik amok."
"Det vil jeg tro, han gjorde. Gudfader, jeg håber ikke, han lader det gå ud over ... Åh, nej. Hvorfor tror du, han ringede til dig specielt?" Han holdt op med at slikke sit sår og koncentrerede sig i stedet om sine beskidte fingernegle, rev i dem med tænderne og spyttede dem ud på gulvet.
"Det er mig, der er pressetalsmand på sagen. Han kan have set mig i fjernsynet eller læst mit navn i avisen."
"Eller måske har han set os sammen. Han kan være fulgt efter mig hele tiden." Ud ad vinduet så han en lurvet mand trisse hen ad gaden og standse for at samle et skod op. For satan da, hvor han trængte til en cigaret. Han så sig om efter et askebæger, måske var der et par skodder, der kunne genbruges.
"Det har jeg aldrig tænkt på."
"Hvorfor helvede skulle du også gøre det? Vi vidste ikke, at det her havde noget med mig at gøre før ... var det ikke i går? Det føles som flere dage. Du må huske på, Gill, at hans breve blev leveret personligt i begyndelsen." Han tændte et rudiment af en cigaret og inhalerede den ætsende røg. "Han har været så tæt på mig, og jeg mærkede ikke en skid, ikke den mindste smule. Så meget for en politimands sjette sans."
"Nu, hvor vi taler om den sjette sans, John, så har jeg fået en idé." Gill var lettet over at høre, at hans stemme var blevet roligere. Hun følte sig også selv roligere, det var, som om de hjalp hinanden med at hage sig fast til en overfyldt redningsbåd på et stormfuldt hav.
"Hvad er det?" Rebus sank ned på en stol og kiggede sig

rundt i den spartansk indrettede stue. Der var støvet og rodet. Han så det glas, Michael havde drukket af, en tallerken med brødkrummer, to tomme cigaretpakker og to kaffekopper. Han ville sælge lejligheden, snart, ligegyldigt hvor lav prisen måtte blive. Han ville flytte herfra. Det ville han.

"Biblioteker," sagde Gill og studerede sit eget kontor, bjerge af sagsakter og rapporter, ophobninger fra måneder og år, elektriciteten i luften. "Den eneste ting, alle pigerne, Samantha inkluderet, har tilfælles, er, at de benyttede hovedbiblioteket, selvom det kunne være med uregelmæssige mellemrum. Reeve kunne have arbejdet der engang og på den måde været i stand til at finde de navne, han havde brug for til sit puslespil."

"Det er i hvert fald en idé," sagde Rebus med pludselig interesse. Det ville være lidt af et sammentræf – eller ville det? Var der en bedre måde at studere John Rebus på end ved at få et helt almindeligt job i et par måneder eller år? Var der en bedre måde at sætte fælder for småpiger på end ved at ligne en bibliotekar? Reeve havde sandelig skjult sig godt, han havde camoufleret sig til usynlighed.

"Nu er det jo sådan," fortsatte Gill, "at din ven Jack Morton allerede har besøgt hovedbiblioteket. Han skulle tjekke en mistænkt, der ejede en blå Ford Escort. Manden blev slettet af listen."

"Ja, ligesom man slettede the Yorkshire Ripper af listen mere end én gang, er det ikke rigtigt? Det er værd at følge op på. Hvad hedder den mistænkte?"

"Det aner jeg ikke. Jeg har forsøgt at finde Jack Morton, men han er her ikke. John, jeg har været bekymret for dig. Hvor har du været? Jeg har forsøgt at finde dig."

"Det kalder jeg spild af tid og evner, kriminalassistent Templer. Se at komme i sving. Find Jack. Find det navn."

"Ja, sir."

"Jeg er hjemme lidt endnu, hvis du får brug for mig. Jeg skal lige have foretaget et par opringninger selv."

"Jeg hører, Rhonas tilstand er stabiliseret ..." Men Rebus

havde allerede smækket røret på. Gill sukkede og gned sig over ansigtet. Hun var så træt, at hun var lige ved at segne. Hun besluttede sig for at få nogen sendt over til Rebus' lejlighed. Han kunne ikke sidde der alene og ulme og måske eksplodere. Og så måtte hun have fundet det navn. Hun måtte finde Jack Morton.

Rebus lavede sig en kop kaffe, overvejede at gå ned efter mælk, men besluttede sig så for at drikke den sort og bitter, en farve og smag, der svarede til hans tanker. Han tænkte over Gills idé. Reeve som bibliotekar? Det syntes usandsynligt, utænkeligt, men på den anden side havde alt, hvad der var hændt ham i den seneste tid, også været utænkeligt. Det rationelle kunne være en mægtig fjende, når man stod over for det irrationelle. Bekæmp ild med ild. Accepter, at Gordon Reeve måske har sikret sig et job på biblioteket; et eller andet ganske harmløst, men af yderste vigtighed for hans plan. Og pludselig så det hele ud til at passe sammen, både for Rebus og for Gill. 'For dem, der læser mellem tiderne'. For dem, der har med bøger at gøre mellem ét tidspunkt (korset) og et andet (nutiden). Var der for fanden slet ingenting, der var tilfældigt i hans liv? Nej, overhovedet ingenting. Bag det tilsyneladende irrationelle lå der en gylden sti i mønsteret. Bag denne verden var der en anden. Reeve var på biblioteket, det var Rebus sikker på. Klokken var fem. Han kunne lige nå biblioteket, inden det lukkede. Men ville Gordon Reeve stadig være der, eller var han rejst videre, nu hvor han havde indfanget sit sidste offer?

Men Rebus vidste, at Sammy ikke var Reeves sidste offer. Hun var blot endnu et redskab. Der var kun ét offer: Rebus selv. Og derfor ville Reeve stadig være i nærheden, stadig inden for Rebus' rækkevidde. For Reeve ønskede at blive fundet, men kun lidt efter lidt, som en slags omvendt kattens leg med musen. Rebus tænkte tilbage på sin skoletid, og hvordan de legede kat og mus dengang. Nogle gange ville drengen, der blev jagtet af pigen, eller pigen af drengen, gerne fanges, fordi han eller hun godt kunne lide jægeren. Og det hele blev til noget andet, end det så ud til. Det var Reeves leg. Kat og mus, og han var musen med den spidse hale og de skarpe tænder, og Rebus var blød som smør, føjelig som et stykke pelsværk og glad og tilfreds. Gordon Reeve havde ikke været glad og tilfreds i mange år, ikke siden han blev forrådt af én, han havde betragtet som sin bror.

Bare et kys.

Musen var fanget.

Den bror, jeg aldrig havde ...

Stakkels Gordon Reeve, der måtte balancere på det glatte rør med pisset løbende ned ad benene, mens alle lo af ham.

Og stakkels John Rebus, lukket ude af sin fars og brors fællesskab, en bror, der var blevet kriminel, og som skulle straffes, når den tid kom.

Og stakkels Sammy. Det var hende, han skulle tænke på. Hvis du kun tænker på hende, John, så skal det hele nok gå.

Men hvis denne leg skulle tages alvorligt som en leg på liv og død, så måtte han ikke glemme, at det stadig var en leg. Rebus vidste nu, at han havde Reeve. Men hvad ville der ske, når han havde fanget ham? Rollerne ville blive byttet om på en eller anden måde. Han kendte endnu ikke alle reglerne. Der var kun en eneste måde at lære dem på. Han lod kaffen stå og blive kold på bordet ved siden af alt det andet rod. Han havde allerede en bitter smag i munden.

Og et sted derude i den jerngrå støvregn var der en leg, der skulle leges færdig.

XXVII

DET KUNNE VÆRE EN PRAGTFULD SPADSERETUR fra hans lejlighed i Marchmont til biblioteket. Strækningen bød på mange af Edinburghs fortræffeligheder. Han gik igennem et grønt område, der bliver kaldt The Meadows, og foran ham i horisonten knejsede den mægtige, grå borg, med flaget vejende over sine fæstningsvolde i den fine regn. Han kom forbi The Royal Infirmary, arnestedet for store opdagelser og berømte navne og en del af universitetet, Greyfriars Kirkyard og den lille statue af Greyfriars Bobby. Hvor mange år havde den lille hund ligget ved siden af sin herres grav? Hvor mange år var Gordon Reeve gået til ro om natten med blussende had til John Rebus? Han fik kuldegysninger. Sammy, Sammy, Sammy. Han håbede, at han ville lære sin datter bedre at kende. Han håbede, at han ville få mulighed for at fortælle hende, hvor smuk hun var, og at hun ville opleve meget kærlighed i sit liv. Kære Gud i himlen, hvor han håbede, hun var i live.

Mens han gik langs med George IV Bridge, som førte turister og andre over byens Grassmarket – på sikker afstand af områdets bumser og drankere, nutidens fattige, der ikke havde noget sted at gå hen – fik John Rebus vendt et par kendsgerninger. For det første ville Reeve være bevæbnet. For det andet kunne han være forklædt. Han kunne huske, at Sammy havde fortalt ham om de hjemløse, der sad og hang hele dagen i biblioteket. Han kunne være en af dem. Han spekulerede på, hvad han ville gøre, når og hvis han stod ansigt til ansigt med Reeve. Hvad ville han sige? Spørgsmål og teorier begyndte at nage ham. De gjorde ham næsten lige så bange som hans erkendelse af, at Sammys skæbne ville blive smertefuld og langtrukken i hænderne på Gordon Reeve. Men hun var vigtigere for ham end hans minder: Hun var fremtiden. Og således spankulerede han hen imod bibliotekets gotiske facade med beslutsomhed, ikke frygt, præget i ansigtet.

Udenfor råbte en avissælger, med frakken slået om sig som en våd papirserviet, om de seneste nyheder. I dag handlede det ikke om Kvæleren, men om en eller anden skibskatastrofe. Nyheder varer ikke evigt. Rebus gik uden om manden, mens han granskede hans ansigt. Han kunne mærke, at hans sko tog vand ind som sædvanlig, da han gik igennem svingdørene af egetræ.

Ved hovedskranken sad en sikkerhedsvagt og læste i en avis. Han lignede ikke Gordon Reeve, ikke det fjerneste. Rebus tog en dyb indånding i forsøget på at holde op med at ryste.

"Vi er ved at lukke, mister," sagde vagten bag sin avis.

"Det er I sikkert." Vagten syntes ikke at bryde sig om Rebus' stemme; det var en hård, iskold stemme, man kunne bruge som våben. "Mit navn er Rebus. Kriminalassistent Rebus. Jeg søger en mand ved navn Reeve, der arbejder her. Er han i nærheden?"

Rebus håbede, han lød rolig. Han følte sig ikke rolig. Vagten lod avisen ligge på stolen og kom hen til ham. Han studerede Rebus usikkert. Godt: Sådan ville Rebus have det.

"Må jeg se Deres identifikation?"

Kejtet, med fingre, der ikke helt lystrede ham, fiskede Rebus sit id-kort frem. Vagten studerede det et stykke tid, mens han skævede til ham.

"Sagde De Reeve?" Han gav Rebus kortet tilbage og tog en navneliste frem, der sad på et gult clipboard. "Reeve, Reeve, Reeve. Nej, der ingen ved navn Reeve, der arbejder her."

"Er du sikker? Det kan godt være, han ikke er bibliotekar. Han kunne være rengøringsassistent eller sådan noget, alt muligt."

"Ja, alle er her på listen, fra direktøren ned til viceværten. Se, der er mit navn. Simpson. Alle er her på listen. Hvis han arbejdede her, ville han være på denne liste. Det må være en fejltagelse."

Personalet var begyndt at forlade bygningen, mens de råbte 'vi ses' og 'farvel'. Hvis han ikke skyndte sig, fik han måske ikke fat på Reeve. Han havde været så overbevist om, at Reeve stadig arbejdede her. Men det havde været så spinkelt et håb, så skrøbeligt et ønske, at han nu begyndte at gå i panik igen.

"Må jeg se den liste?" Han rakte hånden ud og fik sine øjne til at brænde med autoritet. Vagten tøvede og gav ham så clipboardet. Rebus gennemgik den rasende, mens hans ledte efter anagrammer, spor, hvad som helst.

Han behøvede ikke at lede længe.

"Ian Knott," hviskede han for sig selv. Ian Knott. Han kunne huske, at han havde fortalt Reeve om den gordiske knude. Reeve havde selv skabt Gordons knude. Nu var den blevet personificeret. Han spekulerede på, om Gordon Reeve kunne lugte ham. Han kunne lugte Reeve. Han var kun et par skridt væk, måske kun et par enkelte trappetrin. Det var det hele.

"Hvor arbejder Ian Knott?"

"Mr. Knott. Han arbejder deltids i børneafdelingen. Den flinkeste mand, man kan tænke sig. Hvorfor? Hvad har han gjort?"

"Er han her i dag?"

"Det tror jeg. Jeg mener, han kommer et par timer sidst på eftermiddagen. Hør, hvad er det her for noget?"

"Børneafdelingen, sagde du? Det er nedenunder, er det ikke?"

"Jo." Vagten var helt forfjamsket nu. Han var ikke tungnem, når klokken ringede. "Nu skal jeg ringe ned til ham og sige ..."

Rebus lænede sig tværs over skranken, så hans næse rørte ved vagtens. "Du gør ingenting, har du forstået? Hvis du ringer ned til ham, vil jeg komme tilbage og sparke den telefon så langt op i røven på dig, at du for alvor bliver i stand til at foretage interne opringninger. Har jeg udtrykt mig klart nok?"

Vagten begyndte at nikke langsomt og omhyggeligt, men Rebus havde allerede vendt ham ryggen og var på vej mod den skinnende trappe.

Biblioteket lugtede af brugte bøger, fugt, messing og pudsemiddel. I Rebus' næsebor var det lugten af konfrontation, en lugt, han aldrig ville glemme. Mens han gik ned ad trappen, ned i hjertet af biblioteket, blev det til lugten af natlige spuleture, bagholdsangreb, ensomme marcher, nøgne celler, af hele mareridtet. Han kunne lugte farver, lyde og følelser. Der fandtes et ord for den fornemmelse, men han kunne ikke komme i tanker om det i øjeblikket.

Han talte trinnene ned for at berolige sig selv. Tolv trin, så rundt om et hjørne, så tolv trin mere. Så stod han foran en glasdør med et lille billede på: en bamse med et sjippetov. Bamsen lo af et eller andet. Af Rebus, den grinede af ham. Det var ikke et behageligt smil, det var nærmest hoverende. Kom ind, kom ind, hvem end du er. Rebus studerede lokalet gennem glasdøren. Der var ingen derinde, ikke en sjæl. Han skubbede forsigtigt døren op. Ingen børn, ingen bibliotekarer. Men han kunne høre nogen sætte bøger på plads. Lyden kom omme fra en skillevæg bag udlånsskranken. Rebus listede over til skranken og ringede på den lille klokke. Omme fra skillevæggen kom en ældre og fyldigere Gordon Reeve, smilende, mens han nynnede og børstede usynligt støv af sine hænder. Han mindede faktisk selv lidt om en bamse. Rebus greb fat i kanten på skranken.

Gordon Reeve holdt op med at nynne, da han så Rebus, men smilet spillede stadig om hans mund og fik ham til at ligne én, der var uskyldig, normal og ufarlig.

"Det er godt at se dig, John," sagde han. "Så fik du omsider opsporet mig, din gamle støder. Hvordan går det?" Han rakte hånden frem imod Rebus. Men John Rebus vidste, at hvis han løftede hænderne fra kanten på skranken, ville han gå i gulvet.

Nu kunne han huske Gordon Reeve. Hvert eneste øjeblik de havde tilbragt sammen. Han kunne huske mandens håndbevægelser, hans reserverethed, hans tanker. De havde været blodbrødre, så sammentømrede, at de næsten havde kunnet læse hinandens tanker. De ville blive blodbrødre igen. Rebus kunne se det i sin plageånds gale, glasklare øjne. Han følte havet skylle ind over sig, og det brusede i hans ører. Det var altså det. Det var det her, der var forventet af ham.

"Jeg vil have Samantha," sagde han. "Jeg vil have hende i live, og jeg vil have hende nu. Derefter kan du frit bestemme, hvordan vi skal ordne det her. Hvor er hun, Gordon?"

"Er du klar over, hvor længe det er siden, der er nogen, der har kaldt mig det? Jeg har været Ian Knott så længe, at jeg næsten ikke kan få mig til at tænke på mig selv som 'Gordon Reeve'." Han smilede og kiggede om bag Rebus' ryg. "Hvor er kavaleriet, John? Du er da vel ikke kommet helt alene? Det er imod proceduren, ikke sandt?"

Rebus vidste bedre end at fortælle ham sandheden. "Bare rolig, de er udenfor. Jeg kom ind for at tale med dig, men der er masser af venner udenfor. Du er færdig, Gordon. Fortæl mig så, hvor hun er."

Men Gordon Reeve rystede bare på hovedet og klukkede. "Lad bare være, John. Det ville ikke være din stil at tage nogen med dig. Du glemmer, at jeg *kender* dig." Han så pludselig træt ud. "Jeg kender dig så godt." Hans skal var ved at krakelere, langsomt, men sikkert. "Nej, du er helt sikkert alene. Helt alene. Lige som jeg var, som du husker."

"Hvor er hun?"

"Det siger jeg ikke."

Der var ingen tvivl om, at manden var gal og måske altid havde været det. Han så ud på samme måde, som han havde gjort i dagene op til de skæbnesvangre dage i deres celle, på kanten af en afgrund, men en afgrund skabt i hans fantasi.

Men også angst, af den ene grund at det var uden for enhver fysisk kontrol. Han var, som han stod der og smilede, omgivet af farvestrålende plakater, kulørte tegninger og billedbøger, den mest farlige mand, Rebus havde mødt i hele sit liv.

"Hvorfor?"

Reeve så på ham, som om han havde stillet det mest naive spørgsmål i verden. Han rystede på hovedet og smilede stadig, horens smil, dræberens kolde og professionelle smil.

"Du ved godt hvorfor," sagde han. "På grund af alting. Fordi du lod mig i stikken, akkurat på samme måde som hvis vi *havde* været i kløerne på fjenden. Du deserterede, John. Du deserterede fra *mig*. Du ved godt, hvad straffen er for det, ikke? Ved du, hvad straffen er for desertering?"

Reeves stemme var blevet hysterisk. Han klukkede igen og forsøgte at berolige sig selv. Rebus gjorde sig klar til kamp, pumpede adrenalin igennem kroppen, knyttede næverne og spændte musklerne.

"Jeg kender din bror."

"Hvad for noget?"

"Jeg kender din bror, Michael. Vidste du, at han er narkopusher? Nok nærmere en slags mellemmand. Nå, men han har altså problemer til op over begge ører, John. Jeg har forsynet ham i et stykke tid. Længe nok til at få noget at vide om dig. Michael var meget ivrig efter at overbevise mig om, at han ikke var politistikker. Han var meget ivrig efter at plapre løs om dig, John. Han ville have, at vi skulle tro på ham. Han opfattede hele tiden konstruktionen som et 'vi', men det var bare lille mig. Var det ikke dygtigt gjort? Jeg har allerede ordnet din bror. Han hænger med røven i vandskorpen, ikke? Man kunne kalde det for en beredskabsplan."

Han havde John Rebus' bror, og han havde hans datter. Der var kun én person mere, han ville have, og Rebus var gået lige i fælden. Han havde brug for tid til at tænke.

"Hvor lang tid har du planlagt det her?"

"Det kan jeg ikke huske." Han lo med voksende selvtillid. "Lige siden du deserterede, vil jeg tro. Det letteste var faktisk Michael. Han ville gerne tjene nogle nemme penge. Det var en enkel sag at overbevise ham om, at narkotika var løsningen på det. Han har problemer til op over begge ører, din bror." Han spyttede det sidste ord ud mod Rebus, som om det var gift. "Igennem ham fandt jeg ud af lidt mere om dig, John. Og det gjorde det hele meget nemmere efterhånden." Reeve trak på skuldrene. "Så du kan godt se, at hvis jeg ryger, tager jeg Michael med mig i faldet."

"Det er jeg ligeglad med. Du er vigtigere for mig."

"Så du vil lade din bror rådne op i fængslet? Det er i orden. Jeg vinder, uanset hvad du gør. Kan du ikke se det?"

Jo, det kunne Rebus godt se, men kun svagt, ligesom en svær ligning i et varmt klasseværelse.

"Hvad skete der overhovedet med dig?" spurgte han nu, usikker på, hvorfor han forsøgte at vinde tid. Han var kommet brasende ind uden overhovedet at have tænkt på, hvordan han skulle beskytte sig selv. Og nu sad han fast og måtte vente på Reeves næste træk, som helt sikkert ville komme. "Jeg mener, hvad skete der, efter jeg ... deserterede?"

"Åh, de knækkede mig ret hurtigt efter." Reeve var stor i slaget. Han havde råd til det. "Jeg var helt fra den. De indlagde mig et stykke tid, og så kom jeg ud. Jeg hørte, at du var blevet skør. Det fik mig i lidt bedre humør. Men så hørte jeg rygter om, at du var gået ind i politiet. Jeg kunne ikke holde ud at tænke på, at du skulle gå rundt og have det godt. Ikke efter det, vi var igennem, og det, du gjorde." Det begyndte at rykke lidt i hans ansigt. Hans hænder hvilede på skranken, og Rebus kunne lugte hans eddikeagtige sved. Han lød, som om han var ved at falde i søvn, men Rebus vidste, at han til stadighed blev farligere. Alligevel kunne han ikke få sig til at gøre noget, ikke endnu.

"Det tog dig ellers lang tid at finde mig."

"Det var værd at vente på." Reeve gned sig på kinden.

"Nogle gange var jeg overbevist om, at jeg ville dø, inden det hele var slut, men jeg tror, at jeg alligevel hele tiden vidste, at det ville jeg ikke." Han smilede. "Kom nu, John. Jeg har noget at vise dig."

"Sammy?"

"Vær ikke så skide tungnem." Smilet forsvandt igen, men kun et øjeblik. "Tror du, jeg ville gemme hende her? Nej, men jeg har noget andet, jeg tror vil interessere dig. Kom nu."

Han førte Rebus om bag skillevæggen. Med nerverne i laser studerede Rebus Reeves ryg, musklerne var overtrukket med et lag af vellevned. En bibliotekar. En *børne*bibliotekar. Og Edinburghs egen seriemorder.

Bag skillevæggen var der en masse hylder fyldt med bøger, nogle var stablet i uordentlige dynger, andre var ordnet i lige rækker med ryggene tilpasset hinanden.

"De her venter på at blive sat på plads," sagde Reeve og slog ud med hånden. "Det var dig, der fik mig gjort interesseret i bøger, John. Kan du huske det?"

"Ja, jeg fortalte dig historier." Rebus var begyndt at tænke på Michael. Uden hans hjælp havde de måske aldrig fundet Reeve, måske var han ikke engang blevet mistænkt. Og nu skulle han i fængsel. Stakkels Mickey.

"Hvor lagde jeg den nu? Jeg ved, den er her et eller andet sted. Jeg lagde den til side for at vise dig den, hvis du nogensinde fandt mig. Guderne skal vide, at du tog dig god tid. Du har ikke været særlig dygtig, vel, John?"

Man kunne let glemme, at manden var sindssyg, at han havde slået fire piger ihjel og havde endnu én i forvaring. Det var så let.

"Nej," sagde Rebus. "Jeg har ikke været særlig dygtig."

Han kunne mærke, hvordan hans muskler spændtes. Selve luften omkring ham syntes at blive tyndere. Der var ved at ske noget. Han kunne mærke det. Og alt, hvad han behøvede at gøre, var at slå Reeve i nyrerne, give ham et håndkantslag i nakken, overmande ham og få ham ud herfra.

Så hvorfor gjorde han ikke bare det? Det vidste han ikke. Alt, hvad han vidste, var, at det, der skulle ske, måtte ske, og at det måtte gøres akkurat, som fulgte man en arbejdstegning, eller spillede kryds og bolle for så mange år siden. Reeve havde begyndt spillet. Det anbragte Rebus i en ikke-vindende position. Men han kunne ikke lade være med at gøre det færdigt. Der skulle rodes rundt på hylderne, der skulle findes noget.

"Ah, her er den. Det er en bog, jeg har været ved at læse ..."

Rebus undrede sig over, at bogen var så godt gemt, hvis Reeves virkelig var ved at læse den.

"*Forbrydelse og Straf*. Du fortalte mig historien, kan du huske det?"

"Ja, det kan jeg godt huske. Jeg fortalte den mere end én gang."

"Det er rigtigt, John. Det gjorde du."

Bogen var ret gammel og i et fint læderbind. Det lignede ikke en biblioteksbog. Reeve behandlede den, som om det var penge eller diamanter. Som om det var hans dyrebareste eje.

"Der er én illustration heri, jeg gerne vil have, du skal se, John. Kan du huske, hvad jeg sagde om lille Raskolnikov?"

"Du sagde, at han skulle have skudt dem alle sammen ..."

Rebus opfattede betydningen et sekund for sent. Han havde misfortolket fingerpeget, ligesom han havde misfortolket så mange andre af Reeves fingerpeg. I mellemtiden havde Reeve med skinnende øjne åbnet bogen og taget en kortløbet revolver frem fra det udhulede indre. Revolveren blev løftet op imod Rebus' bryst, da han sprang frem og slog Reeve på næsen. Planlægning kunne være meget godt, men nogen gange var det nødvendigt med en beskidt indskydelse. Blod og snot sprang frem fra det smadrede ben. Reeve gispede, og Rebus slog armen med pistolen væk. Reeve skreg nu, et skrig fra fortiden, fra alle de levende mareridt. Det fik Rebus ud af balance og kastede ham tilbage til sit forræderi. Han kunne se vagterne, den åbne dør og sig selv med ryggen til skrigene fra manden, der blev ladt tilbage. Billedet begyndte at flimre og blev erstattet af en eksplosion.

Det bløde slag i hans skulder gjorde ham først følelsesløs, men forvandlede sig så til en intens smerte, der syntes at brede sig ud i hele kroppen. Han greb fat i sin jakke og mærkede blodet sive ud gennem foret og det tynde stof. Hellige Guds moder, det var altså sådan, det føltes at blive skudt. Han troede, han skulle kaste op, at han ville gå ud som et lys, men så følte han noget andet presse sig på, noget, der kom fra selve sjælen. Det var det blinde raseri. Han *ville* ikke tabe. Han prøvede at få sine øjne til at holde op med at løbe i vand, mens han så Reeve tørre blodet af ansigtet. Revolveren sigtede stadig på ham. Rebus greb den tunge bog og slog til Reeves hånd, så revolveren fløj over bag en stak bøger.

Og så var Reeve væk. Han løb vaklende ned mellem reolerne og væltede dem efter sig. Rebus løb tilbage til skranken og ringede efter hjælp, mens han holdt øje med, om Gordon Reeve skulle komme tilbage. Der var helt stille i lokalet. Han satte sig ned på gulvet.

Pludselig blev døren åbnet, og William Anderson kom ind klædt i sort. Han lignede en parodi på hævnens engel. Rebus smilede.

"Hvordan fanden fandt du mig?"

"Jeg har skygget dig et stykke tid." Anderson bøjede sig ned og kiggede på Rebus' arm. "Jeg hørte skuddet. Jeg går ud fra, du har fundet vores mand?"

"Han er her stadig et eller andet sted, ubevæbnet. Revolveren ligger derovre."

Anderson bandt et lommetørklæde om Rebus' skulder.

"Jeg ringer efter en ambulance, John." Men Rebus var allerede ved at rejse sig op.

"Nej, vent. Lad os gøre det her færdigt først. Hvordan kan det være, at jeg ikke opdagede, du skyggede mig?"

Anderson tillod sig selv at smile. "Man skal være en fantastisk god betjent for at opdage, at *jeg* skygger ham, og du er ikke fantastisk god, John. Du er bare god."

De gik ind bag skillevæggen og begyndte langsomt at bevæge sig længere og længere ind mellem reolerne. Rebus havde samlet revolveren op. Han puttede den dybt ned i lommen. Der var ikke det mindste spor af Gordon Reeve.

"Se." Anderson pegede på en dør, der stod på klem længst nede mellem reolerne. De gik langsomt hen imod den, og Rebus skubbede den op. Indenfor var der en dårligt oplyst jerntrappe. Den så ud til at sno sig ned under bibliotekets fundament. Der var ikke andet at gøre end at gå ned.

"Jeg tror, jeg har hørt om det her," hviskede Anderson. Hans hvisken gav ekko rundt i den dybe skakt, mens de gik nedad. "Biblioteket blev bygget oven på den gamle retsbygning, og cellerne, som plejede at ligge under retsbygningen, eksisterer stadig. Biblioteket opbevarer gamle bøger i dem. En hel labyrint af celler og gange, der løber lige under byen."

Glatte pudsvægge blev erstattet af ældgammelt murværk, efterhånden som de kom længere ned. Rebus kunne lugte muggen, en gammel, bitter lugt fra en svunden tid.

"Han kan være alle steder."

Anderson trak på skuldrene. De var kommet ned i bunden af skakten og befandt sig nu i en bred gang uden bøger. Men langs gangen lå der en række nicher – de gamle celler sandsynligvis – der var fyldt op med bøger. Det så ikke ud til, at der var noget system eller mønster. Det var bare gamle bøger.

"Han kan sikkert komme ud herfra," hviskede Anderson. "Jeg tror, der findes udgange i den nye retsbygning og i Saint Giles Cathedral."

Rebus var imponeret. Her lå et stykke af det gamle Edinburgh, intakt og uberørt. "Det er utroligt," sagde han. "Det har jeg aldrig vidst noget om."

"Der er mere. Under rådhuset skulle der ligge hele gader fra den gamle by, som der bare er blevet bygget oven på. Hele gader, butikker, huse, veje. Hundredvis af år gamle." Anderson rystede på hovedet, da det gik op for ham og Rebus, at man ikke kan stole på sin egen viden: Man kunne vade lige hen over virkeligheden, uden nødvendigvis at vide, at den var der.

De gik ned ad gangen, taknemmelige over det svage, elektriske lys i loftet, og tjekkede hver eneste celle uden held.

"Hvem er han så?" hviskede Anderson.

"Det er en af mine gamle venner," sagde Rebus og følte sig lidt svimmel. Det forekom ham, at der var meget lidt ilt hernede. Han svedte meget. Han vidste, at det skyldtes blodtabet, og at han slet ikke burde være her, men han vidste også, at han var nødt til det. Han kom i tanke om, at der var ting, han burde have gjort. Han skulle have fået Reeves adresse af vagten og sendt en politibil derhen, for det tilfælde at hun var der. Men det var for sent nu.

"Der er han!"

Anderson havde fået øje på ham, langt væk og så meget i skygge, at Rebus ikke kunne se omridset af ham, før han begyndte at løbe. Anderson løb efter ham, Rebus måtte bide tænderne sammen for at følge med.

"Pas på, han er farlig." Rebus følte ordene glide fra sig. Han havde ikke kræfter til at råbe. Pludselig gik alting galt. Længere fremme havde Anderson indhentet Reeve, og han så Reeve udføre et næsten perfekt cirkelspark, lært for mange år siden og aldrig glemt. Andersons hoved knækkede til den ene side, da sparket ramte ham, og han blev kastet ind mod muren. Rebus var faldet på knæ og hev efter vejret, hans øjne havde svært ved at stille skarpt. Søvn, han havde brug for søvn. Det kolde ujævne gulv føltes behageligt, han kunne ikke forestille sig nogen bedre seng. Han rokkede frem og tilbage og gjorde sig klar til at falde. Reeve så ud til at komme gående hen imod ham, mens Anderson gled ned langs væggen. Reeve forekom overvældende stor, han var stadig i skygge og blev større og større for hvert skridt, han tog, indtil han fyldte hele Rebus' synsfelt, og Rebus kunne se ham smile over hele ansigtet.

"Så er det din tur," brølede han. "Nu er det din tur." Rebus vidste, at et eller andet sted oven over dem gled trafikken ubesværet hen over George IV Bridge, og at folk var på vej hjem til en tv-aften i familiens skød, mens han lå på knæ for fødderne af sit mareridt, trængt op i et hjørne som et stakkels dyr, der ved, at jagten er slut. Det ville ikke hjælpe ham at skrige, det ville ikke hjælpe ham at kæmpe imod. Han så en sløret Gordon Reeve bøje sig ned over ham med et ansigt, der var underligt fordrejet. Rebus kunne huske, at han i den grad havde brækket Reeves næse.

Det kunne Reeve også. Han gik et skridt tilbage og rettede et voldsomt spark mod Rebus' hage. Det lykkedes Rebus at flytte sig ganske lidt, der var stadig lidt tilbage i ham, og sparket ramte ham på kinden, så han fløj sidelæns. Liggende i en halvvejs beskyttende fosterstilling hørte han Reeve le og så hænderne lukke sig om sin hals. Han tænkte på kvinden og sine egne hænder om hendes nakke. Dette var altså retfærdighed. Lad det så være. Og så tænkte han på Sammy, på Gill, på Anderson og Andersons myrdede søn og på alle de små, døde piger. Nej, han kunne ikke lade Gordon Reeve vinde. Det ville ikke være retfærdigt. Det ville ikke være rigtigt. Han følte sin tunge og sine øjne svulme op. Han fik hånden ned i lommen i samme øjeblik, som Gordon Reeve hviskede til ham: "Du er glad for, at det hele er overstået, er du ikke, John? Faktisk er du lettet."

Og så rungede en ny eksplosion i gangen, så Rebus fik ondt i ørerne. Rekylen fra revolverskuddet vibrerede op igennem hånden og armen på ham, og igen mærkede han den søde duft af karamelliserede æbler. Reeve stivnede overrasket et kort øjeblik. Så knækkede han sammen og faldt hen over Rebus som en dyne. Rebus, der var ude af stand til at flytte sig, besluttede, at han med sindsro kunne lægge sig til at sove ...

EPILOG

I

DE SPARKEDE DØREN IND til Ian Knotts lille bungalow, et uanseeligt og fredeligt forstadshus, i fuld overværelse af de nysgerrige naboer og fandt Samantha Rebus paralyseret og bundet til en seng. Hendes mund var lukket med tape. Hendes eneste selskab var fotografierne af de døde piger. Derefter blev alting meget professionelt, da Samantha grædende blev ført væk fra huset. På grund af den høje hæk kunne indkørslen ikke ses fra nabohuset, derfor havde ingen set Reeve komme og gå. Han var en rolig mand, sagde naboerne. Han var flyttet ind i huset for syv år siden, omkring det tidspunkt, han var begyndt at arbejde som bibliotekar.

Jim Stevens var tilfreds med sagens udgang. Der var nok til en hel uges artikler. Men hvordan havde han kunnet tage sådan fejl af Rebus? Det kunne han slet ikke forstå. Hans narkohistorie var sågar blevet færdig, og Michael Rebus ville komme i fængsel. Det kunne der ikke herske tvivl om.

Londonaviserne kom for at lede efter deres egen version af sandheden. Stevens mødte en af journalisterne i baren på Hotel Caledonia. Manden ville forsøge at købe Samantha Rebus' historie. Han klappede sig på lommen for at vise Jim, at han havde redaktørens checkhefte med sig. For Stevens så det ud til at være et udtryk for en større rådvildhed. Det var ikke bare det, at medierne kunne skabe en virkelighed og bagefter rette den til, når de ville. Der lå noget under overfladen, som adskilte sig fra den sædvanlige smuds og mudderkastning, noget langt mere dunkelt. Han brød sig overhovedet ikke om det, og han brød sig ikke om, hvad det havde gjort ved ham. Londonjournalisten og han diskuterede så vage emner som retfærdighed, tillid og balance. De snakkede i timevis, mens de drak øl og whisky, men lod stadig ét spørgsmål ubesvaret. Edinburgh havde blottet sig for Jim Stevens. Den krøb sammen i skyggen af Castle Rock og prøvede at skjule sig for et eller andet. Det, turisterne så, var skygger fra historien, mens selve byen var noget helt andet. Han kunne ikke lide den, han kunne ikke lide sit job, og han kunne ikke lide arbejdstiderne. Tilbuddene fra London stod stadig ved magt. Han trak i det længste strå og rejste sydpå.

Rebus-bøgerne er klassiske krimier for alle pengene.

Ikke i Agatha Christies ånd, men i moderne forstand, hvor et såkaldt almindeligt miljø udgør et fyldigt akkompagnement til beskidte forbrydelser begået af folk fra samfundets bund. Kriminalkommissær John Rebus er indbegrebet af en moderne kommissær.

Pressen skriver om Rebus-bøgerne:

Anbefalelsesværdige nattesøvnsdræbere. Ian Rankin er netop nu den britiske krimis vordende konge, klar til at arve tronen efter Colin Dexter, der så at sige har abdiceret ved at lade kommissær Morse afgå ved døden. Rebus-bøgerne er overordentlig spændende, medrivende og velskrevne. Bo Tao Michaëlis, Politiken

Rankin hører til i toppen af britisk krimi-litteratur. Han bør finde en stor, dansk læserskare. Holger Ruppert, BT

Ian Rankin er noget helt for sig selv, og hans krimier er noget af det bedste i genren i dag. Rebus-bøgerne er anderledes, spændende og ikke til at lægge fra sig.
Mie Pedersen, Kristeligt Dagblad

Fremragende moderne krimier. Den melankolske tone klinger smukt, og den dirrende storbyvold kradser lige nedenunder. Og Ian Rankin glemmer aldrig, at han er i færd med at fortælle en historie, som skal udvikle sig i sit eget tempo. Han fortjener mange danske læsere. Niels Lillelund, Jyllands-Posten

Ian Rankin er et af de allerbedste nyere navne i britisk kriminallitteratur.
Hans Larsen, Ekstra Bladet

Ian Rankin debuterede i 1986, og han er i Guiness-rekordbog med hele to rekorder: Som den forfatter, der har haft flest titler på listen over mest solgte bøger i England, og som den forfatter, der har haft én titel placeret dér i længst tid.

Klims hardbacks / Ian Rankin

DE HÆNGTES HAVE

Efter anden verdenskrig blev mange naziforbrydere smuglet ud af Tyskland via et hemmeligt netværk, kaldet 'Rotteruten'. Den SS-officer, der gav ordre til massakren på samtlige indbyggere i en fransk landsby, befinder sig nu efter alt at dømme i Edinburgh, og kriminalkommissær John Rebus er på sporet af ham. Efterforskningen er langsommelig, og Rebus er ved at drukne i papirarbejde. Samtidig trækker det op til en bandekrig mellem den skruppelløse opkomling, Tommy Telford, og byens ukronede gangsterkonge, Big Ger Cafferty, og snart er Rebus også dybt involveret i den sag.

SPØGELSESBYEN

Edinburgh er en spøgelsesby – fyldt med fortabte sjæle, og hvad enten han vil det eller ej, bliver kriminalkommissær Rebus draget ind i deres net af løgne og bedrag. Joe Margolies, en dygtig politimand, bliver fundet død ved foden af Salisbury Crags. Sprang han selv ud over klippekanten, eller blev han skubbet? Rebus er i tvivl. En tvivl, der ikke bliver mindre af, at en pædofil mand, som Margolies i sin tid fik dømt, flytter ind i en lejlighed med glimrende udsigt til kvarterets legeplads.

Alt tyder på, at det er politiet i Edinburgh, der har skaffet ham den lejlighed. Mens Rebus efterforsker sagen, bliver han ringet op af en gammel skolekammerat, der beder ham om hjælp til at finde sin søn, og Rebus bliver konfronteret med et stykke fortid, han helst ville glemme.

FORTIDS SYNDER

I slutningen af 1960'erne blev Glasgows gader hjemsøgt af den brutale kvindemorder Bible John. Tre kvinder nåede han at myrde, inden han forsvandt sporløst. Han blev aldrig fundet. Tyve år senere rystes Skotland af endnu en række kvindemord, der i uhyggelig grad minder om dem, Bible John begik i sin tid ... Kriminalkommissær John Rebus har ellers nok at se til i forvejen, men som sædvanlig kan han ikke holde næsen for sig selv, og inden længe er han hvirvlet ind i et drama, der ikke blot truer hans karriere, men også hans liv og forstand.

STRIPJACK

Under en politirazzia på et luksusbordel i Edinburgh bliver et af Skotlands mest populære parlamentsmedlemmer grebet på fersk gerning. Under en bro finder man en kvinde, der er druknet. Og under et indbrud hos en teologiprofessor bliver der stjålet adskillige uvurderlige bøger. Kriminalpolitiet har nok at se til, og som sædvanlig lykkes det for kriminalkommissær John Rebus at få sig placeret i centrum af det hele. Rebus må gå i clinch med byens jetset, lægge arm med højlandets bønder og kæmpe mod sine overordnede for at løse et mysterium, der for alvor sætter hans evner på prøve.

Han hvirvles ind i en kærlighedsintrige, der griber langt ind i fortiden, og en forbrydelse så djævelsk udtænkt, at Rebus for en gangs skyld må erkende sine egne begrænsninger – for er der noget, kriminalkommissæren ikke har forstand på, så er det kærlighed.

ULVEMANDEN

En bestialsk kvindemorder hjemsøger London. Politiet står på bar bund og må hente hjælp udefra. Valget falder på kriminalkommissær John Rebus fra Edinburgh, der noget ufortjent har fået ry for at være ekspert i seriemord. Hårdt presset af sin chef accepterer Rebus jobbet – og bliver kastet ud i et af sit livs værste mareridt. Hans kamp mod Ulvemanden er et kapløb med tiden, og hans ophold i London bliver et personligt opgør med gamle fordomme skotter og englændere imellem. Og det bliver ikke bedre, da en smuk, kvindelig psykologiprofessor tilbyder sin hjælp.

Rebus tænker og handler utraditionelt og får i løbet af få dage hele Metropolitan Police på nakken. Imens fortsætter Ulvemanden sin uhyggelige hærgen med uformindsket kraft – hele tiden et skridt foran politiet, indtil Rebus får en vanvittig idé.

Alt sættes på ét bræt, og Rebus satser sit job i et sidste desperat forsøg på at stoppe mordene ...

I LY AF MØRKE

Kriminalkommissær John Rebus er en handlingens mand. Det passer ham derfor dårligt, da han bliver tvunget ind i en kommission, der skal varetage sikkerheden omkring opførelsen af Skotlands nye parlament i Edinburgh. Under en rundvisning på Queensberry House, et af byens gamle rigmandspalæer, der efter endt restaurering skal rumme en del af parlamentets administration, finder man et mumificeret lig i et tilmuret ildsted. Et par dage efter findes et nyvalgt skotsk parlamentsmedlem brutalt myrdet på samme byggeplads. Og pludselig er Rebus tvunget ind i et net af politiske intriger.

Der er penge at tjene på Skotlands genvundne uafhængighed ... mange penge, og jo mere der er på spil, jo tungere er skyerne, der samler sig i horisonten. Og samtidig er der kræfter i Rebus' eget bagland, der ihærdigt arbejder for at få kørt ham ud på et sidespor ... Opklaringsarbejdet viser sig at blive en balance på en knivsæg, og Rebus må endnu engang sætte liv og karriere på spil i kampen for retfærdighed.

NYHED

Reginald Hill *er en af de helt store drenge i krimiens verdensklasse. Det er længe siden, at jeg har læst noget så uhyggeligt og spændende som denne snirklede krimi om alle forældres mareridt, det at miste et barn pludseligt og for altid. Anbefales på det mest grusomme.*

Bo Tao Michaëlis, Politiken

Under den lange, hede sommer for femten år siden blev alle i landsbyen Dendale i Yorkshire tvangsflyttet. Almenvellet havde brug for et nyt vandreservoir, og en gammel flække var ikke nogen høj pris, mente man. Selv de døde blev gravet op og flyttet.

Men fire af dalens beboere kunne ikke flyttes, for ingen vidste, hvor de var: Tre små piger, som var meldt savnet, og den hovedmistænkte i sagen om deres forsvinden, Benny Lightfoot.

Denne uopklarede sag var et mareridt for kriminalinspektør Andy Dalziel og stod for ham som den værste i hans lange karriere. Nu, femten år senere, bliver han konfronteret med den igen. Sommeren er atter lang og hed. Et barn bliver meldt savnet i Danbydale, som grænser op til Dendale, og den gamle angst dukker op til overfladen, da det spraymalede dødsbudskab BENNY ER KOMMET! dukker op på brystværnet hen over broen.

Musik og myte blander sig, da kriminalinspektør Andy Dalziel og kriminalkommissær Peter Pascoe graver i deres egen fortid, og de må gøre brug af al deres erfaring og udholdenhed i den jagt på svar, som truer med at bringe mere smerte for dagen, end den lindrer.

Reginald Hill har skrevet over fyrre bøger – heraf seksten med det populære makkerpar Dalziel og Pascoe – som ligger til grund for den populære BBC-filmatisering med Warren Clarke og Colin Buchanan i hovedrollerne. Reginald Hill har modtaget et væld af priser for sine kriminalromaner, der lyser af stil, fart, gode personskildringer og humor. ***Døde børns sange*** blev nomineret til Rosenkrantz-prisen for årets bedste krimi 2002.

HENNING MANKELLS WALLANDER-SERIE KOMPLET I 9 BIND

Kriminalkommissær KURT WALLANDER er elsket af læserne for sin menneskelighed, sine styrker og svagheder. Han er stædig og intuitiv og som sin forfatter stærkt engageret i samfundet.

Wallander-serien filmatiseres til tv med Rolf Lassgård i hovedrollen.

MORDERE UDEN ANSIGT

MORDERE UDEN ANSIGT skaffede fortjent sin forfatter 'Glasnøglen', prisen for årets bedste skandinaviske krimi.

Bo Tao Michaëlis, Politiken

HUNDENE I RIGA

HUNDENE I RIGA er en veldrejet konspirations- og forfølgelseshistorie, henlagt til Letland ... Mankell skriver med skyldig tak til sine forgængere i faget stadig nogle af Skandinaviens mest inciterende og aktuelle krimier.

Michael Juul Holm, Information

DEN HVIDE LØVINDE

DEN HVIDE LØVINDE er en ny, stor sejr for Henning Mankell ... Personerne står smukt tegnede, han synes at kende den sydafrikanske sjæl indefra. Preben B. Christensen, Aktuelt

SKYGGERNE

Det er kedeligt at skulle sige det, men svenskerne kan altså bare det der med krimier langt mere professionelt end en hvilkensomhelst aktuel dansk krimiforfatter.

Karin Pedersen, Aalborg Stiftstidende

ILDSPOR

Der er som sædvanlig kvalitet, topspænding, underholdning og masser af dramatiske højdepunkter i en god, social-kritisk, menneskelig, svenske krimi. Holder Ruppert, B.T.

DEN FEMTE KVINDE

En roman, der på samme tid formår at fungere som suverænt stilren underholdning i politikrimi-genren, som indtrængende psykologisk realisme om hævn og ensomhed, og som skarp samfundsskildring af kvindemishandling, selvtægtsgrupper og i det hele taget et Sverige, hvor volden og ondskaben bliver mere og mere gennemtrængende.

Jacob Levinsen, Berlingske Tidende

DET NÆSTE SKRIDT

DET NÆSTE SKRIDT er en nervepirrende thriller og et begavet stykke samfundskritik. ★★★★★ Aktuelt

BRANDVÆG

På de over 500 sider, den nye roman BRANDVÆG fylder, får vi et internationalt komplot og computer-kriminalitet, så Jan Guillou kan gå hjem og lægge sig ... Ekstra Bladet

PYRAMIDEN

"PYRAMIDEN er en smuk sortie for Wallander – eller måske en lovende indgang til Wallanders liv og gerninger. Der er smæk for skillingen i de fem historier ... de er vedkommende og med til at afrunde billedet af et Sverige – eller for den sags skyld Norden – præget af uro, angst og racehad."

Holger Ruppert, BT

HENNING MANKELL er på få år blevet Sveriges mest læste krimiforfatter. Flere titler er prisbelønnede, og hans spændingsbøger udkommer i millionoplag verden over.

Henning Mankell / Klims hardbacks

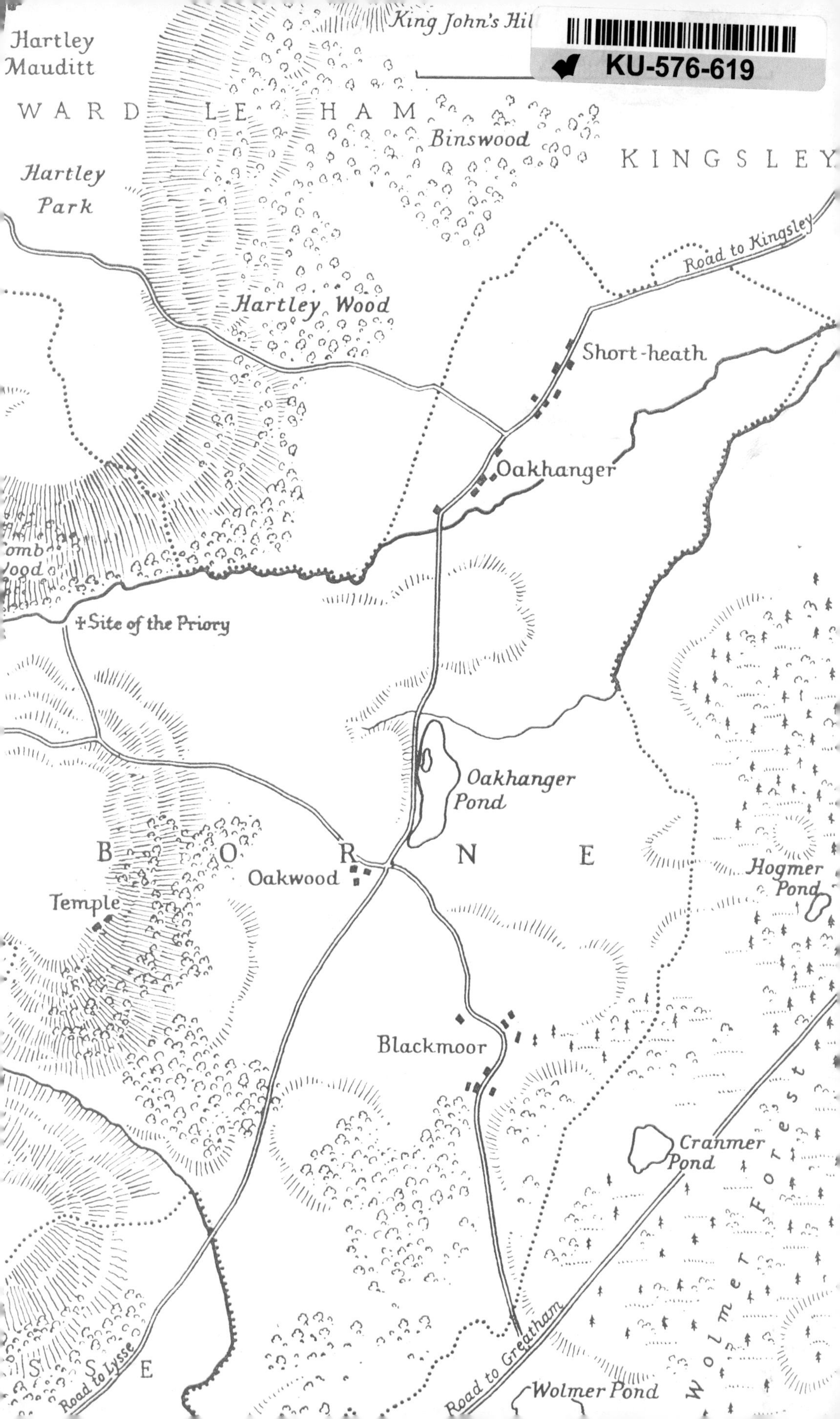

Hartley Mauditt

King John's Hil

WARD LE HAM

Binswood

KINGSLEY

Hartley Park

Road to Kingsley

Hartley Wood

Short-heath

Oakhanger

omb
Vood

Site of the Priory

Oakhanger Pond

B O R N E

Oakwood

Hogmer Pond

Temple

Blackmoor

Cranmer Pond

Wolmer Forest

Road to Greatham

Road to Lysse

S S E

Wolmer Pond

From the Hanger

THE NATURAL HISTORY OF SELBORNE

by

Gilbert White

Edited with an Introduction
and Notes by W. S. Scott

Drawings by John Piper

LONDON
THE FOLIO SOCIETY
MCMLXII

PRINTED IN GREAT BRITAIN
Printed and bound by Richard Clay & Co Ltd, Bungay
Set in 'Monotype' Baskerville 11 point leaded 1 point
Illustrations printed by Cotswold Collotype Co Ltd,
Wotton-under-Edge

Contents

Illustrations

Introduction

Me far above the rest, Selbornian scenes,
The pendent forest, and the mountain-greens,
Strike with delight: there spreads the distant view
That gradual fades, 'till sunk in misty blue:
Here Nature hangs her slopy woods to sight,
Rills purl between, and dart a wavy light.

GILBERT WHITE, *The Invitation*

In writing an introduction, it is only reasonable that one should begin with a few words about the person whom one is introducing. This may perhaps be the more necessary in the case of someone like Gilbert White, since despite the fact that the book he wrote about the natural history and antiquities of his native village has taken its place among the best-known books in our language, the reader may not be very conversant with the facts of his life.

Gilbert White was the eldest son of John White, a briefless barrister, who was himself the son of another Gilbert White, vicar of the parish of Selborne, a village in the east of Hampshire, about fifty miles from London. Shortly before the birth of the young Gilbert, his parents came to stay at Selborne Vicarage, and it is there that he first saw the light of day, on July 21, 1720. During his babyhood his parents moved to Compton, near Guildford, but returned to Selborne and took up residence in the house known as Wakes in 1730.

In his early days White went to school at the near-by town of Farnham, and later went to Basingstoke, where he shared lessons given by their father, the Vicar of the town, with Joseph Warton, afterwards to become Headmaster of Winchester, and his brother Thomas, who became Professor of Poetry at Oxford. Afterwards he proceeded to Oriel College, Oxford, becoming a Fellow of the College in 1744.

Taking Holy Orders, he returned to Oriel in 1752 to spend a year as Junior Proctor of the University and Dean of the College. Three years later he acted as curate of Newton Valence, only a mile from Selborne, which enabled him to continue to live at Wakes, and the following year he became curate of Selborne.

In 1761 he accepted the curacy of Faringdon, two miles north-west of Selborne, where he took charge in the absence of a non-resident incumbent. This post he held for twenty-three years.

At the same time he held the College living of Moreton Pinkney in Northamptonshire from 1757 as a non-resident vicar, the church being served by a curate.

In 1784 he again accepted the curacy of Selborne, which he retained until his death. The book which made his name famous wherever the English language is spoken was published by his brother Benjamin in 1788. White died at Selborne on June 26, 1793, and is buried in the churchyard beneath a simple grass mound.

The story of the origin of this book, which in the course of the last century and a half has become one of the classics of the English language, hardly bears re-telling; but for the sake of those to whom it may be new—for generations continually arise that know not Joseph—it seems best to give a short account of its genesis.

White first began to correspond with Thomas Pennant, the naturalist and antiquary, in August 1767. His acquaintance with Daines Barrington, the other correspondent to whom his letters were addressed, began nearly two years later. To the encouragement of these two the publication of the Letters was chiefly due.

In 1770, when he had known Barrington but little more than a year, White wrote to him, 'It is no small undertaking for a man unsupported and alone to enter upon a natural history from his own remarks!' A few months later we find him writing to Pennant, 'As to any publication in this way of my own, I look upon it with great diffidence, finding that I ought to have begun it twenty years ago. But if I was to attempt anything it would be somewhat of a Nat: history of my native parish, an *annus historico-naturalis* comprizing a journal for one whole year, and illustrated with large notes and observations. Such a beginning might induce more able naturalists to write the history of various districts, and might in time occasion the production of a work so much to be wished for, a full and compleat nat: history of these kingdoms.'

It is evident that both Pennant and Barrington had been urging White to publish, though it is probable that as far as Pennant was concerned he was merely being courteous to White, since the latter was of great value to him in giving him material which he could use in future editions of his *British Zoology*. Barrington's advice to publish was more genuine, though he too used the material he got from White in his *Miscellanies*, and once proposed that they should collaborate in a book, a suggestion which White however rejected.

The excellent reception afforded to the papers on the *Hirundines*, which were read before the Royal Society in February and March 1774, seems to have been the final incentive needed to make him decide to publish.

In a letter to his brother John,* the author of the never-to-be-published *Fauna Calpensis*, a Natural History of Gibraltar, written shortly after his first paper to the Royal Society, Gilbert writes, 'As to my letters they lie in my cupboard very snug. If you will correct them, and assist in the arrangement of my journal, I will publish.' Again, just after his second paper, he wrote to the same brother, 'Out of all my journals I think I might collect matter enough and such a series of incidents as might pretty well comprehend the Natural History of this district, especially as to the ornithological part; and I have moreover half a century of letters on the same subject, most of them very long; all which together (were they thought worthy to be seen) might make up a moderate volume . . . all which together might soon be moulded into a work, had I resolution and spirits enough to set about it.'

Both spirits and resolution lacked, however, and for some considerable time the letters continued to lie in the cupboard, 'very snug'.

White's greatest friend, the Rev. John Mulso, who had read the manuscript of the *Natural History* in its original form, was greatly disappointed by the author's dilatoriness, and lamented the delay in publication. Writing on June 1, 1777, Mulso says, 'As I do not see any Advertisement in the Papers, I conclude by ye Time of Year that You have deferred your Publication 'till next Winter. I wish you had not: Your Brother Ben: is a timid Man, & You yourself are too modest & nice. The Humour for such Performances will be over, & make Something agst the Merit of even your Book.'

The author's decision to turn the book into a parish history, by adding letters on the antiquities of his native place, delayed the book still longer. It did not eventually make its appearance until the end of 1788 (though the date given on the title page is 1789), but Mulso's prophecy that it might miss its market by a change in the public taste, was not fulfilled. It made an immediate success; the review in the *Gentleman's Magazine* was written by the author's brother Thomas, and other reviewers were even more cordial. The general opinion as to its value, and above all as to its superlative charm, has never changed during the century and a

* From whom Gilbert acquired his information on Andalusia.

half that have elapsed, as the fact of its having gone through nearly two hundred editions will testify.

The first nine so-called Letters to Pennant, which are not dated, were written by White as an introduction to the *Natural History*, and never went through the post. It was obviously necessary to have some kind of introduction to Selborne which would be suitable for the general reader, and since the book was cast in the shape of letters, the introduction had to take the same form.

A few words about those to whom White wrote the letters may not be out of place. Thomas Pennant, to whom thirty-five of the forty-four letters addressed to him were actually sent, was an eminent natural historian and topographer, best known in those days, perhaps, as the author of the *Account of London*. He was born at Downing in Flintshire, the home of many generations of his ancestors, in 1726, and was thus six years junior to his correspondent. At the age of forty he published the first part of his *British Zoology*, a 'laborious compilation', as the *Encyclopaedia Britannica* calls it, 'rather than an original contribution to science'.

Much of the material which he used in various books on natural history he owed to White, extracting the information which White gave him in letters, and using it without acknowledgment. It is evident that White's justifiable irritation at this practice of Pennant's was one of the causes of his eventual decision to publish the letters.

Pennant was engaged on a work called *The Outlines of the Globe*, the first two volumes of which had already appeared, when death supervened in 1798. The remaining two volumes, which he left unfinished, were edited by his son and published in 1800.

White's other correspondent, Daines Barrington, fourth son of the first Viscount Barrington, was born in 1727, and educated for the profession of the law. In the year 1757 he was appointed a Welsh judge, and afterwards became Justice of Chester. Charles Lamb refers to him as an 'oddity—he walked burly and square—in imitation, I think, of Coventry, howbeit he attained not to the dignity of his prototype. Nevertheless, he did pretty well upon the strength of being a tolerable antiquarian. When the account of his treasureship came to be audited, the following singular charge was unanimously disallowed by the bench: "Item, disbursed Mr Allen the gardener, twenty shillings for stuff to poison the sparrows by my orders." '

Barrington was a Fellow of the Royal Society and Vice-President of the Society of Antiquaries. His two most interesting contributions to natural history dealt with the voices of birds, *Experiments and Observations on the Singing of Birds* and an *Essay on the Language of Birds*. He died in 1800, and was buried in the Temple church.

Two other persons are from time to time mentioned in the course of the book—Ray * and Linnæus.

John Ray (or Wray, as he wrote his name until 1670), sometimes called the Father of English natural history, was born at Black Notley in Essex in 1628. He was educated at Trinity College, Cambridge, of which college he later became a Fellow. His great importance in the realm of his chosen subject was due to his method of classification of plants, which he used in his two chief works, the *Methodus plantarum nova* (1682), and his great *Historia Generalis plantarum* (3 volumes, 1686, 1688, 1704).

In 1753 Gilbert White bought a copy of Ray's *Synopsis Methodica Avium et Piscium*, for in his account book under date Oct: 21 we find 'Raij Methodus, 00·03.06'. This book served him through the rest of his life as his guide in the realm of zoology.

Linnæus was the name usually given to Carl von Linné, the Swedish botanist. Arrangement was his particular passion; he delighted in devising classifications. He first enunciated the principles for defining genera and species. His most important works were the *Systema naturæ* (1736) and the *Species plantarum* (1753). Though Linnæus was personally unknown to Gilbert White, he corresponded in Latin with Gilbert's brother John (see Bell's edition of *Selborne*, 1877, Vol. II, pp. 67–94). These letters John showed to Gilbert. (See Bell, II, p. 90.)

'Why,' asks W. H. Hudson, 'does this little cockle-shell of a book come gaily down to us over a sea full of waves, where so many brave barks have foundered? The style is sweet and clear, but a book cannot live merely because it is well written. It is chock-full of facts; but the facts have been tested and sifted, and all that were worth keeping are to be found incorporated in scores of standard works on natural history. I would humbly suggest that there is no mystery at all about it; that the personality of the author is the principal charm of the *Letters*, for in spite of his modesty and extreme reticence his spirit shines in every page; that the world will not willingly let this small book die, not only because it is small, and well written, and full of interesting matter, but chiefly because it is a very delightful human document.'

* See C. E. Raven, *John Ray, Naturalist*, 1942.

In the final pages of his biography of Gilbert White, my late father—to whose love of both White and Selborne I owe whatever knowledge of them I possess—wrote: 'It may be that the real secret of White's charm lies in the fact that he was, as it were, Selborne personified—a sort of localised Pan who knew every inch of his tiny kingdom in all its ever-varying moods, from the first green of spring to the glint of the all-covering snow of winter. . . . His whole life was a preparation for his work, and if Gray's opinion that "any fool may write a most valuable book by chance, if he will only tell us what he heard and saw with veracity" be in any way correct, what can be said of a writer so prepared, who observed closely, reasoned upon the results of his observation, and reported all with painful veracity? It may indeed be that White could have written no other book than that he did write; certain it is that no other than he could have written the *Natural History of Selborne*.'

So, in justification of my presentation of the *Natural History* as a literary treat for the ordinary man rather than as a scientific treatise demanding modernisation and amplification, I would ask the reader to see in it the revelation of a personality of enduring charm, and to regard it, in the main, as 'a very delightful human document'.

W. S. SCOTT

Frensham

Editor's Note

In this edition of *The Natural History of Selborne* I print the Letters to Pennant and Barrington as White published them, with two exceptions: first, that I have relegated to an appendix the tabular material which he included in Letter 5 to Pennant, and secondly, that I have reinstated the notes about the tortoise in Letter 50 to Barrington, from which they were accidentally omitted in the original edition.

I have included all White's footnotes, which are followed by the letter W in brackets; the notes for which I am responsible are similarly marked with an S.

Quotations from classical authors, which White left in the decent obscurity of Latin and Greek, have been translated somewhat freely, and these translations follow their originals, within square brackets.

My grateful thanks are due in particular to two authorities on the subject, both of whom died before this edition was ready for publication: my father, Mr Walter S. Scott, K.C., for allowing me to quote from his biography of the naturalist, *White of Selborne*, as well as for never ceasing help; and Mr Walter Johnson, author of *Gilbert White, Pioneer, Poet and Stylist* and editor of White's *Journal*, for his kindness in reading the manuscript and for making many valuable suggestions, especially in the realm of ornithology, a subject in which I must needs sit at the feet of a master.

Bibliography

As the next volume of Dr A. A. Lisney's monumental *Bibliography of British Lepidoptera* is to consist of a complete bibliography of the works of Gilbert White, and is now in active preparation, I do not think it necessary to mention any of these by name.

Of the great number of books dealing with White's life and times, as well as with the village with which his name is inseparably connected, I list only six, as the reader will no doubt find them sufficient as a background against which to understand and enjoy his writings:

WHITE OF SELBORNE, by Walter S. Scott, Falcon Press, 1950.

GILBERT WHITE, PIONEER, POET AND STYLIST, by Walter Johnson, John Murray, 1928.

JOURNALS OF GILBERT WHITE, edited by Walter Johnson, Routledge, 1931.

ORIEL PAPERS, by Cecil S. Emden, Oxford, 1948. (Contains three essays on Gilbert White.)

WHITE'S ANTIQUITIES OF SELBORNE, edited by W. Sidney Scott, Falcon Press, 1950.

GILBERT WHITE IN HIS VILLAGE, by Cecil S. Emden, Oxford, 1956.

Letters to
Thomas Pennant Esq

Letter 1

The parish of Selborne lies in the extreme eastern corner of the county of Hampshire, bordering on the county of Sussex, and not far from the county of Surrey; is about fifty miles south-west of London, in latitude 51, and near midway between the towns of Alton and Petersfield. Being very large and extensive it abuts on twelve parishes, two of which are in Sussex, viz. Trotton and Rogate. If you begin from the south and proceed westward the adjacent parishes are Emshot, Newton Valence, Faringdon, Harteley Mauduit, Great Ward le ham, Kingsley, Hedleigh, Bramshot, Trotton, Rogate, Lysse, and Greatham. The soils of this district are almost as various and diversified as the views and aspects. The high part to the south-west consists of a vast hill of chalk, rising three hundred feet above the village; and is divided into a sheep down, the high wood, and a long hanging wood called The Hanger. The covert of this eminence is altogether beech, the most lovely of all forest trees, whether we consider it's smooth rind or bark, it's glossy foliage, or graceful pendulous boughs. The down, or sheep-walk, is a pleasing park-like spot, of about one mile by half that space, jutting out on the verge of the hill-country, where it begins to break down into the plains, and commanding a very engaging view, being an assemblage of hill, dale, wood-lands, heath, and water. The prospect is bounded to the south-east and east by the vast range of mountains called The Sussex Downs, by Guild-down near Guildford, and by the Downs round Dorking, and Ryegate in Surrey, to the north-east, which altogether, with the country beyond Alton and Farnham, form a noble and extensive outline.

At the foot of this hill, one stage or step from the uplands, lies the village, which consists of one single straggling street, three quarters of a mile in length, in a sheltered vale, and running parallel with The Hanger. The houses are divided from the hill by a vein of stiff clay (good wheat-land), yet stand on a rock of white stone, little in appearance removed from chalk; but seems so far from being calcarious, that it endures extreme heat. Yet that the free-stone still preserves somewhat that is analogous to chalk, is plain from the beeches which descend as low as those rocks extend, and no farther, and thrive as well on them, where the ground is steep, as on the chalks.

The cart-way of the village divides, in a remarkable manner, two very incongruous soils. To the south-west is a rank clay, that requires the labour of years to render it mellow; while the gardens to the north-east, and small enclosures behind, consist of a warm, forward, crumbling mould, called *black malm*, which seems highly saturated with vegetable and animal manure; and these may perhaps have been the original site of the town; while the wood and coverts might extend down to the opposite bank.

At each end of the village, which runs from south-east to north-west, arises a small rivulet: that at the north-west end frequently fails: but the other is a fine perennial spring little influenced by drought or wet seasons, called Well-head.* This breaks out of some high grounds joining to Nore Hill, a noble chalk promontory, remarkable for sending forth two streams into two different seas. The one to the south becomes a branch of the Arun, running to Arundel, and so falling into the British channel: the other to the north. The Selborne stream makes one branch of the Wey; and meeting the Black-down stream at Hedleigh, and the Alton and Farnham stream at Tilford-bridge, swells into a considerable river, navigable at Godalming; from whence it passes to Guildford, and so into the Thames at Weybridge; and thus at the Nore into the German ocean.

Our wells, at an average, run to about sixty-three feet, and when sunk to that depth seldom fail; but produce a fine limpid water, soft to the taste, and much commended by those who drink the pure element, but which does not lather well with soap.

To the north-west, north and east of the village, is a range of fair enclosures, consisting of what is called a *white malm*, a sort of rotten or rubble stone, which, when turned up to the frost and rain, moulders to pieces, and becomes manure to itself.†

Still on to the north-east, and a step lower, is a kind of white land, neither chalk nor clay, neither fit for pasture nor for the plough, yet kindly for hops, which root deep into the freestone, and have their poles and wood for charcoal growing just at hand. This white soil produces the brightest hops.

As the parish still inclines down towards Wolmer-forest, at the juncture of the clays and sand the soil becomes a wet, sandy loam, remarkable for timber, and infamous for roads. The oaks of

* This spring produced, September 14, 1781, after a severe hot summer, and a preceding dry spring and winter, nine gallons of water in a minute, which is five hundred and forty in an hour, and twelve thousand nine hundred and sixty, or two hundred and sixteen hogsheads, in twenty-four hours, or one natural day. At this time many of the wells failed, and all the ponds in the vales were dry. (W)

† This soil produces good wheat and clover. (W)

Selborne Hanger from the road to Alton
9 x I x 62

Temple and Blackmoor stand high in the estimation of purveyors, and have furnished much naval timber; while the trees on the freestone grow large, but are what workmen call *shakey*, and so brittle as often to fall to pieces in sawing. Beyond the sandy loam the soil becomes an hungry lean sand, till it mingles with the forest; and will produce little without the assistance of lime and turnips.

Letter 2

In the court of Norton farm house, a manor farm to the north-west of the village, on the white malms, stood within these twenty years a broad-leaved elm, or wych hazel, *ulmus folio latissimo scabro* of Ray, which, though it had lost a considerable leading bough in the great storm in the year 1703, equal to a moderate tree, yet, when felled, contained eight loads of timber; and, being too bulky for a carriage, was sawn off at seven feet above the butt, where it measured near eight feet in the diameter. This elm I mention to show to what a bulk *planted elms* may attain; as this tree must certainly have been such from it's situation.

In the centre of the village, and near the church, is a square piece of ground surrounded by houses, and vulgarly called The Plestor. In the midst of this spot stood, in old times, a vast oak, with a short squat body, and huge horizontal arms extending almost to the extremity of the area.* This venerable tree, surrounded with stone steps, and seats above them, was the delight of old and young, and a place of much resort in summer evenings; where the former sat in grave debate, while the latter frolicked and danced before them. Long might it have stood, had not the amazing tempest in 1703 overturned it at once, to the infinite regret of the inhabitants, and the vicar,† who bestowed several pounds in setting it in it's place again: but all his care could not avail; the tree sprouted for a time, then withered and died. This oak I mention to show to what a bulk *planted oaks* also may arrive: and planted this tree must certainly have been, as will appear from what will be said farther concerning this area, when we enter on the antiquities of *Selborne*.

On the Blackmoor estate there is a small wood called Losel's,‡

* The place of this oak is now occupied by a sycamore. (S)

† The Rev. Gilbert White, grandfather of the author. (S)

‡ This coppice is now mostly pasture; only a few trees at the west end of it remain. (S)

of a few acres, that was lately furnished with a set of oaks of a peculiar growth and great value; they were tall and taper like firs, but standing near together had very small heads, only a little brush without any large limbs. About twenty years ago the bridge at the Toy, near Hampton Court, being much decayed, some trees were wanted for the repairs that were fifty feet long without bough, and would measure twelve inches diameter at the little end. Twenty such trees did a purveyor find in this little wood, with this advantage, that many of them answered the description at sixty feet. These trees were sold for twenty pounds apiece.

In the centre of this grove there stood an oak, which, though shapely and tall on the whole, bulged out into a large excrescence about the middle of the stem. On this a pair of ravens had fixed their residence for such a series of years, that the oak was distinguished by the title of The Raven-tree. Many were the attempts of the neighbouring youths to get at this eyry; the difficulty whetted their inclinations, and each was ambitious of surmounting the arduous task. But, when they arrived at the swelling, it jutted out so in their way, and was so far beyond their grasp, that the most daring lads were awed, and acknowledged the undertaking to be too hazardous. So the ravens built on, nest upon nest, in perfect security, till the fatal day arrived in which the wood was to be levelled. It was in the month of February, when those birds usually sit. The saw was applied to the butt, the wedges were inserted into the opening, the woods echoed to the heavy blows of the beetle or mallet, the tree nodded to its fall; but still the dam sat on. At last, when it gave way, the bird was flung from her nest; and, though her parental affection deserved a better fate, was whipped down by the twigs, which brought her dead to the ground.

Letter 3

The fossil-shells of this district, and sorts of stone, such as have fallen within my observation, must not be passed over in silence. And first I must mention, as a great curiosity, a specimen that was ploughed up in the chalky fields, near the side of the Down, and given to me for the singularity of it's appearance, which, to an incurious eye, seems like a petrified fish of about four inches long, the cardo passing for an head and mouth. It is in reality a bivalve of the *Linnæan Genus* of *Mytilus*, and the species of *Crista Galli*; called by Lister, *Rastellum*; by Rumphius, *Ostreum plicatum minus*; by

D'Argenville, *Auris Porci*, s. *Crista Galli*, and by those who make collections *cock's comb*.* Though I applied to several such in London, I never could meet with an entire specimen; nor could I ever find in books any engraving from a perfect one. In the superb museum at Leicester-house, permission was given me to examine for this article; and though I was disappointed as to the fossil, I was highly gratified with the sight of several of the shells themselves in high preservation. This bivalve is only known to inhabit the Indian ocean, where it fixes itself to a zoophyte, known by the name *Gorgonia*. The curious foldings of the suture the one into the other, the alternate flutings or grooves, and the curved form of my specimen being much easier expressed by the pencil than by words, I have caused it to be drawn and engraved.

Cornua Ammonis are very common about this village. As we were cutting an inclining path† up The Hanger, the labourers found them frequently on that steep, just under the soil, in the chalk, and of a considerable size. In the lane above Well-head, in the way to Emshot, they abound in the bank, in a darkish sort of marl; and are usually very small and soft: but in Clay's Pond, a little farther on, at the end of the pit, where the soil is dug out for manure, I have occasionally observed them of large dimensions, perhaps fourteen or sixteen inches in diameter. But as these did not consist of firm stone, but were formed of a kind of *terra lapidosa*, or hardened clay, as soon as they were exposed to the rains and frost they mouldered away. These seemed as if they were a very recent production. In the chalk-pit, at the north-west end of The Hanger, large nautili are sometimes observed.

In the very thickest strata of our freestone, and at considerable depths, well-diggers often find large scallops or *pectines*, having both shells deeply striated, and ridged and furrowed alternately. They are highly impregnated with, if not wholly composed of, the stone of the quarry.

* This fossil is illustrated in the first edition. It is *Ostrea ricordeana*; White's identification is incorrect. It is not a chalk fossil, but belongs to the Upper Greensand. (S)

† This path, known as 'The Bostal' (a winding way up a steep hill), was made in 1780 at the cost of Gilbert's brother Thomas, to afford an easier passage to the top of the hanger than was afforded by the Zig-Zag. (S)

Letter 4

As in a former letter the freestone of this place has been only mentioned incidentally, I shall here become more particular.

This stone is in great request for hearth-stones and the beds of ovens: and in lining of lime-kilns it turns to good account; for the workmen use sandy loam instead of mortar; the sand of which fluxes,* and runs by the intense heat, and so cases over the whole face of the kiln with a strong vitrified coat like glass, that it is well preserved from injuries of weather, and endures thirty or forty years. When chiseled smooth, it makes elegant fronts for houses, equal in colour and grain to the Bath stone; and superior in one respect, that, when seasoned, it does not scale. Decent chimney-pieces are worked from it of much closer and finer grain than Portland; and rooms are floored with it; but it proves rather too soft for this purpose. It is a freestone, cutting in all directions; yet has something of a grain parallel with the horizon, and therefore should not be surbedded, but laid in the same position that it grows in the quarry.† On the ground abroad this fire-stone will not succeed for pavements, because, probably, some degree of saltness prevailing within it, the rain tears the slabs to pieces.‡ Though this stone is too hard to be acted on by vinegar; yet both the white part, and even the blue rag, ferments strongly in mineral acids. Though the white stone will not bear wet, yet in every quarry at intervals there are thin strata of blue rag, which resist rain and frost; and are excellent for pitching of stables, paths and courts, and for building of dry walls against banks; a valuable species of fencing, much in use in this village, and for mending of roads. This rag is rugged and stubborn, and will not hew to a smooth face; but is very durable: yet, as these strata are shallow and lie deep, large quantities cannot be procured but at considerable expense. Among the blue rags turn up some blocks tinged with a stain of yellow or rust colour, which seem to be nearly as lasting

* There may probably be also in the chalk itself that is burnt for lime a proportion of sand: for few chalks are so pure as to have none. (W)

† To *surbed* stone is to set it edgewise, contrary to the posture it had in the quarry, says Dr Plot, *Oxfordsh.* p. 77. But *surbedding* does not succeed in our dry walls; neither do we use it so in ovens, though he says it is best for Teynton stone. (W)

‡ 'Firestone is full of salts, and has no sulphur: must be close grained, and have no interstices. Nothing supports fire like salts; saltstone perishes exposed to wet and frost.' Plot's *Staff.* p. 152. (W)

as the blue; and every now and then balls of a friable substance, like rust of iron, called rust balls.

In Wolmer Forest I see but one sort of stone, called by the workmen sand, or forest-stone. This is generally of the colour of rusty iron, and might probably be worked as iron ore; is very hard and heavy, and of a firm, compact texture, and composed of a small roundish crystalline grit, cemented together by a brown, terrene, ferruginous matter; will not cut without difficulty, nor easily strike fire with steel. Being often found in broad flat pieces, it makes good pavement for paths about houses, never becoming slippery in frost or rain; is excellent for dry walls, and is sometimes used in buildings. In many parts of that waste it lies scattered on the surface of the ground; but is dug on Weaver's Down, a vast hill on the eastern verge of that forest, where the pits are shallow, and the stratum thin. This stone is imperishable.

From a notion of rendering their work the more elegant, and giving it a finish, masons chip this stone into small fragments about the size of the head of a large nail; and then stick the pieces into the wet mortar along the joints of their freestone walls: this embellishment* carries an odd appearance, and has occasioned strangers sometimes to ask us pleasantly, 'whether we fastened our walls together with tenpenny nails'.

Letter 5

Among the singularities of this place the two rocky hollow lanes, the one to Alton, and the other to the forest, deserve our attention. These roads, running through the malm lands, are, by the traffick of ages, and the fretting of water, worn down through the first stratum of our freestone, and partly through the second; so that they look more like water-courses than roads; and are bedded with naked rag for furlongs together. In many places they are reduced sixteen or eighteen feet beneath the level of the fields; and after floods, and in frosts, exhibit very grotesque and wild appearances, from the tangled roots that are twisted among the strata, and from the torrents rushing down their broken sides; and especially when those cascades are frozen into icicles, hanging in all

*This curious 'embellishment' is to be seen in a number of old walls in the village, notably in Plestor House, in the Old Butcher's Shop, and in the west wall of the church. It is termed *garnetting*, and is a type of ornamentation confined for the most part to west Surrey and east Hampshire. (S)

the fanciful shapes of frost-work. These ragged gloomy scenes affright the ladies when they peep down into them from the paths above, and make timid horsemen shudder while they ride along them; but delight the naturalist with their various botany, and particularly with their curious *filices** with which they abound.

The manor of Selborne, was it strictly looked after, with all it's kindly aspects, and all it's sloping coverts, would swarm with game; even now hares, partridges, and pheasants abound; and in old days woodcocks were as plentiful. There are few quails, because they more affect open fields than enclosures; after harvest some few land-rails are seen.

The parish of Selborne, by taking in so much of the forest, is a vast district. Those who tread the bounds are employed part of three days in the business, and are of opinion that the outline, in all its curves and indentings, does not comprise less than thirty miles.

The village stands in a sheltered spot, secured by The Hanger from the strong westerly winds. The air is soft, but rather moist from the effluvia of so many trees; yet perfectly healthy and free from agues.

The quantity of rain that falls on it is very considerable, as may be supposed in so woody and mountainous a district. As my experience in measuring the water is but of short date, I am not qualified to give the mean quantity.† I only know that

	Inch
From May 1, 1779, to the end of the year there fell	28·37!
From Jan. 1, 1780, to Jan. 1, 1781 there fell	27·32
From Jan. 1, 1781, to Jan. 1, 1782 ,,	30·71
From Jan. 1, 1782, to Jan. 1, 1783 ,,	50·26!
From Jan. 1, 1783, to Jan. 1, 1784 ,,	33·71
From Jan. 1, 1784, to Jan. 1, 1785 ,,	33·80
From Jan. 1, 1785, to Jan. 1, 1786 ,,	31·55
From Jan. 1, 1786, to Jan. 1, 1787 ,,	39·57

* Ferns, small root fibres. (S)

† A very intelligent gentleman assures me (and he speaks from upwards of forty years' experience) that the mean rain of any place cannot be ascertained till a person has measured it for a very long period. 'If I had only measured the rain,' says he, 'for the four first years, from 1740 to 1743, I should have said the mean rain at Lyndon was 16½ inch for the year; if from 1740 to 1750, 18½ inches. The mean rain before 1763 was 20¼; from 1763 and since, 25½; from 1770 to 1780, 26. If only 1773, 1774 and 1775, had been measured, Lyndon mean rain would have been called 32 inches.'‡ (W)

‡ The 'very intelligent gentleman' referred to above was Thomas Barker, Gilbert White's brother-in-law. (S)

The village of Selborne, and large hamlet of Oakhanger, with the single farms, and many scattered houses along the verge of the forest, contain upwards of six hundred and seventy inhabitants.* We abound with poor; many of whom are sober and industrious, and live comfortably in good stone or brick cottages, which are glazed, and have chambers above stairs: mud buildings we have none. Besides the employment from husbandry, the men work in hop gardens, of which we have many; and fell and bark timber. In the spring and summer the women weed the corn; and enjoy a second harvest in September by hop-picking. Formerly, in the dead months they availed themselves greatly by spinning wool, for making of *barragons*, a genteel corded stuff, much in vogue at that time for summer wear; and chiefly manufactured at Alton, a neighbouring town, by some of the people called Quakers: but from circumstances this trade is at an end.† The inhabitants enjoy a good share of health and longevity; and the parish swarms with children.

Letter 6

Should I omit to describe with some exactness the forest of Wolmer, of which three fifths perhaps lie in this parish, my account of Selborne would be very imperfect, as it is a district abounding with many curious productions, both animal and vegetable; and has often afforded me much entertainment both as a sportsman and as a naturalist.

The royal forest of Wolmer is a tract of land of about seven miles in length, by two and a half in breadth, running nearly from North to South, and is abutted on, to begin to the South, and so to proceed eastward, by the parishes of Greatham, Lysse, Rogate, and Trotton, in the county of Sussex; by Bramshot, Hedleigh, and Kingsley. This royalty consists entirely of sand covered with heath and fern; but is somewhat diversified with hills and dales, without having one standing tree in the whole extent. In the bottoms, where the waters stagnate, are many bogs, which formerly abounded with subterraneous trees; though Dr Plot says positively,‡ that 'there never were any fallen trees hidden in the

* See Appendix (p. 215).

† Since the passage above was written, I am happy in being able to say that the spinning employment is a little revived, to the no small comfort of the industrious housewife. (W)

‡ See his Hist. of *Staffordshire*. (W)

mosses of the southern counties'. But he was mistaken: for I myself have seen cottages on the verge of this wild district, whose timbers consisted of a black hard wood, looking like oak, which the owners assured me they procured from the bogs by probing the soil with spits, or some such instruments: but the peat is so much cut out, and the moors have been so well examined, that none has been found of late.* Besides the oak, I have also been shewn pieces of fossil-wood of a paler colour, and softer nature, which the inhabitants called fir: but, upon a nice examination, and trial by fire, I could discover nothing resinous in them; and therefore rather suppose that they were parts of a willow or alder, or some such aquatic tree.

This lonely domain is a very agreeable haunt for many sorts of wild fowls, which not only frequent it in the winter, but breed there in the summer; such as lapwings, snipes, wild-ducks, and, as I have discovered within these few years, teals. Partridges in vast plenty are bred in good seasons on the verge of this forest, into which they love to make excursions: and in particular, in the dry summer of 1740 and 1741, and some years after, they swarmed to such a degree, that parties of unreasonable sportsmen killed twenty and sometimes thirty brace in a day.

But there was a nobler species of game in this forest, now extinct, which I have heard old people say abounded much before shooting flying became so common, and that was the heath-cock, black game, or grouse. When I was a little boy I recollect one coming now and then to my father's table. The last pack remembered was

* Old people have assured me, that on a winter's morning they have discovered these trees, in the bogs, by the hoar frost, which lay longer over the space where they were concealed, than on the surrounding morass. Nor does this seem to be a fanciful notion, but consistent with true philosophy. Dr Hales saith, 'That the warmth of the earth, at some depth under ground, has an influence in promoting a thaw, as well as the change of the weather from a freezing to a thawing state, is manifest, from this observation, viz. Nov. 29, 1731, a little snow having fallen in the night, it was, by eleven the next morning, mostly melted away on the surface of the earth, except in several places in Bushy-park, where there were drains dug and covered with earth, on which the snow continued to lie, whether those drains were full of water or dry; as also where elm-pipes lay under ground: a plain proof this, that those drains intercepted the warmth of the earth from ascending from greater depths below them: for the snow lay where the drain had more than four feet depth of earth over it. It continued also to lie on thatch, tiles, and the tops of walls.' See Hales's *Hæmastatics*, p. 360. Query, Might not such observations be reduced to domestic use, by promoting the discovery of old obliterated drains and wells about houses; and in Roman stations and camps lead to the finding of pavements, baths and graves, and other hidden relics of curious antiquity? (W)

killed about thirty-five years ago; and within these ten years one solitary grey hen was sprung by some beagles in beating for a hare. The sportsmen cried out, 'A hen pheasant'; but a gentleman present, who had often seen grouse in the north of England, assured me that it was a grey hen.

Nor does the loss of our black game prove the only gap in the *Fauna Selborniensis*; for another beautiful link in the chain of beings is wanting, I mean the red deer, which toward the beginning of this century amounted to about five hundred head, and made a stately appearance. There is an old keeper, now alive, named Adams, whose great grandfather (mentioned in a perambulation taken in 1635), grandfather, father and self, enjoyed the head keepership of Wolmer forest in succession for more than an hundred years. This person assures me, that his father has often told him, that Queen Anne, as she was journeying on the Portsmouth road, did not think the forest of Wolmer beneath her royal regard. For she came out of the great road at Lippock, which is just by, and reposing herself on a bank smoothed for that purpose, lying about half a mile to the east of Wolmer-pond, and still called Queen's-bank, saw with great complacency and satisfaction the whole herd of red deer brought by the keepers along the vale before her, consisting then of about five hundred head. A sight this worthy the attention of the greatest sovereign! But he further adds that, by means of the Waltham blacks,* or, to use his own expression, as soon as they began *blacking*, they were reduced to about fifty head, and so continued decreasing till the time of the late Duke of Cumberland. It is now more than thirty years ago that his highness sent down an huntsman, and six yeomen-prickers, in scarlet jackets laced with gold, attended by the stag-hounds; ordering them to take every deer in this forest alive, and convey them in carts to Windsor. In the course of the summer they caught every stag, some of which showed extraordinary diversion: but, in the following winter, when the hinds were also carried off, such fine chases were exhibited as served the country people for matter of talk and wonder for years afterwards. I saw myself one of the yeomen-prickers single out a stag from the herd, and must confess that it was the most curious feat of activity I ever beheld, superior to any thing in Mr Astley's riding-school. The exertions made by the horse and deer much exceeded all my expectations; though the former greatly excelled the latter in speed. When the devoted deer

* Deer stealers. Under the 'Waltham Black' Act of 1723 deer stealing was, in certain conditions, made a capital offence. (S)

was separated from his companions, they gave him, by their watches, law, as they called it, for twenty minutes; when, sounding their horns, the stop-dogs were permitted to pursue, and a most gallant scene ensued.

Letter 7

Though large herds of deer do much harm to the neighbourhood, yet the injury to the morals of the people is of more moment than the loss of their crops. The temptation is irresistible; for most men are sportsmen by constitution: and there is such an inherent spirit for hunting in human nature, as scarce any inhibitions can restrain. Hence, towards the beginning of this century, all this country was wild about deer-stealing. Unless he was a *hunter*, as they affected to call themselves, no young person was allowed to be possessed of manhood or gallantry. The Waltham blacks at length committed such enormities, that government was forced to interfere with that severe and sanguinary act called the *black act*,* which now comprehends more felonies than any law that ever was framed before. And, therefore, a late bishop of Winchester, when urged to re-stock Waltham Chase,† refused, from a motive worthy of a prelate, replying that 'It had done mischief enough already.'

Our old race of deer-stealers are hardly extinct yet: it was but a little while ago that, over their ale, they used to recount the exploits of their youth; such as watching the pregnant hind to her lair, and, when the calf was dropped, paring it's feet with a penknife to the quick to prevent it's escape, till it was large and fat enough to be killed; the shooting at one of their neighbours with a bullet in a turnip-field by moonshine, mistaking him for a deer; and the losing a dog in the following extraordinary manner: Some fellows, suspecting that a calf new-fallen was deposited in a certain spot of thick fern, went, with a lurcher, to surprise it; when the parent-hind rushed out of the brake, and, taking a vast spring with all her feet close together, pitched upon the neck of the dog, and broke it short in two.

Another temptation to idleness and sporting, was a number of rabbits, which possessed all the hillocks and dry places: but these being inconvenient to the huntsmen, on account of their burrows,

* Statute 9 Geo. I. c. 22. (W)

† This chase remains unstocked to this day. The bishop was Dr Hoadly. (W)

when they came to take away the deer, they permitted the country-people to destroy them all.

Such forests and wastes, when their allurements to irregularities are removed, are of considerable service to neighbourhoods that verge upon then, by furnishing them with peat and turf for their firing; with fuel for the burning their lime; and with ashes for their grasses; and by maintaining their geese and their stock of young cattle at little or no expense.

The manor farm of the parish of Greatham has an admitted claim, I see, (by an old record taken from the Tower of London) of turning all live stock on the forest, at proper seasons, *bidentibus exceptis*.* The reason, I presume, why sheep † are excluded, is, because, being such close grazers, they would pick out all the finest grasses, and hinder the deer from thriving.

Though (by statute 4 and 5 W. and Mary) c. 23. 'to burn on any waste, between Candlemas and Midsummer, any grig,‡ ling, heath and furze, goss§ or fern, is punishable with whipping and confinement in the house of correction'; yet, in this forest, about March or April, according to the dryness of the season, such vast heath-fires are lighted up, that they often get to a masterless head, and, catching the hedges, have sometimes been communicated to the underwoods, woods, and coppices, where great damage has ensued. The plea for these burnings is, that, when the old coat of heath, etc. is consumed, young will sprout up, and afford much tender brouze for cattle; but, where there is large old furze, the fire, following the roots, consumes the very ground; so that for hundreds of acres nothing is to be seen but smother and desolation, the whole circuit round looking like the cinders of a volcano; and, the soil being quite exhausted, no traces of vegetation are to be found for years. These conflagrations, as they take place usually with a north-east or east wind, much annoy this village with their smoke, and often alarm the country; and, once in particular, I remember that a gentleman, who lives beyond Andover, coming to my house, when he got on the downs between that town and Winchester, at twenty-five miles distance, was surprised much with smoke and a hot smell of fire; and concluded that Alresford was in

* For this privilege the owner of that estate used to pay to the king annually seven bushels of oats. (W)

† In The Holt, where a full stock of fallow-deer has been kept up till lately, no sheep are admitted to this day. (W)

‡ Grig, or griglan, an ancient word for heather. (S)

§ Goss, a variant of the word gorse. (S)

flames; but, when he came to that town, he then had apprehensions for the next village, and so on to the end of his journey.

On two of the most conspicuous eminences of this forest, stand two arbours or bowers, made of the boughs of oaks; the one called Waldon-lodge, the other Brimstone-lodge: these the keepers renew annually on the feast of St Barnabas, taking the old materials for a perquisite.* The farm called Blackmoor, in this parish, is obliged to find the posts and brush-wood for the former; while the farms at Greatham, in rotation, furnish for the latter; and are all enjoined to cut and deliver the materials at the spot. This custom I mention, because I look upon it to be of very remote antiquity.

Letter 8

On the verge of the forest, as it is now circumscribed, are three considerable lakes, two in Oakhanger, of which I have nothing particular to say; and one called Bin's, or Bean's pond, which is worthy the attention of a naturalist or a sportsman. For, being crowded at the upper end with willows, and with the *carex cespitosa*† it affords such a safe and pleasing shelter to wild ducks, teals, snipes, etc. that they breed there. In the winter this covert is also frequented by foxes, and sometimes by pheasants; and the bogs produce many curious plants. [For which consult Letter 42 to Mr Barrington]

By a *perambulation* of Wolmer forest and The Holt, made in 1635, and in the eleventh year of Charles the First (which now lies before me), it appears that the limits of the former are much circumscribed. For, to say nothing of the farther side, with which I am not so well acquainted, the bounds on this side, in old times, came into Binswood; and extended to the ditch of Ward le ham-park, in which stands the curious mount called King John's Hill, and Lodge Hill; and to the verge of Hartley Mauduit, called Mauduit-hatch; comprehending also Short-heath, Oakhanger, and Oak-

* The origin of this custom must be sought for in the dimmest ages of antiquity. The fact that the feast of St Barnabas (June 11) was chosen as the date for the practice seems to point to the probability of these two eminences having been sighting points marking out a route, the piling of brushwood on their heights being probably derived from the bonfires lit for this purpose in ancient days. (S)

† I mean that sort which, rising into tall hassocks, is called by the foresters *torrets*; a corruption, I suppose, of turrets.

Note. In the beginning of the summer 1787 the royal forests of Wolmer and Holt were measured by persons sent down by government. (W)

woods; a large district, now private property, though once belonging to the royal domain.

It is remarkable that the term *purlieu* is never once mentioned in this long roll of parchment. It contains, besides the *perambulation*, a rough estimate of the value of the timbers, which were considerable, growing at that time in the district of The Holt; and enumerates the officers, superior and inferior, of those joint forests, for the time being, and their ostensible fees and perquisites. In those days, as at present, there were hardly any trees in Wolmer forest.

Within the present limits of the forest are three considerable lakes, Hogmer, Cranmer, and Wolmer,* all of which are stocked with carp, tench, eels, and perch: but the fish do not thrive well, because the water is hungry, and the bottoms are a naked sand.

A circumstance respecting these ponds, though by no means peculiar to them, I cannot pass over in silence; and that is, that instinct by which in summer all the kine, whether oxen, cows, calves, or heifers, retire constantly to the water during the hotter hours; where, being more exempt from flies, and inhaling the coolness of that element, some belly deep, and some only to midleg, they ruminate and solace themselves from about ten in the morning till four in the afternoon, and then return to their feeding. During this great proportion of the day they drop much dung, in which insects nestle; and so supply food for the fish, which would be poorly subsisted but from this contingency. Thus Nature, who is a great economist, converts the recreation of one animal to the support of another! Thomson, who was a nice observer of natural occurrences, did not let this pleasing circumstance escape him. He says, in his *Summer*,

> *A various group the herds and flocks compose:*
> *. . . on the grassy bank*
> *Some ruminating lie; while others stand*
> *Half in the flood, and, often bending, sip*
> *The circling surface.*

* Professor Bell, in his edition of the *Natural History* (1877), writes, 'It is remarkable that these three ponds are named respectively after three animals which, formerly indigenous in this country, are now extinct. *Hogmer*, after the wild boar, *Cranmer*, after the crane, and *Wolmer*, anciently Wolvemere, after the wolf, which doubtless formerly haunted this wild district.' The ponds exist no longer, being completely dried up. The site of Wolmer Pond is now used by the Royal Engineers for training the railway branch of their Corps, the Longmoor Military Railway. (S)

Wolmer-pond, so called, I suppose, for eminence sake, is a vast lake for this part of the world, containing, in it's whole circumference, 2646 yards, or very near a mile and an half. The length of the north-west and opposite side is about 704 yards, and the breadth of the south-west end about 456 yards. This measurement, which I caused to be made with good exactness, gives an area of about sixty-six acres, exclusive of a large irregular arm at the north-east corner, which we did not take into the reckoning.

On the face of this expanse of waters, and perfectly secure from fowlers, lie all day long, in the winter season, vast flocks of ducks, teals, and wigeons, of various denominations; where they preen and solace, and rest themselves, till towards sun-set, when they issue forth in little parties (for in their natural state they are all birds of the night) to feed in the brooks and meadows; returning again with the dawn of the morning. Had this lake an arm or two more, and were it planted round with thick covert (for now it is perfectly naked), it might make a valuable decoy.

Yet neither its extent, nor the clearness of it's water, nor the resort of various and curious fowls, nor it's picturesque groups of cattle, can render this meer so remarkable as the great quantity of coins that were found in its bed about forty years ago. But, as such discoveries more properly belong to the antiquities of this place, I shall suppress all particulars for the present, till I enter professedly on my series of letters respecting the more remote history of this village and district.

Letter 9

By way of supplement, I shall trouble you once more on this subject, to inform you that Wolmer, with her sister forest Ayles Holt, alias Alice Holt,* as it is called in old records† is held by grant from the crown for a term of years.

The grantees that the author remembers are Brigadier-General Emanuel Scroope Howe, and his lady, Ruperta, who was a natural daughter of Prince Rupert by Margaret Hughs; a Mr Mordaunt,

* 'In Rot. Inquisit. de statu forest. in Scaccar. 36. Ed. 3. it is called *Aisholt.*' In the same, 'Tit. Woolmer and Aisholt Hantisc. Dominus Rex habet unam capellam in *haia* sua de Kingesle'. '*Haia, sepes, sepimentum, parcus*: a Gall. *haie* and *haye.*' Spelman's Glossary. (W). Woolmer and Aisholt in Hampshire. 'Our lord the King hath a chapel in his park of Kingsley.' (S)

† Also so called at the present day. (S)

of the Peterborough family, who married a dowager Lady Pembroke; Henry Bilson Legge and lady; and now Lord Stawel, their son.

The lady of General Howe lived to an advanced age, long surviving her husband; and, at her death, left behind her many curious pieces of mechanism of her father's constructing, who was a distinguished mechanic and artist,* as well as warrior; and, among the rest, a very complicated clock, lately in possession of Mr Elmer, the celebrated game-painter at Farnham, in the county of Surrey.

Though these two forests are only parted by a narrow range of enclosures, yet no two soils can be more different: for The Holt consists of a strong loam, of a miry nature, carrying a good turf, and abounding with oaks that grow to be large timber; while Wolmer is nothing but a hungry, sandy, barren waste.

The former, being all in the parish of Binsted, is about two miles in extent from north to south, and near as much from east to west, and contains within it many woodlands and lawns, and the great lodge where the grantees reside; and a smaller lodge, called Goose-green; and is abutted on by the parishes of Kingsley, Frinsham, Farnham, and Bentley; all of which have right of common.

One thing is remarkable; that, though The Holt has been of old well-stocked with fallow-deer, unrestrained by any pales or fences more than a common hedge, yet they were never seen within the limits of Wolmer; nor were the red deer of Wolmer ever known to haunt the thickets or glades of The Holt.

At present the deer of The Holt are much thinned and reduced by the night-hunters, who perpetually harass them in spite of the efforts of numerous keepers, and the severe penalties that have been put in force against them as often as they have been detected, and rendered liable to the lash of the law. Neither fines nor imprisonments can deter them: so impossible is it to extinguish the spirit of sporting, which seems to be inherent in human nature.

General Howe turned out some German wild boars and sows in his forests, to the great terror of the neighbourhood; and, at one time, a wild bull or buffalo: but the country rose upon them and destroyed them.

A very large fall of timber, consisting of about one thousand

* This prince was the inventor of *mezzotinto*. (W)
(White is not correct in ascribing the invention to Prince Rupert. Mezzotint was invented by Ludwig von Siegen, but Prince Rupert introduced the art into this country. (S))

oaks, has been cut this spring (*viz.* 1784) in The Holt forest; one fifth of which, it is said, belongs to the grantee, Lord Stawel. He lays claim also to the lop and top: but the poor of the parishes of Binsted and Frinsham, Bentley and Kingsley, assert that it belongs to them; and, assembling in a riotous manner, have actually taken it all away. One man, who keeps a team, has carried home, for his share, forty stacks of wood. Forty-five of these people his lordship has served with actions. These trees, which were very sound and in high perfection, were winter-cut, *viz.* in February and March, before the bark would run. In old times The Holt was estimated to be eighteen miles, computed measure, from water-carriage, *viz.* from the town of Chertsey, on the Thames; but now it is not half that distance, since the Wey is made navigable up to the town of Godalming in the county of Surrey.

Letter 10

August 4, 1767

It has been my misfortune never to have had any neighbours whose studies have led them towards the pursuit of natural knowledge; so that, for want of a companion to quicken my industry and sharpen my attention, I have made but slender progress in a kind of information to which I have been attached from my childhood.

As to swallows (*hirundines rusticæ*) being found in a torpid state during the winter in the isle of Wight, or any part of this country, I never heard any such account worth attending to. But a clergyman, of an inquisitive turn, assures me, that, when he was a great boy, some workmen, in pulling down the battlements of a church tower early in the spring, found two or three swifts (*hirundines apodes*) among the rubbish, which were, at first appearance, dead, but, on being carried toward the fire, revived. He told me that, out of his great care to preserve them, he put them in a paper bag, and hung them by the kitchen fire, where they were suffocated.

Another intelligent person has informed me that, while he was a schoolboy at Brighthelmstone, in Sussex, a great fragment of the chalk-cliff fell down one stormy winter on the beach; and that many people found swallows among the rubbish; but, on my questioning him whether he saw any of those birds himself; to my no small disappointment, he answered me in the negative; but that others assured him they did.

27 VII 61
The Lane to Hawkley

Young broods of swallows began to appear this year on July the 11th, and young martins (*hirundines urbicæ*) were then fledged in their nests. Both species will breed again once. For I see by my *fauna* of last year, that young broods came forth, so late as September the eighteenth. Are not these late hatchings more in favour of hiding than migration? Nay, some young martins remained in their nests last year so late as September the twenty-ninth; and yet they totally disappeared with us by the fifth of October.

How strange is it that the swift, which seems to live exactly the same life with the swallow and house-martin, should leave us before the middle of August invariably! while the latter stay often till the middle of October; and once I saw numbers of house-martins on the seventh of November. The martins and red-wing fieldfares were flying in sight together; an uncommon assemblage of summer and winter-birds.

A little yellow bird (it is either a species of the *alauda trivialis*, or rather perhaps of the *motacilla trochilus*) still continues to make a sibilous shivering noise in the tops of tall woods. The *stoparola* of Ray (for which we have as yet no name in these parts) is called, in your *Zoology*,* the fly-catcher. There is one circumstance characteristic of this bird, which seems to have escaped observation, and that is, that it takes it's stand on the top of some stake or post, from whence it springs forth on it's prey, catching a fly in the air, and hardly ever touching the ground, but returning still to the same stand for many times together.

I perceive there are more than one species of the *motacilla trochilus*: Mr Derham supposes, in Ray's *Philos. Letters*, that he has discovered three. In these there is again an instance of some very common birds that have as yet no English name.

Mr Stillingfleet makes a question whether the black-cap (*motacilla atricapilla*) be a bird of passage or not: I think there is no doubt of it: for, in April, in the very first fine weather, they come trooping, all at once, into these parts, but are never seen in the winter. They are delicate songsters.

Numbers of snipes breed every summer in some moory ground on the verge of this parish. It is very amusing to see the cock bird on wing at that time, and to hear his piping and humming notes.

I have had no opportunity yet of procuring any of those mice which I mentioned to you in town. The person that brought me the last says they are plenty in harvest, at which time I will take

* See Introduction. (S)

care to get more; and will endeavour to put the matter out of doubt, whether it be a non-descript species or not.

I suspect much there may be two species of water-rats. Ray says, and *Linnæus* after him, that the water-rat is web-footed behind. Now I have discovered a rat on the banks of our little stream that is not web-footed, and yet is an excellent swimmer and diver: it answers exactly to the *mus amphibius* of Linnæus (See *Syst. Nat.*) which he says '*natat in fossis et urinatur*'. I should be glad to procure one '*plantis palmatis*'. Linnæus seems to be in a puzzle about his *mus amphibius.* and to doubt whether it differs from his *mus terrestris*; which if it be, as he allows, the '*mus agrestis capite grandi brachyuros*' of Ray, is widely different from the water-rat, both in size, make, and manner of life.

As to the *falco*, which I mentioned in town, I shall take the liberty to send it down to you into Wales; presuming on your candour, that you will excuse me if it should appear as familiar to you as it is strange to me. Though mutilated '*qualem dices . . . antehac fuisse, tales cum sint reliquiæ!*' ['*You will tell what it originally was like from the nature of the remains.*']

It haunted a marshy piece of ground in quest of wild-ducks and snipes: but, when it was shot, had just knocked down a rook, which it was tearing in pieces. I cannot make it answer to any of our English hawks; neither could I find any like it at the curious exhibition of stuffed birds in Spring-Gardens. I found it nailed up at the end of a barn, which is the countryman's museum.

The parish I live in is a very abrupt, uneven country, full of hills and woods, and therefore full of birds.

Letter 11

Selborne, September 9, 1767

It will not be without impatience that I shall wait for your thoughts with regard to the *falco*; as to it's weight, breadth, etc. I wish I had set them down at the time: but, to the best of my remembrance, it weighed two pounds and eight ounces, and measured, from wing to wing, thirty-eight inches. It's *cere* and feet were yellow, and the circle of it's eyelids a bright yellow. As it had been killed some days, and the eyes were sunk, I could make no good observation on the colour of the pupils and the *irides*.

The most unusual birds I ever observed in these parts were a pair of hoopoes (*upupa*) which came several years ago in the summer, and frequented an ornamented piece of ground, which joins to my garden, for some weeks. They used to march about in a stately manner, feeding in the walks, many times in the day; and seemed disposed to breed in my outlet; but were frighted and persecuted by idle boys, who would never let them be at rest.

Three gross-beaks (*loxia coccothraustes*) appeared some years ago in my fields, in the winter; one of which I shot: since that, now and then one is occasionally seen in the same dead season.

A cross-bill (*loxia curvirostra*) was killed last year in this neighbourhood.

Our streams, which are small, and rise only at the end of the village, yield nothing but the bull's head or miller's thumb (*gobius fluviatilis capitatus*), the trout (*trutta fluviatilis*), the eel (*anguilla*), the lampern (*lampætra parva et fluviatilis*), and the stickleback (*pisciculus aculeatus*).*

We are twenty miles from the sea, and almost as many from a great river, and therefore see but little of sea-birds. As to wild fowls, we have a few teams of ducks bred in the moors where the snipes breed; and multitudes of widgeons and teals in hard weather frequent our lakes in the forest.

Having some acquaintance with a tame brown owl, I find that it casts up the fur of mice, and the feathers of birds in pellets, after the manner of hawks: when full, like a dog, it hides what it cannot eat.

The young of the barn-owl are not easily raised, as they want a constant supply of fresh mice: whereas the young of the brown owl will eat indiscriminately all that is brought; snails, rats, kittens, puppies, magpies, and any kind of carrion or offal.

The house-martins have eggs still, and squab-young. The last swift I observed was about the twenty-first of August; it was a straggler.

Red-starts, fly-catchers, white-throats, and *reguli non cristati*,† still appear; but I have seen no black-caps lately.

I forgot to mention that I once saw, in Christ Church college quadrangle in Oxford, on a very sunny warm morning, a house martin flying about, and settling on the parapet, so late as the twentieth of November.

At present I know only two species of bats, the common *vespertilio murinus* and the *vespertilio auritus*.‡

* According to Bell, the only stickleback inhabiting the stream at Selborne is the three-spined stickleback, *gastrosteus aculeatus*. (S)

† Willow-wrens. (S)

‡ *Vespertilio murinus* is so rare in this country that there is but little doubt that White was in error, and really referred to the pipistrelle. (S)

I was much entertained last summer with a tame bat, which would take flies out of a person's hand. If you gave it any thing to eat, it brought it's wings round before the mouth, hovering and hiding it's head in the manner of birds of prey when they feed. The adroitness it shewed in shearing off the wings of the flies, which were always rejected, was worthy of observation, and pleased me much. Insects seemed to be most acceptable, though it did not refuse raw flesh when offered: so that the notion that bats go down chimnies and gnaw men's bacon, seems no improbable story. While I amused myself with this wonderful quadruped, I saw it several times confute the vulgar opinion, that bats when down on a flat surface cannot get on the wing again, by rising with great ease from the floor. It ran, I observed, with more dispatch than I was aware of; but in a most ridiculous and grotesque manner.

Bats drink on the wing, like swallows, by sipping the surface, as they play over pools and streams. They love to frequent waters, not only for the sake of drinking, but on account of insects, which are found over them in the greatest plenty. As I was going, some years ago, pretty late, in a boat from Richmond to Sunbury, on a warm summer's evening, I think I saw myriads of bats between the two places: the air swarmed with them all along the Thames, so that hundreds were in sight at a time.

I am, etc.

Letter 12

November 4, 1767

SIR,

It gave me no small satisfaction to hear that the *falco** turned out an uncommon one. I must confess I should have been better pleased to have heard that I had sent you a bird that you had never seen before; but that, I find, would be a difficult task.

I have procured some of the mice mentioned in my former letters, a young one and a female with young, both of which I have preserved in brandy. From the colour, shape, size, and manner of nesting, I make no doubt but that the species is nondescript. They are much smaller and more slender than the *mus domesticus medius* of Ray; and have more of the squirrel or dormouse colour: their belly is white; a straight line along their sides divides the shades of

* This hawk proved to be the *falco peregrinus*; a variety. (W)

BOOKMARK

BOOKMARK

BO KMARK

The Folio Society

BOOKMARK

their back and belly. They never enter into houses; are carried into ricks and barns with the sheaves; abound in harvest, and build their nests amidst the straws of the corn above the ground, and sometimes in thistles. They breed as many as eight at a litter, in a little round nest composed of blades of grass or wheat.

One of these nests I procured this autumn, most artificially platted, and composed of the blades of wheat; perfectly round, and about the size of a cricket-ball; with the aperture so ingeniously closed, that there was no discovering to what part it belonged. It was so compact and well filled, that it would roll across the table without being discomposed, though it contained eight little mice that were naked and blind. As this nest was perfectly full, how could the dam come at her litter respectively so as to administer a teat to each? perhaps she opens different places for that purpose, adjusting them again when the business is over: but she could not possibly be contained herself in the ball with her young, which moreover would be daily increasing in bulk. This wonderful procreant cradle, and elegant instance of the efforts of instinct, was found in a wheat-field, suspended in the head of a thistle.

A gentleman, curious in birds, wrote me word that his servant had shot one last January, in that severe weather, which he believed would puzzle me. I called to see it this summer, not knowing what to expect: but, the moment I took it in hand, I pronounced it the male *garrulus bohemicus*, or German silk-tail, from the five peculiar crimson tags or points which it carries at the ends of five of the short remiges. It cannot, I suppose, with any propriety, be called an English bird: and yet I see, by Ray's *Philosoph. Letters*, that great flocks of them, feeding upon haws, appeared in this kingdom in the winter of 1685.

The mention of haws puts me in mind that there is a total failure of that wild fruit, so conducive to the support of many of the winged nation. For the same severe weather, late in the spring, which cut off all the produce of the more tender and curious trees, destroyed also that of the more hardy and common.

Some birds, haunting with the missel-thrushes, and feeding on the berries of the yew-tree, which answered to the description of the *merula torquata*, or ring-ouzel, were lately seen in this neighbourhood. I employed some people to procure me a specimen, but without success. See Letter 8.

Query—Might not Canary birds be naturalized to this climate, provided their eggs were put, in the spring, into the nests of some of their congeners, as goldfinches, greenfinches, etc.? Before winter perhaps they might be hardened, and able to shift for themselves.

About ten years ago I used to spend some weeks yearly at Sunbury, which is one of those pleasant villages lying on the Thames, near Hampton-court. In the autumn, I could not help being much amused with those myriads of the swallow kind which assemble in those parts. But what struck me most was, that, from the time they began to congregate, forsaking the chimnies and houses, they roosted every night in the osier-beds of the aits of that river. Now this resorting towards that element, at that season of the year, seems to give some countenance to the northern opinion (strange as it is) of their retiring under water. A Swedish naturalist is so much persuaded of that fact, that he talks, in his calendar of *Flora*, as familiarly of the swallow's going under water in the beginning of September, as he would of his poultry going to roost a little before sunset.

An observing gentleman in London writes me word that he saw a house-martin, on the twenty-third of last October, flying in and out of it's nest in the Borough. And I myself, on the twenty-ninth of last October (as I was travelling through Oxford), saw four or five swallows hovering round and settling on the roof of the county-hospital.

Now is it likely that these poor little birds (which perhaps had not been hatched but a few weeks) should, at that late season of the year, and from so midland a county, attempt a voyage to Goree or Senegal, almost as far as the equator?*

I acquiesce entirely in your opinion—that, though most of the swallow kind may migrate, yet that some do stay behind and hide with us during the winter.

As to the short-winged soft-billed birds, which come trooping in such numbers in the spring, I am at a loss even what to suspect about them. I watched them narrowly this year, and saw them abound till about Michaelmas, when they appeared no longer. Subsist they cannot openly among us, and yet elude the eyes of the inquisitive: and, as to their hiding, no man pretends to have found any of them in a torpid state in the winter. But with regard to their migration, what difficulties attend that supposition! that such feeble bad fliers (who the summer long never flit but from hedge to hedge) should be able to traverse vast seas and continents, in order to enjoy milder seasons amidst the regions of Africa!

* See Adanson's *Voyage to Senegal.* (W)

Letter 13

Selborne, Jan. 22, 1768

SIR,

As in one of your former letters you expressed the more satisfaction from my correspondence on account of my living in the most southerly county; so now I may return the compliment, and expect to have my curiosity gratified by your living much more to the North.

For many years past I have observed that towards Christmas vast flocks of chaffinches have appeared in the fields; many more, I used to think, than could be hatched in any one neighbourhood. But, when I came to observe them more narrowly, I was amazed to find that they seemed to be almost all hens. I communicated my suspicions to some intelligent neighbours, who, after taking pains about the matter, declared that they also thought them all mostly females; at least fifty to one.* This extraordinary occurrence brought to my mind the remark of Linnæus; that 'before winter, all their hen chaffinches migrate through Holland into Italy'. Now I want to know, from some curious person in the north, whether there are any large flocks of these finches with them in the winter, and of which sex they mostly consist? For, from such intelligence, one might be able to judge whether our female flocks migrate from the other end of the island, or whether they come over to us from the continent.

We have, in the winter, vast flocks of the common linnets; more, I think, than can be bred in any one district. These, I observe, when the spring advances, assemble on some tree in the sunshine, and join all in a gentle sort of chirping, as if they were about to break up their winter quarters and betake themselves to their proper summer homes. It is well known, at least, that the swallows and the fieldfares do congregate with a gentle twittering before they make their respective departure.

You may depend on it that the bunting, *emberiza miliaria*, does not leave this country in the winter. In January 1767 I saw several dozen of them, in the midst of a severe frost, among the bushes on the downs near Andover: in our woodland enclosed district it is a rare bird.

Wagtails, both white and yellow,† are with us all the winter.

*For an interesting explanation of this very curious custom, see E. M. Nicholson's edition of the *Natural History*, 1929, p. 122. (S)

† By 'yellow wagtail' White evidently meant the grey wagtail, which shows much yellow on the under-side of the body. The yellow wagtail, *motacilla raii*, never winters in this country. (S)

Quails crowd to our southern coast, and are often killed in numbers by people that go on purpose.

Mr Stillingfleet, in his Tracts, says that 'if the wheatear, (*œnanthe*) does not quit England, it certainly shifts places; for about harvest they are not to be found, where there was before great plenty of them'. This well accounts for the vast quantities that are caught about that time on the south downs near Lewes, where they are esteemed a delicacy. There have been shepherds, I have been credibly informed, that have made many pounds in a season by catching them in traps. And though such multitudes are taken, I never saw (and I am well acquainted with those parts) above two or three at a time: for they are never gregarious. They may, perhaps, migrate in general; and, for that purpose, draw towards the coast of Sussex in autumn; but that they do not all withdraw I am sure; because I see a few stragglers in many counties, at all times of the year, especially about warrens and stone quarries.

I have no acquaintance, at present, among the gentlemen of the navy: but have written to a friend, who was a sea-chaplain in the late war, desiring him to look into his minutes, with respect to birds that settled on their rigging during their voyage up or down the channel. What Hasselquist says on that subject is remarkable: there were little short-winged birds frequently coming on board his ship all the way from our channel quite up to the Levant, especially before squally weather.

What you suggest, with regard to Spain, is highly probable. The winters of Andalusia are so mild, that, in all likelihood, the soft-billed birds that leave us that season may find insects sufficient to support them there.

Some young man, possessed of fortune, health, and leisure, should make an autumnal voyage into that kingdom, and should spend a year there, investigating the natural history of that vast country. Mr Willughby* passed through that kingdom on such an errand; but he seems to have skirted along in a superficial manner and an ill humour, being much disgusted at the rude dissolute manners of the people.

I have no friend left now at Sunbury to apply to about the swallows roosting on the aits of the Thames: nor can I hear any more about those birds which I suspected were *merulæ torquatæ*.

As to the small mice, I have farther to remark, that though they hang their nests for breeding up amidst the straws of the standing

* See Ray's *Travels*, p. 466. (W)

corn, above the ground; yet I find that, in the winter they burrow deep in the earth, and make warm beds of grass; but their grand rendezvous seems to be in corn-ricks, into which they are carried at harvest. A neighbour housed an oat-rick lately, under the thatch of which were assembled near an hundred, most of which were taken; and some I saw. I measured them; and found that, from nose to tail, they were just two inches and a quarter, and their tails just two inches long. Two of them, in a scale, weighed down just one copper halfpenny, which is about the third of an ounce avoirdupois: so that I suppose they are the smallest quadrupeds in this island. A full-grown *mus medius domesticus* weighs, I find, one ounce, lumping weight, which is more than six times as much as the mouse above; and measures from nose to rump four inches and a quarter, and the same in it's tail.

We have had a very severe frost and deep snow this month. My thermometer was one day fourteen degrees and an half below the freezing-point, within doors. The tender evergreens were injured pretty much. It was very providential that the air was still, and the ground well covered with snow, else vegetation in general must have suffered prodigiously. There is reason to believe that some days were more severe than any since the year 1739–40.

I am, etc. etc.

Letter 14

Selborne, March 12, 1768

DEAR SIR,

If some curious gentleman would procure the head of a fallow-deer, and have it dissected, he would find it furnished with two spiracula, or breathing-places, beside the nostrils; probably analogous to the *puncta lachrymalia* in the human head. When deer are thirsty they plunge their noses, like some horses, very deep under water, while in the act of drinking, and continue them in that situation for a considerable time: but, to obviate any inconveniency, they can open two vents, one at the inner corner of each eye, having a communication with the nose.* Here seems to be an extraordinary provision of nature worthy our attention; and which has not, that I know of, been noticed by any naturalist. For it looks as if these creatures would not be suffocated, though both their

* White is mistaken in this statement; there is no communication with the nose. The purpose of these sacs is to secrete scent. (S)

mouths and nostrils were stopped. This curious formation of the head may be of singular service to beasts of chase, by affording them free respiration: and no doubt these additional nostrils are thrown open when they are hard run.* Mr Ray observed that, at Malta, the owners slit up the nostrils of such asses as were hard worked: for they, being naturally strait or small, did not admit air sufficient to serve them when they travelled or laboured in that hot climate. And we know that grooms, and gentlemen of the turf, think large nostrils necessary, and a perfection, in hunters and running horses.

Oppian, the Greek poet, by the following line, seems to have had some notion that stags have four spiracula:

> Τετραδυμοι ῾ρινες, πισυρες πνοιηοι διαυλοι.
> *Quadrifidæ nares, quadruplices ad respirationem canales.*
> [*Nostrils four in number, fourfold orifices for breathing.*]
> OPPIAN, CYNEGETICA II, 181

Writers, copying from one another, make Aristotle say that goats breathe at their ears; whereas he asserts just the contrary: ‘Αλκμαιων γαρ ουκ αληθη λεγει, φαμενος αναπνειν τας αιγας κατα τα ωτα.’ ‘Alcmæon does not advance what is true, when he avers that goats breathe through their ears.’ History of Animals. Book I, chap. xi.

Letter 15

Selborne, March 30, 1768

DEAR SIR,

Some intelligent country people have a notion that we have, in these parts, a species of the *genus mustelinum*, besides the weasel, stoat, ferret, and polecat; a little reddish beast, not much bigger than a field mouse, but much longer, which they call a *cane*.† This piece of intelligence can be little depended on; but farther inquiry may be made.

* In answer to this account, Mr Pennant sent me the following curious and pertinent reply: ‘I was much surprised to find in the *antelope* something analogous to what you mention as so remarkable in deer. This animal has a long slit beneath each eye, which can be opened and shut at pleasure. On holding an orange to one, the creature made as much use of those orifices as of his nostrils, applying them to the fruit, and seeming to smell it through them.’ (W)

† This is not a further species, but merely the female weasel, which is often not much bigger than a mouse. (S)

A gentleman in this neighbourhood had two milkwhite rooks in one nest. A booby of a carter, finding them before they were able to fly, threw them down and destroyed them, to the regret of the owner, who would have been glad to have preserved such a curiosity in his rookery. I saw the birds myself nailed against the end of a barn, and was surprised to find that their bills, legs, feet, and claws were milkwhite.

A shepherd saw, as he thought, some white larks on a down above my house this winter: were not these the *emberiza nivalis*, the snow-flake of the *Brit Zool.*? No doubt they were.

A few years ago I saw a cock bullfinch in a cage, which had been caught in the fields after it had come to it's full colours. In about a year it began to look dingy; and, blackening every succeeding year, it became coal-black at the end of four. It's chief food was hempseed. Such influence has food on the colour of animals! The pied and mottled colours of domesticated animals are supposed to be owing to high, various, and unusual food.

I had remarked, for years, that the root of the cuckoo-pint (*arum*) was frequently scratched out of the dry banks of hedges, and eaten in severe snowy weather. After observing, with some exactness, myself, and getting others to do the same, we found it was the thrush kind that searched it out. The root of the *arum* is remarkably warm and pungent.

Our flocks of female chaffinches have not yet forsaken us. The blackbirds and thrushes are very much thinned down by that fierce weather in January.

In the middle of February I discovered, in my tall hedges, a little bird that raised my curiosity: it was of that yellow-green colour that belongs to the *salicaria* kind, and, I think, was soft-billed.* It was no *parus*; and was too long and too big for the golden-crowned wren, appearing most like the largest willow-wren. It hung sometimes with it's back downwards, but never continuing one moment in the same place. I shot at it, but it was so desultory that I missed my aim.

I wonder that the stone curlew, *charadrius oedicnemus*, should be mentioned by the writers as a rare bird: it abounds in all the campaign parts of Hampshire and Sussex, and breeds, I think, all the summer, having young ones, I know, very late in the autumn.

* It is of course impossible to be certain what bird this was that White saw in his tall hedges in the middle of February. Harting and Bowdler Sharpe both think it was a chiff-chaff; Nicholson considers that it was probably a siskin; Bell expresses no opinion. Readers therefore may take their choice! (S)

Already they begin clamouring in the evening. They cannot, I think, with any propriety, be called, as they are by Mr Ray, '*circa aquas versantes*'; ['*circling over the water*'] for with us, by day at least, they haunt only the most dry, open, upland fields and sheep walks, far removed from water. What they may do in the night I cannot say. Worms are their usual food, but they also eat toads and fogs.

I can show you some good specimens of my new mice. Linnæus, perhaps, would call the species *mus minimus*.

Letter 16

Selborne, April 18, 1768

DEAR SIR,

The history of the stone curlew, *charadrius oedicnemus*, is as follows. It lays it's eggs, usually two, never more than three, on the bare ground, without any nest, in the field; so that the countryman, in stirring his fallows, often destroys them. The young run immediately from the egg like partridges, etc. and are withdrawn to some flinty field by the dam, where they skulk among the stones, which are their best security; for their feathers are so exactly of the colour of our grey spotted flints, that the most exact observer, unless he catches the eye of the young bird, may be eluded. The eggs are short and round; of a dirty white, spotted with dark bloody blotches. Though I might not be able, just when I pleased, to procure you a bird, yet I could show you them almost any day; and any evening you may hear them round the village, for they make a clamour which may be heard a mile. *Oedicnemus* is a most apt and expressive name for them, since their legs seem swoln like those of a gouty man. After harvest I have shot them before the pointers in turnip-fields.

I make no doubt but there are three species of the willow-wrens: two I know perfectly; but have not been able yet to procure the third. No two birds can differ more in their notes, and that constantly, than those two that I am acquainted with; for the one has a joyous, easy, laughing note; the other a harsh loud chirp. The former is every way larger, and three quarters of an inch longer, and weighs two drams and a half; while the latter weighs but two: so the songster is one fifth heavier than the chirper. The chirper (being the first summer-bird of passage that is heard, the wryneck sometimes excepted) begins his two notes in the middle of March, and continues them through the spring and summer till the end of

August, as appears by my journals. The legs of the larger of these two are flesh-coloured; of the less, black.

The grasshopper-lark began his sibilous note in my fields last Saturday. Nothing can be more amusing than the whisper of this little bird, which seems to be close by though at an hundred yards distance; and, when close at your ear, is scarce any louder than when a great way off. Had I not been a little acquainted with insects, and known that the grasshopper kind is not yet hatched, I should have hardly believed but that it had been a *locusta* whispering in the bushes. The county people laugh when you tell them that it is the note of a bird. It is a most artful creature, sculking in the thickest part of a bush; and will sing at a yard distance, provided it be concealed. I was obliged to get a person to go on the other side of the hedge where it haunted; and then it would run, creeping like a mouse, before us for a hundred yards together, through the bottom of the thorns; yet it would not come into fair sight: but in a morning early, and when undisturbed, it sings on the top of a twig, gaping and shivering with it's wings. Mr Ray himself had no knowledge of this bird, but received his account from Mr Johnson, who apparently confounds it with the *reguli non cristati*, from which it is very distinct. See Ray's *Philosophical Letters*, p. 108.

The fly-catcher (*stoparola*) has not yet appeared: it usually breeds in my vine. The redstart begins to sing: it's note is short and imperfect, but is continued till about the middle of June. The willow-wrens (the smaller sort) are horrid pests in a garden, destroying the pease, cherries, currants, etc.; and are so tame that a gun will not scare them.

A List of the Summer Birds of Passage discovered in this neighbourhood, ranged somewhat in the Order in which they appear;

	LINNAEI NOMINA.
Smallest willow-wren,	*Motacilla trochilus:*
Wryneck,	*Jynx torquilla:*
House-swallow,	*Hirundo rustica:*
Martin,	*Hirundo urbica:*
Sand-martin,	*Hirundo riparia:*
Cuckoo,	*Cuculus canorus:*
Nightingale,	*Motacilla luscinia:*
Blackcap,	*Motacilla atricapilla:*
Whitethroat,	*Motacilla sylvia:*
Middle willow-wren,	*Motacilla trochilus:*

	LINNAEI NOMINA.
Swift,	*Hirundo apus:*
Stone curlew, ?	*Charadrius oedicnemus?*
Turtle-dove, ?	*Turtur aldrovandi?*
Grasshopper-lark,	*Alauda trivialis:*
Landrail,	*Rallus crex:*
Largest willow-wren,	*Motacilla trochilus:*
Redstart,	*Motacilla phœnicurus:*
Goatsucker, or fern-owl,	*Caprimulgus europæus:*
Fly-catcher,	*Muscicapa grisola.*

My countrymen talk much of a bird that makes a clatter with it's bill against a dead bough, or some old pales, calling it a jar-bird. I procured one to be shot in the very fact; it proved to be the *sitta europœa* (the nuthatch). Mr Ray says that the less spotted woodpecker does the same. This noise may be heard a furlong or more.

Now is the only time to ascertain the short-winged summer birds; for, when the leaf is out, there is no making any remarks on such a restless tribe; and, when once the young begin to appear, it is all confusion: there is no distinction of genus, species, or sex.

In breeding-time snipes play over the moors, piping and humming: they always hum as they are descending. Is not their hum ventriloquous like that of the turkey? Some suspect it is made by their wings.

This morning I saw the golden-crowned wren, whose crown glitters like burnished gold. It often hangs like a titmouse, with it's back downwards.

Yours, etc. etc.

Letter 17

Selborne, June 18, 1768

DEAR SIR.

On Wednesday last arrived your agreeable letter of June the 10th. It gives me great satisfaction to find that you pursue these studies still with such vigour, and are in such forwardness with regard to reptiles and fishes.

The reptiles, few as they are, I am not acquainted with, so well as I could wish, with regard to their natural history. There is a degree of dubiousness and obscurity attending the propagation of this class of animals, something analogous to that of the *cryto-gamia* in the sexual system of plants: and the case is the same as regards some of the fishes; as the eel, etc.

The method in which toads procreate and bring forth seems to be very much in the dark. Some authors say that they are viviparous: and yet Ray classes them among his oviparous animals; and is silent with regard to the manner of their bringing forth. Perhaps they may be ἔσω μὲν ᾠοτόκοι, ἔξω δὲ ζωοτόκοι, [*Internally they are oviparous; externally, however, they are viviparous*] as is known to be the case with the viper.

The copulation of frogs (or at least the appearance of it; for Swammerdam proves that the male has no *penis intrans*) is notorious to every body: because we see them sticking upon each others backs for a month together in the spring: and yet I never saw, or read, of toads being observed in the same situation. It is strange that the matter with regard to the venom of toads has not yet been settled. That they are not noxious to some animals is plain: for ducks, buzzards, owls, stone curlews, and snakes, eat them, to my knowledge, with impunity. And I well remember the time, but was not eye-witness to the fact (though numbers of persons were) when a quack, at this village, ate a toad to make the country-people stare; afterwards he drank oil.

I have been informed also, from undoubted authority, that some ladies (ladies you will say of peculiar taste) took a fancy to a toad, which they nourished summer after summer, for many years, till he grew to a monstrous size, with the maggots which turn to flesh flies. The reptile used to come forth every evening from an hole under the garden-steps; and was taken up, after supper, on the table to be fed. But at last a tame raven, kenning him as he put forth his head, gave him such a severe stroke with his horny beak as put out one eye. After this accident the creature languished for some time and died.

I need not remind a gentleman of your extensive reading of the excellent account there is from Mr Derham, in Ray's *Wisdom of God in the Creation* (p. 365), concerning the migration of frogs from their breeding ponds. In this account he at once subverts that foolish opinion of their dropping from the clouds in rain; shewing that it is from the grateful coolness and moisture of those showers that they are tempted to set out on their travels, which they defer till those fall. Frogs are as yet in their tadpole state; but in a few weeks, our lanes, paths, fields, will swarm for a few days with myriads of these emigrants, no larger than my little finger nail.

Swammerdam gives a most accurate account of the method and situation in which the male impregnates the spawn of the female. How wonderful is the œconomy of Providence with regard to the limbs of so vile a reptile! While it is aquatic it has a fish-like tail, and no legs; as soon as the legs sprout, the tail drops off as useless, and the animal betakes itself to the land!*

Merret,† I trust, is widely mistaken when he advances that the *rana arborea* is an English reptile; it abounds in Germany and Switzerland.

It is to be remembered that the *salamandra aquatica* of Ray (the water-newt or eft) will frequently bite at the angler's bait, and is often caught on his hook. I used to take it for granted that the *salamandra aquatica* was hatched, lived, and died in the water. But John Ellis, Esq, F.R.S. (the coralline Ellis), asserts, in a letter to the Royal Society, dated June the 5th, 1766, in his account of the mud inguana, an amphibious *bipes* from South Carolina, that the water-eft, or newt, is only the *larva* of the land-eft, as tadpoles are of frogs. Lest I should be suspected to misunderstand his meaning, I shall give it in his own words. Speaking of the *opercula* or coverings to the gills of the mud inguana, he proceeds to say that 'The forms of these pennated coverings approach very near to what I have some time ago observed in the larva or aquatic state of our English *lacerta*, known by the name of eft, or newt; which serve them for coverings to their gills, and for fins to swim with while in this state; and which they lose, as well as the fins of their tails, when they *change* their state, and *become land animals*, as I have observed, by keeping them alive for some time myself.'

Linnæus, in his *Systema Naturæ*, hints at what Mr Ellis advances more than once.

Providence has been so indulgent to us as to allow of but one venomous reptile of the serpent kind in these kingdoms, and that is the viper. As you propose the good of mankind to be an object of your publications, you will not omit to mention common salad-

* The tail of the tadpole does not drop off, but is gradually absorbed. (S)

† Merrett, Swammerdam and Ellis were all early natural historians. The first-named, like White, was a graduate of Oriel, and one of the first members of the Royal Society. The first edition of his book, *Pinax Rerum Naturalium Britannicarum*, was totally destroyed in the Fire of London. He died in 1695. Jan Jacobz Swammerdam (1637–1680) was a Dutchman, and was one of the first to work on the transformations of caterpillars into butterflies and tadpoles into frogs. John Ellis, who was only a little senior to White, is best known as the author of *An Essay towards the Natural History of the Corallines*, in which he proved the animal nature of coral. (S)

The Noar Hill 27 VII 61

oil as a sovereign remedy against the bite of the viper. As to the blind worm (*anguis fragilis*, so called because it snaps in sunder with a small blow), I have found, on examination, that it is perfectly innocuous. A neighbouring yeoman (to whom I am indebted for some good hints) killed and opened a female viper about the twenty-seventh of May: he found her filled with a chain of eleven eggs, about the size of those of a blackbird; but none of them were advanced so far towards a state of maturity as to contain any rudiments of young. Though they are oviparous, yet they are viviparous also, hatching their young within their bellies, and then bringing them forth. Whereas snakes lay chains of eggs every summer in my melon beds, in spite of all that my people can do to prevent them; which eggs do not hatch till the spring following, as I have often experienced. Several intelligent folks assure me that they have seen the viper open her mouth and admit her helpless young down her throat on sudden surprises, just as the female opossum does her brood into the pouch under her belly, upon the like emergencies: and yet the London viper-catchers insist on it, to Mr Barrington, that no such thing ever happens.* The serpent kind eat, I believe, but once in a year; or, rather, but only just at one season of the year. Country people talk much of a water-snake, but, I am pretty sure, without any reason; for the common snake (*coluber natrix*) delights much to sport in the water, perhaps with a view to procure frogs and other food.

I cannot well guess how you are to make out your twelve species of reptiles, unless it be by the various species, or rather varieties, of our *lacerti*, of which Ray enumerates five. I have not had an opportunity of ascertaining these; but remember well to have seen, formerly, several beautiful green *lacerti* on the sunny sandbanks near Farnham, in Surrey; and Ray admits there are such in Ireland.

Letter 18

Selborne, July 27, 1768

DEAR SIR,

I received your obliging and communicative letter of June the 28th, while I was on a visit at a gentleman's house, where I had neither books to turn to, nor leisure to sit down, to return you an

* It is still very generally believed that the viper swallows her young in case of sudden danger, but it remains unproved. (S)

answer to many queries, which I wanted to resolve in the best manner that I am able.

A person, by my order, has searched our brooks, but could find no such fish as the *gasterosteus pungitius*: he found the *gasterosteus aculeatus* in plenty. This morning, in a basket, I packed a little earthen pot full of wet moss, and in it some sticklebacks, male and female; the females big with spawn: some lamperns; some bulls heads; but I could procure no minnows. This basket will be in Fleet-street by eight this evening; so I hope Mazel* will have them fresh and fair tomorrow morning. I gave some directions, in a letter, to what particulars the engraver should be attentive.

Finding, while I was on a visit, that I was within a reasonable distance of Ambresbury, I sent a servant over to that town, and procured several living specimens of loaches, which he brought, safe and brisk, in a glass decanter. They were taken in the gullies that were cut for watering the meadows. From these fishes (which measured from two to four inches in length) I took the following description: 'The loach, in it's general aspect, has a pellucid appearance: it's back is mottled with irregular collections of small black dots, not reaching much below the *linea lateralis*, as are the back and tail fins: a black line runs from each eye down to the nose; it's belly is of a silvery white; the upper jaw projects beyond the lower, and is surrounded with six feelers, three on each side; it's pectoral fins are large, it's ventral much smaller; the fin behind it's anus small; it's dorsal fin large, containing eight spines; it's tail, where it joins to the tail-fin, *remarkably broad*, without any taperness, so as to be characteristic of this genus: the tail-fin is broad, and square at the end. From the breadth and muscular strength of the tail, it appears to be an active nimble fish.'

In my visit I was not very far from Hungerford, and did not forget to make some inquiries concerning the wonderful method of curing cancers by means of toads. Several intelligent persons, both gentry and clergy, do, I find, give a great deal of credit to what was asserted in the papers: and I myself dined with a clergyman who seemed to be persuaded that what is related is matter of fact; but, when I came to attend to his account, I thought I discerned circumstances which did not a little invalidate the woman's story of the manner in which she came by her skill. She says of herself 'that, labouring under a virulent cancer, she went to some church where

* Peter Mazell engraved all the plates for Pennant's *British Zoology*, as well as Grimm's illustrations of the church and the Plestor in the first edition of the *Natural History and Antiquities*.

there was a vast crowd: on going into a pew, she was accosted by a strange clergyman; who, after expressing compassion for her situation, told her that if she would make such an application of living toads as is mentioned she would be well.' Now is it likely that this unknown gentleman should express so much tenderness for this single sufferer, and not feel any for the many thousands that daily languish under this terrible disorder? Would he not have made use of this invaluable nostrum for his own emolument; or, at least, by some means of publication or other, have found a method of making it public for the good of mankind? In short, this woman (as it appears to me) having set up for a cancer-doctress, finds it expedient to amuse the country with this dark and mysterious relation.

The water-eft has not, that I can discern, the least appearance of any gills; for want of which it is continually rising to the surface of the water to take in fresh air. I opened a big-bellied one indeed, and found it full of spawn. Not that this circumstance at all invalidates the assertion that they are *larvæ*: for the *larvæ* of insects are full of eggs, which they exclude the instant they enter their last state. The water-eft is continually climbing over the brims of the vessel, within which we keep it in water, and wandering away: and people every summer see numbers crawling out of the pools where they are hatched, up the dry banks. There are varieties of them, differing in colour; and some have fins up their tail and back, and some have not.

Letter 19

Selborne, Aug. 17, 1768

DEAR SIR,

I have now, past dispute, made out three distinct species of the willow-wrens (*motacillæ trochili*) which *constantly* and *invariably* use distinct notes. But, at the same time, I am obliged to confess that I know nothing of your willow-lark.* In my letter of April the 18th, I told you peremptorily that I knew your willow-lark, but had not seen it then: but, when I came to procure it, it proved, in all respects, a very *motacilla trochilus*; only that it is a size larger than the two other, and the yellow-green of the whole upper part of the body is more vivid, and the belly of a clearer white. I have specimens of the three sorts now lying before me; and can discern

* Brit. Zool. edit. 1776, octavo, p. 381. (W)

that there are three gradations of sizes, and that the least has black legs, and the other two flesh-coloured ones. The yellowest bird is considerably the largest, and has it's quill-feathers and secondary feathers tipped with white, which the others have not. This last haunts only the tops of trees in high beechen woods, and makes a sibilous grasshopper-like noise, now and then, at short intervals, shivering a little with its wings when it sings; and is, I make no doubt now, the *regulus non cristatus* of Ray, which he says '*cantat voce stridula locustæ*'. ['*Sings with the strident voice of the locust*']. Yet this great ornithologist never suspected that there were three species.

Letter 20

Selborne, October 8, 1768

It is, I find, in zoology as it is in botany: all nature is so full, that that district produces the greatest variety which is the most examined. Several birds, which are said to belong to the north only, are, it seems, often in the south. I have discovered this summer three species of birds with us, which writers mention as only to be seen in the northern counties. The first that was brought me (on the 14th of May) was the sandpiper, *tringa hypoleucus*: it was a cock bird, and haunted the banks of some ponds near the village; and, as it had a companion, doubtless intended to have bred near that water. Besides, the owner has told me since, that, on recollection, he has seen some of the same birds round his ponds in former summers.

The next bird that I procured (on the 21st of May) was a male red-backed butcher bird, *lanius collurio*. My neighbour, who shot it, says that it might easily have escaped his notice, had not the outcries and chattering of the white-throats and other small birds drawn his attention to the bush where it was: it's craw was filled with the legs and wings of beetles.

The next rare birds (which were procured for me last week) were some ring-ousels, *turdi torquati*.

This week twelve months a gentleman from London, being with us, was amusing himself with a gun, and found, he told us, on an old yew hedge where there were berries, some birds like blackbirds, with rings of white round their necks: a neighbouring farmer also at the same time observed the same; but, as no specimens were procured, little notice was taken. I mentioned this circumstance to you in my letter of November the 4th, 1767: (you, however, paid but small regard to what I said, as I had not seen these birds myself:) but last week the aforesaid farmer, seeing a large flock, twenty or thirty of these birds, shot two cocks and two hens: and says, on recollection, that he remembers to have observed these birds again last spring, about Lady-day, as it were, on their return to the north. Now perhaps these ousels are not the ousels of the north of England, but belong to the more northern parts of Europe; and may retire before the excessive rigor of the frosts in those parts; and return to breed in the spring, when the cold abates. If this be the case, here is discovered a new bird of winter passage, concerning whose migrations the writers are silent: but if these birds should prove the ousels of the north of England, then here is a migration disclosed within our own kingdom never before remarked. It does not yet appear whether they retire beyond the bounds of our island to the south; but it is most probable that they usually do, or else one cannot suppose that they would have continued so long unnoticed in the southern counties. The ousel is larger than a blackbird, and feeds on haws; but last autumn (when there were no haws) it fed on yew-berries: in the spring it feeds on ivy-berries, which ripen only at that season, in March and April.

I must not omit to tell you (as you have been so lately on the study of reptiles) that my people, every now and then of late, draw up with a bucket of water from my well, which is 63 feet deep, a large black warty lizard with a fin-tail and yellow belly. How they first came down at that depth, and how they were ever to have got out thence without help, is more than I am able to say.

My thanks are due to you for your trouble and care in the examination of a buck's head. As far as your discoveries reach at present, they seem much to corroborate my suspicions; and I hope Mr —— may find reason to give his decision in my favour; and then, I think, we may advance this extraordinary provision of nature as a new instance of the wisdom of God in the creation.

As yet I have not quite done with my history of the *oedicnemus*, or stone-curlew; for I shall desire a gentleman in Sussex (near whose house these birds congregate in vast flocks in the autumn) to observe nicely when they leave him, (if they do leave him) and when they return again in the spring: I was with this gentleman lately, and saw several single birds.

Letter 21

Selborne, Nov. 28, 1768

DEAR SIR,

With regard to the *oedicnemus*, or stone-curlew, I intend to write very soon to my friend near Chichester,* in whose neighbourhood these birds seem most to abound; and shall urge him to take particular notice when they begin to congregate, and afterwards to watch them most narrowly whether they do not withdraw themselves during the dead of winter. When I have obtained information with respect to this circumstance, I shall have finished my history of the stone-curlew; which I hope will prove to your satisfaction, as it will be, I trust, very near the truth. This gentleman, as he occupies a large farm of his own, and is abroad early and late, will be a very proper spy upon the motions of these birds: and besides, as I have prevailed on him to buy the Naturalist's Journal (with which he is much delighted,) I shall expect that he will be very exact in his dates. It is very extraordinary, as you observe, that a bird so common with us should never straggle to you.

And here will be the properest place to mention, while I think of it, an anecdote which the above-mentioned gentleman told me when I was last at his house; which was that, in a warren joining to his outlet, many daws (*corvi monedulæ*) build every year in the rabbit-burrows under ground. The way he and his brothers used to take their nests, while they were boys, was by listening at the mouths of the holes; and, if they heard the young ones cry, they twisted the nest out with a forked stick. Some water-fowls (*viz.* the puffins) breed, I know, in that manner; but I should never have suspected the daws of building in holes on the flat ground.

Another very unlikely spot is made use of by daws as a place to breed in, and that is Stonehenge. These birds deposit their nests in the interstices between the upright and the impost stones of that amazing work of antiquity: which circumstance alone speaks the prodigious height of the upright stones, that they should be tall enough to secure those nests from the annoyance of shepherd-boys, who are always idling round that place.

One of my neighbours last Saturday, November the 26th, saw a martin in a sheltered bottom: the sun shone warm, and the bird was hawking briskly after flies. I am now perfectly satisfied that they do not all leave this island in the winter.

* 'My friend' was John Woods, White's brother-in-law. (S)

You judge very right, I think, in speaking with reserve and caution concerning the cures done by toads: for, let people advance what they will on such subjects, yet there is such a propensity in mankind towards deceiving and being deceived, that one cannot safely relate any thing from common report, especially in print, without expressing some degree of doubt and suspicion.

Your approbation, with regard to my new discovery of the migration of the ring-ousel, gives me satisfaction; and I find you concur with me in suspecting that they are foreign birds which visit us. You will be sure, I hope, not to omit to make inquiry whether your ring-ousels leave your rocks in the autumn. What puzzles me most, is the very short stay they make with us; for in about three weeks they are all gone. I shall be very curious to remark whether they will call on us at their return in the spring, as they did last year.

I want to be better informed with regard to ichthyology. If fortune had settled me near the sea-side, or near some great river, my natural propensity would soon have urged me to have made myself acquainted with their productions: but as I have lived mostly in inland parts, and in an upland district, my knowledge of fishes extends little farther than to those common sorts which our brooks and lakes produce.

I am, etc.

Letter 22

Selborne, Jan. 2, 1769

DEAR SIR,

As to the peculiarity of jackdaws building with us under the ground in rabbit-burrows, you have, in part, hit upon the reason; for, in reality, there are hardly any towers or steeples in all this country. And perhaps, Norfolk excepted, Hampshire and Sussex are as meanly furnished with churches as almost any counties in the kingdom. We have many livings of two or three hundred pounds a year, whose houses of worship make little better appearance than dovecots. When I first saw Northamptonshire, Cambridgeshire and Huntingdonshire, and the fens of Lincolnshire, I was amazed at the number of spires which presented themselves in every point of view. As an admirer of prospects, I have reason to lament this want in my own country; for such objects are very necessary ingredients in an elegant landscape.

What you mention with respect to reclaimed toads raises my curiosity. An ancient author, though no naturalist, has well remarked that '*Every kind of beasts, and of birds, and of serpents, and of things in the sea, is tamed, and hath been tamed, of mankind.*' *

It is a satisfaction to me to find that a green lizard has actually been procured for you in Devonshire; because it corroborates my discovery, which I made many years ago, of the same sort, on a sunny sandbank near Farnham, in Surrey.† I am well acquainted with the south hams of Devonshire; and can suppose that district, from its southerly situation, to be a proper habitation for such animals in their best colours.

Since the ring-ousels of your vast mountains ‡ do certainly not forsake them against winter, our suspicions that those which visit this neighbourhood about Michaelmas are not English birds, but driven from the more northern parts of Europe by the frosts, are still more reasonable; and it will be worth your pains to endeavour to trace from whence they come, and to inquire why they make so very short a stay.

In your account of your error with regard to the two species of herons, you incidentally gave me great entertainment in your description of the heronry at Cressi-hall; which is a curiosity I never could manage to see. Fourscore nests of such a bird on one tree is a rarity which I would ride half as many miles to have a sight of. Pray be sure to tell me in your next whose seat Cressi-hall is, and near what town it lies.§ I have often thought that those vast extents of fens have never been sufficiently explored. If half a dozen gentlemen, furnished with a good strength of water-spaniels, were to beat them over a week, they would certainly find more species.¶

There is no bird, I believe, whose manners I have studied more

* *James*, chap. iii. 7. (W)

† The green lizards were probably sand lizards of a brighter hue than usual. (S)

‡ Pennant was mistaken in thinking that ring-ousels wintered in the 'vast mountains'. (S)

§ *Cressi-hall* is near Spalding, in Lincolnshire. (W)

¶ Preceding the paragraph concerning the goat-sucker, the following passage occurred in the original letter sent to Pennant, which was omitted from the book: 'There is a passage in the article Goatsucker, page 247 [of the *British Zoology*], which you will pardon me for objecting to, as I always thought it exceptionable; and that is, "This noise being made *only* in its flight, we suppose it to be caused by the resistance of the air against the hollow of its vastly extended mouth and throat; for it flies with both wide open, to take its prey." Now, as the first line appears to me to be a false fact, the supposition of course falls to the ground, if it should prove so.' (S)

than that of the *caprimulgus* (the goat-sucker), as it is a wonderful and curious creature: but I have always found that though sometimes it may chatter as it flies, as I know it does, yet in general it utters it's jarring note sitting on a bough; and I have for many an half hour watched it as it sat with it's under mandible quivering, and particularly this summer. It perches usually on a bare twig, with it's head lower than it's tail, in an attitude well expressed by your draughtsman in the folio *British Zoology*. This bird is most punctual in beginning it's song exactly at the close of day; so exactly that I have known it strike up more than once or twice just at the report of the Portsmouth evening gun, which we can hear when the weather is still. It appears to me past all doubt that it's notes are formed by organic impulse, by the powers of the parts of it's windpipe, formed for sound, just as cats pur. You will credit me, I hope, when I tell you that, as my neighbours were assembled in an hermitage* on the side of a steep hill where we drink tea, one of these churn-owls came and settled on the cross of that little straw edifice and began to chatter, and continued his note for many minutes: and we were all struck with wonder to find that the organs of that little animal, when put in motion, gave a sensible vibration to the whole building! This bird also sometimes makes a small squeak, repeated four or five times; and I have observed that to happen when the cock has been pursuing the hen in a toying way through the boughs of a tree.

It would not be at all strange if your bat, which you have procured, should prove a new one, since five species have been found in a neighbouring kingdom. The great sort that I mentioned is certainly a non-descript: I saw but one this summer, and that I had no opportunity of taking.

Your account of the *Indian-grass* was entertaining. I am no angler myself; but inquiring of those that are, what they supposed that part of their tackle to be made of? they replied 'of the intestines of a silkworm'.

Though I must not pretend to great skill in entomology, yet I cannot say that I am ignorant of that kind of knowledge: I may now and then, perhaps, be able to furnish you with a little information.

The vast rains ceased with us much about the same time as with you, and since we have had delicate weather. Mr Barker, who has measured the rain for more than thirty years, says, in a late letter,

* For an account of the hermitage, see Walter S. Scott, *White of Selborne*, 1950, pp. 108–9. (S)

that more has fallen this year than in any he ever attended to; though, from July 1763 to January 1764, more fell than in any seven months of this year.

Letter 23

Selborne, February 28, 1769

DEAR SIR,

It is not improbable that the Guernsey lizard and our green lizards may be specifically the same; all that I know is, that, when some years ago many Guernsey lizards were turned loose in Pembroke college garden, in the university of Oxford, they lived a great while, and seemed to enjoy themselves very well, but never bred. Whether this circumstance will prove any thing either way I shall not pretend to say.

I return you thanks for your account of Cressi-hall; but recollect, not without regret, that in June 1746 I was visiting for a week together at Spalding, without ever being told that such a curiosity was just at hand. Pray send me word in your next what sort of tree it is that contains such a quantity of herons' nests; and whether the heronry consists of a whole grove or wood, or only of a few trees.

It gave me satisfaction to find that we accorded so well about the *caprimulgus*: all I contended for was to prove that it often chatters sitting as well as flying; and therefore the noise was voluntary, and from organic impulse, and not from the resistance of the air against the hollow of its mouth and throat.

If ever I saw any thing like actual migration, it was last Michaelmas-day. I was travelling, and out early in the morning: at first there was a vast fog; but, by the time that I was got seven or eight miles from home towards the coast, the sun broke out into a delicate warm day. We were then on a large heath or common, and I could discern, as the mist began to break away, great numbers of swallows (*hirundines rusticæ*) clustering on the stunted shrubs and bushes, as if they had roosted there all night. As soon as the air became clear and pleasant they all were on the wing at once; and, by a placid and easy flight, proceeded on southward towards the sea: after this I did not see any more flocks, only now and then a straggler.

I cannot agree with those persons that assert that the swallow kind disappear some and some gradually, as they come, for the bulk of them seem to withdraw at once: only some stragglers stay behind a long while, and do never, there is the greatest reason to believe, leave this island. Swallows seem to lay themselves up, and to come forth in a warm day, as bats do continually of a warm evening, after they have disappeared for weeks. For a very respectable gentleman assured me that, as he was walking with some friends under Merton-wall on a remarkably hot noon, either in the last week in December or the first week in January, he espied three or four swallows huddled together on the moulding of one of the windows of that college.* I have frequently remarked that swal-

* Swallows appear to depart in successive parties, and not all at once. December and January are such extraordinarily late dates that it is difficult to credit the account fully.

One of the earliest views as to the hibernation of swallows was put into verse by Gilbert White as follows:

The swallow
Lyre-like attunes the sultry summer hours:
When chilling winter comes, she torpid feels,
And fabricates her house amidst a tree,
Enveloped warm within the hollow stem:
Moulting she there puts off her feathery garb;
As when the dead arise from out the tomb,
For spring again brings round her resurrection:
She twitters much, and chats the whole day long;
If birds may be allow'd the powers of speech.
O man, learn to revere the resurrection,
When twittering swallows rise as from their tomb.

The belief that swallows do not migrate is a very ancient one. Aristotle held it. Learned men have fancied them lurking 'in old deep tin-works, and holes of the sea cliffes', or like Olaus Magnus, told how 'as summer weareth out, they clap mouth to mouth, wing to wing, and leg to leg, and so after a sweet singing fall down into great lakes or pools amongst the caves', going on to aver 'for proof thereof, that the fishermen, who make holes in the ice to dig up such fish with their nets as resort thither for breathing, so sometimes light on these swallows, congealed in clods of a stony substance, and that carrying them home to their stoves, the warmth restoreth them'.

White was willing enough to admit that many other birds migrated to warmer quarters on the approach of winter, but could never quite bring himself to repudiate entirely the opinion of a long line of naturalists from Aristotle to Rhennaeus, when swallows and martins were in question.

His argument is well stated in Letter 36 to Daines Barrington, and shortly is as follows: House martins retire, to a bird, about the beginning of November, but only for *one day*, 'and that not as if they were in actual migration, but playing about at their leisure and feeding calmly, as if no enterprize of moment at all agitated their spirits. That *one day* was mild, warm for the time of year with a southerly wind.'

The necessary conclusion is that this 'little untimely warmth' has awakened

lows are seen later at Oxford than elsewhere: is it owing to the vast massy buildings of that place, to the many waters round it, or to what else?

When I used to rise in a morning last autumn, and see the swallows and martins clustering on the chimneys and thatch of the neighbouring cottages, I could not help being touched with a secret delight, mixed with some degree of mortification: with delight to observe with how much ardour and punctuality those poor little birds obeyed the strong impulse towards migration, or hiding, imprinted on their minds by their great Creator; and with some degree of mortification, when I reflected that, after all our pains and inquiries, we are yet not quite certain to what regions they do migrate; and are still farther embarrassed to find that some do not actually migrate at all.

These reflections made so strong an impression on my imagination, that they became productive of a composition that may perhaps amuse you for a quarter of an hour when next I have the honour of writing to you.

Letter 24

Selborne, May 29, 1769

DEAR SIR,

The *scarabæus fullo* I know very well, having seen it in collections; but have never been able to discover one wild in its natural state. Mr Banks told me he thought it might be found on the sea-coast.

On the thirteenth of April I went to the sheep-down, where the ring-ousels have been observed to make their appearance at spring and fall, in their way perhaps to the north or south; and

---

the torpid martins, for it is not to be supposed that they came back from Africa to enjoy one fine day.

The modern naturalist replies, That is just the way martins migrate: they move at their leisure, so much so that it is difficult to make sure they are moving. Moreover, they do not leave in one crowd, but in successive groups. Some have further to come than others. The groups grow smaller and smaller until only individuals are left behind. What White saw was one of the later groups, not the birds of his own village, who, as he supposed, had found a retreat in 'secret dormitories'.

It is hard to see just why White clung to the theory of hibernation. Perhaps to give up a cherished opinion is a hard matter even for the most honest of scientists. That White was a very stubborn man we are reminded of, more than once, by his life-long friend Mulso. (S)

was much pleased to see three birds about the usual spot. We shot a cock and a hen; they were plump and in high condition. The hen had but very small rudiments of eggs within her, which proves they are late breeders; whereas those species of the thrush kind that remain with us the whole year have fledged young before that time. In their crops was nothing very distinguishable, but somewhat that seemed like blades of vegetables nearly digested. In autumn they feed on haws and yew-berries, and in the spring on ivy-berries. I dressed one of these birds, and found it juicy and well-flavoured. It is remarkable that they make but a few days stay in their spring visit, but rest near a fortnight at Michaelmas. These birds, from the observations of three springs and two autumns, are most punctual in their return; and exhibit a new migration unnoticed by the writers, who supposed they never were to be seen in any of the southern counties.

One of my neighbours lately brought me a new *salicaria*, which at first I suspected might have proved your willow-lark,* but, on a nicer examination, it answered much better to the description of that species which you shot at Revesby, in Lincolnshire. My bird I describe thus: 'It is a size less than the grasshopper-lark; the head, back, and coverts of the wings of a dusky brown, without those dark spots of the grasshopper-lark; over each eye is a milk-white stroke; the chin and throat are white, and the under parts of a yellowish white; the rump is tawny, and the feathers of the tail sharp-pointed; the bill is dusky and sharp, and the legs are dusky; the hinder claw long and crooked.' The person that shot it says that it sung so like a reed-sparrow that he took it for one; and that it sings all night: but this account merits farther inquiry. For my part, I suspect it is a second sort of *locustella*, hinted at by Dr Derham, in Ray's *Letters*: see p. 108. He also procured me a grass-hopper-lark.

The question that you put with regard to those genera of animals that are peculiar to America, *viz.* how they came there, and whence? is too puzzling for me to answer; and yet so obvious as often to have struck me with wonder. If one looks into the writers on that subject little satisfaction is to be found. Ingenious men will readily advance plausible arguments to support whatever theory they shall chuse to maintain; but then the misfortune is, every one's hypothesis is each as good as another's, since they are all founded on conjecture. The late writers of this sort, in whom may be seen all the arguments of those that have gone before, as I

* For this *salicaria* see letter August 30, 1769. (W)

remember, stock America from the western coast of Africa and the south of Europe: and then break down the Isthmus that bridged over the Atlantic. But this is making use of a violent piece of machinery: it is a difficulty worthy of the interposition of a god! '*Incredulus odi.*' ['*I greatly dislike this sort of thing, which I refuse to believe.*']

TO THOMAS PENNANT, ESQUIRE

THE NATURALIST'S SUMMER-EVENING WALK

. . . *equidem credo, quia sit divinitus illis*
Ingenium. VIRG. GEORG.

When day declining sheds a milder gleam,
What time the may-fly* haunts the pool or stream;
When the still owl skims round the grassy mead,
What time the timorous hare limps forth to feed:
Then be the time to steal adown the vale,
And listen to the vagrant† cuckoo's tale;
To hear the clamorous‡ curlew call his mate,
Or the soft quail his tender pain relate;
To see the swallow sweep the dark'ning plain
Belated, to support her infant train;
To mark the swift in rapid giddy ring
Dash round the steeple, unsubdu'd of wing:
Amusive birds!—say where your hid retreat
When the frost rages and the tempests beat;
Whence your return, by such nice instinct led,
When spring, soft season, lifts her bloomy head?
Such baffled searches mock man's prying pride,
The GOD of NATURE is your secret guide!
While deep'ning shades obscure the face of day
To yonder bench, leaf-shelter'd, let us stray,
'Till blended objects fail the swimming sight,
And all the fading landscape sinks in night;

* The angler's may-fly, the *ephemera vulgata Linn.* comes forth from it's aurelia state, and emerges out of the water about six in the evening, and dies about eleven at night, determining the date of it's fly state in about five or six hours. They usually begin to appear about the 4th of June, and continue in succession for near a fortnight. See Swammerdam, Derham, Scopoli, etc. (W)

† Vagrant cuckoo; so called because, being tied down by no incubation or attendance about the nutrition of it's young, it wanders without control. (W)

‡ *Charadrius Oedicnemus.* (W)

To hear the drowsy dorr come brushing by
With buzzing wing, or the shrill* cricket cry;
To see the feeding bat glance through the wood;
To catch the distant falling of the flood;
While o'er the cliff th' awakened churn-owl hung
Through the still gloom protracts his chattering song;
While high in air, and pois'd upon his wings,
Unseen, the soft enamour'd† woodlark sings:
These, NATURE's works, the curious mind employ,
Inspire a soothing melancholy joy:
As fancy warms, a pleasing kind of pain
Steals o'er the cheek, and thrills the creeping vein!
Each rural sight, each sound, each smell, combine;
The tinkling sheep-bell, or the breath of kine;
The new-mown hay that scents the swelling breeze,
Or cottage-chimney smoking through the trees.
The chilling night-dews fall: away, retire;
For see, the glow-worm lights her amorous fire! ‡
Thus, ere night's veil had half obscured the sky,
Th' impatient damsel hung her lamp on high:
True to the signal, by love's meteor led,
Leander hasten'd to his Hero's bed.§

I am, etc.

Letter 25

Selborne, Aug. 30, 1769

DEAR SIR,

It gives me satisfaction to find that my account of the ousel migration pleases you. You put a very shrewd question when you ask me how I know that their autumnal migration is southward? Was not candour and openness the very life of natural history, I should pass over this query just as a sly commentator does over a crabbed passage in a classic; but common ingenuousness obliges me to confess, not without some degree of shame, that I only

* *Gryllus campestris*. (W)

† In hot summer nights woodlarks soar to a prodigious height, and hang singing in the air. (W)

‡ The light of the female glow-worm (as she often crawls up the stalk of a grass to make herself more conspicuous) is a signal to the male, which is a slender dusky *scarabæus*. (W)

§ See the story of Hero and Leander. (W)

reasoned in that case from analogy. For as all other autumnal birds migrate from the northward to us, to partake of our milder winters, and return to the northward again when the rigorous cold abates, so I concluded that the ring-ousels did the same, as well as their congeners the fieldfares; and especially as ring-ousels are known to haunt cold mountainous countries: but I have good reason to suspect since that they may come to us from the westward; because I hear, from very good authority, that they breed on Dartmoor; and that they forsake that wild district about the time that our visitors appear, and do not return till late in the spring.

I have taken a great deal of pains about your *salicaria* and mine, with a white stroke over it's eye, and a tawny rump. I have surveyed it alive and dead, and have procured several specimens; and am perfectly persuaded myself (and trust you will soon be convinced of the same) that it is no more nor less than the *passer arundinaceus minor* of Ray. This bird, by some means or other, seems to be entirely omitted in the *British Zoology*; and one reason probably was because it is so strangely classed in Ray, who ranges it among his *picis affines*. It ought no doubt to have gone among his *aviculæ cauda unicolore*, and among your slender-billed small birds of the same division. Linnæus might with great propriety have put it into his genus of *motacilla*; and the *motacilla salicaria* of his *fauna suecica* seems to come the nearest to it. It is no uncommon bird, haunting the sides of ponds and rivers where there is covert, and the reeds and sedges of moors. The country people in some places call it the sedge-bird. It sings incessantly night and day during the breeding-time, imitating the note of a sparrow, a swallow, a sky-lark; and has a strange hurrying manner in it's song. My specimens correspond most minutely to the description of your *fen salicaria* shot near Revesby. Mr Ray has given an excellent characteristic of it when he says, '*Rostrum & pedes in hac avicula multo majores sunt quam pro corporis ratione.*' ['*The beak and feet of this bird are very much larger in proportion to its body.*'] See letter May 29, 1769.

I have got you the egg of an *oedicnemus*, or stone-curlew, which was picked up in a fallow on the naked ground: there were two; but the finder inadvertently crushed one with his foot before he saw them.

When I wrote to you last year on reptiles, I wish I had not forgot to mention the faculty that snakes have of stinking *se defendendo*. I knew a gentleman who kept a tame snake, which was in it's

Selborne Church

person as sweet as any animal while in a good humour and unalarmed: but as soon as a stranger, or a dog or cat, came in, it fell to hissing, and filled the room with such nauseus effluvia as rendered it hardly supportable. Thus the squnck, or stonck, of Ray's *Synop. Quadr.* is an innocuous and sweet animal; but, when pressed hard by dogs and men, it can eject such a most pestilent and fetid smell and excrement, that nothing can be more horrible.

A gentleman sent me lately a fine specimen of the *lanius minor cinerascens cum macula in scapulis alba, Raii*;* which is a bird that, at the time of your publishing your two first volumes of *British Zoology*, I find you had not seen. You have described it well from Edwards's drawing.

Letter 26

Selborne, December 8, 1769

DEAR SIR,

I was much gratified by your communicative letter on your return from Scotland, where you spent, I find, some considerable time, and gave yourself good room to examine the natural curiosities of that extensive kingdom, both those of the islands, as well as those of the highlands. The usual bane of such expeditions is hurry; because men seldom allot themselves half the time they should do: but, fixing on a day for their return, post from place to place, rather as if they were on a journey that required dispatch, than as philosophers investigating the works of nature. You must have made, no doubt, many discoveries, and laid up a good fund of materials for a future edition of the *British Zoology*; and will have no reason to repent that you have bestowed so much pains on a part of Great-Britain that perhaps was never so well examined before.

It has always been matter of wonder to me that fieldfares, which are so congenerous to thrushes and blackbirds, should never choose to breed in England: but that they should not think even the highlands cold and northerly, and sequestered enough, is a circumstance still more strange and wonderful. The ring-ousel, you find, stays in Scotland the whole year round; so that we have reason to conclude that those migrators that visit us for a short space every autumn do not come from thence.

* The *Laniidæ* are shrikes. (S)

And here, I think, will be the proper place to mention that those birds were most punctual again in their migration this autumn, appearing, as before, about the 30th of September: but their flocks were larger than common, and their stay protracted somewhat beyond the usual time. If they came to spend the whole winter with us, as some of their congeners do, and then left us, as they do, in spring, I should not be so much struck with the occurrence, since it would be similar to that of the other winter birds of passage; but when I see them for a fortnight at Michaelmas, and again for about a week in the middle of April, I am seized with wonder, and long to be informed whence these travellers come, and whither they go, since they seem to use our hills merely as an inn or baiting place.

Your account of the greater brambling, or snow-fleck,* is very amusing; and strange it is that such a short-winged bird should delight in such perilous voyages over the northern ocean! Some country people in the winter time have every now and then told me that they have seen two or three white larks on our downs; but, on considering the matter, I begin to suspect that these are some stragglers of the birds we are talking of, which sometimes perhaps may rove so far to the southward.

It pleases me to find that white hares are so frequent on the Scottish mountains, and especially as you inform me that it is a distinct species; for the quadrupeds of Britain are so few, that every new species is a great acquisition.

The eagle-owl, could it be proved to belong to us, is so majestic a bird that it would grace our *fauna* much. I never was informed before where wild-geese are known to breed.

You admit, I find, that I have proved your *fen salicaria* to be the lesser reed-sparrow of Ray; and I think that you may be secure that I am right; for I took very particular pains to clear up that matter, and had some fair specimens; but, as they were not well preserved, they are decayed already. You will, no doubt, insert it in it's proper place in your next edition. Your additional plates will much improve your work.

De Buffon, I know, has described the water shrew-mouse: but still I am pleased to find you have discovered it in Lincolnshire, for the reason I have given in the article on the white hare.

As a neighbour was lately ploughing in a dry chalky field, far removed from any water, he turned out a water-rat, that was curiously laid up in an *hybernaculum* artificially formed of grass and

* Snow-fleck = snow-bunting. (S)

leaves.* At one end of the burrow lay above a gallon of potatoes regularly stowed, on which it was to have supported itself for the winter. But the difficulty with me is how this *amphibius mus* came to fix it's winter station at such a distance from the water. Was it determined in it's choice of that place by the mere accident of finding the potatoes which were planted there; or is it the constant practice of the aquatic-rat to forsake the neighbourhood of the water in the colder months?

Though I delight very little in analogous reasoning, knowing how fallacious it is with respect to natural history; yet, in the following instance, I cannot help being inclined to think it may conduce towards the explanation of a difficulty that I have mentioned before, with respect to the invariable early retreat of the *hirundo apus*, or swift, so many weeks before its congeners; and that not only with us, but also in Andalusia, where they also begin to retire about the beginning of August.

The great large bat† (which by the by is at present a nondescript in England, and what I have never been able yet to procure) retires or migrates very early in the summer: it also ranges very high for it's food, feeding in a different region of the air; and that is the reason I never could procure one.‡ Now this is exactly the case with the swifts; for they take their food in a more exalted region than the other species, and are very seldom seen hawking for flies near the ground, or over the surface of the water. From hence I would conclude that these *hirundines*, and the larger bats, are supported by some sorts of high-flying gnats, scarabs, or *phalænæ*, that are of short continuance; and that the short stay of these strangers is regulated by the defect of their food.

By my journal it appears that curlews clamoured on to October the thirty-first;§ since which I have not seen or heard any. Swallows were observed on to November the third.

* The statement as to the burrow of the water-rat is almost certainly a mistake. (S)

† The little bat appears almost every month in the year; but I have never seen the large ones till the end of April, nor after July. They are most common in June, but never in any plenty: are a rare species with us. (W)

‡ Large bat = noctule. White was the first to discover this bat in England. (See the *Journal*, August 28, 1770.) The little bat = the pipistrelle. (S)

§ Curlews = stone-curlews, and not the common curlews. (S)

Letter 27

Selborne, Feb. 22, 1770

DEAR SIR,

Hedge-hogs abound in my gardens and fields. The manner in which they eat the roots of the plantain in my grass-walks is very curious: with their upper mandible, which is much longer than their lower, they bore under the plant, and so eat the root off upwards, leaving the tuft of leaves untouched. In this respect they are serviceable, as they destroy a very troublesome weed; but they deface the walks in some measure by digging little round holes. It appears, by the dung that they drop upon the turf, that beetles are no inconsiderable part of their food. In June last I procured a litter of four or five young hedge-hogs, which appeared to be about five or six days old; they, I find, like puppies, are born blind, and could not see when they came to my hands. No doubt their spines are soft and flexible at the time of their birth, or else the poor dam would have but a bad time of it in the critical moment of parturition: but it is plain that they soon harden; for these little pigs had such stiff prickles on their backs and sides as would easily have fetched blood, had they not been handled with caution. Their spines are quite white at this age; and they have little hanging ears, which I do not remember to be discernible in the old ones. They can, in part, at this age draw their skin down over their faces; but are not able to contract themselves into a ball, as they do, for the sake of defence, when full grown. The reason, I suppose, is, because the curious muscle that enables the creature to roll itself up into a ball was not then arrived at it's full tone and firmness. Hedge-hogs make a deep and warm *hybernaculum* with leaves and moss, in which they conceal themselves for the winter: but I never could find that they stored in any winter provision, as some quadrupeds certainly do.

I have discovered an anecdote with respect to the fieldfare (*turdus pilaris*), which I think is particular enough: this bird, though it sits on trees in the day-time, and procures the greatest part of it's food from white-thorn hedges; yea, moreover, builds on very high trees; as may be seen by the *fauna suecico*; yet always appears with us to roost on the ground. They are seen to come in flocks just before it is dark, and to settle and nestle among the heath of our forest. And besides, the larkers, in dragging their nets by night, frequently catch them in the wheat-stubbles; while the bat-fowlers, who take many red-wings in the hedges, never entangle any of this species. Why these birds, in the matter of roosting, should differ from all their congeners, and from themselves also with respect to their proceedings by day, is a fact for which I am by no means able to account.

I have somewhat to inform you of concerning the moose-deer: but in general foreign animals fall seldom in my way; my little intelligence is confined to the narrow sphere of my own observations at home.

Letter 28

Selborne, March, 1770

On Michaelmas-day 1768 I managed to get a sight of the female moose belonging to the Duke of Richmond, at Goodwood; but was greatly disappointed, when I arrived at the spot, to find that it died, after having appeared in a languishing way for some time, on the morning before. However, understanding that it was not stripped, I proceeded to examine this rare quadruped: I found it in an old green-house, slung under the belly and chin by ropes, and in a standing posture; but, though it had been dead for so short a time, it was in so putrid a state that the stench was hardly supportable. The grand distinction between this deer, and any other species that I have ever met with, consisted in the strange length of it's legs; on which it was tilted up much in the manner of birds of the *grallæ* order. I measured it, as they do an horse, and found that, from the ground to the wither, it was just five feet four inches; which height answers exactly to sixteen hands, a growth that few horses arrive at: but then, with this length of legs, it's neck was remarkably short, no more than twelve inches; so that, by straddling with one foot forward and the other backward, it grazed on the plain ground, with the greatest difficulty, between it's legs: the ears were vast and lopping, and as long as the neck; the head was about twenty inches long, and ass-like; and had such a redundancy of upper lip as I never saw before, with huge nostrils. This lip, travellers say, is esteemed a dainty dish in North America. It is very reasonable to suppose that this creature supports itself chiefly by browsing of trees, and by wading after water-plants; towards which way of livelihood the length of leg and great lip must contribute much. I have read somewhere that it delights in eating the *nymphæa,* or water-lily. From the forefeet to the belly behind the shoulder it measured three feet and eight inches:

the length of the legs before and behind consisted a great deal in the *tibia*, which was strangely long: but, in my haste to get out of the stench, I forgot to measure that joint exactly. It's scut seemed to be about an inch long; the colour was a grizzly black; the mane about four inches long; the fore-hoofs were upright and shapely, the hind flat and splayed. The spring before it was only two years old, so that most probably it was not then come to it's growth. What a vast tall beast must a full-grown stag be! I have been told some arrive at ten feet and an half! This poor creature had at first a female companion of the same species, which died the spring before. In the same garden was a young stag, or red deer, between whom and this moose it was hoped that there might have been a breed; but their inequality of height must have always been a bar to any commerce of the amorous kind. I should have been glad to have examined the teeth, tongue, lips, hoofs, etc. minutely; but the putrefaction precluded all further curiosity. This animal, the keeper told me, seemed to enjoy itself best in the extreme frost of the former winter. In the house they showed me the horn of a male moose, which had no front-antlers, but only a broad palm with some snags on the edge. The noble owner of the dead moose proposed to make a skeleton of her bones.

Please to let me hear if my female moose corresponds with that you saw; and whether you think still that the American moose and European elk are the same creature. I am,

With the greatest esteem, etc.

Letter 29*

Selborne, May 12, 1770

DEAR SIR,

Last month we had such a series of cold turbulent weather, such a constant succession of frost, and snow, and hail, and tempest, that the regular migration or appearance of the summer birds was

* The following passage occurs in the original letter to Pennant of this date: 'Though you are embarked in a more extensive plan of natural history, yet I am glad to find that you do by no means give up the *Brit. Zoology*. That, I think, should be your principal object; and I hope you will continue to revise it at your leisure, and to retouch it until you have made it as perfect as the nature of the work will admit of. If people who live in the country would take a little pains, daily observations might be made with respect to animals, and particularly regarding their lives and conversation, their actions and economy, which are the life and soul of natural history.' (S)

much interrupted. Some did not shew themselves (at least were not heard) till weeks after their usual time; as the black-cap and white-throat; and some have not been heard yet, as the grass-hopper-lark and largest willow-wren. As to the fly-catcher, I have not seen it; it is indeed one of the latest, but should appear about this time: and yet, amidst all this meteorous strife and war of the elements, two swallows discovered themselves as long ago as the eleventh of April, in frost and snow; but they withdrew quickly, and were not visible again for many days. House-martins, which are always more backward than swallows, were not observed till May came in.

Among the *monogamous* birds several are to be found, after pairing-time, single, and of each sex: but whether this state of celibacy is matter of choice or necessity, is not so easily discoverable. When the house-sparrows deprive my martins of their nests, as soon as I cause one to be shot, the other, be it cock or hen, presently procures a mate, and so for several times following.

I have known a dove-house infested by a pair of white owls, which made great havoc among the young pigeons: one of the owls was shot as soon as possible; but the survivor readily found a mate, and the mischief went on. After some time the new pair were both destroyed, and the annoyance ceased.

Another instance I remember of a sportsman, whose zeal for the increase of his game being greater than his humanity, after pairing-time he always shot the cock-bird of every couple of partridges upon his grounds; supposing that the rivalry of many males interrupted the breed: he used to say, that, though he had widowed the same hen several times, yet he found she was still provided with a fresh paramour, that did not take her away from her usual haunt.

Again; I knew a lover of setting, an old sportsman, who has often told me that soon after harvest he has frequently taken small coveys of partridges, consisting of cock-birds alone; these he pleasantly used to call old bachelors.

There is a propensity belonging to common house-cats that is very remarkable; I mean their violent fondness for fish, which appears to be their most favourite food: and yet nature in this instance seems to have planted in them an appetite that, unassisted, they know not how to gratify: for of all quadrupeds cats are the least disposed towards water; and will not, when they can avoid it, deign to wet a foot, much less to plunge into that element.

Quadrupeds that prey on fish are amphibious: such is the

otter, which by nature is so well formed for diving, that it makes great havock among the inhabitants of the waters. Not supposing that we had any of those beasts in our shallow brooks, I was much pleased to see a male otter brought to me, weighing twenty-one pounds, that had been shot on the bank of our stream below the Priory, where the rivulet divides the parish of Selborne from Harteley-wood.

Letter 30

Selborne, Aug. 1, 1770

DEAR SIR,

The French, I think, in general, are strangely prolix in their natural history. What Linnæus says with respect to insects holds good in every other branch: '*Verbositas præsentis sæculi, calamitas artis.*' [*The talkativeness of the present century is a disaster to art.*]

Pray how do you approve of Scopoli's new work? As I admire his *Entomologia*, I long to see it.

I forgot to mention in my last letter (and had not room to insert in the former) that the male moose, in rutting time, swims from island to island, in the lakes and rivers of North-America, in pursuit of the females. My friend, the chaplain, saw one killed in the water as it was on that errand in the river St Lawrence: it was a monstrous beast, he told me; but he did not take the dimensions.

When I was last in town our friend Mr Barrington most obligingly carried me to see many curious sights. As you were then writing to him about horns, he carried me to see many strange and wonderful specimens. There is, I remember, at Lord Pembroke's, at Wilton, an horn room furnished with more than thirty different pairs; but I have not seen that house lately.

Mr Barrington showed me many astonishing collections of stuffed and living birds from all quarters of the world. After I had studied over the latter for a time, I remarked that every species almost that came from distant regions, such as South America, the coast of Guinea, etc. were thick-billed birds of the *loxia* and *fringilla* genera; and no *motacillæ*, or *muscicapæ*, were to be met with. When I came to consider, the reason was obvious enough; for the hard-billed birds subsist on seeds, which are easily carried on board; while the soft-billed birds, which are supported by worms and insects, or, what is a *succedaneum* for them, fresh raw meat, can meet with neither in long and tedious voyages. It is from this defect of food that our collections (curious as they are) are defective, and we are deprived of some of the most delicate and lively genera.

I am, etc.

Letter 31

Selborne, Sept. 14, 1770

DEAR SIR,

You saw, I find, the ring-ousels again among their native crags; and are farther assured that they continue resident in those cold regions the whole year. From whence, then, do our ring-ousels migrate so regularly every September, and make their appearance again, as if in their return, every April? They are more early this year than common, for some were seen at the usual hill on the fourth of this month.

An observing Devonshire gentleman tells me that they frequent some parts of Dartmoor, and breed there; but leave those haunts about the end of September or beginning of October, and return again about the end of March.

Another intelligent person assures me that they breed in great abundance all over the Peak of Derby, and are called there Tor-ousels; withdraw in October and November, and return in spring. This information seems to throw some light on my new migration.

Scopoli's* new work (which I have just procured) has it's merits in ascertaining many of the birds of the Tirol and Carniola. Monographers, come from whence they may, have, I think, fair pretence to challenge some regard and approbation from the lovers of natural history; for, as no man can alone investigate all the works of nature, these partial writers may, each in their department, be more accurate in their discoveries, and freer from errors, than more general writers; and so by degrees may pave the way to an universal correct natural history. Not that Scopoli is so circumstantial and attentive to the life and conversation of his birds as I could wish: he advances some false facts; as when he says of the *hirundo urbica* that '*pullos extra nidum non nutrit*'. [*It does not feed its young outside the nest.*] This assertion I know to be wrong from repeated observation this summer; for house-martins do feed their young flying, though it must be acknowledged not so commonly as the house-swallow; and the feat is done in so quick a

* *Annus Primus Historico-Naturalis.* (W)

manner as not to be perceptible to indifferent observers. He also advances some (I was going to say) improbable facts; as when he says of the woodcock that, '*pullos rostro portat fugiens ab hoste*'.[*It carries its young in its beak when fleeing from an enemy.*] But candour forbids me to say absolutely that any fact is false, because I have never been witness to such a fact. I have only to remark that the long unwieldy bill of the woodcock is perhaps the worst adapted of any among the winged creation for such a feat of natural affection.*

I am, etc.

Letter 32

Selborne, October 29, 1770

DEAR SIR,

After an ineffectual search in Linnæus, Brisson, etc. I begin to suspect that I discern my brother's *hirundo hyberna* in Scopoli's new discovered *hirundo rupestris*, p. 167. His description of '*Supra murina, subtus albida; rectrices macula ovali alba in latere interno; pedes nudes, nigri; rostrum nigrum; remiges obscuriores quam plumæ dorsales; rectrices remigibus concolores; cauda emarginata, nec forcipata*'; [*Mouse-coloured above and whiteish below; its tail feathers have an oval white spot on the inner edge; its feet have no feathers and are black in colour; it has a black bill; the primaries are darker in colour than its dorsal feathers, and the tail feathers of the same tint; the tail is notched, not forked.*] agrees very well with the bird in question; but when he comes to advance that it is '*statura hirundinis urbicae*' [*The size of a house-martin*] and that '*definitio hirundinis ripariæ Linnæi huic quoque convenit*', [*Linnæus' definition of a sand-martin applies to this also*] he in some measure invalidates all he has said; at least he shews at once that he compares them to these species merely from memory: for I have compared the birds themselves, and find they differ widely in every circumstance of shape, size, and colour. However, as you will have a specimen, I shall be glad to hear what your judgment is in the matter.

Whether my brother is forestalled in his non-descript or not, he

* Professor Newton writes (1877) as follows: 'That the bill assists materially in carrying off and particularly in steadying the young bird while being carried seems to be established; but the most efficient instruments are the parent's thighs, beneath which the chick is grasped, while the head and bill are recurved beneath.' (S)

will have the credit of first discovering that they spend their winters under the warm and sheltery shores of Gibraltar and Barbary.*

Scopoli's characters of his ordines and genera are clean, just, and expressive, and much in the spirit of Linnæus. These few remarks are the result of my first perusal of Scopoli's *Annus Primus*.

The bane of our science is the comparing one animal to the other by memory: for want of caution in this particular, Scopoli falls into errors: he is not so full with regard to the manners of his indigenous birds as might be wished, as you justly observe: his Latin is easy, elegant, and expressive, and very superior to Kramer's.†

I am pleased to see that my description of the moose corresponds so well with yours.

I am, etc.

Letter 33

Selborne, Nov. 26, 1770

DEAR SIR,

I was much pleased to see, among the collection of birds from Gibraltar, some of those short-winged English summer birds of passage, concerning whose departure we have made so much inquiry. Now if these birds are found in Andalusia to migrate to and from Barbary, it may easily be supposed that those that come to us may migrate back to the continent, and spend their winters in some of the warmer parts of Europe. This is certain, that many soft-billed birds that come to Gibraltar appear there only in spring and autumn, seeming to advance in pairs towards the northward, for the sake of breeding during the summer months; and retiring in parties and broods toward the south at the decline of the year: so that the rock of Gibraltar is the great rendezvous, and place of observation, from whence they take their departure each way towards Europe or Africa. It is therefore no mean discovery, I think, to find that our small short-winged summer birds of passage are to be seen spring and autumn, on the very skirts of Europe; it is a presumptive proof of their emigrations.

Scopoli seems to me to have found the *hirundo melba*, the great

* See note on his brother's *Fauna Calpensis* in the Introduction. (S)

† See his *Elenchus vegetabilium et animalium per Austriam inferiorem, etc.* (W)

Gibraltar swift, in Tirol, without knowing it. For what is his *hirundo alpina* but the afore-mentioned bird in other words? Says he, '*Omnia prioris*' (meaning the swift;) '*sed pectus album; paulo major priore*'. [*All just as the former, but the breast white; a little bigger than the former.*] I do not suppose this to be a new species. It is true also of the *melba*, that '*nidificat in excelsis Alpium rupibus*'. [*It nests on lofty Alpine peaks.*] *Vid. Annum Primum.*

My Sussex friend, a man of observation and good sense, but no naturalist, to whom I applied on account of the stone-curlew, *oedicnemus*, sends me the following account: 'In looking over my Naturalist's Journal for the month of April I find the stone-curlews are first mentioned on the seventeenth and eighteenth, which date seems to me rather late. They live with us all the spring and summer, and at the beginning of autumn prepare to take leave by getting together in flocks. They seem to me a bird of passage that may travel into some dry hilly country south of us, probably Spain, because of the abundance of sheep-walks in that country; for they spend their summers with us in such districts. This conjecture I hazard, as I have never met with any one that has seen them in England in the winter. I believe they are not fond of going near the water, but feed on earth-worms, that are common on sheep-walks and downs. They breed on fallows and lay-fields abounding with grey mossy flints, which much resemble their young in colour; among which they skulk and conceal themselves. They make no nest, but lay their eggs on the bare ground, producing in common but two at a time. There is reason to think their young run soon after they are hatched; and that the old ones do not feed them, but only lead them about at the time of feeding, which, for the most part, is in the night.' Thus far my friend.

In the manners of this bird you see there is something very analogous to the bustard, whom it also somewhat resembles in aspect and make, and in the structure of it's feet.

For a long time I have desired my relation to look out for these birds in Andalusia; and now he writes me word that, for the first time, he saw one dead in the market on the 3rd of September.

When the *oedicnemus* flies it stretches out it's legs straight behind, like an heron.

I am, etc.

Letter 34

Selborne, March 30, 1771

DEAR SIR,

There is an insect with us, especially on chalky districts, which is very troublesome and teasing all the latter end of the summer, getting into people's skins, especially those of women and children, and raising tumours which itch intolerably. This animal (which we call an harvest bug) * is very minute, scarce discernible to the naked eye; of a bright scarlet colour, and of the genus of *Acarus*. They are to be met with in gardens on kidneybeans, or any legumens; but prevail only in the hot months of summer. Warreners, as some have assured me, are much infested by them on chalky downs; where these insects swarm sometimes to so infinite a degree as to discolour their nets, and to give them a reddish cast, while the men are so bitten as to be thrown into fevers.

There is a small long shining fly in these parts very troublesome to the housewife, by getting into the chimneys, and laying its eggs in the bacon while it is drying: these eggs produce maggots called *jumpers*, which, harbouring in the gammons and best parts of the hogs, eat down to the bone, and make great waste. This fly I suspect to be a variety of the *musca putris* of Linnæus: it is to be seen in the summer in the farm-kitchens on the bacon-racks and about the mantelpieces, and on the ceilings.

The insect that infects turnips and many crops in the garden (destroying often whole fields while in their seedling leaves) is an animal that wants to be better known. The country people here call it the turnip-fly and black dolphin; but I know it to be one of the *coleoptera*; the '*chrysomela oleracea, saltatoria, femoribus posticis crassissimis*'. In very hot summers they abound to an amazing degree, and, as you walk in a field or in a garden, make a pattering like rain, by jumping on the leaves of the turnips or cabbages.

There is an *Oestrus*,† known in these parts to every ploughboy; which, because it is omitted by Linnæus, is also passed over by late writers, and that is the *curvicauda* of old Moufet, mentioned by Derham in his *Physico-theology*, p. 250: an insect worthy of remark for depositing it's eggs as it flies in so dextrous a manner on the single hairs of the legs and flanks of grass-horses. But then Derham is mistaken when he advances that this *Oestrus* is the parent of that wonderful star-tailed maggot which he mentions afterwards;

* The harvest-bug is not an insect, but the young of the mite, *trombicula*. (S)

† Oestrus = Horse-bot. The gadfly belongs to this genus. (S)

for more modern entomologists have discovered that singular production to be derived from the egg of the *musca chamæleon*: see Geoffroy, t. 17, f. 4.

A full history of noxious insects hurtful in the field, garden, and house, suggesting all the known and likely means of destroying them, would be allowed by the public to be a most useful and important work. What knowledge there is of this sort lies scattered, and wants to be collected; great improvements would soon follow of course. A knowledge of the properties, œconomy, propagation, and in short of the life and conversation of these animals, is a necessary step to lead us to some method of preventing their depredations.

As far as I am a judge, nothing would recommend entomology more than some neat plates that should well express the generic distinctions of insects according to Linnæus; for I am well assured that many people would study insects, could they set out with a more adequate notion of those distinctions than can be conveyed at first by words alone.

Letter 35

Selborne, 1771

DEAR SIR,

Happening to make a visit to my neighbour's peacocks, I could not help observing that the trains of those magnificent birds appear by no means to be their tails; those long feathers growing not from their *uropygium*, but all up their backs. A range of short brown stiff feathers, about six inches long, fixed in the *uropygium*, is the real tail, and serves as the fulcrum to prop the train, which is long and top-heavy, when set on end. When the train is up, nothing appears of the bird before but it's head and neck; but this would not be the case were those long feathers fixed only in the rump, as may be seen by the turkey-cock when in a strutting attitude. By a strong muscular vibration these birds can make the shafts of their long feathers clatter like the swords of a sword-dancer; they then trample very quick with their feet, and run backwards towards the females.

I should tell you that I have got an uncommon *calcalus ægogropila*, taken out of the stomach of a fat ox; it is perfectly round, and about the size of a large Seville orange; such are, I think, usually flat.

Letter 36

Sept. 1771

DEAR SIR,

The summer through I have seen but two of that large species of bat which I call *vespertilio altivolans*, from it's manner of feeding high in the air: I procured one of them, and found it to be a male; and made no doubt, as they accompanied together, that the other was a female: but, happening in an evening or two to procure the other likewise, I was somewhat disappointed, when it appeared to be also of the same sex. This circumstance, and the great scarcity of this sort, at least in these parts, occasions some suspicions in my mind whether it is really a species, or whether it may not be the male part of the more known species, one of which may supply many females; as is known to be the case in sheep, and some other quadrupeds. But this doubt can only be cleared by a farther examination, and some attention to the sex, of more specimens: all that I know at present is, that my two were amply furnished with the parts of generation much resembling those of a boar.

In the extent of their wings they measured fourteen inches and an half: and four inches and an half from the nose to the tip of the tail: their heads were large, their nostrils bilobated, their shoulders broad and muscular; and their whole bodies fleshy and plump. Nothing could be more sleek and soft than their fur, which was of a bright chestnut colour; their maws were full of food, but so macerated that the quality could not be distinguished; their livers, kidnies, and hearts, were large, and their bowels covered with fat. They weighed each, when entire, full one ounce and one drachm. Within the ear there was somewhat of a peculiar structure that I did not understand perfectly; but refer it to the observation of the curious anatomist. These creatures sent forth a very rancid and offensive smell.

Letter 37

Selborne, 1771

DEAR SIR,

On the twelfth of July I had a fair opportunity of contemplating the motions of the *caprimulgus*, or fern-owl, as it was playing round a large oak that swarmed with *scarabæi solstitiales*, or fern-chafers. The powers of its wing were wonderful, exceeding, if possible, the various evolutions and quick turns of the swallow genus. But the circumstance that pleased me most was that I saw it distinctly, more than once, put out its short leg while on the wing, and, by a bend of the head, deliver somewhat into its mouth. If it takes any part of its prey with its foot, as I have now the greatest reason to suppose it does these chafers, I no longer wonder at the use of it's middle toe, which is curiously furnished with a serrated claw.*

Swallows and martins, the bulk of them I mean, have forsaken us sooner this year than usual; for, on September the twenty-second, they rendezvoused in a neighbour's walnut-tree, where it seemed probable they had taken up their lodging for the night. At the dawn of the day, which was foggy, they arose all together in infinite numbers, occasioning such a rushing from the strokes of their wings against the hazy air, as might be heard to a considerable distance: since that no flock has appeared, only a few stragglers.

Some swifts staid late, till the twenty-second of August—a rare instance! for they usually withdraw within the first week.†

On September the twenty-fourth three or four ring-ousels appeared in my fields for the first time this season: how punctual are these visitors in their autumnal and spring migrations!

Letter 38

Selborne, March 15, 1773

DEAR SIR,

By my journal for last autumn it appears that the house-martins bred very late, and staid very late in these parts; for, on the first of October, I saw young martins in their nests nearly fledged; and again, on the twenty-first of October, we had at the next house a nest full of young martins just ready to fly; and the old ones were hawking for insects with great alertness. The next morning the brood forsook their nest, and were flying round the village. From this day I never saw one of the swallow kind till November the third; when twenty, or perhaps thirty, house-martins were playing

* 'The best received opinion, based partly upon direct observation, is that the pectinated claw is used for scratching the cheeks, throat, and nape, so that the owner may get rid of vermin.' This is the opinion of Walter Johnson, who gives a short dissertation on the subject in his *Gilbert White, Poet, Pioneer, and Stylist*, 1928, pp. 111–12. See also White's *Journal*, July 31, 1773, on which the author based this passage in his letter to Pennant. (S)

† See Letter 53 to Mr Barrington. (W)

Hopfield Selborne winter 60-61

all day long by the side of the hanging wood, and over my fields. Did these small weak birds, some of which were nestlings twelve days ago, shift their quarters at this late season of the year to the other side of the northern tropic? Or rather, is it not more probable that the next church, ruin, chalk-cliff, steep covert, or perhaps sandbank, lake or pool (as a more northern naturalist would say,) may become their *hybernaculum*, and afford them a ready and obvious retreat?

We now begin to expect our vernal migration of ring-ousels every week. Persons worthy of credit assure me that ring-ousels were seen at Christmas 1770 in the forest of Bere, on the southern verge of this county. Hence we may conclude that their migrations are only internal, and not extended to the continent southward, if they do at first come at all from the northern parts of this island only, and not from the north of Europe. Come from whence they will, it is plain, from the fearless disregard that they shew for men or guns, that they have been little accustomed to places of much resort. Navigators mention that in the Isle of Ascension, and other such desolate districts, birds are so little acquainted with the human form that they settle on men's shoulders; and have no more dread of a sailor than they would have of a goat that was grazing. A young man at Lewes, in Sussex, assured me that about seven years ago ring-ousels abounded so about that town in the autumn that he killed sixteen himself in one afternoon: he added farther, that some had appeared since in every autumn; but he could not find that any had been observed before the season in which he shot so many. I myself have found these birds in little parties in the autumn cantoned all along the Sussex downs, wherever there were shrubs and bushes, from Chichester to Lewes; particularly in the autumn of 1770.

I am, etc.

Letter 39

Selborne, Nov. 9, 1773

DEAR SIR,

As you desire me to send you such observations as may occur, I take the liberty of making the following remarks, that you may, according as you think me right or wrong, admit or reject what I here advance, in your intended new edition of the *British Zoology*.

The osprey* was shot about a year ago at Frensham-pond, a great lake, at about six miles from hence, while it was sitting on the handle of a plough and devouring a fish: it used to precipitate itself into the water, and so take it's prey by surprise.

A great ash-coloured† butcher-bird‡ was shot last winter in Tisted-park, and a red-backed butcher-bird at Selborne: they are *raræ aves* in this county.

Crows§ go in pairs the whole year round.

Cornish choughs|| abound, and breed on Beachy-head and on all the cliffs of the Sussex coast.

The common wild pigeon,¶ or stock-dove, is a bird of passage in the south of England,** seldom appearing till towards the end of November; is usually the latest winter bird of passage. Before our beechen woods were so much destroyed we had myriads of them, reaching in strings for a mile together as they went out in a morning to feed. They leave us early in spring; where do they breed?

The people of Hampshire and Sussex call the missel-bird†† the storm-cock, because it sings early in the spring in blowing showery weather; it's song often commences with the year: with us it builds much in orchards.

A gentleman assures me that he has taken the nests of ring-ousels‡‡ on Dartmoor: they build in banks on the sides of streams.

Titlarks§§ not only sing sweetly as they sit on trees, but also as they play and toy about on the wing; and particularly while they are descending, and sometimes as they stand on the ground.||||

Adanson's¶¶ testimony seems to me to be a very poor evidence that European swallows migrate during our winter to Senegal: he does not talk at all like an ornithologist; and probably saw only the swallows of that country, which I know build within Governor O'Hara's hall against the roof. Had he known European swallows, would he not have mentioned the species?

The house-swallow washes by dropping into the water as it flies: this species appears commonly about a week before the house-martin, and about ten or twelve days before the swift.

* *British Zoology*, vol. i. p. 128. (W)
† Butcher-bird = red-backed shrike (S)
‡ *op. cit.* p. 161. (W)
§ *op. cit.* p. 167. (W)
|| *op. cit.* p. 198. (W)
¶ *op. cit.* p. 216. (W)
** The common wild pigeon or stock-dove is now a resident. (S)
†† *op. cit.* p. 224. (W)
‡‡ *op. cit.* p. 229. (W)
§§ *op. cit.* vol. ii. p. 237. (W)
|||| By tit-larks White meant tree-pipits. He appears not to have been aware of the existence of the meadow-pipit. (S)
¶¶ *op. cit.* p. 242. (W)

In 1772 there were young house-martins* in their nest till October the twenty-third.

The swift † appears about *ten* or *twelve* days later than the house-swallow: *viz.* about the twenty-fourth or twenty-sixth of April.

Whin-chats ‡ and stone-chatters § stay with us the whole year.

Some wheat-ears ‖ continue with us the winter through.

Wagtails, all sorts, remain with us all the winter.

Bulfinches, ¶ when fed on hempseed, often become wholly black.

We have vast flocks of female chaffinches ** all the winter, with hardly any males among them.

When you say that in breeding time the cock-snipes †† make a bleating noise, and I a drumming (perhaps I should have rather said an humming), I suspect we mean the same thing. However, while they are playing about on the wing they certainly make a loud piping with their mouths: but whether that bleating or humming is ventriloquous, or proceeds from the motion of their wings, I cannot say; but this I know, that when this noise happens the bird is always descending, and his wings are violently agitated.

Soon after the lapwings ‡‡ have done breeding they congregate, and, leaving the moors and marshes, betake themselves to downs and sheep-walks.

Two years ago §§ last spring the little auk was found alive and unhurt, but fluttering and unable to rise, in a lane a few miles from Alresford, where there is a great lake: it was kept awhile, but died.

I saw young teals ‖‖ taken alive in the ponds of Wolmer-forest in the beginning of July last, along with flappers, or young wild ducks.

Speaking of the swift, ¶¶ that page says '*it's drink the dew*'; whereas it should be 'it drinks on the wing'; for all the swallow kind sip their water as they sweep over the face of pools or rivers: like Virgil's bees, they drink flying, '*flumina summa libant*'. [*Sip the surface of the stream.*] In this method of drinking perhaps this genus may be peculiar.

Of the sedge-bird *** be pleased to say it sings most of the night;

* *British Zoology*, vol. ii. p. 244. (W) † *op. cit.* p. 245. (W)

‡ The whin-chat does not stay in this country in winter. Mr Harting suggests that White may have mistaken female stone-chats for whin-chats. (S)

§ *op. cit.* pp. 270, 271. (W) ‖ *op. cit.* p. 269. (W)

¶ *op. cit.* p. 300. (W) ** *op. cit.* p. 306. (W)

†† *op. cit.* p. 358. (W) ‡‡ *op. cit.* p. 360. (W)

§§ *op. cit.* p. 409. (W) ‖‖ *op. cit.* p. 475. (W)

¶¶ *op. cit.* p. 15. (W) *** *op. cit.* p. 16. (W)

it's notes are hurrying, but not unpleasing, and imitative of several birds; as the sparrow, swallow, sky-lark. When it happens to be silent in the night, by throwing a stone or clod into the bushes where it sits you immediately set it a singing; or in other words, though it slumbers sometimes, yet as soon as it is awakened it reassumes it's song.

Letter 40

Selborne, Sept. 2, 1774

DEAR SIR,

Before your letter arrived, and of my own accord, I had been remarking and comparing the tails of the male and female swallow, and this ere any young broods appeared; so that there was no danger of confounding the dams with their *pulli*: and besides, as they were then always in pairs, and busied in the employ of nidification, there could be no room for mistaking the sexes, nor the individuals of different chimnies the one for the other. From all my observations, it constantly appeared that each sex has the long feathers in it's tail that give it that forked shape; with this difference, that they are longer in the tail of the male than in that of the female.

Nightingales, when their young first come abroad, and are helpless, make a plaintive and a jarring noise; and also a snapping or cracking, pursuing people along the hedges as they walk: these last sounds seem intended for menace and defiance.

The grasshopper-lark chirps all night in the height of summer.

Swans turn white the second year, and breed the third.

Weasels prey on moles, as appears by their being sometimes caught in mole-traps.

Sparrow-hawks sometimes breed in old crows' nests, and the kestril in churches and ruins.

There are supposed to be two sorts of eels in the island of Ely. The threads sometimes discovered in eels are perhaps their young: the generation of eels is very dark and mysterious.*

* Eels in autumn descend the rivers to the sea, and move west to the Sargasso Sea. Here they spawn, and after spawning presumably die. The larvæ, or such of them as survive, do not reach England until their third year. It used to be thought that such fish were a peculiar kind of deep-water fish, and were called *leptocephali*. These creatures turn into elvers in their third year. Till the beginning of this century it was not suspected that these *leptocephali* were the young of the eel. (S)

Hen-harriers breed on the ground, and seem never to settle on trees.

When redstarts shake their tails they move them horizontally, as dogs do when they fawn: the tail of a wagtail, when in motion, bobs up and down like that of a jaded horse.

Hedge-sparrows have a remarkable flirt with their wings in breeding-time; as soon as frosty mornings come they make a very piping plaintive noise.

Many birds which become silent about Midsummer reassume their notes again in September; as the thrush, blackbird, woodlark, willow-wren, etc.; hence August is by much the most mute month, the spring, summer, and autumn through. Are birds induced to sing again because the temperament of autumn resembles that of spring?

Linnæus ranges plants geographically; palms inhabit the tropics, grasses the temperate zones, and mosses and lichens the polar circles; no doubt animals may be classed in the same manner with propriety.

House-sparrows build under eaves in the spring; as the weather becomes hotter they get out for coolness, and nest in plum-trees and apple-trees. These birds have been known sometimes to build in rooks' nests, and sometimes in the forks of boughs under rooks' nests.

As my neighbour was housing a rick he observed that his dogs devoured all the little red mice that they could catch, but rejected the common mice; and that his cats ate the common mice refusing the red.

Red-breasts sing all through the spring, summer, and autumn. The reason that they are called autumn songsters is, because in the two first seasons their voices are drowned and lost in the general chorus; in the latter their song becomes distinguishable. Many songsters of the autumn seem to be the young cock red-breasts of that year: notwithstanding the prejudices in their favour, they do much mischief in gardens to the summer-fruits.*

The titmouse, which early in February begins to make two quaint notes, like the whetting of a saw, is the marsh titmouse: the great titmouse sings with three cheerful joyous notes, and begins about the same time.

Wrens sing all the winter through, frost excepted.

House-martins came remarkably late this year both in

* They eat also the berries of the ivy, the honey-suckle, and the *euonymus europæus*, or spindle-tree. (W)

Hampshire and Devonshire: is this circumstance for or against either hiding or migration?

Most birds drink sipping at intervals; but pigeons take a long continued draught, like quadrupeds.

Notwithstanding what I have said in a former letter, no grey crows were ever known to breed on Dartmoor; it was my mistake.

The appearance and flying of the *scarabæus solstitialis*, or fern-chafer, commence with the month of July, and cease about the end of it. These scarabs are the constant food of *caprimulgi*, or fern-owls, through that period. They abound on the chalky downs and in some sandy districts, but not in the clays.

In the garden of the Black-bear inn in the town of Reading is a stream or canal running under the stables and out into the fields on the other side of the road: in this water are many carps, which lie rolling about in sight, being fed by travellers, who amuse themselves by tossing them bread: but as soon as the weather grows at all severe these fishes are no longer seen, because they retire under the stables, where they remain till the return of spring. Do they lie in a torpid state? if they do not, how are they supported?

The note of the white-throat, which is continually repeated, and often attended with odd gesticulations on the wing, is harsh and displeasing. These birds seem of a pugnacious disposition; for they sing with an erected crest and attitudes of rivalry and defiance; are shy and wild in breeding-time, avoiding neighbourhoods, and haunting lonely lanes and commons; nay even the very tops of the Sussex-downs, where there are bushes and covert; but in July and August they bring their broods into gardens and orchards, and make great havock among the summer-fruits.

The black-cap has in common a full, sweet, deep, loud, and wild pipe; yet that strain is of short continuance, and his motions are desultory; but when that bird sits calmly and engages in song in earnest, he pours forth very sweet, but inward melody, and expresses great variety of soft and gentle modulations, superior perhaps to those of any of our warblers, the nightingale excepted.

Black-caps mostly haunt orchards and gardens; while they warble their throats are wonderfully distended.

The song of the redstart is superior, though somewhat like that of the white-throat: some birds have a few more notes than others. Sitting very placidly on the top of a tall tree in a village, the cock sings from morning to night: he affects neighbourhoods, and avoids solitude, and loves to build in orchards and about houses; with us he perches on the vane of a tall maypole.

The fly-catcher is of all our summer birds the most mute and the most familiar; it also appears the last of any. It builds in a vine, or a sweetbriar, against the wall of an house, or in the hole of a wall, or on the end of a beam or plate, and often close to the post of a door where people are going in and out all day long. This bird does not make the least pretension to song,* but uses a little inward wailing note when it thinks it's young in danger from cats or other annoyances: it breeds but once, and retires early.

Selborne parish alone can and has exhibited at times more than half the birds that are ever seen in all Sweden; the former has produced more than one hundred and twenty species, the latter only two hundred and twenty-one. Let me add also that it has shown near half the species that were ever known in Great-Britain.†

On a retrospect, I observe that my long letter carries with it a quaint and magisterial air, and is very sententious; but, when I recollect that you requested stricture and anecdote, I hope you will pardon the didactic manner for the sake of the information it may happen to contain.

Letter 41

It is a matter of curious inquiry to trace out how those species of soft-billed birds, that continue with us the winter through, subsist during the dead months. The imbecility of birds seems not to be the only reason why they shun the rigour of our winters; for the robust wry-neck (so much resembling the hardy race of woodpeckers) migrates, while the feeble little golden-crowned wren, that shadow of a bird, braves our severest frosts without availing himself of houses or villages, to which most of our winter birds crowd in distressful seasons, while this keeps aloof in fields and woods; but perhaps this may be the reason why they may often perish, and why they are almost as rare as any bird we know.

I have no reason to doubt but that the soft-billed birds, which winter with us, subsist chiefly on insects in their *aurelia* state. All the species of wagtails in severe weather haunt shallow streams near their spring-heads, where they never freeze; and, by wading, pick out the aurelias of the genus of *Phryganeæ*,‡ etc.

* White was slightly deaf, and probably could not hear the song of the fly-catcher, which has been described as being very faint and low. (S)

† *Sweden*, 221, *Great-Britain*, 252 species. (W)

‡ See Derham's *Physico-theology*, p. 235. (W)

Hedge-sparrows frequent sinks and gutters in hard weather, where they pick up crumbs and other sweepings: and in mild weather they procure worms, which are stirring every month in the year, as anyone may see that will only be at the trouble of taking a candle to a grass-plot on any mild winter's night. Redbreasts and wrens in the winter haunt out-houses, stables, and barns, where they find spiders and flies that have laid themselves up during the cold season. But the grand support of the soft-billed birds in winter is that infinite profusion of *aureliæ* of the *lepidoptera ordo*, which is fastened to the twigs of trees and their trunks; to the pales and walls of gardens and buildings; and is found in every cranny and cleft of rock or rubbish, and even in the ground itself.

Every species of titmouse winters with us; they have what I call a kind of intermediate bill between the hard and the soft, between the Linnæan genera of *fringilla* and *motacilla*. One species alone spends it's whole time in the woods and fields, never retreating for succour in the severest seasons to houses and neighbourhoods; and that is the delicate long-tailed titmouse, which is almost as minute as the golden-crowned wren: but the blue titmouse, or nun (*parus cæruleus*), the cole-mouse (*parus ater*), the great black-headed titmouse (*fringillago*), and the marsh titmouse (*parus pallustris*), all resort, at times, to buildings; and in hard weather particularly. The great titmouse, driven by stress of weather, much frequents houses, and, in deep snows, I have seen this bird, while it hung with it's back downwards (to my no small delight and admiration), draw straws lengthwise from out the eaves of thatched houses, in order to pull out the flies that were concealed between them, and that in such numbers that they quite defaced the thatch, and gave it a ragged appearance.*

The blue titmouse, or nun, is a great frequenter of houses, and a general devourer. Besides insects, it is very fond of flesh; for it frequently picks bones on dunghills: it is a vast admirer of suet, and haunts butchers' shops. When a boy, I have known twenty in a morning caught with snap mouse-traps, baited with tallow or suet. It will also pick holes in apples left on the ground, and be well entertained with the seeds on the head of a sun-flower. The blue, marsh, and great titmice will, in very severe weather, carry away barley and oat straws from the sides of ricks.

* Selborne still has a large number of thatched houses, and the titmouse still carries on his mischievous habits, giving the thatch the ragged appearance which White remarks. (S)

How the wheat-ear and whin-chat support themselves in winter cannot be so easily ascertained, since they spend their time on wild heaths and warrens;* the former especially, where there are stone quarries: most probably it is that their maintenance arises from the *aureliæ* of the *lepidoptera ordo*, which furnish them with a plentiful table in the wilderness.

I am, etc.

Letter 42

Selborne, March 9, 1775

DEAR SIR,

Some future *faunist*, a man of fortune, will, I hope, extend his visits to the kingdom of Ireland; a new field, and a country little known to the naturalist. He will not, it is to be wished, undertake that tour unaccompanied by a botanist, because the mountains have scarcely been sufficiently examined; and the southerly counties of so mild an island may possibly afford some plants little to be expected within the British dominions. A person of a thinking turn of mind will draw many just remarks from the modern improvements of that country, both in arts and agriculture, where premiums obtained long before they were heard of with us. The manners of the wild natives, their superstitions, their prejudices, their sordid way of life, will extort from him many useful reflections. He should also take with him an able draughtsman; for he must by no means pass over the noble castles and seats, the extensive and picturesque lakes and waterfalls, and the lofty stupendous mountains, so little known, and so engaging to the imagination when described and exhibited in a lively manner: such a work would be well received.

As I have seen no modern map of Scotland, I cannot pretend to say how accurate or particular any such may be; but this I know, that the best old maps of that kingdom are very defective.

The great obvious defect that I have remarked in all maps of Scotland that have fallen in my way is, a want of a *coloured line*, or *stroke*, that shall exactly define the just limits of that district called The Highlands. Moreover, all the great avenues to that mountainous and romantic country want to be well distinguished. The

* The wheat-ear and the whin-chat both migrate. (S)

military roads formed by general Wade* are so great and Roman-like an undertaking that they well merit attention. My old map, Moll's Map,† takes notice of Fort William; but could not mention the other forts that have been erected long since: therefore a good representation of the chain of forts should not be omitted.

The celebrated zigzag up the Coryarich must not be passed over. Moll takes notice of Hamilton and Drumlanrig, and such capital houses; but a new survey, no doubt, should represent every seat and castle remarkable for any great event, or celebrated for it's paintings, etc. Lord Breadalbane's seat and beautiful *policy* are too curious and extraordinary to be omitted.

The seat of the Earl of Eglintoun, near Glasgow, is worthy of notice. The pine plantations of that nobleman are very grand and extensive indeed.

I am, etc.

Letter 43

DEAR SIR,

A pair of honey-buzzards, *buteo apivorus, sive vespivorus Raii*, built them a large shallow nest, composed of twigs and lined with dead beechen leaves, upon a tall slender beech near the middle of Selborne-hanger, in the summer of 1780. In the middle of the month of June a bold boy climbed this tree, though standing on so steep and dizzy a situation, and brought down an egg, the only one in the nest, which had been sat on for some time, and contained the embrio of a young bird. The egg was smaller, and not so round as those of the common buzzard; was dotted at each end with small red spots, and surrounded in the middle with a broad bloody zone.

The hen-bird was shot, and answered exactly to Mr Ray's description of that species; had a black *cere*, short thick legs, and a long tail. When on the wing this species may be easily distinguished from the common buzzard by it's hawk-like appearance, small

* General (afterwards Field-Marshal) Wade, being made responsible for the pacification of the Highlands after the rebellion of 1715, opened up the country by building great military roads, which gave rise to the well-known rhyme

Had you seen these roads before they were made,
You would lift up your hands and bless General Wade. (S)

† Roadways were not generally marked on maps until after the general survey of England made by Ogilby in 1675. Hermann Moll, to whose map White refers, published his *Atlas Manuale* in 1709. (S)

head, wings not so blunt, and longer tail. This specimen contained in it's craw some limbs of frogs, and many grey snails without shells. The *irides* of the eyes of this bird were of a beautiful bright yellow colour.

About the tenth of July in the same summer a pair of sparrow-hawks bred in an old crow's nest on a low beech in the same hanger; and as their brood, which was numerous began to grow up, became so daring and ravenous, that they were a terror to all the dames in the village that had chickens or ducklings under their care. A boy climbed the tree, and found the young so fledged that they all escaped from him; but discovered that a good house had been kept: the larder was well-stored with provisions; for he brought down a young blackbird, jay, and house-martin, all clean picked, and some half devoured. The old birds had been observed to make sad havock for some days among the new-flown swallows and martins, which, being but lately out of their nests, had not acquired those powers and command of wing that enable them, when more mature, to set such enemies at defiance.

Letter 44

Selborne, Nov. 30, 1780

DEAR SIR,

Every incident that occasions a renewal of our correspondence will ever be pleasing and agreeable to me.

As to the wild wood-pigeon, the *oenas*, or *vinago*, of Ray, I am much of your mind; and see no reason for making it the origin of the common house-dove: but suppose those that have advanced that opinion may have been misled by another appellation, often given to the *oenas*, which is that of stock-dove.

Unless the stock-dove in the winter varies greatly in manners from itself in summer, no species seems more unlikely to be domesticated, and to make an house-dove. We very rarely see the latter settle on trees at all, nor does it ever haunt the woods; but the former, as long as it stays with us, from November perhaps to February, lives the same wild life with the ring-dove, *palumbus torquatus*; frequents coppices and groves, supports itself chiefly by mast, and delights to roost in the tallest beeches. Could it be known in what manner stock-doves build, the doubt would be settled with me at once, provided they construct their nests on trees, like the ring-dove, as I much suspect they do.

You received, you say, last spring a stock-dove from Sussex; and are informed that they sometimes breed in that county. But why did not your correspondent determine the place of it's nidification, whether on rocks, cliffs, or trees? If he was not an adroit ornithologist I should doubt the fact, because people with us perpetually confound the stock-dove with the ring-dove.

For my own part, I readily concur with you in supposing that house-doves are derived from the small blue rock-pigeon, for many reasons. In the first place the wild stock-dove is manifestly larger than the common house-dove, against the usual rule of domestication, which generally enlarges the breed. Again, those two remarkable *black spots* on the remiges of each wing of the stock-dove, which are so characteristic of the species, would not, one should think, be totally lost by it's being reclaimed; but would often break out among its descendants. But what is worth an hundred arguments is, the instance you give in Sir Roger Mostyn's house-doves, in Caernarvonshire; which, though tempted by plenty of food and gentle treatment, can never be prevailed on to inhabit their cote for any time; but, as soon as they begin to breed, betake themselves to the fastnesses of Ormshead, and deposit their young in safety amidst the inaccessible caverns, and precipices of that stupendous promontory.

Naturam expellas furca . . . tamen usque recurret.

[*You may drive out Nature with a pitchfork, yet she will always return.* HORACE, EP. I, X, 24.]

I have consulted a sportsman, now in his seventy-eighth year, who tells me that fifty or sixty years back, when the beechen woods were much more extensive than at present, the number of wood-pigeons was astonishing; that he has often killed near twenty in a day; and that with a long wild-fowl piece he has shot seven or eight at a time on the wing as they came wheeling over his head: he moreover adds, which I was not aware of, that often there were among them little parties of small blue doves, which he calls *rockiers*. The food of these numberless emigrants was beech-mast and some acorns; and particularly barley, which they collected in the stubbles. But of late years, since the vast increase of turnips, that vegetable has furnished a great part of their support in hard weather; and the holes they pick in these roots greatly damage the crop. From this food their flesh has contracted a rancidness which occasions them to be rejected by nicer judges of eating, who thought them before a delicate dish. They were shot not only as they were feeding in the fields, and especially in snowy weather, but also at the close of the evening, by men who lay in ambush among the woods and groves to kill them as they came in to roost.* These are the principal circumstances relating to this wonderful internal migration, which with us takes place towards the end of November, and ceases early in the spring. Last winter we had in Selborne high wood about an hundred of these doves; but in former times the flocks were so vast not only with us but all the district round, that on mornings and evenings they traversed the air, like rooks, in strings, reaching for a mile together. When they thus rendezvoused here by thousands, if they happened to be suddenly roused from their roost-trees on an evening,

Their rising all at once was like the sound
Of thunder heard remote. . . .

It will by no means be foreign to the present purpose to add, that I had a relation in this neighbourhood who made it a practice for a time, whenever he could procure the eggs of a ring-dove, to place them under a pair of doves that were sitting in his own pigeon-house; hoping thereby, if he could bring about a coalition, to enlarge his breed, and teach his own doves to beat out into the woods and to support themselves by mast: † the plan was plausible, but something always interrupted the success; for though the birds were usually hatched, and sometimes grew to half their size, yet none ever arrived at maturity. I myself have seen these foundlings in their nest displaying a strange ferocity of nature, so as scarcely to bear to be looked at, and snapping with their bills by way of menace. In short, they always died, perhaps for want of proper sustenance: but the owner thought that by their fierce and wild demeanour they frighted their foster-mothers, and so were starved.

Virgil, as a familiar occurrence, by way of simile, describes a dove haunting the cavern of a rock in such engaging numbers, that I cannot refrain from quoting the passage: and John Dryden has rendered it so happily in our language, that without farther excuse I shall add his translation also.

Qualis spelunca subito commota Columba,
Cui domus, et dulces latebroso in pumice nidi,
Fertur in arva volans, plausumque exterrita pennis
Dat tecto ingentem—mox aere lapsa quieto,
Radit iter liquidum, celeres neque commovet alas.

* Some old sportsmen say that the main part of these flocks used to withdraw as soon as the heavy Christmas frosts were over. (W)

† The fruit of beech, oak, chestnut, etc. (S)

As when a dove her rocky hold forsakes,
Rous'd, in a fright her sounding wings she shakes;
The cavern rings with clattering:—out she flies,
And leaves her callow care, and cleaves the skies:
At first she flutters:—but at length she springs
To smoother flight, and shoots upon her wings.

I am, etc.

Letters to
the Honourable Daines Barrington

Letter I

Selborne, June 30, 1769

DEAR SIR,

When I was in town last month I partly engaged that I would sometime do myself the honour to write to you on the subject of natural history: and I am the more ready to fulfil my promise, because I see you are a gentleman of great candour, and one that will make allowances; especially where the writer professes to be an *out-door naturalist*, one that takes his observations from the subject itself, and not from the writings of others.

*The following is a List of the Summer Birds of Passage which I have discovered in this neighbourhood, ranged somewhat in the order which they appear:**

	RAII NOMINA.	USUALLY APPEARS ABOUT
1. Wryneck,	*Jynx, sive torquilla:*	The middle of March: harsh note.
2. Smallest willow-wren,	*Regulus non cristatus:*	March 23: chirps till September.
3. Swallow,	*Hirundo domestica:*	April 13.
4. Martin,	*Hirundo rustica:*	Ditto.
5. Sand-martin,	*Hirundo riparia:*	Ditto.
6. Black-cap,	*Atricapilla:*	Ditto: a sweet wild note.
7. Nightingale,	*Luscinia:*	Beginning of April.
8. Cuckoo,	*Cuculus:*	Middle of April.
9. Middle willow-wren,	*Regulus non cristatus:*	Ditto: a sweet plaintive note.
10. White-throat,	*Ficedulæ affinis:*	Ditto: mean note: sings on till September.
11. Red-start,	*Ruticilla:*	Ditto: more agreeable song.
12. Stone-curlew,	*Oedicnemus:*	End of March: loud nocturnal whistle.
13. Turtle-dove,	*Turtur:*	
14. Grasshopper-lark,	*Alauda minima locustæ voce:*	Middle of April: a small sibilous note, till the end of July.
15. Swift,	*Hirundo apus:*	About April 27.
16. Less reed-sparrow,	*Passer arundinaceus minor:*	A sweet polyglot, but hurrying: it has the notes of many birds.
17. Land-rail,	*Ortygometra:*	A loud harsh note, crex, crex.
18. Largest willow-wren,	*Regulus non cristatus:*	Cantat voce stridula locustæ; end of April, on the tops of high beeches.
19. Goat-sucker, or fern-owl,	*Caprimulgus:*	Beginning of May; chatters by night with a singular noise.
20. Fly-catcher,	*Stoparola:*	May 12. A very mute bird: This is the latest summer bird of passage.

* In this list the smallest willow wren = chiff-chaff; middle willow wren = willow-wren; grasshopper lark = grasshopper warbler; less reed-sparrow = sedge warbler; largest willow-wren = wood-wren. (S)

This assemblage of curious and amusing birds belongs to ten several genera of the Linnæan system; and are all of the *ordo* of *passeres*, save the *jynx* and *cuculus*, which are *picæ*, and the *charadrius* (*oedicnemus*) and *rallus* (*ortygometra*), which are *grallæ*.

These birds, as they stand numerically, belong to the following Linnæan genera:

1.	*Jynx:*	13. *Columba:*
2, 6, 7, 9, 10, 11, 16, 18.	*Motacilla:*	17. *Rallus:*
3, 4, 5, 15.	*Hirundo:*	19. *Caprimulgus:*
8.	*Cuculus:*	14. *Alauda:*
12.	*Charadrius:*	20. *Muscicapa.*

Most soft-billed birds live on insects, and not on grain and seeds; and therefore at the end of summer they retire: but the following soft-billed birds, though insect-eaters, stay with us the year round:

	RAII NOMINA.*	
Redbreast, Wren,	*Rubecula:* *Passer troglodytes:*	These frequent houses; and haunt outbuildings in the winter; eat spiders.
Hedge-sparrow,	*Curruca:*	Haunt sinks for crumbs and other sweepings.
White-wagtail, Yellow-wagtail, Grey wagtail,	*Motacilla alba:* *Motacilla flava:* *Motacilla cinerea:*	These frequent shallow rivulets near the spring heads, where they never freeze: eat the aureliæ of Phryganea. The smallest birds that walk.
Wheat-ear,	*Oenanthe:*	Some of these are to be seen with us the winter through.
Whin-chat, Stone-chatter,	*Oenanthe secunda:* *Oenanthe tertia:*	
Golden-crowned wren,	*Regulus cristatus:*	This is the smallest British bird: haunts the tops of tall trees; stays the winter through.

A List of the Winter Birds of Passage round this neighbourhood, ranged somewhat in the order in which they appear: †

1. Ring-ousel,	*Merula torquata:*	This is a new migration which I have lately discovered about Michaelmas week, and again about the fourteenth of March.

* In this list the white wagtail = common pied wagtail; yellow wagtail = grey wagtail (our yellow wagtail is a summer visitant, not a resident); the whin-chat does not winter here, and the wheat-ear very rarely. (S)

† In this list the wild swan = whooper; wild duck = mallard; grosbeak = haw-finch; silk-tail = waxwing. (S)

	RAII NOMINA.	
2. Redwing,	*Turdus iliacus:*	About old Michaelmas.
3. Fieldfare,	*Turdus pilaris:*	Though a percher by day, roosts on the ground.
4. Royston-crow,	*Cornix cinerea:*	Most frequent on downs.
5. Woodcock,	*Scolopax:*	Appears about old Michaelmas.
6. Snipe,	*Gallinago minor:*	Some snipes constantly breed with us.
7. Jack-snipe,	*Gallinago minima:*	
8. Wood-pigeon,	*Oenas:*	Seldom appears till late: not in such plenty as formerly.
9. Wild-swan,	*Cygnus ferus:*	On some large waters.
10. Wild-goose,	*Aser ferus:*	
11. Wild-duck,	*Anas torquata minor:*	On our lakes and streams.
12. Pochard,	*Anas fera fusca:*	
13. Wigeon,	*Penelope:*	
14. Teal, breeds with us in Wolmer-forest	*Querquedula:*	
15. Gross-beak,	*Coccothraustes:*	These are only wanderers that appear occasionally, and are not observant of any regular migration.
16. Cross-bill,	*Loxia:*	
17. Silk-tail,	*Garrulus bohemicus:*	

These birds, as they stand numerically, belong to the following Linnæan genera:

1, 2, 3.	*Turdus:*	9, 10, 11, 12, 13, 14.	*Anas:*
4.	*Corvus:*	15, 16.	*Loxia:*
5, 6, 7.	*Scolopax:*	17.	*Ampelis:*
8.	*Columba:*		

Birds that sing in the night are but few.*

Nightingale,	*Luscinia:*	*In shadiest covert hid.* MILTON.
Woodlark,	*Alauda arborea:*	Suspended in mid air.
Less reed-sparrow,	*Passer arundinaceus minor:*	Among reeds and willows.

I should now proceed to such birds as continue to sing after Midsummer, but, as they are rather numerous, they would exceed the bounds of this paper: besides, as this is now the season for remarking on that subject, I am willing to repeat my observations on some birds concerning the continuation of whose song I seem at present to have some doubt.

I am, etc.

* In this list the less reed sparrow = the sedge warbler. (S)

Letter 2

Selborne, Nov. 2, 1769

DEAR SIR,

When I did myself the honour to write to you about the end of last June on the subject of natural history, I sent you a list of the summer-birds of passage which I have observed in this neighbourhood; and also a list of the winter-birds of passage: I mentioned besides those soft-billed birds that stay with us the winter through in the south of England, and those that are remarkable for singing in the night.

According to my proposal, I shall now proceed to such birds (singing birds strictly so called) as continue in full song till after Midsummer; and shall range them somewhat in the order in which they first begin to open as the spring advances.

	RAII NOMINA.*	
1. Wood-lark,	*Alauda arborea:*	In January, and continues to sing through all the summer and autumn.
2. Song-thrush,	*Turdus simpliciter dictus:*	In February and on to August, re-assume their song in autumn.
3. Wren,	*Passer troglodytes:*	All the year, hard frost excepted.
4. Redbreast,	*Rubecula:*	Ditto.
5. Hedge-sparrow,	*Curruca:*	Early in February to July the 10th.
6. Yellowhammer,	*Emberiza flava:*	Early in February, and on through July to August the 21st.
7. Skylark,	*Alauda vulgaris:*	In February, and on to October.
8. Swallow,	*Hirundo domestica:*	From April to September.
9. Black-cap,	*Atricapilla:*	Beginning of April to July 13th.
10. Titlark,	*Alauda pratorum:*	From middle of April to July 16th.
11. Blackbird,	*Merula vulgaris:*	Sometimes in February and March, and so on to July the twenty-third; reassumes in autumn.
12. White-throat,	*Ficedulæ affinis:*	In April and on to July 23.
13. Goldfinch,	*Carduelis:*	April and through to September 16.
14. Greenfinch,	*Chloris:*	On to July and August 2.
15. Less reed-sparrow,	*Passer arundinaceus minor:*	May, on to beginning of July.
16. Common linnet,	*Linaria vulgaris:*	Breeds and whistles on till August: reassumes it's note when they begin to congregate in October, and again early before the flock separate.

* In this list titlark = meadow pipit; less reed sparrow = sedge warbler; middle willow-wren = willow-wren; missel bird = mistle thrush; small willow-wren = chiff-chaff; largest willow-wren = wood-wren or wood-warbler; grasshopper lark = grasshopper warbler; bunting = corn bunting. (S)

Birds that cease to be in full song, and are usually silent at or before Midsummer:

17. Middle willow-wren,	*Regulus non cristatus:*	Middle of June: begins in April.
18. Redstart,	*Ruticilla:*	Ditto: begins in May.
19. Chaffinch,	*Fringilla:*	Beginning of June: sings first in February.
20. Nightingale,	*Luscinia:*	Middle of June: sings first in April.

Birds that sing for a short time, and very early in the spring:

	RAII NOMINA	
21. Missel-bird,	*Turdus viscivorus:*	January the 2d, 1770, in February. Is called in Hampshire and Sussex the storm-cock, because it's song is supposed to forebode windy wet weather: is the largest singing bird we have.
22. Great tit-mouse, or ox-eye,	*Fringillago:*	In February, March, April: re-assumes for a short time in September.

Birds that have somewhat of a note or song, and yet are hardly to be called singing birds:

23. Golden-crowned wren,	*Regulus cristatus:*	It's note as minute as it's person; frequents the tops of high oaks and firs: the smallest British bird.
24. Marsh tit-mouse,	*Parus palustris:*	Haunts great woods: two harsh sharp notes.
25. Small willow-wren,	*Regulus non cristatus:*	Sings in March and on to September.
26. Largest ditto,	*Ditto:*	*Cantat voce stridula locustæ*; from end of April to August.
27. Grasshopper-lark,	*Alauda minima voce locustæ:*	Chirps all night, from the middle of April to the end of July.
28. Martin,	*Hirundo agretis:*	All the breeding time; from May to September.
29. Bullfinch,	*Pyrrhula:*	
30. Bunting,	*Emberiza alba:*	From the end of January to July.

All singing birds, and those that have any pretensions to song, not only in Britain, but perhaps the world through, come under the Linnæan *ordo* of *passeres*.

The above-mentioned birds, as they stand numerically, belong to the following Linnæan genera.

1, 7, 10, 27.	*Alauda:*	8, 28.	*Hirundo:*
2, 11, 21.	*Turdus:*	13, 16, 19.	*Fringilla:*
3, 4, 5, 9, 12, 15, 17, 18, 20, 23, 25, 26,	*Motacilla:*	22, 24.	*Parus:*
6, 30.	*Emberiza:*	14, 29.	*Loxia:*

Birds that sing as they fly are but few.*

	RAII NOMINA	
Skylark,	*Alauda vulgaris:*	Rising, suspended, and falling.
Titlark,	*Alauda pratorum:*	In it's descent; also sitting on trees, and walking on the ground.
Woodlark,	*Alauda arborea:*	Suspended; in hot summer nights all night long.
Blackbird,	*Merula:*	Sometimes from bush to bush.
White-throat,	*Ficidulæ affinis:*	Uses when singing on the wing odd jerks and gesticulations.
Swallow,	*Hirundo domestica:*	In soft sunny weather.
Wren,	*Passer troglodytes:*	Sometimes from bush to bush.

Birds that breed most early in these parts.

Raven,	*Corvus:*	Hatches in February and March.
Song-thrush,	*Turdus:*	In March.
Blackbird,	*Merula:*	In March.
Rook,	*Cornix frugilega:*	Builds the beginning of March.
Woodlark,	*Alauda arborea:*	Hatches in April.
Ring-dove,	*Palumbus torquatus:*	Lays the beginning of April.

All birds that continue in full song till after Midsummer appear to me to breed more than once.

Most kinds of birds seem to me to be wild and shy somewhat in proportion to their bulk; I mean in this island, where they are much pursued and annoyed: but in Ascension Island, and many other desolate places, mariners have found fowls so unacquainted with an human figure, that they would stand still to be taken; as is the case with boobies, etc. As an example of what is advanced, I remark that the golden-crested wren (the smallest British bird) will stand unconcerned till you come within three or four yards of it, while the bustard (*otis*), the largest British land fowl, does not care to admit a person within so many furlongs.

I am, etc.

Letter 3

Selborne, Jan. 15, 1770

DEAR SIR,

It was no small matter of satisfaction to me to find that you were not displeased with my little *methodus* of birds. If there was any

* This list could have been made considerably longer. Perhaps there are a few singing birds that do not sing as they fly. (S)

merit in the sketch, it must be owing to it's punctuality. For many months I carried a list in my pocket of the birds that were to be remarked, and, as I rode or walked about my business, I noted each day the continuance or omission of each bird's song; so that I am as sure of the certainty of my facts as a man can be of any transaction whatsoever.

I shall now proceed to answer the several queries which you put in your two obliging letters, in the best manner that I am able. Perhaps Eastwick, and it's environs, where you heard so very few birds, is not a woodland country, and therefore not stocked with such songsters. If you will cast your eye on my last letter, you will find that many species continued to warble after the beginning of July.

The titlark and yellowhammer breed late, the latter very late; and therefore it is no wonder that they protract their song: for I lay it down as a maxim in ornithology, that as long as there is any incubation going on there is music. As to the redbreast and wren, it is well known to the most incurious observer that they whistle the year round, hard frost excepted; especially the latter.

It was not in my power to procure you a black-cap, or a less reed-sparrow, or sedge-bird, alive. As the first is undoubtedly, and the last, as far as I can yet see, a summer bird of passage, they would require more nice and curious management in a cage than I should be able to give them: they are both distinguished songsters. The note of the former has such a wild sweetness that it always brings to my mind those lines in a song in *As You Like It.*

And tune his merry note
Unto the wild *bird's throat.*

SHAKESPEARE.

The latter has a surprising variety of notes resembling the song of several other birds; but then it also has an hurrying manner, not at all to it's advantage: it is notwithstanding a delicate polyglot.

It is new to me that titlarks in cages sing in the night; perhaps only caged birds do so. I once knew a tame redbreast in a cage that always sang as long as candles were in the room; but in their wild state no one supposes they sing in the night.

I should be almost ready to doubt the fact, that there are to be seen much fewer birds in July than in any former month, notwithstanding so many young are hatched daily. Sure I am that it is far otherwise with respect to the swallow tribe, which increases prodigiously as the summer advances: and I saw, at the time mentioned, many hundreds of young wagtails on the banks of the Cherwell,* which almost covered the meadows. If the matter appears as you say in the other species, may it not be owing to the dams being engaged in incubation, while the young are concealed by the leaves?

Many times have I had the curiosity to open the stomachs of woodcocks and snipes; but nothing ever occurred that helped to explain to me what their subsistence might be: all that I could ever find was a soft mucus, among which lay many pellucid small gravels.

I am, etc.

Letter 4

Selborne, Feb. 19, 1770

DEAR SIR,

Your observation that 'the cuckoo does not deposit it's egg indiscriminately in the nest of the first bird that comes in it's way, but probably looks out a nurse in some degree congenerous, with whom to intrust it's young' † is perfectly new to me; and struck me so forcibly, that I naturally fell into a train of thought that led me to consider whether the fact was so, and what reason there was for it. When I came to recollect and inquire, I could not find that any cuckoo had ever been seen in these parts, except in the nest of the wagtail, the hedge-sparrow, the titlark, the white-throat, and the red-breast, all soft-billed insectivorous birds. The excellent Mr Willughby mentions the nests of the *palumbus* (ring-dove), and of the *fringilla* (chaffinch), birds that subsist on acorns and grains, and such hard food: but then he does not mention them as of his own knowledge; but says afterwards that he saw himself a wagtail feeding a cuckoo. It appears hardly possible that a soft-billed bird should subsist on the same food with the hard-billed: for the former

* A river at Oxford. (S)

† Modern ornithologists say that the cuckoo by no means drops her eggs by chance. Any particular cuckoo nearly always lays one colour of egg, probably that of the egg of the host by whom she and her ancestors were brought up, and every second day lays her egg directly in or into the nest, as a rule, of a bird of that sort, though there is a possibility that sometimes she uses her beak to transfer the egg from where she laid it, to the nest of its foster-parent. Twenty-two of these eggs she can lay in a season. The list of birds mentioned by White as being victims of the cuckoo could be greatly increased. Warde Fowler quotes the number as 120, and E. M. Nicholson gives it as over 60. (S)

have thin membranaceous stomachs suited to their soft food; while the latter, the granivorous tribe, have strong muscular gizzards, which, like mills, grind, by the help of small gravels and pebbles, what is swallowed. This proceeding of the cuckoo, of dropping it's eggs as it were by chance, is such a monstrous outrage on maternal affection, one of the first great dictates of nature; and such a violence on instinct; that, had it only been related of a bird in the Brazils, or Peru, it would never have merited our belief. But yet, should it farther appear that this simple bird, when divested of that natural *στοργὴ* [parental love or attachment] that seems to raise the kind in general above themselves, and inspire them with extraordinary degrees of cunning and address, may be still endued with a more enlarged faculty of discerning what species are suitable and congenerous nursing-mothers, for it's disregarded eggs and young, and may deposit them only under *their* care, this would be adding wonder to wonder, and instancing in a fresh manner, that the methods of Providence are not subjected to any mode or rule, but astonish us in new lights, and in various and changeable appearances.

What was said by a very ancient and sublime writer concerning the defect of natural affection in the ostrich, may be well applied to the bird we are talking of:

'*She is hardened against her young ones, as though they were not her's:*

'*Because God hath deprived her of wisdom, neither hath he imparted to her understanding.*' *

Query. Does each female cuckoo lay but one egg in a season, or does she drop several in different nests according as opportunity offers?

I am, etc.

Letter 5

Selborne, April 12, 1770

DEAR SIR,

I heard many birds of several species sing last year after Midsummer; enough to prove that the summer solstice is not the period that puts a stop to the music of the woods. The yellowhammer no doubt persists with more steadiness than any other; but the woodlark, the wren, the redbreast, the swallow, the whitethroat, the goldfinch, the common linnet, are all undoubted instances of the truth of what I advanced.

* Job xxxix. 16, 17. (W)

If this severe season does not interrupt the regularity of the summer migrations, the blackcap will be here in two or three days. I wish it was in my power to procure you one of those songsters; but I am no birdcatcher; and so little used to birds in a cage, that I fear if I had one it would soon die for want of skill in feeding.

Was your reed-sparrow, which you kept in a cage, the thick-billed reed-sparrow of the *Zoology*, p. 320; or was it the less reed-sparrow, of Ray, the sedge-bird of Mr Pennant's last publication, p. 16?

As to the matter of long-billed birds growing fatter in moderate frosts, I have no doubt within myself what should be the reason. The thriving at those times appears to me to arise altogether from the gentle check which the cold throws upon insensible perspiration. The case is just the same with blackbirds, etc.; and farmers and warreners observe, the first, that their hogs fat more kindly at such times, and the latter that their rabbits are never in such good case as in a gentle frost. But when frosts are severe, and of long continuance, the case is soon altered; for then a want of food soon overbalances the repletion occasioned by a checked perspiration. I have observed, moreover, that some human constitutions are more inclined to plumpness in winter than in summer.

When birds come to suffer by severe frost, I find that the first that fail and die are the redwing-fieldfares, and then the song-thrushes.

You wonder, with good reason, that the hedge-sparrows, etc. can be induced to sit at all on the egg of the cuckoo without being scandalized at the vast disproportioned size of the supposititious egg; but the brute creation, I suppose, have very little idea of size, colour, or number. For the common hen, I know, when the fury of incubation is on her, will sit on a single shapeless stone instead of a nest full of eggs that have been withdrawn: and, moreover, a hen-turkey, in the same circumstances, would sit on in the empty nest till she perished with hunger.

I think the matter might easily be determined whether a cuckoo lays one or two eggs, or more, in a season, by opening a female during the laying-time. If more than one was come down out of the ovary, and advanced to a good size, doubtless then she would that spring lay more than one.

I will endeavour to get a hen, and to examine.

Your supposition that there may be some natural obstruction in singing birds while they are mute, and that when this is removed the song recommences is new and bold; I wish you could discover some good grounds for this suspicion.

I was glad you were pleased with my specimen of the *caprimulgus*, or fern-owl; you were, I find, acquainted with the bird before.

When we meet, I shall be glad to have some conversation with you concerning the proposal you make of my drawing up an account of the animals in this neighbourhood. Your partiality towards my small abilities persuades you, I fear, that I am able to do more than is in my power: for it is no small undertaking for a man unsupported and alone to begin a natural history from his own autopsia! Though there is endless room for observation in the field of nature, which is boundless, yet investigation (where a man endeavours to be sure of his facts) can make but slow progress; and all that one could collect in many years would go into a very narrow compass.

Some extracts from your ingenious 'Investigations of the difference between the present temperature of the air in Italy', etc. have fallen in my way; and gave me great satisfaction: they have removed the objections that always arose in my mind whenever I came to the passages which you quote. Surely the judicious Virgil, when writing a didactic poem for the region of Italy, could never think of describing freezing rivers, unless such severity of weather pretty frequently occurred!

P.S. Swallows appear amidst snows and frost.

Letter 6

Selborne, May 21, 1770

DEAR SIR,

The severity and turbulence of last month so interrupted the regular progress of summer migration, that some of the birds do but just begin to shew themselves, and others are apparently thinner than usual; as the white-throat, the black-cap, the red-start, the fly-catcher. I well remember that after the very severe spring in the year 1739–40 summer birds of passage were very scarce. They come probably hither with a south-east wind, or when it blows between those points; but in that unfavourable year the winds blowed the whole spring and summer through from the opposite quarters. And yet amidst all these disadvantages two swallows, as I mentioned in my last, appeared this year as early as the eleventh of April amidst frost and snow; but they withdrew again for a time.

I am not pleased to find that some people seem so little satisfied with Scopoli's new publication;* there is room to expect great things from the hands of that man, who is a good naturalist: and one would think that an history of the birds of so distant and southern a region as Carniola † would be new and interesting. I could wish to see that work, and hope to get it sent down. Dr Scopoli is physician to the wretches that work in the quicksilver mines of that district.

When you talked of keeping a reed-sparrow, and giving it seeds, I could not help wondering; because the reed-sparrow which I mentioned to you (*passer arundinaceus minor Raii*) is a soft-billed bird; and most probably migrates hence before winter; whereas the bird you kept (*passer torquatus Raii*) abides all the year, and is a thick-billed bird. I question whether the latter be much of a songster; but in this matter I want to be better informed. The former has a variety of hurrying notes, and sings all night. Some part of the song of the former, I suspect, is attributed to the latter. We have plenty of the soft-billed sort; which Mr Pennant had entirely left out of his *British Zoology*, till I reminded him of his omission. See *British Zoology* last published, p. 16.‡

I have somewhat to advance on the different manners in which different birds fly and walk; but as this is a subject that I have not enough considered, and is of such a nature as not to be contained in a small space, I shall say nothing farther about it at present.§

No doubt the reason why the sex of birds in their first plumage is so difficult to be distinguished is, as you say, 'because they are not to pair and discharge their parental functions till the ensuing spring'. As colours seem to be the chief external sexual distinction in many birds, these colours do not take place till sexual attachments begin to obtain. And the case is the same in quadrupeds; among whom, in their younger days, the sexes differ but little: but, as they advance to maturity, horns and shaggy manes, beards and brawny necks, etc. etc. strongly discriminate the male from the female. We may instance still farther in our own species, where a beard and stronger features are usually characteristic of the male sex: but this sexual diversity does not take place in earlier life; for a beautiful youth shall be so like a beautiful girl that the difference shall not be discernible;

* This work he calls his *Annus Primus Historico Naturalis.* (W)

† An Austrian duchy, to the south of Carinthia. (S)

‡ See Letter 25 to Mr Pennant. (W)

§ See Letter 42 to Mr Barrington. (W)

Quem si puellarum insereres choro,
Mire sagaces falleret hospites
Discrimen obscurum, solutis
Crinibus, ambiguoque vultu.

[*If you put him in a crowd of girls, those who did not know him, no matter how wise, would not be able to note his difference from the rest, disguised by his long hair and his girl-boy face.* HORACE, CARM. II, 5.]

Letter 7

Ringmer, near Lewes, Oct. 8, 1770

DEAR SIR,

I am glad to hear that Kuckalm is to furnish you with the birds of Jamaica; a sight of the *hirundines* of that hot and distant island would be a great entertainment to me.

The *Anni* of Scopoli are now in my possession; and I have read the *Annus Primus* with satisfaction: for though some parts of this work are exceptionable, and he may advance some mistaken observations; yet the ornithology of so distant a country as Carniola is very curious. Men that undertake only one district are much more likely to advance natural knowledge than those that grasp at more than they can possibly be acquainted with: every kingdom, every province, should have it's own *monographer*.

The reason perhaps why he mentions nothing of Ray's Ornithology may be the extreme poverty and distance of his country, into which the works of our great naturalist may have never yet found their way. You have doubts, I know, whether this Ornithology is genuine, and really the work of Scopoli: as to myself, I think I discover strong tokens of authenticity; the style corresponds with that of his Entomology; and his characters of his Ordines and Genera are many of them new, expressive, and masterly. He has ventured to alter some of the Linnæan genera with sufficient shew of reason.

It might perhaps be mere accident that you saw so many swifts and no swallows at Staines; because, in my long observation of those birds, I never could discover the least degree of rivalry or hostility between the species.

Ray remarks that birds of the *gallinæ* order, as cocks and hens, partridges, and pheasants, etc. are *pulveratrices*, such as dust themselves, using that method of cleansing their feathers, and ridding themselves of their vermin. As far as I can observe, many birds that dust themselves never wash: and I once thought that those birds that wash themselves would never dust; but here I find myself mistaken; for common house-sparrows are great *pulveratrices*, being frequently seen grovelling and wallowing in dusty roads; and yet they are great washers. Does not the skylark dust?

Query. Might not Mahomet and his followers take one method of purification from these *pulveratrices*? because I find from travellers of credit, that if a strict mussulman is journeying in a sandy desert where no water is to be found, at stated hours he strips off his clothes, and most scrupulously rubs his body over with sand or dust.

A countryman told me he had found a young fern-owl in the nest of a small bird on the ground; and that it was fed by the little bird. I went to see this extraordinary phenomenon, and found that it was a young cuckoo hatched in the nest of a titlark: it was become vastly too big for it's nest, appearing

. . . in tenui re
Majores pennas nido extendisse—
[*To spread wings too wide for the nest.* HORACE, EP. I, XX. 21.]

and was very fierce and pugnacious, pursuing my finger, as I teazed it, for many feet from the nest, and sparring and buffetting with it's wings like a game-cock. The dupe of a dam appeared at a distance, hovering about with meat in it's mouth, and expressing the greatest solicitude.

In July I saw several cuckoos skimming over a large pond; and found, after some observation, that they were feeding on the *libellulæ*, or dragon-flies; some of which they caught as they settled on the weeds, and some as they were on the wing. Notwithstanding what Linnæus says, I cannot be induced to believe that they are birds of prey.

This district affords some birds that are hardly ever heard of at Selborne. In the first place considerable flocks of cross-beaks (*loxiæ curvirostræ*) have appeared this summer in the pine-groves belonging to this house; the water-ousel is said to haunt the mouth of the Lewes river, near Newhaven; and the Cornish chough builds, I know, all along the chalky cliffs of the Sussex shore.

I was greatly pleased to see little parties of ring-ousels (my newly discovered migraters) scattered, at intervals, all along the Sussex downs from Chichester to Lewes. Let them come from whence they will, it looks very suspicious that they are cantoned along the coast in order to pass the channel when severe weather advances. They visit us again in April, as it should seem, in their return; and are not to be found in the dead of winter. It is remarkable that they are very tame, and seem to have no manner of apprehensions of danger from a person with a gun. There are bustards on the wide down near Brighthelmstone. No doubt you are acquainted with the Sussex downs: the prospects and rides round Lewes are most lovely!

As I rode along near the coast I kept a very sharp look out in the lanes and woods, hoping I might, at this time of the year, have discovered some of the summer short-winged birds of passage crowding towards the coast in order for their departure: but it was very extraordinary that I never saw a redstart, white-throat, black-cap, uncrested wren, fly-catcher, etc. And I remember to have made the same remark in former years, as I usually come to this place annually about this time. The birds most common along the coast at present are the stone-chatters, whinchats, buntings, linnets, some few wheat-ears, titlarks, etc. Swallows and house-martins abound yet, induced to prolong their stay by this soft, still, dry season.

A land tortoise, which has been kept for thirty years in a little walled court belonging to the house where I now am visiting, retires under ground about the middle of November, and comes forth again about the middle of April. When it first appears in the spring it discovers very little inclination towards food; but in the height of summer grows voracious: and then as the summer declines it's appetite declines; so that for the last six weeks in autumn it hardly eats at all. Milky plants, such as lettuces, dandelions, sowthistles, are it's favourite dish. In a neighbouring village one was kept till by tradition it was supposed to be an hundred years old. An instance of vast longevity in such a poor reptile!

Letter 8

Selborne, Dec. 20, 1770

DEAR SIR,

The birds that I took for *aberdavines* were reed-sparrows (*passeres torquati*).

There are doubtless many home internal migrations within this kingdom that want to be better understood: witness those vast flocks of hen chaffinches that appear with us in the winter without hardly any cocks among them. Now was there a due proportion of each sex, it should seem very improbable that any one district should produce such numbers of these little birds; and much more when only one half of the species appears: therefore we may conclude that the *fringillæ cælebes*, for some good purposes, have a peculiar migration of their own in which the sexes part. Nor should it seem so wonderful that the intercourse of sexes in this species of birds should be interrupted in winter; since in many animals, and particularly in bucks and does, the sexes herd separately, except at the season when commerce is necessary for the continuance of the breed. For this matter of the chaffinches see *Fauna Suecica*, p. 85, and *Systema Naturæ*, p. 318.* I see every winter vast flights of hen chaffinches, but none of cocks.

Your method of accounting for the periodical motions of the British singing birds, or birds of flight, is a very probable one; since the matter of food is a great regulator of the actions and proceedings of the brute creation: there is but one that can be set in competition with it, and that is love. But I cannot quite acquiesce with you in one circumstance when you advance that, 'when they have thus feasted, they again separate into small parties of five or six, and get the best fare they can within a certain district, having no inducement to go in quest of fresh-turned earth'. Now if you mean that the business of congregating is quite at an end from the conclusion of wheat-sowing to the season of barley and oats, it is not the case with us; for larks and chaffinches, and particularly linnets, flock and congregate as much in the very dead of winter as when the husbandman is busy with his ploughs and harrows.

Sure there can be no doubt but that woodcocks and field-fares leave us in the spring, in order to cross the seas, and to retire to some districts more suitable to the purpose of breeding. That the former pair before they retire, and that the hens are forward with egg, I myself, when I was a sportsman, have often experienced. It cannot indeed be denied but that now and then we hear of a woodcock's nest, or young birds, discovered in some part or other of this island: but then they are always mentioned as rarities, and somewhat out of the common course of things: but as to redwings and fieldfares, no sportsman or naturalist has ever yet, that I could hear, pretended to have found the nest or young of those species in any part of these kingdoms. And I the more admire at this instance as extraordinary, since, to all appearance, the same food in summer as well as in winter might support them here which maintains their congeners, the blackbirds and thrushes, did they chuse to stay the summer through. From hence it appears that it is not food

* Both by Linnæus. See Introduction. (S)

The Water

The Zig zag path
9 x I x 62

alone which determines some species of birds with regard to their stay or departure. Fieldfares and redwings disappear sooner or later according as the warm weather comes on earlier or later. For I well remember, after that dreadful winter of 1739–40, that cold north-east winds continued to blow on through April and May, and that these kinds of birds (what few remained of them) did not depart as usual, but were seen lingering about till the beginning of June.

The best authority that we can have for the nidification of the birds above-mentioned in any district, is the testimony of faunists that have written professedly the natural history of particular countries. Now, as to the fieldfare, Linnæus, in his *Fauna Suecica*, says of it that '*maximis in arboribus nidificat*': [*It nests in the tallest trees*] and of the redwing he says, in the same place, that '*nidificat in mediis arbusculis, sive sepibus: ova sex cæruleo-viridia maculis nigris variis.* [*It nests in medium-sized bushes or hedges; it lays six eggs, blue-green in colour with black spots.*] Hence we may be assured that fieldfares and redwings breed in Sweden. Scopoli says, in his *Annus Primus*, of the woodcock, that '*nupta ad nos venit circa æquinoctium vernale*': [*It comes to us, already mated, about the spring equinox*] meaning in Tirol, of which he is a native. And afterwards he adds '*nidificat in paludibus alpinis: ova ponit* 3 - - - 5.' [*It nests in the Alpine swampy woods: it lays from three to five eggs.*] It does not appear from Kramer that woodcocks breed at all in Austria: but he says '*Avis hæc septentrionalium provinciarum æstivo tempore incola est; ubi plerumque nidificat. Appropinquante hyeme australiores provincias petit: hinc circa plenilunium mensis Octobris plerumque Austriam transmigrat. Tunc rursus circa plenilunium potissimum mensis Martii per Austriam matrimonio juncta ad septentrionales provincias redit.*' [*This bird is an inhabitant of the northern parts in the summer, where it breeds in great numbers. When winter approaches, it seeks southern countries, whence it crosses Austria in considerable numbers at the October full moon. Then again, if possible about the time of the March full moon, it comes back again through Austria, already mated, to the northern parts.*] For the whole passage (which I have abridged) see *Elenchus*, etc., p. 351. This seems to be a full proof of the migration of woodcocks; though little is proved concerning the place of breeding.

P.S. There fell in the county of Rutland, in three weeks of this present very wet weather, seven inches and an half of rain, which is more than has fallen in any three weeks for these thirty years past in that part of the world. A mean quantity in that county for one year is twenty inches and an half.

Letter 9

Fyfield, near Andover, Feb. 12, 1771

DEAR SIR,

You are, I know, no great friend to migration; and the well attested accounts from various parts of the kingdom seem to justify you in your suspicions, that at least many of the swallow kind do not leave us in the winter, but lay themselves up like insects and bats, in a torpid state, to slumber away the more uncomfortable months till the return of the sun and fine weather awakens them.

But then we must not, I think, deny migration in general; because migration certainly does subsist in some places, as my brother in Andalusia has fully informed me. Of the motions of these birds he has ocular demonstration, for many weeks together, both spring and fall: during which periods myriads of the swallow kind traverse the Straits from north to south, and from south to north, according to the season. And these vast migrations consist not only of *hirundines* but of bee-birds, hoopoes, *oro pendolos*, or golden thrushes, etc. etc. and also many of our soft-billed summer-birds of passage; and moreover of birds which never leave us, such as all the various sorts of hawks and kites. Old Belon, two hundred years ago, gives a curious account of the incredible armies of hawks and kites which he saw in the spring-time traversing the Thracian Bosphorus from Asia to Europe. Besides the above mentioned, he remarks that the procession is swelled by whole troops of eagles and vultures.

Now it is no wonder that birds residing in Africa should retreat before the sun as it advances, and retire to milder regions, and especially birds of prey, whose blood being heated with hot animal food, are more impatient of a sultry climate: but then I cannot help wondering why kites and hawks, and such hardy birds as are known to defy all the severity of England, and even of Sweden and all north Europe, should want to migrate from the south of Europe, and be dissatisfied with the winters of Andalusia.

It does not appear to me that much stress may be laid on the difficulty and hazard that birds must run in their migrations, by reason of vast oceans, cross winds, etc.; because, if we reflect, a bird may travel from England to the equator without launching out and exposing itself to boundless seas, and that by crossing the water at Dover, and again at Gibraltar. And I with the more confidence advance this obvious remark, because my brother has always found that some of his birds, and particularly the swallow kind, are very sparing of their pains in crossing the Mediterranean: for when arrived at Gibraltar, they do not

> *. . . Rang'd in figure wedge their way,*
> *. . . And set forth*
> *Their airy caravan high over seas*
> *Flying, and over lands with mutual wing*
> *Easing their flight. . . .*
>
> MILTON

but scout and hurry along in little detached parties of six or seven in a company; and sweeping low, just over the surface of the land and water, direct their course to the opposite continent at the narrowest passage they can find. They usually slope across the bay to the south-west, and so pass over opposite to Tangier, which, it seems, is the narrowest space.

In former letters we have considered whether it was probable that woodcocks in moon-shiny nights cross the German ocean from Scandinavia. As a proof that birds of less speed may pass that sea, considerable as it is, I shall relate the following incident, which, though mentioned to have happened so many years ago, was strictly matter of fact: As some people were shooting in the parish of Trotton, in the county of Sussex, they killed a duck in that dreadful winter 1708–9, with a silver collar about it's neck,* on which were engraven the arms of the king of Denmark. This anecdote the rector of Trotton at that time has often told to a near relation of mine; and, to the best of my remembrance, the collar was in the possession of the rector.

At present I do not know any body near the sea-side that will take the trouble to remark at what time of the moon woodcocks first come: if I lived near the sea myself I would soon tell you more of the matter. One thing I used to observe when I was a sportsman, that there were times in which woodcocks were so sluggish and sleepy that they would drop again when flushed just before the spaniels, nay just at the muzzle of a gun that had been fired at them: whether this strange laziness was the effect of a recent fatiguing journey I shall not presume to say.

Nightingales not only never reach Northumberland and Scotland, but also, as I have been always told, Devonshire and Cornwall. In those two last counties we cannot attribute the failure of

* I have read a like anecdote of a swan. (W)

them to the want of warmth: the defect in the west is rather a presumptive argument that these birds come over to us from the continent at the narrowest passage, and do not stroll so far westward.

Let me hear from your own observation whether skylarks do not dust. I think they do: and if they do, whether they wash also.

The *alauda pratensis* of Ray was the poor dupe that was educating the booby of a cuckoo mentioned in my letter of October last.

Your letter came too late for me to procure a ring-ousel for Mr Tunstal during their autumnal visit; but I will endeavour to get him one when they call on us again in April. I am glad that you and that gentleman saw my Andalusian birds; I hope they answered your expectation. Royston, or grey crows, are winter birds that come much about the same time with the woodcock: they, like the fieldfare and redwing, have no apparent reason for migration; for as they fare in the winter like their congeners, so might they in all appearance in the summer. Was not Tenant, when a boy, mistaken? did he not find a missel-thrush's nest, and take it for the nest of a fieldfare?

The stock-dove, or wood-pigeon, *œnas Raii*, is the last winter bird of passage which appears with us; and is not seen till towards the end of November: about twenty years ago they abounded in the district of Selborne; and strings of them were seen morning and evening that reached a mile or more: but since the beechen woods have been greatly thinned they are much decreased in number. The ring-dove, *palumbus Raii*, stays with us the whole year, and breeds several times through the summer.

Before I received your letter of October last I had just remarked in my journal that the trees were unusually green. This uncommon verdure lasted on late into November; and may be accounted for from a late spring, a cool and moist summer; but more particularly from vast armies of chafers, or tree beetles, which, in many places, reduced whole woods to a leafless naked state. These trees shot again at Midsummer, and then retained their foliage till very late in the year.

My musical friend, at whose house I am now visiting, has tried all the owls that are his near neighbours with a pitch-pipe set at concert-pitch, and finds they all hoot in B flat. He will examine the nightingales next spring.

I am, etc. etc.

Letter 10

Selborne, Aug. 1, 1771

DEAR SIR,

From what follows, it will appear that neither owls nor cuckoos keep to one note.* A friend remarks that many (most) of his owls hoot in B flat: but that one went almost half a note below A. The pipe he tried their notes by was a common half-crown pitch-pipe, such as masters use for tuning of harpsichords; it was the common London pitch.

A neighbour of mine, who is said to have a nice ear, remarks that the owls about this village hoot in three different keys, in G flat, or F sharp, in B flat and A flat. He heard two hooting to each other, the one in A flat, and the other in B flat. *Query:* Do these different notes proceed from different species, or only from various individuals? The same person finds upon trial that the note of the cuckoo (of which we have but one species) varies in different individuals; for, about Selborne wood, he found they were mostly in D: he heard two sing together, the one in D, the other in D sharp, who made a disagreeable concert: he afterwards heard one in D sharp, and about Wolmer-forest some in C. As to nightingales, he says that their notes are so short, and their transitions so rapid, that he cannot well ascertain their key. Perhaps in a cage, and in a room, their notes may be more distinguishable. This person has tried to settle the notes of a swift, and of several other small birds, but cannot bring them to any criterion.

As I have often remarked that redwings are some of the first birds that suffer with us in severe weather, it is no wonder at all that they retreat from Scandinavian winters: and much more the *ordo* of *grallæ*, who, all to a bird, forsake the northern parts of Europe at the approach of winter. '*Grallæ tanquam conjuratæ unanimiter in fugam se conjiciunt; ne earum unicam quidem inter nos habitantem invenire possimus; ut enim æstate in australibus degere nequeunt ob defectum lumbricorum terramque siccam; ita nec in frigidis ob eandem causam,*' [*In a body, as though they had conspired together, the Waders betake themselves to flight. We might be unable to find even a single one of them making its home among us, for just as in summer they cannot live in southern lands because of the lack of worms and the parched soil, so for the same reason they cannot live in cold regions.*] says Eckmarck the Swede, in his

* See 'Gilbert White and Music', by C. S. Emden, *Oriel Record,* VII, 1939, pp. 349–52. (S)

ingenious little treatise called *Migrationes Avium*, which by all means you ought to read while your thoughts run on the subject of migration. See *Amœnitates Academicæ*, vol. 4, p. 565.

Birds may be so circumstanced as to be obliged to migrate in one country and not in another: but the *grallæ* (which procure their food from marshes and boggy grounds) must in winter forsake the more northerly parts of Europe, or perish for want of food.

I am glad you are making inquiries from Linnæus concerning the woodcock: it is expected of him that he should be able to account for the motions and manner of life of the animals of his own *Fauna*.

Faunists, as you observe, are too apt to acquiesce in bare descriptions, and a few synonyms: the reason is plain; because all that may be done at home in a man's study, but the investigation of the life and conversation of animals, is a concern of much more trouble and difficulty, and is not to be attained but by the active and inquisitive, and by those that reside much in the country.

Foreign systematics are, I observe, much too vague in their specific differences; which are almost universally constituted by one or two particular marks, the rest of the description running in general terms. But our countryman, the excellent Mr Ray, is the only describer that conveys some precise idea in every term or word, maintaining his superiority over his followers and imitators in spite of the advantage of fresh discoveries and modern information.

At this distance of years it is not in my power to recollect at what periods woodcocks used to be sluggish or alert when I was a sportsman: but, upon my mentioning this circumstance to a friend, he thinks he has observed them to be remarkably listless against snowy foul weather: if this should be the case, then the inaptitude for flying arises only from an eagerness for food; as sheep are observed to be very intent on grazing against stormy wet evenings.

I am, etc. etc.

Letter 11

Selborne, Feb. 8, 1772

DEAR SIR,

When I ride about in the winter, and see such prodigious flocks of various kinds of birds, I cannot help admiring at these congregations, and wishing that it was in my power to account for those appearances almost peculiar to the season. The two great motives which regulate the proceedings of the brute creation are love and hunger; the former incites animals to perpetuate their kind, the latter induces them to preserve individuals; whether either of these should seem to be the ruling passion in the matter of congregating is to be considered. As to love, that is out of the question at a time of the year when that soft passion is not indulged; besides, during the amorous season, such a jealousy prevails between the male birds that they can hardly bear to be together in the same hedge or field. Most of the singing and elation of spirits of that time seem to me to be the effect of rivalry and emulation: and it is to this spirit of jealousy that I chiefly attribute the equal dispersion of birds in the spring over the face of the country.

Now as to the business of food: as these animals are actuated by instinct to hunt for necessary food, they should not, one would suppose, crowd together in pursuit of sustenance at a time when it is most likely to fail; yet such associations do take place in hard weather chiefly, and thicken as the severity increases. As some kind of self-interest and self-defence is no doubt the motive for the proceeding, may it not arise from the helplessness of their state in such rigorous seasons; as men crowd together, when under great calamities, though they know not why? Perhaps approximation may dispel some degree of cold; and a crowd may make each individual appear safer from the ravages of birds of prey and other dangers.

If I admire when I see how much congenerous birds love to congregate, I am the more struck when I see incongruous ones in such strict amity. If we do not much wonder to see a flock of rooks usually attended by a train of daws, yet it is strange that the former should so frequently have a flight of starlings for their satellites. Is it because rooks have a more discerning scent than their attendants, and can lead them to spots more productive of food? Anatomists say that rooks, by reason of two large nerves which run down between the eyes into the upper mandible, have a more delicate feeling in their beaks than other round-billed birds, and can grope for their meat when out of sight. Perhaps then their associates attend them on the motive of interest, as greyhounds wait on the motions of their finders; and as lions are said to do on the yelpings of jackals. Lapwings and starlings sometimes associate.

Letter 12

March 9, 1772

DEAR SIR,

As a gentleman and myself were walking on the fourth of last November round the sea-banks at Newhaven, near the mouth of the Lewes river, in pursuit of natural knowledge, we were surprised to see three house-swallows gliding very swiftly by us. That morning was rather chilly, with the wind at north-west; but the tenor of the weather for some time before had been delicate, and the noons remarkably warm. From this incident, and from repeated accounts which I meet with, I am more and more induced to believe that many of the swallow kind do not depart from this island; but lay themselves up in holes and caverns; and do, insect-like and bat-like, come forth at mild times, and then retire again to their *latebræ* [*hiding-places*]. Nor make I the least doubt but that, if I lived at Newhaven, Seaford, Brighthelmstone, or any of those towns near the chalk-cliffs of the Sussex coast, by proper observations, I should see swallows stirring at periods of the winter, when the noons were soft and inviting, and the sun warm and invigorating. And I am the more of this opinion from what I have remarked during some of our late springs, that though some swallows did make their appearance about the usual time, *viz.* the thirteenth or fourteenth of April, yet meeting with an harsh reception, and blustering cold north-east winds, they immediately withdrew, absconding for several days, till the weather gave them better encouragement.

Letter 13

April 12, 1772

DEAR SIR,

While I was in Sussex last autumn my residence was at the village near Lewes, from whence I had formerly the pleasure of writing to you. On the first of November I remarked that the old tortoise,* formerly mentioned, began first to dig the ground in order to the forming it's hybernaculum, which it had fixed on just beside a

* See Walter S. Scott, *White of Selborne*, 1950, chap. XIII, 'The Sorrowful Reptile'; Sylvia Townsend Warner, *The Portrait of a Tortoise*, 1946, passim. Timothy incidentally was a female. (S)

great tuft of hepaticas. It scrapes out the ground with it's fore-feet, and throws it up over it's back with it's hind; but the motion of it's legs is ridiculously slow, little exceeding the hour-hand of a clock; and suitable to the composure of an animal said to be a whole month in performing one feat of copulation. Nothing can be more assiduous than this creature night and day in scooping the earth, and forcing it's great body into the cavity; but, as the noons of that season proved unusually warm and sunny, it was continually interrupted, and called forth by the heat in the middle of the day; and though I continued there till the thirteenth of November, yet the work remained unfinished. Harsher weather, and frosty mornings, would have quickened it's operations. No part of it's behaviour ever struck me more than the extreme timidity it always expresses with regard to rain; for though it has a shell that would secure it against the wheel of a loaded cart, yet does it discover as much solicitude about rain as a lady dressed in all her best attire, shuffling away on the first sprinklings, and running it's head up in a corner. If attended to, it becomes an excellent weather-glass; for as sure as it walks elate, and as it were on tiptoe, feeding with great earnestness in a morning, so sure will it rain before night. It is totally a diurnal animal, and never pretends to stir after it becomes dark. The tortoise, like other reptiles, has an arbitrary stomach as well as lungs; and can refrain from eating as well as breathing for a great part of the year. When first awakened it eats nothing; nor again in the autumn before it retires: through the height of the summer it feeds voraciously, devouring all the food that comes in it's way. I was much taken with it's sagacity in discerning those that do it kind offices; for, as soon as the good old lady comes in sight who has waited on it for more than thirty years, it hobbles towards it's benefactress with aukward alacrity; but remains inattentive to strangers. Thus not only '*the ox knoweth his owner, and the ass his master's crib*',* but the most abject reptile and torpid of beings distinguishes the hand that feeds it, and is touched with the feelings of gratitude!

I am, etc. etc.

P.S. In about three days after I left Sussex, the tortoise retired into the ground under the hepatica.

* Isaiah i. 3. (W)

Letter 14

Selborne, March 26, 1773

DEAR SIR,

The more I reflect on the *στοργη* of animals, the more I am astonished at it's effects. Nor is the violence of this affection more wonderful than the shortness of it's duration. Thus every hen is in her turn the virago of the yard, in proportion to the helplessness of her brood; and will fly in the face of a dog or a sow in defence of those chickens, which in a few weeks she will drive before her with relentless cruelty.

This affection sublimes the passions, quickens the invention, and sharpens the sagacity of the brute creation. Thus an hen, just become a mother, is no longer that placid bird she used to be, but with feathers standing on end, wings hovering, and clocking note, she runs about like one possessed. Dams will throw themselves in the way of the greatest danger in order to avert it from their progeny. Thus a partridge will tumble along before a sportsman in order to draw away the dogs from her helpless covey. In the time of nidification the most feeble birds will assault the most rapacious. All the hirundines of a village are up in arms at the sight of an hawk, whom they will persecute till he leaves that district. A very exact observer* has often remarked that a pair of ravens nesting in the rock of Gibraltar would suffer no vulture or eagle to rest near their station, but would drive them from the hill with an amazing fury: even the blue thrush at the season of breeding would dart out from the clefts of the rocks to chase away the kestril, or the sparrow-hawk. If you stand near the nest of a bird that has young, she will not be induced to betray them by an inadvertent fondness, but will wait about at a distance with meat in her mouth for an hour together.

Should I farther corroborate what I have advanced above by some anecdotes which I probably may have mentioned before in conversation, yet you will, I trust, pardon the repetition for the sake of the illustration.

The flycatcher of the *Zoology* (the *stoparola* of Ray,) builds every year in the vines that grow on the walls of my house. A pair of these little birds had one year inadvertently placed their nest on a naked bough, perhaps in a shady time, not being aware of the

* The 'very exact observer' was White's brother John, who was at that time chaplain of Gibraltar, and engaged in preparing his natural history of that place, which was never published. (S)

inconvenience that followed. But an hot sunny season coming on before the brood was half fledged, the reflection of the wall became insupportable, and must inevitably have destroyed the tender young, had not affection suggested an expedient, and prompted the parent-birds to hover over the nest all the hotter hours, while with wings expanded, and mouths gaping for breath, they screened off the heat from their suffering offspring.

A farther instance I once saw of notable sagacity in a willow-wren, which had built in a bank in my fields. This bird a friend and myself had observed as she sat in her nest; but were particularly careful not to disturb her, though we saw she eyed us with some degree of jealousy. Some days after as we passed that way we were desirous of remarking how this brood went on; but no nest could be found, till I happened to take up a large bundle of long green moss, as it were, carelessly thrown over the nest, in order to dodge the eye of any impertinent intruder.

A still more remarkable mixture of sagacity and instinct occurred to me one day as my people were pulling off the lining of an hot-bed, in order to add some fresh dung. From out of the side of this bed leaped an animal with great agility that made a most grotesque figure; nor was it without great difficulty that it could be taken; when it proved to be a large white-bellied field-mouse with three or four young clinging to her teats by their mouths and feet. It was amazing that the desultory and rapid motions of this dam should not oblige her litter to quit their hold, especially when it appeared that they were so young as to be both naked and blind!

To these instances of tender attachment, many more of which might be daily discovered by those that are studious of nature, may be opposed that rage of affection, that monstrous perversion of the *στοργη*, which induces some females of the brute creation to devour their young because their owners have handled them too freely, or removed them from place to place! Swine, and sometimes the more gentle race of dogs and cats, are guilty of this horrid and preposterous murder. When I hear now and then of an abandoned mother that destroys her offspring, I am not so much amazed; since reason perverted, and the bad passions let loose are capable of any enormity: but why the parental feelings of brutes, that usually flow in one most uniform tenor, should sometimes be so extravagantly diverted, I leave to abler philosophers than myself to determine.

I am, etc.

Letter 15

Selborne, July 8, 1773

DEAR SIR,

Some young men went down lately to a pond on the verge of Wolmer-forest to hunt flappers, or young wild-ducks, many of which they caught, and, among the rest, some very minute yet well-fledged, wild-fowls alive, which upon examination, I found to be teals. I did not know till then that teals ever bred in the south of England, and was much pleased with the discovery: this I look upon as a great stroke in natural history.

We have had, ever since I can remember, a pair of white owls that constantly breed under the eaves of this church. As I have paid good attention to the manner of life of these birds during their season of breeding, which lasts the summer through, the following remarks may not perhaps be unacceptable: About an hour before sunset (for then the mice begin to run) they sally forth in quest of prey, and hunt all round the hedges of meadows and small enclosures for them, which seem to be their only food. In this irregular country we can stand on an eminence and see them beat the fields over like a setting-dog, and often drop down in the grass or corn. I have minuted these birds with my watch for an hour together, and have found that they return to their nests, the one or the other of them, about once in five minutes; reflecting at the same time on the adroitness that every animal is possessed of as regards the well being of itself and offspring. But a piece of address, which they shew when they return loaded, should not, I think, be passed over in silence. As they take their prey with their claws, so they carry it in their claws to their nest: but, as the feet are necessary in their ascent under the tiles, they constantly perch first on the roof of the chancel, and shift the mouse from their claws to their bill, that the feet may be at liberty to take hold of the plate on the wall as they are rising under the eaves.

White owls seem not (but in this I am not positive) to hoot at all: all that clamorous hooting appears to me to come from the wood kinds. The white owl does indeed snore and hiss in a tremendous manner; and these menaces well answer the intention of intimidating: for I have known a whole village up in arms on such an occasion, imagining the church-yard to be full of goblins and spectres. White owls also often scream horribly as they fly along; from this screaming probably arose the common people's imaginary species of *screech-owl*, which they superstitiously think attends the windows of dying persons. The plumage of the remiges of the wings of every species of owl that I have yet examined is remarkably soft and pliant. Perhaps it may be necessary that the wings of these birds should not make much resistance or rushing, that they may be enabled to steal through the air unheard upon a nimble and watchful quarry.

While I am talking of owls, it may not be improper to mention what I was told by a gentleman of the county of Wilts. As they were grubbing a vast hollow pollard-ash that had been the mansion of owls for centuries, he discovered at the bottom a mass of matter that at first he could not account for. After some examination, he found it was a congeries of the bones of mice (and perhaps of birds and bats) that had been heaping together for ages, being cast up in pellets out of the crops of many generations of inhabitants. For owls cast up the bones, fur, and feathers of what they devour, after the manner of hawks. He believes, he told me, that there were bushels of this kind of substance.

When brown owls hoot their throats swell as big as an hen's egg. I have known an owl of this species live a full year without any water. Perhaps the case may be the same with all birds of prey. When owls fly they stretch out their legs behind them as a balance to their large heavy heads: for as most nocturnal birds have large eyes and ears they must have large heads to contain them. Large eyes I presume are necessary to collect every ray of light, and large concave ears to command the smallest degree of sound or noise.

I am, etc.

It will be proper to premise here that the sixteenth, eighteenth, twentieth, and twenty-first letters have been published already in the Philosophical Transactions: but as nicer observation has furnished several corrections and additions, it is hoped that the republication of them will not give offence; especially as these sheets would be very imperfect without them, and as they will be new to many readers who had no opportunity of seeing them when they made their first appearance.

The hirundines are a most inoffensive, harmless, entertaining, social, and useful tribe of birds: they touch no fruit in our gardens; delight, all except one species, in attaching themselves to our houses; amuse us with their migrations, songs, and marvellous agility; and clear our outlets from the annoyances of gnats and other troublesome insects. Some districts in the south seas, near Guiaquil,* are desolated, it seems, by the infinite swarms of venomous mosquitoes, which fill the air, and render those coasts insupportable. It would be worth inquiring whether any species of hirundines is found in those regions. Whoever contemplates the myriads of insects that sport in the sunbeams of a summer evening in this country, will soon be convinced to what a degree our atmosphere would be choaked with them was it not for the friendly interposition of the swallow tribe.

Many species of birds have their particular lice; but the hirundines alone seem to be annoyed with *dipterous* insects, which infest every species, and are so large, in proportion to themselves, that they must be extremely irksome and injurious to them. These are the *hippoboscæ hirundinis*, with narrow subulated wings, abounding in every nest; and are hatched by the warmth of the bird's own body during incubation, and crawl about under its feathers.

A species of them is familiar to horsemen in the south of England under the name of forest-fly; and to some of side-fly, from it's running sideways like a crab. It creeps under the tails, and about the groins of horses, which, at their first coming out of the north, are rendered half frantic by the tickling sensation; while our own breed little regards them.

The curious Reaumur discovered the large eggs, or rather *pupæ*, of these flies as big as the flies themselves, which he hatched in his own bosom. Any person that will take the trouble to examine the old nests of either species of swallows may find in them the black shining cases of the *pupæ* of these insects: but for other particulars, too long for this place, we refer the reader to *l'Histoire d'Insectes* of that admirable entomologist. Tom. iv. pl. 11.

Letter 16

Selborne, Nov. 23, 1773

DEAR SIR,

In obedience to your injunctions I sit down to give you some account of the house-martin, or martlet; and, if my monography of this little domestic and familiar bird should happen to meet with your approbation, I may probably soon extend my inquiries

* See Ulloa's *Travels.* (W)

to the rest of the British hirundines—the swallow, the swift, and the bank-martin.

A few house-martins begin to appear about the sixteenth of April; usually some few days later than the swallow. For some time after they appear the hirundines in general pay no attention to the business of nidification, but play and sport about either to recruit from the fatigue of their journey, if they do migrate at all, or else that their blood may recover it's true tone and texture after it has been so long benumbed by the severities of winter. About the middle of May, if the weather be fine, the martin begins to think in earnest of providing a mansion for it's family. The crust or shell of this nest seems to be formed of such dirt or loam as comes most readily to hand, and is tempered and wrought together with little bits of broken straws to render it tough and tenacious. As this bird often builds against a perpendicular wall without any projecting ledge under, it requires it's utmost efforts to get the first foundation firmly fixed, so that it may safely carry the superstructure. On this occasion the bird not only clings with it's claws, but partly supports itself by strongly inclining it's tail against the wall, making that a fulcrum; and thus steadied it works and plasters the materials into the face of the brick or stone. But then, that this work may not, while it is soft and green, pull itself down by it's own weight, the provident architect has prudence and forbearance enough not to advance her work too fast; but by building only in the morning, and by dedicating the rest of the day to food and amusement, gives it sufficient time to dry and harden. About half an inch seems to be a sufficient layer for a day. Thus careful workmen when they build mud-walls (informed at first perhaps by this little bird) raise but a moderate layer at a time, and then desist; lest the work should become top-heavy, and so be ruined by it's own weight. By this method in about ten or twelve days is formed an hemispheric nest with a small aperture towards the top, strong, compact, and warm; and perfectly fitted for all the purposes for which it was intended. But then nothing is more common than for the house-sparrow, as soon as the shell is finished, to seize on it as it's own, to eject the owner, and to line it after it's own manner.

After so much labour is bestowed in erecting a mansion, as Nature seldom works in vain, martins will breed on for several years together in the same nest, where it happens to be well sheltered and secure from the injuries of weather. The shell or crust of the nest is a sort of rustic work full of knobs and protuberances on the outside: nor is the inside of those that I have examined smoothed with any exactness at all; but is rendered soft and warm, and fit for incubation, by a lining of small straws, grasses, and feathers; and sometimes by a bed of moss interwoven with wool. In this nest they tread, or engender, frequently during the time of building; and the hen lays from three to five white eggs.

At first when the young are hatched, and are in a naked and helpless condition, the parent birds, with tender assiduity, carry out what comes away from their young. Was it not for this affectionate cleanliness the nestlings would soon be burnt up, and destroyed in so deep and hollow a nest, by their own caustic excrement. In the quadruped creation the same neat precaution is made use of; particularly among dogs and cats, where the dams lick away what proceeds from their young. But in birds there seems to be a particular provision, that the dung of nestlings is enveloped into a tough kind of jelly, and therefore is the easier conveyed off without soiling or daubing. Yet, as nature is cleanly in all her ways, the young perform this office for themselves in a little time by thrusting their tails out at the aperture of their nest. As the young of small birds presently arrive at their ἡλικία, or full growth, they soon become impatient of confinement, and sit all day with their heads out at the orifice, where the dams, by clinging to the nest, supply them with food from morning to night. For a time the young are fed on the wing by their parents; but the feat is done by so quick and almost imperceptible a slight, that a person must have attended very exactly to their motions before he would be able to perceive it. As soon as the young are able to shift for themselves, the dams immediately turn their thoughts to the business of a second brood: while the first flight, shaken off and rejected by their nurses, congregate in great flocks, and are the birds that are seen clustering and hovering on sunny mornings and evenings round towers and steeples, and on the roofs of churches and houses. These congregatings usually begin to take place about the first week in August; and therefore we may conclude that by that time the first flight is pretty well over. The young of this species do not quit their abodes all together; but the more forward birds get abroad some days before the rest. These approaching the eaves of buildings, and playing about before them, make people think that several old ones attend one nest. They are often capricious in fixing on a nesting-place, beginning many edifices, and leaving them unfinished; but when once a nest is completed in a sheltered place, it serves for several seasons. Those which breed in a ready finished

house get the start in hatching of those that build new by ten days or a fortnight. These industrious artificers are at their labours in the long days before four in the morning: when they fix their materials they plaster them on with their chins, moving their heads with a quick vibratory motion. They dip and wash as they fly sometimes in very hot weather, but not so frequently as swallows. It has been observed that martins usually build to a north-east or north-west aspect, that the heat of the sun may not crack and destroy their nests: but instances are also remembered where they bred for many years in vast abundance in an hot stifled inn-yard, against a wall facing to the south.

Birds in general are wise in their choice of situation: but in this neighbourhood every summer is seen a strong proof to the contrary at an house without eaves in an exposed district, where some martins build year by year in the corners of the windows. But, as the corners of these windows (which face to the south-east and south-west) are too shallow, the nests are washed down every hard rain; and yet these birds drudge on to no purpose from summer to summer, without changing their aspect or house. It is a piteous sight to see them labouring when half their nest is washed away and bringing dirt . . . '*generis lapsi sarcire ruinas*'. [*To repair the ruin of their fallen race.* VIRG. GEORG. IV, 249.] Thus is instinct a most wonderful unequal faculty; in some instances so much above reason, in other respects so far below it! Martins love to frequent towns, especially if there are great lakes and rivers at hand; nay they even affect the close air of London. And I have not only seen them nesting in the Borough, but even in the Strand and Fleet-street; but then it was obvious from the dinginess of their aspect that their feathers partook of the filth of that sooty atmosphere. Martins are by far the least agile of the four species; their wings and tails are short, and therefore they are not capable of such surprising turns and quick and glancing evolutions as the swallow. Accordingly they make use of a placid easy motion in a middle region of the air, seldom mounting to any great height, and never sweeping long together over the surface of the ground or water. They do not wander far for food, but affect sheltered districts, over some lake, or under some hanging wood, or in some hollow vale, especially in windy weather. They breed the latest of all the swallow kind: in 1772 they had nestlings on to October the twenty-first, and are never without unfledged young as late as Michaelmas.

As the summer declines the congregating flocks increase in numbers daily by the constant accession of the second broods; till at last they swarm in myriads upon myriads round the villages on the Thames, darkening the face of the sky as they frequent the aits of that river, where they roost. They retire, the bulk of them I mean, in vast flocks together about the beginning of October; but have appeared of late years in a considerable flight in this neighbourhood, for one day or two, as late as November the third and sixth, after they were supposed to have been gone for more than a fortnight. They therefore withdraw with us the latest of any species. Unless these birds are very short-lived indeed, or unless they do not return to the district where they are bred, they must undergo vast devastations some how, and some where; for the birds that return yearly bear no manner of proportion to the birds that retire.

House-martins are distinguished from their congeners by having their legs covered with soft downy feathers down to their toes. They are no songsters; but twitter in a pretty inward soft manner in their nests. During the time of breeding they are often greatly molested with fleas.

I am, etc.

Letter 17

Ringmer, near Lewes, Dec. 9, 1773

DEAR SIR,

I received your last favour just as I was setting out for this place; and am pleased to find that my monography met with your approbation. My remarks are the result of many years observation; and are, I trust, true in the whole: though I do not pretend to say that they are perfectly void of mistake, or that a more nice observer might not make many additions, since subjects of this kind are inexhaustible.

If you think my letter worthy the notice of your respectable society, you are at liberty to lay it before them; and they will consider it, I hope, as it was intended, as an humble attempt to promote a more minute inquiry into natural history; into the life and conversation of animals. Perhaps hereafter I may be induced to take the house-swallow under consideration; and from that proceed to the rest of the British hirundines.

Though I have now travelled the Sussex-downs upwards of thirty years, yet I still investigate that chain of majestic mountains with fresh admiration year by year; and think I see new beauties every time I traverse it. This range, which runs from Chichester eastward as far as East-Bourn, is about sixty miles in length, and is called The South Downs, properly speaking, only round Lewes. As you pass along you command a noble view of the wild, or weald, on one hand, and the broad downs and sea on the other. Mr Ray used to visit a family* just at the foot of these hills, and was so ravished with the prospect from Plumpton-plain near Lewes, that he mentions those scapes in his 'Wisdom of God in the Works of the Creation' with the utmost satisfaction, and thinks them equal to any thing he had seen in the finest parts of Europe.

For my own part, I think there is somewhat peculiarly sweet and amusing in the shapely figured aspect of chalk-hills in preference to those of stone, which are rugged, broken, abrupt, and shapeless.

Perhaps I may be singular in my opinion, and not so happy as to convey to you the same idea; but I never contemplate these mountains without thinking I perceive somewhat analogous to growth in their gentle swellings and smooth fungus-like protuberances, their fluted sides, and regular hollows and slopes, that carry at once the air of vegetative dilatation and expansion . . . Or was there ever a time when these immense masses of calcarious matter were thrown into fermentation by some adventitious moisture; were raised and leavened into such shapes by some plastic power; and so made to swell and heave their broad backs into the sky so much above the less animated clay of the wild below?

By what I can guess from the admeasurements of the hills that have been taken round my house, I should suppose that these hills surmount the wild at an average at about the rate of five hundred feet.

One thing is very remarkable as to the sheep: from the westward till you get to the river Adur all the flocks have horns, and smooth white faces, and white legs; and a hornless sheep is rarely to be seen: but as soon as you pass that river eastward, and mount Beeding-hill, all the flocks at once become hornless, or, as they call them, poll-sheep; and have moreover black faces with a white tuft of wool on their foreheads, and speckled and spotted legs: so that you would think that the flocks of Laban were pasturing on one side of the stream, and the variegated breed of his son-in-law Jacob were cantoned along on the other. And this diversity holds good respectively on each side from the valley of Bramber and Beeding to the eastward, and westward all the whole length of the downs. If you talk with the shepherds on this subject, they tell you that the case has been so from time immemorial: and smile at your

* Mr Courthope, of Danny. (W)

simplicity if you ask them whether the situation of these two different breeds might not be reversed? However, an intelligent friend of mine near Chichester is determined to try the experiment; and has this autumn, at the hazard of being laughed at, introduced a parcel of black-faced hornless rams among his horned western ewes. The black-faced poll-sheep have the shortest legs and the finest wool.

As I had hardly ever before travelled these downs at so late a season of the year, I was determined to keep as sharp a look-out as possible so near the southern coast, with respect to the summer short-winged birds of passage. We make great inquiries concerning the withdrawing of the swallow kind, without examining enough into the causes why this tribe is never to be seen in winter; for, *entre nous*, the disappearing of the latter is more marvellous than that of the former, and much more unaccountable. The hirundines, if they please, are certainly capable of migration; and yet no doubt are often found in a torpid state: but redstarts, nightingales, white-throats, black-caps, etc. etc. are very ill provided for long flights; have never been once found, as I ever heard of, in a torpid state, and yet can never be supposed, in such troops, from year to year to dodge and elude the eyes of the curious and inquisitive, which from day to day discern the other small birds that are known to abide our winters. But, notwithstanding all my care, I saw nothing like a summer bird of passage: and, what is more strange, not one wheat-ear, though they abound so in the autumn as to be a considerable perquisite to the shepherds that take them; and though many are to be seen to my knowledge all the winter through in many parts of the south of England. The most intelligent shepherds tell me that some few of these birds appear on the downs in March, and then withdraw to breed probably in warrens and stone-quarries: now and then a nest is plowed up in a fallow on the downs under a furrow, but it is thought a rarity. At the time of wheat-harvest they begin to be taken in great numbers; are sent for sale in vast quantities to Brighthelmstone and Tunbridge; and appear at the tables of all the gentry that entertain with any degree of elegance. About Michaelmas they retire and are seen no more till March. Though these birds are, when in season, in great plenty on the south downs round Lewes, yet at East-Bourn, which is the eastern extremity of those downs, they abound much more. One thing is very remarkable—that though in the height of the season so many hundreds of dozens are taken, yet they never are seen to flock; and it is a rare thing to see more than three or four at a time: so that there must be a perpetual flitting and constant progressive succession. It does not appear that any wheat-ears are taken to the westward of Houghton-bridge, which stands on the river Arun.

I did not fail to look particularly after my new migration of ring-ousels; and to take notice whether they continued on the downs to this season of the year; as I had formerly remarked them in the month of October all the way from Chichester to Lewes wherever there were any shrubs and covert: but not one bird of this sort came within my observation. I only saw a few larks and whin-chats, some rooks, and several kites and buzzards.

About Midsummer a flight of cross-bills comes to the pine-groves about this house, but never makes any long stay.

The old tortoise, that I have mentioned in a former letter, still continues in this garden; and retired under ground about the twentieth of November, and came out again for one day on the thirtieth: it lies now buried in a wet swampy border under a wall facing to the south, and is enveloped at present in mud and mire!

Here is a large rookery round this house, the inhabitants of which seem to get their livelihood very easily; for they spend the greatest part of the day on their nest-trees when the weather is mild. These rooks retire every evening all the winter from this rookery, where they only call by the way, as they are going to roost in deep woods: at the dawn of day they always revisit their nest-trees, and are preceded a few minutes by a flight of daws, that act, as it were, as their harbingers.

I am, etc.

Letter 18

Selborne, Jan. 29, 1774

DEAR SIR,

The house-swallow, or chimney-swallow, is undoubtedly the first comer of all the British hirundines; and appears in general on or about the thirteenth of April, as I have remarked from many years observation. Not but now and then a straggler is seen much earlier: and, in particular, when I was a boy I observed a swallow for a whole day together on a sunny warm Shrove Tuesday; which day could not fall out later than the middle of March, and often happened early in February.

It is worth remarking that these birds are seen first about lakes and mill-ponds; and it is also very particular, that if these early visitors happen to find frost and snow, as was the case of the two dreadful springs of 1770 and 1771, they immediately withdraw for a time. A circumstance this much more in favour of hiding than migration; since it is much more probable that a bird should retire to it's hybernaculum just at hand, than return for a week or two only to warmer latitudes.

The swallow, though called the chimney-swallow, by no means builds altogether in chimnies, but often within barns and outhouses against the rafters; and so she did in Virgil's time:

> . . . *Ante*
> *Garrula quam tignis nidos suspendat hirundo.*

[*Before the chattering swallow hangs its nest from the rafters.* VIRG. GEORG. IV, 307.]

In Sweden she builds in barns, and is called *ladu swala*, the barn-swallow. Besides, in the warmer parts of Europe there are no chimnies to houses, except they are English-built: in these countries she constructs her nest in porches, and gateways, and galleries, and open halls.

Here and there a bird may affect some odd, peculiar place; as we have known a swallow build down the shaft of an old well, through which chalk had been formerly drawn up for the purpose of manure: but in general with us this hirundo breeds in chimnies; and loves to haunt those stacks where there is a constant fire, no doubt for the sake of warmth. Not that it can subsist in the immediate shaft where there is a fire; but prefers one adjoining to that of the kitchen, and disregards the perpetual smoke of that funnel, as I have often observed with some degree of wonder.

Five or six or more feet down the chimney does this little bird begin to form her nest about the middle of May, which consists, like that of the house-martin, of a crust or shell composed of dirt or mud, mixed with short pieces of straw to render it tough and permanent; with this difference, that whereas the shell of the martin is nearly hemispheric, that of the swallow is open at the top, and like half a deep dish: this nest is lined with fine grasses, and feathers which are often collected as they float in the air.

Wonderful is the address which this adroit bird shews all day long in ascending and descending with security through so narrow a pass. When hovering over the mouth of the funnel, the vibrations of her wings acting on the confined air occasion a rumbling like thunder. It is not improbable that the dam submits to this inconvenient situation so low in the shaft, in order to secure her broods from rapacious birds, and particularly from owls, which frequently fall down chimnies, perhaps in attempting to get at these nestlings.

The swallow lays from four to six white eggs, dotted with red specks; and brings out her first brood about the last week in June, or the first week in July. The progressive method by which the young are introduced into life is very amusing: first, they emerge from the shaft with difficulty enough, and often fall down into the rooms below: for a day or so they are fed on the chimney-top, and then are conducted to the dead leafless bough of some tree, where, sitting in a row, they are attended with great assiduity, and may then be called *perchers*. In a day or two more they become *flyers*, but are still unable to take their own food; therefore they play about near the place where the dams are hawking for flies; and, when a mouthful is collected, at a certain signal given, the dam and the nestling advance, rising towards each other, and meeting at an angle; the young one all the while uttering such a little quick note of gratitude and complacency, that a person must have paid very little regard to the wonders of Nature that has not often remarked this feat.

The dam betakes herself immediately to the business of a second brood as soon as she is disengaged from her first; which at once associates with the first broods of house-martins; and with them congregates, clustering on sunny roofs, towers, and trees. This hirundo brings out her second brood towards the middle and end of August.

All the summer long is the swallow a most instructive pattern of unwearied industry and affection; for, from morning to night, while there is a family to be supported, she spends the whole day in skimming close to the ground, and exerting the most sudden turns and quick evolutions. Avenues, and long walks under hedges, and pasture-fields, and mown meadows where cattle graze, are her delight, especially if there are trees interspersed; because in such spots insects most abound. When a fly is taken a smart snap from her bill is heard, resembling the noise at the shutting of a watch-case; but the motion of the mandibles are too quick for the eye.

The swallow, probably the male bird, is the *excubitor* to house-martins, and other little birds, announcing the approach of birds of prey. For as soon as an hawk appears, with a shrill alarming note he calls all the swallows and martins about him; who pursue in a body, and buffet and strike their enemy till they have driven him from the village, darting down from above on his back, and rising in a perpendicular line in perfect security. This bird also will sound the alarm, and strike at cats when they climb on the roofs of houses, or otherwise approach the nests. Each species of hirundo drinks as it flies along, sipping the surface of the water; but the swallow alone, in general, *washes* on the wing, by dropping into a pool for many times together: in very hot weather house-martins and bank-martins dip and wash little.

The swallow is a delicate songster, and in soft sunny weather sings both perching and flying; on trees in a kind of concert, and on chimney tops: is also a bold flyer, ranging to distant downs and commons even in windy weather, which the other species seem much to dislike; nay, even frequenting exposed sea-port towns, and making little excursions over the salt water. Horsemen on wide downs are often closely attended by a little party of swallows for miles together, which plays before and behind them, sweeping around, and collecting all the sculking insects that are roused by the trampling of the horses' feet: when the wind blows hard, without this expedient, they are often forced to settle to pick up their lurking prey.

This species feeds much on little *coleoptera*, as well as on gnats and flies: and often settles on dug ground, or paths, for gravels to grind and digest it's food. Before they depart, for some weeks, to a bird, they forsake houses and chimnies, and roost in trees; and usually withdraw about the beginning of October; though some few stragglers may appear on at times till the first week in November.

Some few pairs haunt the new and open streets of London next the fields, but do not enter, like the house-martin, the close and crowded parts of the city.

Both male and female are distinguished from their congeners by the length and forkedness of their tails. They are undoubtedly the most nimble of all the species: and when the male pursues the female in amorous chase, they then go beyond their usual speed, and exert a rapidity almost too quick for the eye to follow.

After this circumstantial detail of the life and discerning *στοργη* of the swallow, I shall add, for your farther amusement, an anecdote or two not much in favour of her sagacity:

A certain swallow built for two years together on the handles of a pair of garden-shears, that were stuck up against the boards in an out-house, and therefore must have her nest spoiled whenever that implement was wanted: and, what is stranger still, another bird of the same species built it's nest on the wings and body of an owl that happened by accident to hang dead and dry from the rafter of a barn. This owl, with the nest on it's wings, and with eggs in the nest, was brought as a curiosity worthy the most elegant private museum in Great-Britain. The owner, struck with the oddity of the sight, furnished the bringer with a large shell, or conch, desiring him to fix it just where the owl hung: the person did as he was ordered, and the following year a pair, probably the same pair, built their nest in the conch, and laid their eggs.

The owl and the conch make a strange grotesque appearance, and are not the least curious specimens in that wonderful collection of art and nature.*

Thus is instinct in animals, taken the least out of it's way, an undistinguishing, limited faculty; and blind to every circumstance that does not immediately respect self-preservation, or lead at once to the propagation or support of their species.

I am,
With all respect, etc. etc.

Letter 19

Selborne, Feb. 14, 1774

DEAR SIR,

I received your favour of the eighth, and am pleased to find that you read my little history of the swallow with your usual candour: nor was I the less pleased to find that you made objections where you saw reason.

As to the quotations, it is difficult to say precisely which species of hirundo Virgil might intend in the lines in question, since the ancients did not attend to specific differences like modern naturalists: yet somewhat may be gathered, enough to incline me to suppose that in the two passages quoted the poet had his eye on the swallow.

In the first place the epithet *garrula* suits the swallow well, who is a great songster; but not the martin, which is rather a mute bird;

* Sir Ashton Lever's *Musæum.*† (W)

† This museum was frequently visited by White when in London. He refers to it in several of his letters, in one of which he writes, 'This fine collection, which was exhibited at Leicester House, London, was offered to the public in a guinea lottery in 1785, but only 8000 tickets out of 36,000 were sold. A Mr Parkinson, the holder of only two tickets, became its possessor; and by him it was distributed by auction in September 1806.' (S)

and when it sings is so inward as scarce to be heard. Besides, if *tignum* in that place signifies a rafter rather than a beam, as it seems to me to do, then I think it must be the swallow that is alluded to, and not the martin; since the former does frequently build *within the roof* against the rafters; while the latter always, as far as I have been able to observe, builds *without the roof* against eaves and cornices.

As to the simile, too much stress must not be laid on it: yet the epithet *nigra* speaks plainly in favour of the swallow, whose back and wings are very black; while the rump of the martin is milk-white, it's back and wings blue, and all it's under part white as snow. Nor can the clumsy motions (comparatively clumsy) of the martin well represent the sudden and artful evolutions and quick turns which Juturna gave to her brother's chariot, so as to elude the eager pursuit of the enraged Æneas. The verb *sonat* also seems to imply a bird that is somewhat loquacious.*

We have had a very wet autumn and winter, so as to raise the springs to a pitch beyond any thing since 1764; which was a remarkable year for floods and high waters. The land-springs, which we call *lavants*, break out much on the downs of Sussex, Hampshire and Wiltshire. The country people say when the *lavants* rise corn will always be dear; meaning that when the earth is so glutted with water as to send forth springs on the downs and uplands, that the corn-vales must be drowned; and so it has proved for these ten or eleven years past. For land-springs have never obtained more since the memory of man than during that period; nor has there been known a greater scarcity of all sorts of grain, considering the great improvements of modern husbandry. Such a run of wet seasons a century or two ago would, I am persuaded, have occasioned a famine. Therefore pamphlets and newspaper letters, that talk of combinations, tend to inflame and mislead; since we must not expect plenty till Providence sends us more favourable seasons.

The wheat of last year, all round this district, and in the county

* Nigra *velut magnas domini cum divitis ædes*
Pervolat, et pennis alta atria lustrat hirundo,
Pabula parva legens, nidisque loquacibus escas:
Et nunc porticibus vacuis, nunc humida circum
Stagna sonat. . . .

[*As when a black swallow flies through the large mansion of a rich lord and traverses with her wings the lofty halls, picking up small scraps of food and morsels for her chirping nestlings. Now she utters her call in the empty porticos, now about the watery swamps.* AENEID, XII, 473.]

of Rutland, and elsewhere, yields remarkably bad: and our wheat on the ground, by the continual late sudden vicissitudes from fierce frost to pouring rains, looks poorly; and the turnips rot very fast.

I am, etc.

Letter 20

Selborne, Feb. 26, 1774

DEAR SIR,

The sand-martin, or bank-martin, is by much the least of any of the British hirundines; and, as far as we have ever seen, the smallest known hirundo: though Brisson asserts that there is one much smaller, and that is the *hirundo esculenta*.

But it is much to be regretted that it is scarce possible for any observer to be so full and exact as he could wish in reciting the circumstances attending the life and conversation of this little bird, since it is *fera natura*, at least in this part of the kingdom, disclaiming all domestic attachments, and haunting wild heaths and commons where there are large lakes; while the other species, especially the swallow and house-martin, are remarkably gentle and domesticated, and never seem to think themselves safe but under the protection of man.

Here are in this parish, in the sand-pits and banks of the lakes of Wolmer-forest, several colonies of these birds; and yet they are never seen in the village; nor do they at all frequent the cottages that are scattered about in that wild district. The only instance I ever remember where this species haunts any building is at the town of Bishop's Waltham, in this county, where many sand-martins nestle and breed in the scaffold-holes of the back-wall of William of Wykeham's stables: but then this wall stands in a very sequestered and retired enclosure, and faces upon a large and beautiful lake. And indeed this species seems so to delight in large waters, that no instance occurs of their abounding, but near vast pools or rivers: and in particular it has been remarked that they swarm in the banks of the Thames in some places below London-bridge.

It is curious to observe with what different degrees of architectonic skill Providence has endowed birds of the same genus, and so nearly correspondent in their general mode of life! for while the swallow and the house-martin discover the greatest address in raising and securely fixing crusts or shells of loam as cunabula for their young, the bank-martin terebrates a round and regular hole in the sand or earth, which is serpentine, horizontal, and about two feet deep. At the inner end of this burrow does this bird deposit, in a good degree of safety, her rude nest, consisting of fine grasses and feathers, usually goose-feathers, very inartificially laid together.

Perseverance will accomplish anything: though at first one would be disinclined to believe that this weak bird, with her soft and tender bill and claws, should ever be able to bore the stubborn sand-bank without entirely disabling herself; yet with these feeble instruments have I seen a pair of them make great dispatch: and could remark how much they had scooped that day by the fresh sand which ran down the bank, and was of a different colour from that which lay loose and bleached in the sun.

In what space of time these little artists are able to mine and finish these cavities I have never been able to discover, for reasons given above; but it would be a matter worthy of observation, where it falls in the way of any naturalist to make his remarks. This I have often taken notice of, that several holes of different depths are left unfinished at the end of summer. To imagine that these beginnings were intentionally made in order to be in the greater forwardness for next spring, is allowing perhaps too much foresight and *rerum prudentia* to a simple bird. May not the cause of these *latebræ* being left unfinished arise from their meeting in those places with strata too harsh, hard, and solid, for their purpose, which they relinquish, and go to a fresh spot that works more freely? Or may they not in other places fall in with a soil as much too loose and mouldering, liable to flounder, and threatening to overwhelm them and their labours?

One thing is remarkable—that, after some years, the old holes are forsaken and new ones bored; perhaps because the old habitations grow foul and fetid from long use, or because they may so abound with fleas as to become untenantable. This species of swallow moreover is strangely annoyed with fleas: and we have seen fleas, bed-fleas (*pulex irritans*), swarming at the mouths of these holes, like bees upon the stools of their hives.

The following circumstance should by no means be omitted —that these birds do *not* make use of their caverns by way of hybernacula, as might be expected; since banks so perforated have been dug out with care in the winter, when nothing was found but empty nests.

The sand-martin arrives much about the same time with the

swallow, and lays, as she does, from four to six white eggs. But as this species is *cryptogame*, carrying on the business of nidification, incubation, and the support of it's young in the dark, it would not be so easy to ascertain the time of breeding, were it not for the coming forth of the broods, which appear much about the time, or rather somewhat earlier than those of the swallow. The nestlings are supported in common like those of their congeners, with gnats and other small insects; and sometimes they are fed with *libellulæ* (dragon-flies) almost as long as themselves. In the last week in June we have seen a row of these sitting on a rail near a great pool as *perchers*; and so young and helpless, as easily to be taken by hand: but whether the dams ever feed them on the wing, as swallows and house-martins do, we have never yet been able to determine; nor do we know whether they pursue and attack birds of prey.

When they happen to breed near hedges and enclosures, they are dispossessed of their breeding holes by the house-sparrow, which is on the same account a fell adversary to house-martins.

These hirundines are no songsters, but rather mute, making only a little harsh noise when a person approaches their nests. They seem not to be of a sociable turn, never with us congregating with their congeners in the autumn. Undoubtedly they breed a second time, like the house-martin and swallow; and withdraw about Michaelmas.

Though in some particular districts they may happen to abound, yet in the whole, in the south of England at least, is this much the rarest species. For there are few towns or large villages but what abound with house-martins; few churches, towers, or steeples, but what are haunted by some swifts; scarce a hamlet or single cottage-chimney that has not its swallow; while the bank-martins, scattered here and there, live a sequestered life among some abrupt sand-hills, and in the banks of some few rivers.

These birds have a peculiar manner of flying; flitting about with odd jerks, and vacillations, not unlike the motions of a butterfly. Doubtless the flight of all hirundines is influenced by and adapted to, the peculiar sort of insects which furnish their food. Hence it would be worth inquiry to examine what particular group of insects affords the principal food of each respective species of swallow.

Notwithstanding what has been advanced above, some few sand-martins, I see, haunt the skirts of London, frequenting the dirty pools in Saint George's-Fields, and about White-Chapel.

The question is where these build, since there are no banks or bold shores in that neighbourhood: perhaps they nestle in the scaffold holes of some old or new deserted building. They dip and wash as they fly sometimes, like the house-martin and swallow.

Sand-martins differ from their congeners in the diminutiveness of their size, and in their colour, which is what is usually called a mouse-colour. Near Valencia in Spain, they are taken, says Willughby, and sold in the markets for the table; and are called by the country people, probably from their desultory jerking manner of flight, *Papilion de Montagna.*

Letter 21

Selborne, Sept. 28, 1774

DEAR SIR,

As the swift or black-martin is the largest of the British hirundines, so is it undoubtedly the latest comer. For I remember but one instance of it's appearing before the last week in April: and in some of our late frosty, harsh springs, it has not been seen till the beginning of May. This species usually arrives in pairs.

The swift, like the sand-martin, is very defective in architecture, making no crust, or shell, for it's nest; but forming it of dry grasses and feathers, very rudely and inartificially put together. With all my attention to these birds, I have never been able once to discover one in the act of collecting or carrying in materials: so that I have suspected (since their nests are exactly the same) that they sometimes usurp upon the house-sparrows, and expel them, as sparrows do the house and sand-martin; well remembering that I have seen them squabbling together at the entrance of their holes; and the sparrows up in arms, and much disconcerted at these intruders. And yet I am assured, by a nice observer in such matters, that they do collect feathers for their nests in Andalusia; and that he has shot them with such materials in their mouths.

Swifts, like sand-martins, carry on the business of nidification quite in the dark, in crannies of castles, and towers, and steeples, and upon the tops of the walls of churches under the roof; and therefore cannot be so narrowly watched as those species that build more openly: but, from what I could ever observe, they begin nesting about the middle of May; and I have remarked, from eggs taken, that they have sat hard by the ninth of June. In general they haunt tall buildings, churches, and steeples, and breed only in such: yet in this village some pairs frequent the lowest and meanest cottages, and educate their young under those thatched roofs. We remember but one instance where they breed out of buildings; and that is in the sides of a deep chalkpit near the town of Odiham, in this county, where we have seen many pairs entering the crevices, and skimming and squeaking round the precipices.

As I have regarded these amusive birds with no small attention, if I should advance something new and peculiar with respect to them, and different from all other birds, I might perhaps be credited; especially as my assertion is the result of many years exact observation. The fact that I would advance is, that swifts *tread*, or copulate, on the wing: and I would wish any nice observer, that is startled at this supposition, to use his own eyes, and I think he will soon be convinced. In another class of animals, *viz.* the insect, nothing is so common as to see the different species of many genera in conjunction as they fly. The swift is almost continually on the wing; and as it never settles on the ground, on trees, or roofs, would seldom find opportunity for amorous rites, was it not enabled to indulge them in the air. If any person would watch these birds of a fine morning in May, as they are sailing round at a great height from the ground, he would see, every now and then, one drop on the back of another, and both of them sink down together for many fathoms with a loud piercing shriek. This I take to be the juncture when the business of generation is carrying on.

As the swift eats, drinks, collects materials for it's nest, and, as it seems, propagates on the wing; it appears to live more in the air than any other bird, and to perform all functions there save those of sleeping and incubation.

This hirundo differs widely from it's congeners in laying invariably but two eggs at a time, which are milk-white, long, and peaked at the small end; whereas the other species lay at each brood from four to six. It is a most alert bird, rising very early, and retiring to roost very late; and is on the wing in the height of summer at least sixteen hours. In the longest days it does not withdraw to rest till a quarter before nine in the evening, being the latest of all day birds. Just before they retire whole groups of them assemble high in the air, and squeak, and shoot about with wonderful rapidity. But this bird is never so much alive as in sultry thundry weather, when it expresses great alacrity, and calls forth all it's powers. In hot mornings several, getting together in little parties, dash round the steeples and churches, squeaking as they go in a very clamorous manner: these, by nice observers, are supposed to be males, serenading their sitting hens; and not without reason, since they seldom squeak till they come close to the walls or eaves, and since those within utter at the same time a little inward note of complacency.

When the hen has sat hard all day, she rushes forth just as it is almost dark, and stretches and relieves her weary limbs, and snatches a scanty meal for a few minutes, and then returns to her duty of incubation. Swifts, when wantonly and cruelly shot while they have young, discover a little lump of insects in their mouths, which they pouch and hold under their tongue. In general they feed in a much higher district than the other species; a proof that gnats and other insects do also abound to a considerable height in the air: they also range to vast distances; since loco-motion is no labour to them, who are endowed with such wonderful powers of wing. Their powers seem to be in proportion to their levers; and their wings are longer in proportion than those of almost any other bird. When they mute, or ease themselves in flight, they raise their wings, and make them meet over their backs.

At some certain times in the summer I had remarked that swifts were hawking very low for hours together over pools and streams; and could not help inquiring into the object of their pursuit that induced them to descend so much below their usual range. After some trouble, I found that they were taking *phryganeæ*, *ephemeræ*, and *libellulæ* (cadew-flies, may-flies, and dragon-flies) that were just emerged out of their aurelia state. I then no longer wondered that they should be so willing to stoop for a prey that afforded them such plentiful and succulent nourishment.

They bring out their young about the middle or latter end of July: but as these never become perchers, nor, that ever I could discern, are fed on the wing by their dams, the coming forth of the young is not so notorious as in the other species.

On the thirtieth of last June I untiled the eaves of an house where many pairs build, and found in each nest only two squab naked *pulli*: on the eighth of July I repeated the same inquiry, and found they had made very little progress towards a fledged state, but were still naked and helpless. From whence we may conclude that birds whose way of life keeps them perpetually on the wing would not be able to quit their nest till the end of the month. Swallows and martins, that have numerous families, are continually feeding them every two or three minutes; while swifts, that have but two young to maintain, are much at their leisure, and do not attend on their nests for hours together.

Sometimes they pursue and strike at hawks that come in their way; but not with that vehemence and fury that swallows express on the same occasion. They are out all day long in wet days, feeding about, and disregarding still rain: from whence two things may be gathered; first, that many insects abide high in the air, even in rain; and next, that the feathers of these birds must be well preened to resist so much wet. Windy, and particularly windy weather with heavy showers, they dislike; and on such days withdraw, and are scarce ever seen.

There is a circumstance respecting the colour of swifts, which seems not to be unworthy our attention. When they arrive in the spring they are all over of a glossy, dark soot-colour, except their chins, which are white; but, by being all day long in the sun and air, they become quite weather-beaten and bleached before they depart, and yet they return glossy again in the spring. Now, if they pursue the sun into lower latitudes, as some suppose, in order to enjoy a perpetual summer, why do they not return bleached? Do they not rather perhaps retire to rest for a season, and at that juncture moult and change their feathers, since all other birds are known to moult soon after the season of breeding.

Swifts are very anomalous in many particulars, dissenting from all their congeners not only in the number of their young, but in breeding but *once* in a summer; whereas all the other British hirundines breed invariably *twice*. It is past all doubt that swifts can breed but once, since they withdraw in a short time after the flight of their young, and some time before their congeners bring out their second brood. We may here remark, that, as swifts breed but once in a summer, and only two at a time, and the other hirundines *twice*, the latter, who lay from four to six eggs, increase at an average five times as fast as the former.

But in nothing are swifts more singular than in their early retreat. They retire, as to the main body of them, by the tenth of August, and sometimes a few days sooner: and every straggler invariably withdraws by the twentieth, while their congeners, all of them, stay till the beginning of October; many of them all through that month, and some occasionally to the beginning of November. This early retreat is mysterious and wonderful, since that time is often the sweetest season in the year. But, what is more extraordinary, they begin to retire still earlier in the most southerly parts of Andalusia, where they can be no ways influenced by any defect of heat; or, as one might suppose, defect of food. Are they regulated in their motions with us by a failure of food, or by a propensity to moulting, or by a disposition to rest after so rapid a life, or by what? This is one of those incidents in natural history that not only baffles our searches, but almost eludes our guesses!

These hirundines never perch on trees or roofs, and so never congregate with their congeners. They are fearless while haunting their nesting places, and are not to be scared with a gun; and are often beaten down with poles and cudgels as they stoop to go under the eaves. Swifts are much infested with those pests to the genus called *hippoboscæ hirundinis*; and often wriggle and scratch themselves, in their flight, to get rid of that clinging annoyance.

Swifts are no songsters, and have only one harsh screaming note; yet there are ears to which it is not displeasing, from an agreeable association of ideas, since that note never occurs but in the most lovely summer weather.

They never settle on the ground but through accident; and when down can hardly rise, on account of the shortness of their legs and the length of their wings: neither can they walk, but only crawl; but they have a strong grasp with their feet, by which they cling to walls. Their bodies being flat they can enter a very narrow crevice; and where they cannot pass on their bellies they will turn up edgewise.

The particular formation of the foot discriminates the swift from all British hirundines; and indeed from all other known birds, the *hirundo melba*, or great white-bellied swift of Gibraltar, excepted; for it is so disposed as to carry '*omnes quatuor digitos anticos*' all it's four toes forward; besides the least toe, which should be the back-toe, consists of one bone alone, and the other three only of two apiece. A construction most rare and peculiar, but nicely adapted to the purposes in which their feet are employed. This, and some peculiarities attending the nostrils and under mandible, have induced a discerning* naturalist to suppose that this species might constitute a *genus per se*.

In London a party of swifts frequents the Tower, playing and feeding over the river just below the bridge: others haunt some of the churches of the Borough next the fields; but do not venture, like the house-martin, into the close crowded part of the town.

The Swedes have bestowed a very pertinent name on this swallow, calling it *ring swala*, from the perpetual rings or circles that it takes round the scene of it's nidification.

* John Antony Scopoli, of Carniola, M.D. (W)

Swifts feed on *coleoptera*, or small beetles with hard cases over their wings, as well as on the softer insects; but it does not appear how they can procure gravel to grind their food, as swallows do, since they never settle on the ground. Young ones, over-run with *hippoboscæ*, are sometimes found, under their nests, fallen to the ground: the number of vermin rendering their abode insupportable any longer. They frequent in this village several abject cottages: yet a succession still haunts the same unlikely roofs: a good proof this that the same birds return to the same spots. As they must stoop very low to get up under these humble eaves, cats lie in wait, and sometimes catch them on the wing.

On the fifth of July 1775, I again untiled part of a roof over the nest of a swift. The dam sat in the nest; but so strongly was she affected by natural *στοργη* for her brood, which she supposed to be in danger, that, regardless of her own safety, she would not stir, but lay sullenly by them, permitting herself to be taken in hand. The squab young we brought down and placed on the grass-plot, where they tumbled about, and were as helpless as a new-born child. While we contemplated their naked bodies, their unwieldy disproportioned abdomina, and their heads, too heavy for their necks to support, we could not but wonder when we reflected that these shiftless beings in a little more than a fortnight would be able to dash through the air almost with the inconceivable swiftness of a meteor; and perhaps, in their emigration must traverse vast continents and oceans as distant as the equator. So soon does Nature advance small birds to their ἡλικια, or state of perfection; while the progressive growth of men and large quadrupeds is slow and tedious!

I am, etc.

Letter 22

Selborne, Sept. 13, 1774

DEAR SIR,

By means of a straight cottage-chimney I had an opportunity this summer of remarking, at my leisure, how swallows ascend and descend through the shaft; but my pleasure, in contemplating the address with which this feat was performed to a considerable depth in the chimney, was somewhat interrupted by apprehensions lest my eyes might undergo the same fate with those of Tobit.*

Perhaps it may be some amusement to you to hear at what times

* Tobit ii, 10. (W)

the different species of hirundines arrived this spring in three very distant counties of this kingdom. With us the swallow was seen first on April the 4th, the swift on April the 24th, the bank-martin on April the 12th, and the house-martin not till April the 30th. At South Zele, Devonshire, swallows did not arrive till April the 25th; swifts, in plenty, on May the 1st; and house-martins not till the middle of May. At Blackburn, in Lancashire, swifts were seen April the 28th, swallows April the 29th, house-martins May the 1st. Do these different dates, in such distant districts prove any thing for or against migration?

A farmer, near Weyhill, fallows his land with two teams of asses; one of which works till noon, and the other in the afternoon. When these animals have done their work, they are penned, all night, like sheep, on the fallow. In the winter they are confined and foddered in a yard, and make plenty of dung.

Linnæus says that hawks '*paciscuntur inducias cum avibus, quamdiu cuculus cuculat*' [*they make a truce with the birds as long as the cuckoo calls*]: but it appears to me that, during that period, many little birds are taken and destroyed by birds of prey, as may be seen by their feathers left in lanes and under hedges.

The missel-thrush is, while breeding, fierce and pugnacious, driving such birds as approach it's nest, with great fury, to a distance. The Welch call it *pen y llwyn*, the head or master of the coppice. He suffers no magpie, jay, or blackbird, to enter the garden where he haunts; and is, for the time, a good guard to the new-sown legumens. In general he is very successful in the defence of his family: but once I observed in my garden, that several magpies came determined to storm the nest of a missel-thrush: the dams defended their mansion with great vigour, and fought resolutely *pro aris & focis*; but numbers at last prevailed, they tore the nest to pieces, and swallowed the young alive.

In the season of nidification the wildest birds are comparatively tame. Thus the ring-dove breeds in my fields, though they are continually frequented; and the missel-thrush, though most shy and wild in the autumn and winter, builds in my garden close to a walk where people are passing all day long.

Wall-fruit abounds with me this year: but my grapes, that used to be forward and good, are at present backward beyond all precedent: and this is not the worst of the story; for the same ungenial weather, the same black cold solstice, has injured the more necessary fruits of the earth, and discoloured and blighted our wheat. The crop of hops promises to be very large.

Frequent returns of deafness incommode me sadly, and half disqualify me for a naturalist; for, when those fits are upon me, I lose all the pleasing notices and little intimations arising from rural sounds: and May is to me as silent and mute with respect to the notes of birds, etc. as August. My eyesight is, thank God, quick and good; but with respect to the other sense, I am, at times, disabled:

And Wisdom at one entrance quite shut out.

Letter 23

Selborne, June 8, 1775

DEAR SIR,

On September the 21st, 1741, being then on a visit, and intent on field-diversions, I rose before daybreak: when I came into the enclosures, I found the stubbles and clover-grounds matted all over with a thick coat of cobweb, in the meshes of which a copious and heavy dew hung so plentifully that the whole face of the country seemed, as it were, covered with two or three setting-nets drawn one over another. When the dogs attempted to hunt, their eyes were so blinded and hoodwinked that they could not proceed, but were obliged to lie down and scrape the incumbrances from their faces with their fore-feet, so that, finding my sport interrupted, I returned home musing in my mind on the oddness of the occurrence.

As the morning advanced the sun became bright and warm, and the day turned out one of those most lovely ones which no season but the autumn produces; cloudless, calm, serene, and worthy of the South of France itself.

About nine an appearance very unusual began to demand our attention, a shower of cobwebs falling from very elevated regions, and continuing, without any interruption, till the close of the day. These webs were not single filmy threads, floating in the air in all directions, but perfect flakes or rags; some near an inch broad, and five or six long, which fell with a degree of velocity which shewed they were considerably heavier than the atmosphere.

On every side as the observer turned his eyes might he behold a continual succession of fresh flakes falling into his sight, and twinkling like stars as they turned their sides towards the sun.

How far this wonderful shower extended would be difficult to say; but we know that it reached Bradley, Selborne, and Alresford, three places which lie in a sort of a triangle, the shortest of whose sides is about eight miles in extent.

At the second of those places there was a gentleman (for whose veracity and intelligent turn we have the greatest veneration) who observed it the moment he got abroad; but concluded that, as soon as he came upon the hill above his house, where he took his morning rides, he should be higher than this meteor, which he imagined might have been blown, like Thistle-down, from the common above: but, to his great astonishment, when he rode to the most elevated part of the down, 300 feet above his fields, he found the webs in appearance still as much above him as before; still descending into sight in a constant succession, and twinkling in the sun, so as to draw the attention of the most incurious.

Neither before nor after was any such fall observed; but on this day the flakes hung in the trees and hedges so thick, that a diligent person sent out might have gathered baskets full.

The remark that I shall make on these cobweb-like appearances, called *gossamer*, is, that, strange and superstitious as the notions about them were formerly, nobody in these days doubts but that they are the real production of small spiders, which swarm in the fields in fine weather in autumn, and have a power of shooting out webs from their tails so as to render themselves buoyant and lighter than air. But why these apterous insects should *that day* take such a wonderful aërial excursion, and why their webs should at once become so gross and material as to be considerably more weighty than air, and to descend with precipitation, is a matter beyond my skill. If I might be allowed to hazard a supposition, I should imagine that those filmy threads, when first shot, might be entangled in the rising dew, and so drawn up, spiders and all, by a brisk evaporation into the region where clouds are formed: and if the spiders have a power of coiling and thickening their webs in the air, as Dr Lister says they have, (see his Letters to Mr Ray) then, when they were become heavier than the air, they must fall.

Every day in fine weather, in autumn chiefly, do I see those spiders shooting out their webs and mounting aloft: they will go off from your finger if you will take them into your hand. Last summer one alighted on my book as I was reading in the parlour; and, running to the top of the page, and shooting out a web, took it's departure from thence. But what I most wondered at was, that it went off with considerable velocity in a place where no air was stirring; and I am sure that I did not assist it with my breath. So that these little crawlers seem to have, while mounting, some locomotive power without the use of wings, and to move in the air faster than the air itself.

Letter 24*

Selborne, Aug. 15, 1775

DEAR SIR,

There is a wonderful spirit of sociality in the brute creation, independent of sexual attachment: the congregating of gregarious birds in the winter is a remarkable instance.

Many horses, though quiet with company, will not stay one minute in a field by themselves: the strongest fences cannot restrain them. My neighbour's horse will not only not stay by himself abroad, but he will not bear to be left alone in a strange stable without discovering the utmost impatience, and endeavouring to break the rack and manger with his fore feet. He has been known to leap out at a stable-window, through which dung was thrown, after company; and yet in other respects is remarkably quiet. Oxen and cows will not fatten by themselves; but will neglect the finest pasture that is not recommended by society. It would be needless to instance in sheep, which constantly flock together.

But this propensity seems not to be confined to animals of the same species; for we know a doe still alive, that was brought up from a little fawn with a dairy of cows; with them it goes a-field, and with them it returns to the yard. The dogs of the house take no notice of this deer, being used to her; but, if strange dogs come by, a chase ensues; while the master smiles to see his favourite securely leading her pursuers over hedge, or gate, or stile, till she returns to the cows, who, with fierce lowings and menacing horns, drive the assailants quite out of the pasture.

Even great disparity of kind and size does not always prevent social advances and mutual fellowship. For a very intelligent and observant person has assured me that, in the former part of his life, keeping but one horse, he happened also on a time to have but one solitary hen. These two incongruous animals spent much of their time together in a lonely orchard, where they saw no creature but

* The recipient of this letter published it in his *Miscellanies* (1781, pp. 251–2), prefacing it with the words, 'I shall here, on this head, subjoin part of a letter which I received from my often mentioned correspondent, the Rev. Mr White, of Selborne, in Hampshire.' (S)

each other. By degrees an apparent regard began to take place between these two sequestered individuals. The fowl would approach the quadruped with notes of complacency, rubbing herself gently against his legs: while the horse would look down with satisfaction, and move with the greatest caution and circumspection, lest he should trample on his diminutive companion. Thus, by mutual good offices, each seemed to console the vacant hours of the other: so that Milton, when he puts the following sentiment in the mouth of Adam, seems to be somewhat mistaken:

> *Much less can* bird *with* beast, *or fish with fowl,*
> *So well converse, nor with the ox the ape.*

Letter 25

Selborne, Oct. 2, 1775

DEAR SIR,

We have two gangs or hordes of gypsies which infest the south and west of England, and come round in their circuit two or three times in the year. One of these tribes calls itself by the noble name of Stanley, of which I have nothing particular to say; but the other is distinguished by an appellative somewhat remarkable. As far as their harsh gibberish can be understood, they seem to say that the name of their clan is *Curleople*; now the termination of this word is apparently Grecian: and as Mezeray and the gravest historians all agree that these vagrants did certainly migrate from Egypt and the East, two or three centuries ago, and so spread by degrees over Europe, may not this name, a little corrupted, be the very name they brought with them from the Levant? It would be matter of some curiosity, could one meet with an intelligent person among them, to inquire whether, in their jargon, they still retain any Greek words: the Greek radicals will appear in hand, foot, head, water, earth, etc. It is possible that amidst their cant and corrupted dialect many mutilated remains of their native language might still be discovered.

With regard to those peculiar people, the gypsies, one thing is very remarkable, and especially as they came from warmer climates; and that is, that while other beggars lodge in barns, stables, and cow-houses, these sturdy savages seem to pride themselves in braving the severities of winter, and in living *sub dio* the whole year round. Last September was as wet a month as ever was known; and yet during those deluges did a young gypsy-girl lie-in in the midst of one of our hop-gardens, on the cold ground, with nothing over her but a piece of blanket extended on a few hazel-rods bent hoop-fashion, and stuck into the earth at each end, in circumstances too trying for a cow in the same condition: yet within this garden there was a large hop-kiln, into the chambers of which she might have retired, had she thought shelter an object worthy her attention.

Europe itself, it seems, cannot set bounds to the rovings of these vagabonds; for Mr Bell, in his return from Peking, met a gang of these people on the confines of Tartary, who were endeavouring to penetrate those deserts and try their fortune in China.*

Gypsies are called in French, *Bohemiens*; in Italian and modern Greek, *Zingani*.

I am, etc.

Letter 26

Selborne, Nov. 1, 1775

DEAR SIR,

Hic . . . tædæ pingues, hic plurimus ignis
Semper, et assidua postes fuligine nigri.

[*Here are torches full of pitch, here the fire ever blazes high, with the door-posts blackened by the incessant soot.* VIRG. ECLOGUE VII.]

I shall make no apology for troubling you with the detail of a very simple piece of domestic œconomy, being satisfied that you think nothing beneath your attention that tends to utility: the matter alluded to is the use of rushes instead of candles, which I am well aware prevails in many districts besides this; but as I know there are countries also where it does not obtain, and as I have considered the subject with some degree of exactness, I shall proceed in my humble story, and leave you to judge of the expediency.

The proper species of rush for this purpose seems to be the *juncus conglomeratus*, or common soft rush, which is to be found in most moist pastures, by the sides of streams, and under hedges. These rushes are in best condition in the height of summer; but may be gathered, so as to serve the purpose well, quite on to autumn. It would be needless to add that the largest and longest are best. Decayed labourers, women, and children, make it their

* See Bell's *Travels in China.* (W)

business to procure and prepare them. As soon as they are cut they must be flung into water, and kept there; for otherwise they will dry and shrink, and the peel will not run. At first a person would find it no easy matter to divest a rush of it's peel or rind, so as to leave one regular, narrow, even rib from top to bottom that may support the pith: but this, like other feats, soon becomes familiar even to children; and we have seen an old woman, stone-blind, performing this business with great dispatch, and seldom failing to strip them with the nicest regularity. When these *junci* are thus far prepared, they must lie out on the grass to be bleached, and take the dew for some nights, and afterwards be dried in the sun.

Some address is required in dipping these rushes in the scalding fat or grease; but this knack also is to be attained by practice. The careful wife of an industrious Hampshire labourer obtains all her fat for nothing; for she saves the scummings of her bacon-pot for this use; and, if the grease abounds with salt, she causes the salt to precipitate to the bottom, by setting the scummings in a warm oven. Where hogs are not much in use, and especially by the sea-side, the coarser animal oils will come very cheap. A pound of common grease may be procured for four pence; and about six pounds of grease will dip a pound of rushes; and one pound of rushes may be bought for one shilling: so that a pound of rushes, medicated and ready for use, will cost three shillings. If men that keep bees will mix a little wax with the grease, it will give it a consistency, and render it more cleanly, and make the rushes burn longer: mutton-suet would have the same effect.

A good rush, which measured in length two feet four inches and an half, being minuted, burnt only three minutes short of an hour: and a rush still of greater length has been known to burn one hour and a quarter.

These rushes give a good clear light. Watch-lights (coated with tallow), it is true, shed a dismal one, 'darkness visible'; but then the wicks of those have *two* ribs of the rind, or peel, to support the pith, while the wick of the dipped rush has but *one*. The two ribs are intended to impede the progress of the flame, and make the candle last.

In a pound of dry rushes, avoirdupois, which I caused to be weighed and numbered, we found upwards of one thousand six hundred individuals. Now suppose each of these burns, one with another, only half an hour, then a poor man will purchase eight hundred hours of light, a time exceeding thirty-three entire days, for three shillings. According to this account each rush, before dipping, costs $\frac{1}{33}$ of a farthing, and $\frac{1}{11}$ afterwards. Thus a poor family will enjoy $5\frac{1}{2}$ hours of comfortable light for a farthing. An experienced old housekeeper assures me that one pound and an half of rushes completely supplies his family the year round, since working people burn no candle in the long days, because they rise and go to bed by daylight.

Little farmers use rushes much in the short days, both morning and evening in the dairy and kitchen; but the very poor, who are always the worst œconomists, and therefore must continue very poor, buy an halfpenny candle every evening, which, in their blowing open rooms, does not burn much more than two hours. Thus have they only two hours light for their money instead of eleven.

While on the subject of rural œconomy, it may not be improper to mention a pretty implement of housewifery that we have seen no where else; that is, little neat besoms which our foresters make from the stalk of the *polytricum commune*, or great golden maiden-hair, which they call silk-wood, and find plenty in the bogs. When this moss is well combed and dressed, and divested of it's outer skin, it becomes of a beautiful bright chestnut colour; and, being soft and pliant, is very proper for the dusting of beds, curtains, carpets, hangings, etc. If these besoms were known to the brush-makers in town, it is probable they might come much in use for the purpose above-mentioned.*

I am, etc.

Letter 27

Selborne, Dec. 12, 1775

DEAR SIR,

We had in this village more than twenty years ago an idiot-boy, whom I well remember, who, from a child, shewed a strong propensity to bees; they were his food, his amusement, his sole object. And as people of this cast have seldom more than one point in view, so this lad exerted all his few faculties on this one pursuit. In the winter he dosed away his time, within his father's house, by the fire-side, in a kind of torpid state, seldom departing from the chimney-corner; but in the summer he was all alert, and in quest of his game in the fields, and on sunny banks. Honey-bees, humble-bees, and wasps, were his prey wherever he found them: he had no

* A besom of this sort is to be seen in Sir Ashton Lever's Museum. (W)

apprehensions from their stings, but would seize them *nudis manibus*, and at once disarm them of their weapons, and suck their bodies for the sake of their honey-bags. Sometimes he would fill his bosom between his shirt and his skin with a number of these captives; and sometimes would confine them in bottles. He was a very *merops apiaster*, or bee-bird; and very injurious to men that kept bees; for he would slide into their bee-gardens, and, sitting down before the stools, would rap with his finger on the hives, and so take the bees as they came out. He has been known to overturn hives for the sake of honey, of which he was passionately fond. Where metheglin was making he would linger round the tubs and vessels, begging a draught of what he called *bee-wine*. As he ran about he used to make a humming noise with his lips, resembling the buzzing of bees. This lad was lean and sallow, and of a cadaverous complexion; and, except in his favourite pursuit, in which he was wonderfully adroit, discovered no manner of understanding. Had his capacity been better, and directed to the same object, he had perhaps abated much of our wonder at the feats of a more modern exhibiter of bees; and we may justly say of him now,

> . . . *Thou,*
> *Had thy presiding star propitious shone,*
> *Should'st* Wildman *be* . . .

When a tall youth he was removed from hence to a distant village, where he died, as I understand, before he arrived at manhood.

I am, etc.

Letter 28

Selborne, Jan. 8, 1776

DEAR SIR,

It is the hardest thing in the world to shake off superstitious prejudices: they are sucked in as it were with our mother's milk; and growing up with us at a time when they take the fastest hold and make the most lasting impressions, become so interwoven into our very constitutions, that the strongest good sense is required to disengage ourselves from them. No wonder therefore that the lower people retain them their whole lives through, since their minds are not invigorated by a liberal education, and therefore not enabled to make any efforts adequate to the occasion.

Such a preamble seems to be necessary before we enter on the superstitions of this district, lest we should be suspected of exaggeration in a recital of practices too gross for this enlightened age.

But the people of Tring, in Hertfordshire, would do well to remember, that no longer ago than the year 1751, and within twenty miles of the capital, they seized on two superannuated wretches, crazed with age, and overwhelmed with infirmities, on a suspicion of witchcraft; and, by trying experiments, drowned them in a horse-pond.

In a farm-yard near the middle of this village stands, at this day, a row of pollard-ashes,* which, by the seams and long cicatrices down their sides, manifestly show that, in former times, they have been cleft asunder. These trees, when young and flexible, were severed and held open by wedges, while ruptured children, stripped naked, were pushed through the apertures, under a persuasion that, by such a process, the poor babes would be cured of their infirmity.† As soon as the operation was over, the tree, in the suffering part, was plastered with loam, and carefully swathed up. If the parts coalesced and soldered together, as usually fell out, where the feat was performed with any adroitness at all, the party was cured; but, where the cleft continued to gape, the operation, it was supposed, would prove ineffectual. Having occasion to enlarge my garden not long since, I cut down two or three such trees, one of which did not grow together.

We have several persons now living in the village, who, in their childhood, were supposed to be healed by this superstitious ceremony, derived down perhaps from our Saxon ancestors, who practised it before their conversion to Christianity.

At the south corner of the Plestor, or area, near the church, there stood, about twenty years ago, a very old grotesque hollow pollard-ash, which for ages had been looked on with no small veneration as a shrew-ash. Now a shrew-ash is an ash whose twigs or branches, when gently applied to the limbs of cattle, will im-

* These trees no longer exist. In White's time this property was a small farm, an outlying portion of the manor of Alton Westbrook, and was held by copyhold of that manor. (S)

† The cure of rupture by passing the sufferer through a hole made in the trunk of an ash is of very ancient origin. T.H.W., writing in the *Gentleman's Magazine* for 1785, says that 'it is probably owing to the remains of the Gothic veneration for this tree that the country people, in the south-east part of the kingdom, split young ashes, and pass their distempered children through the chasm in hopes of a cure.' (S)

mediately relieve the pains which a beast suffers from the running of a shrew-mouse over the part affected: for it is supposed that a shrew-mouse is of so baneful and deleterious a nature, that wherever it creeps over a beast, be it horse, cow, or sheep, the suffering animal is afflicted with cruel anguish, and threatened with the loss of the use of the limb. Against this accident, to which they were continually liable, our provident fore-fathers always kept a shrew-ash at hand, which, when once medicated, would maintain it's virtue for ever. A shrew-ash was made thus:* Into the body of the tree a deep hole was bored with an auger, and a poor devoted shrew-mouse was thrust in alive, and plugged in, no doubt, with several quaint incantations long since forgotten. As the ceremonies necessary for such a consecration are no longer understood, all succession is at an end, and no such tree is known to subsist in the manor, or hundred.

As to that on the Plestor,

The late vicar stubb'd and burnt it,†

when he was way-warden, regardless of the remonstrances of the by-standers, who interceded in vain for it's preservation, urging it's power and efficacy, and alleging that it had been

Religione patrum multos servata per annos.
[*Saved for many years by the reverence of our ancestors.* VIRG. AEN. II 715.]

I am, etc.

Letter 29

Selborne, Feb. 7, 1776

DEAR SIR,
In heavy fogs, on elevated situations especially, trees are perfect alembics: and no one that has not attended to such matters can imagine how much water one tree will distil in a night's time by condensing the vapour, which trickles down the twigs and boughs, so as to make the ground below quite in a float. In Newton-lane, in October 1775, on a misty day, a particular oak in leaf dropped so fast that the cart-way stood in puddles and the ruts ran with water, though the ground in general was dusty.

* For a similar practice, see Plot's *Staffordshire.* (W)
† Dr Duncombe Bristowe, vicar 1740–58. (S)

In some of our smaller islands in the West-Indies, if I mistake not, there are no springs or rivers; but the people are supplied with that necessary element, water, merely by the dripping of some large tall trees, which, standing in the bosom of a mountain, keep their heads constantly enveloped with fogs and clouds, from which they dispense their kindly never-ceasing moisture; and so render those districts habitable by condensation alone.

Trees in leaf have such a vast proportion more of surface than those that are naked, that, in theory, their condensations should greatly exceed those that are stripped of their leaves; but, as the former *imbibe* also a great quantity of moisture, it is difficult to say which drip most: but this I know, that deciduous trees that are entwined with much ivy seem to distil the greatest quantity. Ivy-leaves are smooth, and thick, and cold, and therefore condense very fast; and besides evergreens imbibe very little. These facts may furnish the intelligent with hints concerning what sorts of trees they should plant round small ponds that they would wish to be perennial; and shew them how advantageous some trees are in preference to others.

Trees perspire profusely, condense largely, and check evaporation so much, that woods are always moist: no wonder therefore that they contribute much to pools and streams.

That trees are great promoters of lakes and rivers appears from a well known fact in North-America; for, since the woods and forests have been grubbed and cleared, all bodies of water are much diminished; so that some streams, that were very considerable a century ago, will not now drive a common mill.* Besides, most woodlands, forests, and chases, with us abound with pools and morasses; no doubt for the reason given above.

To a thinking mind few phenomena are more strange than the state of little ponds † on the summits of chalk-hills, many of which are never dry in the most trying droughts of summer. On chalk-hills I say, because in many rocky and gravelly soils springs usually break out pretty high on the sides of elevated grounds and mountains; but no person acquainted with chalky districts will allow that they ever saw springs in such a soil but in vallies and bottoms,

* *Vide* Kalm's *Travels to North-America.* (W)

† Walter Johnson (*op. cit.*), writes as follows: 'There can be little doubt that the best individual contribution made by White to meteorological science was his account of dew-ponds, though he did not call them by any distinctive name.' White's assertion that during heavy fogs 'trees are perfect alembics' is undoubtedly true; the value of trees as condensers is established. For a complete discussion of the subject see Johnson, pp. 217–23. (S)

since the waters of so pervious a stratum as chalk all lie on one dead level, as well-diggers have assured me again and again.

Now we have many such little round ponds in this district; and one in particular on our sheep-down, three hundred feet above my house; which, though never above three feet deep in the middle, and not more than thirty feet in diameter, and containing perhaps not more than two or three hundred hogs-heads of water, yet never is known to fail, though it affords drink for three hundred or four hundred sheep, and for at least twenty head of large cattle beside. This pond, it is true, is over-hung with two moderate beeches, that, doubtless, at times afford it much supply: but then we have others as small, that, without the aid of trees, and in spite of evaporation from sun and wind, and perpetual consumption by cattle, yet constantly maintain a moderate share of water, without overflowing in the wettest seasons, as they would do if supplied by springs. By my journal of May 1775, it appears that 'the small and even considerable ponds in the vales are now dried up, while the small ponds on the very tops of hills are but little affected'. Can this difference be accounted for from evaporation alone, which certainly is more prevalent in bottoms? or rather have not those elevated pools some unnoticed recruits, which in the night time counter-balance the waste of the day; without which the cattle alone must soon exhaust them? And here it will be necessary to enter more minutely into the cause. Dr Hales, in his *Vegetable Statics*, advances, from experiment, that 'the moister the earth is the more dew falls on it in a night: and more than a *double* quantity of dew falls on a surface of *water* than there does on an equal surface of moist earth'. Hence we see that water, by it's coolness, is enabled to assimilate to itself a large quantity of moisture nightly by condensation; and that the air, when loaded with fogs and vapours, and even with copious dews, can alone advance a considerable and never-failing resource. Persons that are much abroad, and travel early and late; such as shepherds, fishermen, etc. can tell what prodigious fogs prevail in the night on elevated downs, even in the hottest parts of summer; and how much the surfaces of things are drenched by those swimming vapours, though, to the senses, all the while, little moisture seems to fall.

I am, etc.

Letter 30

Selborne, April 3, 1776

DEAR SIR,

Monsieur Herissant, a French anatomist, seems persuaded that he has discovered the reason why cuckoos do not hatch their own eggs; the impediment, he supposes, arises from the internal structure of their parts, which incapacitates them for incubation. According to this gentleman, the crop or craw of a cuckoo does not lie before the sternum at the bottom of the neck, as in the *gallinæ*, *columbæ*, etc. but immediately behind it, on and over the bowels, so as to make a large protuberance in the belly.*

Induced by this assertion, we procured a cuckoo; and, cutting open the breast-bone, and exposing the intestines to sight, found the crop lying as mentioned above. This stomach was large and round, and stuffed hard like a pincushion with food, which, upon nice examination, we found to consist of various insects; such as small scarabs, spiders, and dragon-flies; the last of which we have seen cuckoos catching on the wing as they were just emerging out of the aurelia state. Among this farrago also were to be seen maggots, and many seeds, which belonged either to gooseberries, currants, cranberries, or some such fruit; so that these birds apparently subsist on insects and fruits: nor was there the least appearance of bones, feathers, or fur to support the idle notion of their being birds of prey.

The sternum in this bird seemed to us to be remarkably short, between which and the anus lay the crop, or craw, and immediately behind that the bowels against the back-bone.

It must be allowed as this anatomist observes, that the crop placed just upon the bowels must, especially when full, be in a very uneasy situation during the business of incubation; yet the test will be to examine whether birds that are actually known to sit for certain are not formed in a similar manner. This inquiry I proposed to myself to make with a fern-owl, or goatsucker, as soon as opportunity offered: because, if their formation proves the same, the reason for incapacity in the cuckoo will be allowed to have been taken up somewhat hastily.

Not long after a fern-owl was procured, which, from it's habit and shape, we suspected might resemble the cuckoo in it's internal construction. Nor were our suspicions ill-grounded; for, upon the

* *Histoire de l'Académie Royale*, 1752. (W)

dissection, the crop, or craw, also lay behind the sternum, immediately on the viscera, between them and the skin of the belly. It was bulky, and stuffed hard with large *phalænæ*, moths of several sorts, and their eggs, which no doubt had been forced out of those insects by the action of swallowing.

Now as it appears that this bird, which is so well known to practise incubation, is formed in a similar manner with cuckoos, Monsieur Herissant's conjecture, that cuckoos are incapable of incubation from the disposition of their intestines, seems to fall to the ground: and we are still at a loss for the cause of that strange and singular peculiarity in the instance of the *cuculus canorus*.

We found the case to be the same with the ring-tail hawk, in respect to formation; and, as far as I can recollect, with the swift; and probably it is so with many more sorts of birds that are not granivorous.

I am, etc.

Letter 31

Selborne, April 29, 1776

DEAR SIR,

On August the 4th, 1775, we surprised a large viper, which seemed very heavy and bloated, as it lay in the grass basking in the sun. When we came to cut it up, we found that the abdomen was crowded with young, fifteen in number; the shortest of which measured full seven inches, and were about the size of full-grown earth-worms. This little fry issued into the world with the true viper-spirit about them, shewing great alertness as soon as disengaged from the belly of the dam: they twisted and wriggled about, and set themselves up, and gaped very wide when touched with a stick, shewing manifest tokens of menace and defiance, though as yet they had no manner of fangs that we could find, even with the help of our glasses.

To a thinking mind nothing is more wonderful than that early instinct which impresses young animals with the notion of the situation of their natural weapons, and of using them properly in their own defence, even before those weapons subsist or are formed. Thus a young cock will spar at his adversary before his spurs are grown; and a calf or a lamb will push with their heads before their horns are sprouted. In the same manner did these young adders attempt to bite before their fangs were in being. The dam however was furnished with very formidable ones, which we lifted up (for they fold down when not used) and cut them off with the point of our scissars.

There was little room to suppose that this brood had ever been in the open air before; and that they were taken in for refuge, at the mouth of the dam, when she perceived that danger was approaching; because then probably we should have found them somewhere in the neck, and not in the abdomen.

Letter 32

Castration has a strange effect: it emasculates both man, beast, and bird, and brings them to a near resemblance of the other sex. Thus eunuchs have smooth unmuscular arms, thighs, and legs; and broad hips, and beardless chins, and squeaking voices. Gelt-stags and bucks have hornless heads, like hinds and does. Thus wethers have small horns, like ewes; and oxen large bent horns, and hoarse voices when they low, like cows: for bulls have short straight horns; and though they mutter and grumble in a deep tremendous tone, yet they low in a shrill high key. Capons have small combs and gills, and look pallid about the head, like pullets; they also walk without any parade, and hover chickens like hens. Barrow-hogs have also small tusks like sows.

Thus far it is plain that the deprivation of masculine vigour puts a stop to the growth of those parts or appendages that are looked upon as it's insignia. But the ingenious Mr Lisle, in his book on husbandry, carries it much farther; for he says that the loss of those insignia alone has sometimes a strange effect on the ability itself: he had a boar so fierce and venereous, that, to prevent mischief, orders were given for his tusks to be broken off. No sooner had the beast suffered this injury than his powers forsook him, and he neglected those females to whom before he was passionately attached, and from whom no fences could restrain him.

Letter 33

The natural term of an hog's life is little known, and the reason is plain—because it is neither profitable nor convenient to keep that turbulent animal to the full extent of it's time: however, my neighbour, a man of substance, who had no occasion to study every little advantage to a nicety, kept an half bred Bantam-sow, who was as thick as she was long, and whose belly swept on the ground till she was advanced to her seventeenth year; at which period she shewed some tokens of age by the decay of her teeth and the decline of her fertility.

For about ten years this prolific mother produced two litters in the year of about ten at a time, and once above twenty at a litter; but, as there were near double the number of pigs to that of teats many died. From long experience in the world this female was grown very sagacious and artful: when she found occasion to converse with a boar she used to open all the intervening gates, and march, by herself, up to a distant farm where one was kept; and when her purpose was served would return by the same means. At the age of about fifteen her litters began to be reduced to four or five; and such a litter she exhibited when in her fatting-pen. She proved, when fat, good bacon, juicy, and tender; the rind, or sward, was remarkably thin. At a moderate computation she was allowed to have been the fruitful parent of three hundred pigs: a prodigious instance of fecundity in so large a quadruped! She was killed in spring 1775.

I am, etc.

Letter 34

Selborne, May 9, 1776

DEAR SIR,

. . . *admorunt ubera tigres.*

[*The tigresses have brought near their teats for suck.*]

We have remarked in a former letter how much incongruous animals, in a lonely state, may be attached to each other from a spirit of sociality; in this it may not be amiss to recount a different motive which has been known to create as strange a fondness.

My friend had a little helpless leveret brought to him, which the servants fed with milk in a spoon, and about the same time his cat kittened and the young were dispatched and buried. The hare was soon lost, and supposed to be gone the way of most fondlings, to be killed by some dog or cat. However, in about a fortnight, as the master was sitting in his garden in the dusk of the evening, he observed his cat, with tail erect, trotting towards him, and calling with little short inward notes of complacency, such as they use towards their kittens, and something gamboling after, which proved to be the leveret that the cat had supported with her milk, and continued to support with great affection.

Thus was a graminivorous animal nurtured by a carnivorous and predaceous one!

Why so cruel and sanguinary a beast as a cat, of the ferocious genus of *Feles*, the *murium leo* [*the mouse's lion*], as Linnæus calls it, should be affected with any tenderness towards an animal which is it's natural prey, is not so easy to determine.

This strange affection probably was occasioned by that desiderium, those tender maternal feelings, which the loss of her kittens had awakened in her breast; and by the complacency and ease she derived to herself from the procuring her teats to be drawn, which were too much distended with milk, till, from habit, she become as much delighted with this foundling as if it had been her real offspring.

This incident is no bad solution of that strange circumstance which grave historians as well as the poets assert, of exposed children being sometimes nurtured by female wild beasts that probably had lost their young. For it is not one whit more marvellous that Romulus and Remus, in their infant state, should be nursed by a she-wolf, than that a poor little sucking leveret should be fostered and cherished by a bloody grimalkin.

> *. . . viridi fœtam Mavortis in antro*
> *Procubuisse lupam: geminos huic ubera circum*
> *Ludere pendentes pueros, et lambere matrem*
> *Impavidos: illam tereti cervice reflexam*
> *Mulcere alternos, et corpora fingere lingua.*

[*He, i.e. Vulcan, had depicted 'the newly delivered she-wolf lying outstretched in the green cave of Mars, the twin boys playing as they hung around her breasts and licking their dam without fear, while she, bending back her shapely neck, caressed them by turns and moulded their bodies with her tongue.'* AENEID VIII.]

Letter 35

Selborne, May 20, 1777

DEAR SIR,

Lands that are subject to frequent inundations are always poor; and probably the reason may be because the worms are drowned. The most insignificant insects and reptiles are of much more consequence, and have much more influence in the œconomy of Nature, than the incurious are aware of; and are mighty in their effect, from their minuteness, which renders them less an object of attention; and from their numbers and fecundity. Earth-worms, though in appearance a small and despicable link in the chain of Nature, yet, if lost, would make a lamentable chasm. For, to say nothing of half the birds, and some quadrupeds which are almost entirely supported by them, worms seem to be the great promoters of vegetation, which would proceed but lamely without them, by boring, perforating, and loosening the soil, and rendering it pervious to rains and the fibres of plants, by drawing straws and stalks of leaves and twigs into it; and, most of all, by throwing up such infinite numbers of lumps of earth called worm-casts, which, being their excrement, is a fine manure for grain and grass. Worms probably provide new soil for hills and slopes where the rain washes the earth away; and they affect slopes, probably to avoid being flooded. Gardeners and farmers express their detestation of worms; the former because they render their walks unsightly, and make them much work: and the latter because, as they think, worms eat their green corn. But these men would find that the earth without worms would soon become cold, hard-bound, and void of fermentation; and consequently steril: and besides, in favour of worms, it should be hinted that green corn, plants, and flowers, are not so much injured by them as by many species of *coleoptera* (scarabs), and *tipulæ* (long-legs), in their larva, or grub-state; and by unnoticed myriads of small shell-less snails, called slugs, which silently and imperceptibly make amazing havock in the field and garden.*

These hints we think proper to throw out in order to set the inquisitive and discerning to work.

A good monography of worms would afford much entertainment and information at the same time, and would open a large and new field in natural history. Worms work most in the spring; but by no means lie torpid in the dead months; are out every mild night in the winter, as any person may be convinced that will take the pains to examine his grass-plots with a candle; are hermaphrodites, and much addicted to venery, and consequently very prolific.

I am, etc.

* Farmer Young, of Norton-farm, says that this spring (1777) about four acres of his wheat in one field was entirely destroyed by slugs, which swarmed on the blades of corn, and devoured it as fast as it sprang. (W)

Letter 36*

Selborne, Nov. 22, 1777

DEAR SIR,

You cannot but remember that the twenty-sixth and twenty-seventh of last March were very hot days; so sultry that every body complained and were restless under those sensations to which they had not been reconciled by gradual approaches.

This sudden summer-like heat was attended by many summer coincidences; for on those two days the thermometer rose to sixty-six in the shade; many species of insects revived and came forth; some bees swarmed in this neighbourhood; the old tortoise, near Lewes in Sussex, awakened and came forth out of it's dormitory; and, what is most to my present purpose, many house-swallows appeared and were very alert in many places, and particularly at Cobham, in Surrey.

But as that short warm period was succeeded as well as preceded by harsh severe weather, with frequent frosts and ice, and cutting winds, the insects withdrew, the tortoise retired again into the ground, and the swallows were seen no more until the tenth of April, when, the rigour of the spring abating, a softer season began to prevail.

Again; it appears by my journals for many years past, that house-martins retire, to a bird, about the beginning of October; so that a person not very observant of such matters would conclude that they had taken their last farewell: but then it may be seen in my diaries also that considerable flocks have discovered themselves again in the first week of November, and often on the fourth day of that month only *for one day*; and that not as if they were in actual migration, but playing about at their leisure and feeding calmly, as if no enterprize of moment at all agitated their spirits. And this was the case in the beginning of this very month; for, on the fourth of November, more than twenty house-martins, which, in appearance, had all departed about the seventh of October, were seen again, for that *one morning only*, sporting between my fields and the Hanger, and feasting on insects which swarmed in that sheltered district. The preceding day was wet and blustering, but the fourth was dark and mild, and soft, the wind

* This letter from White was first printed by Barrington in his *Miscellanies*, 1781, p. 225, where it is prefaced by the following note: 'I shall here subjoin a letter which I have received from that ingenious and observant naturalist, the Rev. Mr White, of Selborne, Hampshire.' (S)

at south-west, and the thermometer at $58'\frac{1}{2}$; a pitch not common at that season of the year. Moreover, it may not be amiss to add in this place, that whenever the thermometer is above 50 the bat comes flitting out in every autumnal and winter month.

From all these circumstances laid together, it is obvious that torpid insects, reptiles, and quadrupeds, are awakened from their profoundest slumbers by a little untimely warmth; and therefore that nothing so much promotes this death-like stupor as a defect of heat. And farther, it is reasonable to suppose that two whole species, or at least many individuals of those two species, of British hirundines, do never leave this island at all, but partake of the same benumbed state: for we cannot suppose that, after a month's absence, house-martins can return from southern regions to appear for one morning in November, or that house-swallows should leave the districts of Africa to enjoy, in March, the transient summer of a couple of days.

I am, etc.

Letter 37

Selborne, Jan. 8, 1778

DEAR SIR,

There was in this village several years ago a miserable pauper, who, from his birth, was afflicted with a leprosy, as far as we are aware of a singular kind, since it affected only the palms of his hands and the soles of his feet. This scaly eruption usually broke out twice in the year, at the spring and fall; and, by peeling away, left the skin so thin and tender that neither his hands or feet were able to perform their functions; so that the poor object was half his time on crutches, incapable of employ, and languishing in a tiresome state of indolence and inactivity. His habit was lean, lank, and cadaverous. In this sad plight he dragged on a miserable existence, a burden to himself and his parish, which was obliged to support him till he was relieved by death at more than thirty years of age.

The good women, who love to account for every defect in children by the doctrine of longing, said that his mother felt a violent propensity for oysters, which she was unable to gratify; and that the black rough scurf on his hands and feet were the shells of that fish. We knew his parents, neither of which were lepers; his father in particular lived to be far advanced in years.

In all ages the leprosy has made dreadful havock among mankind. The Israelites seem to have been greatly afflicted with it from the most remote times; as appears from the peculiar and repeated injunctions given them in the Levitical law.* Nor was the rancour of this foul disorder much abated in the last period of their commonwealth, as may be seen in many passages of the New Testament.

Some centuries ago this horrible distemper prevailed all Europe over; and our forefathers were by no means exempt, as appears by the large provision made for objects labouring under this calamity. There was an hospital for female lepers in the diocese of Lincoln, a noble one near Durham, three in London and Southwark, and perhaps many more in or near our great towns and cities. Moreover, some crowned heads, and other wealthy and charitable personages, bequeathed large legacies to such poor people as languished under this hopeless infirmity.

It must therefore, in these days, be, to an humane and thinking person, a matter of equal wonder and satisfaction, when he contemplates how nearly this pest is eradicated, and observes that a leper now is a rare sight. He will, moreover, when engaged in such a train of thought, naturally enquire for the reason. This happy change perhaps may have originated and been continued from the much smaller quantity of salted meat and fish now eaten in these kingdoms; from the use of linen next the skin; from the plenty of better bread; and from the profusion of fruits, roots, legumens, and greens, so common in every family. Three or four centuries ago, before there were any enclosures, sown-grasses, field-turnips, or field-carrots, or hay, all the cattle which had grown fat in summer, and were not killed for winter-use, were turned out soon after Michaelmas to shift as they could through the dead months; so that no fresh meat could be had in winter or spring. Hence the marvellous account of the vast stores of salted flesh found in the larder of the eldest Spencer† in the days of Edward the Second, even so late in the spring as the third of May. It was from magazines like these that the turbulent barons supported in idleness their riotous swarms of retainers ready for any disorder or mischief. But agriculture is now arrived at such a pitch of perfection, that our best and fattest meats are killed in the winter; and no man need eat salted flesh, unless he prefers it, that has money to buy fresh.

* See Leviticus xiii and xiv. (W)

† *Viz.* Six hundred bacons, eighty carcasses of beef, and six hundred muttons. (W)

One cause of this distemper might be, no doubt, the quantity of wretched fresh and salt fish consumed by the commonalty at all seasons as well as in lent; which our poor now would hardly be persuaded to touch.

The use of linen changes, shirts or shifts, in the room of sordid and filthy woollen, long worn next the skin, is a matter of neatness comparatively modern; but must prove a great means of preventing cutaneous ails. At this very time woollen instead of linen prevails among the poorer Welch, who are subject to foul eruptions.

The plenty of good wheaten bread that now is found among all ranks of people in the south, instead of that miserable sort which used in old days to be made of barley or beans, may contribute not a little to the sweetening their blood and correcting their juices; for the inhabitants of mountainous districts, to this day, are still liable to the itch and other cutaneous disorders, from a wretchedness and poverty of diet.

As to the produce of a garden, every middle-aged person of observation may perceive, within his own memory, both in town and country, how vastly the consumption of vegetables is increased. Green-stalls in cities now support multitudes in a comfortable state, while gardeners get fortunes. Every decent labourer also has his garden, which is half his support, as well as his delight; and common farmers provide plenty of beans, peas, and greens, for their hinds to eat with their bacon; and those few that do not are despised for their sordid parsimony, and looked upon as regardless of the welfare of their dependants. Potatoes have prevailed in this little district, by means of premiums, within these twenty years only; and are much esteemed here now by the poor, who would scarce have ventured to taste them in the last reign.

Our Saxon ancestors certainly had some sort of cabbage, because they call the month of February *sprout-cale*; but, long after their days, the cultivation of gardens was little attended to. The religious, being men of leisure, and keeping up a constant correspondence with Italy, were the first people among us that had gardens and fruit-trees in any perfection, within the walls of their abbies* and priories. The barons neglected every pursuit that did not lead to war or tend to the pleasure of the chase.

* 'In monasteries the lamp of knowledge continued to burn, however dimly. In them men of business were formed for the state: the art of writing was cultivated by the monks; they were the only proficients in mechanics, gardening, and architecture.' See Dalrymple's *Annals of Scotland.* (W)

It was not till gentlemen took up the study of horticulture themselves that the knowledge of gardening made such hasty advances. Lord Cobham, Lord Ila, and Mr Waller of Beaconsfield, were some of the first people of rank that promoted the elegant science of ornamenting without despising the superintendence of the kitchen quarters and fruit walls.

A remark made by the excellent Mr Ray in his *Tour of Europe* at once surprises us, and corroborates what has been advanced above; for we find him observing, so late as his days, that 'the Italians use several herbs for sallets, which are not yet or have not been but lately used in England, *viz. selleri* (celery) which is nothing else but the sweet smallage; the young shoots whereof, with a little of the head of the root cut off, they eat raw with oil and pepper'. And farther he adds 'curled endive blanched is much used beyond seas; and, for a raw sallet, seemed to excel lettuce itself'. Now this journey was undertaken no longer ago than in the year 1663.

I am, etc.

Letter 38

Forte puer, comitum seductus ab agmine fido,
Dixerat, ecquis adest? et, adest, responderat echo.
Hic stupet; utque aciem partes divisit in omnes;
Voce, veni, clamat magna. Vocat illa vocantem.

['*Perchance a lad, separated from his trusty band of comrades, had exclaimed, "Is there anyone here?" to which had come the echo's reply, "Anyone here." In amazement, and turning his keen glance at once in all directions, the lad calls out in a loud voice, "Come." His call is answered by the echo's call.*']

Selborne, Feb. 12, 1778

DEAR SIR,

In a district so diversified as this, so full of hollow vales, and hanging woods, it is no wonder that echoes should abound. Many we have discovered that return the cry of a pack of dogs, the notes of a hunting-horn, a tunable ring of bells, or the melody of birds, very agreeably: but we were still at a loss for a polysyllabical, articulate echo, till a young gentleman, who had parted from his company in a summer evening walk, and was calling after them, stumbled upon a very curious one in a spot where it might least be expected. At first he was much surprised, and could not be persuaded but that he was mocked by some boy; but, repeating his trials in several languages, and finding his respondent to be a very adroit polyglot, he then discerned the deception.

This echo in an evening, before rural noises cease, would repeat ten syllables most articulately and distinctly, especially if quick dactyls were chosen. The last syllables of

Tityre, tu patulæ recubans . . .

were as audibly and intelligibly returned as the first: and there is no doubt, could trial have been made, but that at midnight, when the air is very elastic, and a dead stillness prevails, one or two syllables more might have been obtained; but the distance rendered so late an experiment very inconvenient.

Quick dactyls, we observed, succeeded best; for when we came to try it's powers in slow, heavy, embarrassed spondees of the same number of syllables,

Monstrum horrendum, informe, ingens . . .

we could perceive a return but of four or five.

All echoes have some one place to which they are returned stronger and more distinct than to any other; and that is always the place that lies at right angles with the object of repercussion, and is not too near, nor too far off. Buildings, or naked rocks, re-echo much more articulately than hanging wood or vales; because in the latter the voice is as it were entangled, and embarrassed in the covert, and weakened in the rebound.

The true object of this echo, as we found by various experiments, is the stone-built, tiled hop-kiln in Gally-Lane, which measures in front 40 feet, and from the ground to the eaves 12 feet. The true *centrum phonicum*, or just distance, is one particular spot in the King's-field, in the path to Nore-hill, on the very brink of the steep balk above the hollow cart way. In this case there is no choice of distance; but the path, by meer contingency, happens to be the lucky, the identical spot, because the ground rises or falls so immediately, if the speaker either retires or advances, that his mouth would at once be above or below the object.

We measured this polysyllabical echo with great exactness, and found the distance to fall very short of Dr Plot's rule for distinct articulation: for the Doctor, in his history of Oxfordshire, allows 120 feet for the return of each syllable distinctly: hence this echo, which gives ten distinct syllables, ought to measure 400 yards, or 120 feet to each syllable; whereas our distance is only 258 yards, or near 75 feet, to each syllable. Thus our measure falls short of the Doctor's, as five to eight: but then it must be acknowledged that this candid philosopher was convinced afterwards, that some latitude must be admitted of in the distance of echoes according to time and place.

When experiments of this sort are making, it should always be remembered that weather and the time of day have a vast influence on an echo; for a dull, heavy, moist air deadens and clogs the sound; and hot sunshine renders the air thin and weak, and deprives it of all it's springiness; and a ruffling wind quite defeats the whole. In a still, clear, dewy evening the air is most elastic; and perhaps the later the hour the more so.

Echo has always been so amusing to the imagination, that the poets have personified her; and in their hands she has been the occasion of many a beautiful fiction. Nor need the gravest man be ashamed to appear taken with such a phænomenon, since it may become the subject of philosophical or mathematical inquiries.

One should have imagined that echoes, if not entertaining, must at least have been harmless and inoffensive; yet Virgil advances a strange notion, that they are injurious to bees. After enumerating some probable and reasonable annoyances, such as prudent owners would wish far removed from their bee-gardens, he adds

> . . . *aut ubi concava pulsu*
> *Saxa sonant, vocisque offensa resultat imago.*

['*Or where the arching rocks reverberate when struck, and the sound, hurled back, rebounds in an echo.*' GEORGICS IV, 49.]

This wild and fanciful assertion will hardly be admitted by the philosophers of these days; especially as they all now seem agreed that insects are not furnished with any organs of hearing at all. But if it should be urged, that though they cannot *hear* yet perhaps they may *feel* the repercussion of sounds, I grant it is possible they may. Yet that these impressions are distasteful or hurtful, I deny, because bees, in good summers, thrive well in my outlet, where the echoes are very strong: for this village is another *Anathoth*,* a place of *responses* or *echoes*. Besides, it does not appear from experiment that bees are in any way capable of being affected by sounds: for I have often tried my own with a large speaking-trumpet held close to their hives, and with such an exertion of voice as would have hailed a ship at the distance of a mile, and still these insects pursued their various employments undisturbed, and without shewing the least sensibility or resentment.

* See Isaiah x, 30. (S)

Some time since it's discovery this echo is become totally silent, though the object, or hop-kiln, remains: nor is there any mystery in this defect; for the field between is planted as an hop-garden, and the voice of the speaker is totally absorbed and lost among the poles and entangled foliage of the hops. And when the poles are removed in autumn the disappointment is the same; because a tall quick-set hedge, nurtured up for the purpose of shelter to the hop ground, entirely interrupts the impulse and repercussion of the voice: so that till those obstructions are removed no more of it's garrulity can be expected.

Should any gentleman of fortune think an echo in his park or outlet a pleasing incident, he might *build* one at little or no expense. For whenever he had occasion for a new barn, stable, dog-kennel, or the like structure, it would be only needful to erect this building on the gentle declivity of an hill, with a like rising opposite to it, at a few hundred yards distance; and perhaps success might be the easier ensured could some canal, lake, or stream, intervene. From a seat at the *centrum phonicum* he and his friends might amuse themselves sometimes of an evening with the prattle of this loquacious nymph; of whose complacency and decent reserve more may be said than can with truth of every individual of her sex; since she is . . .

> . . . *quæ nec* reticere *loquenti,*
> *Nec* prior *ipsa* loqui *didicit resonabilis echo.*

['*Resounding (Responsive) Echo, who learned neither to be silent when another speaks nor to be herself the first to speak.*' OVID, METAMORPHOSES III, 348.]

I am, etc.

P.S. The classic reader will, I trust, pardon the following lovely quotation, so finely describing echoes, and so poetically accounting for their causes from popular superstition:

> *Quæ bene quom videas, rationem reddere possis*
> *Tute tibi atque aliis, quo pacto per loca sola*
> *Saxa pareis formas verborum ex ordine reddant,*
> *Palanteis comites quom monteis inter opacos*
> *Quærimus, et magna dispersos voce ciemus.*
> *Sex etiam, aut septem loca vidi reddere voces*
> *Unam quom jaceres: ita colles collibus ipsis*
> *Verba repulsantes iterabant dicta referre.*
> *Hæc loca capripedes Satyros, Nymphasque tenere*
> *Finitimi fingunt, et Faunos esse loquuntur;*
> *Quorum noctivago strepitu, ludoque jocanti*

Adfirmant volgo taciturna silentia rumpi,
Chordarumque sonos fieri, dulceisque querelas,
Tibia quas fundit digitis pulsata canentum:
Et genus agricolum late sentiscere, quom Pan
Pinea semiferi capitis velamina quassans,
Unco sæpe labro calamos percurrit hianteis,
Fistula silvestrem ne cesset fundere musam.

['*When you properly perceive this, you may be able to give a reason to yourself and to others by what means it happens that in solitary places the rocks give back the same formation of words in their order, when we seek straggling comrades among the shady mountains and in a loud voice call after them scattered here and there. I have observed places to give back as many as six or seven sounds when you have uttered only one, so did hills to hills re-echo one's words and repeatedly give back what was spoken. Those who live near imagine that goat-footed satyrs and nymphs haunt these places. They say there are fauns, by whose night-wandering din and merry play they commonly declare the silent stillness to be broken. They say, too, how sounds of strings are heard and sweetly-plaintive laments, which the pipe pours forth when played on by the music-makers' fingers. They tell how the farming folk far and wide become aware, when Pan, shaking the pine-wreathed covering of his half-animal head, often runs over the open reeds with curving lip, that the shepherd's pipe may never cease its flow of woodland song.* LUCRETIUS, DE RERUM NATURA, IV, 576.*]

* Professor Bell, in his edition of *Selborne* (1877), writes as follows: 'The following sonnet appeared in a review of White's *Selborne* in the *Topographer*, shortly after the publication of the first edition. It forms a note on the above quotation from Lucretius.

'This beautiful passage appeared with the following translation in *Sonnets and other Poems*, printed for Wilkie, 1785.

'*Wand'ring amid deep woods and mountains dark,*
Wilder'd by night, my comrades lost to guide,
Oft through the void I raised my voice: and hark!
The rocks with twenty mimic tones replied.
Within these sacred haunts, 'tis said, abide
Fauns, nymphs, and satyrs, who delight to mark
And mock each lonely sound: but ere the lark
Wakes her shrill note, to secret cells they glide.

'*Night-wand'ring noises, revelry and joke*
Disturb the air ('tis said by rustics round,
Who start to hear the solemn silence broke),
And warbling strings and plaintive pipes resound:
And oft they hear, when Pan his reed hath woke,
Hills, vales, and woods and glens the harmony rebound.'

'I have not succeeded in discovering who was the author of this pleasing translation.' (S)

Letter 39

Selborne, May 13, 1778

DEAR SIR,

Among the many singularities attending those amusing birds the swifts, I am now confirmed in the opinion that we have every year the same number of pairs invariably; at least the result of my inquiry has been exactly the same for a long time past. The swallows and martins are so numerous, and so widely distributed over the village, that it is hardly possible to recount them; while the swifts, though they do not all build in the church, yet so frequently haunt it, and play and rendezvous round it, that they are easily enumerated. The number that I constantly find are eight pairs; about half of which reside in the church, and the rest build in some of the lowest and meanest thatched cottages. Now as these eight pairs, allowance being made for accidents, breed yearly eight pairs more, what becomes annually of this increase; and what determines every spring which pairs shall visit us, and re-occupy their ancient haunts?

Ever since I have attended to the subject of ornithology, I have always supposed that that sudden reverse of affection, that strange *αντιςτοργη*, which immediately succeeds in the feathered kind to the most passionate fondness, is the occasion of an equal dispersion of birds over the face of the earth. Without this provision one favourite district would be crowded with inhabitants, while others would be destitute and forsaken. But the parent birds seem to maintain a jealous superiority, and to oblige the young to seek for new abodes: and the rivalry of the males, in many kinds, prevents their crowding the one on the other. Whether the swallows and house-martins return in the same exact number annually is not easy to say, for reasons given above: but it is apparent, as I have remarked before in my Monographies, that the numbers returning bear no manner of proportion to the numbers retiring.

Letter 40

Selborne, June 2, 1778

DEAR SIR,

The standing objection to botany has always been, that it is a pursuit that amuses the fancy and exercises the memory, without improving the mind or advancing any real knowledge: and where

Exposed tree roots in the wood at Dorton

the science is carried no farther than a mere systematic classification, the charge is but too true. But the botanist that is desirous of wiping off this aspersion should be by no means content with a list of names; he should study plants philosophically, should investigate the laws of vegetation, should examine the powers and virtues of efficacious herbs, should promote their cultivation; and graft the gardener, the planter, and the husbandman, on the phytologist. Not that system is by any means to be thrown aside; without system the field of Nature would be a pathless wilderness: but system should be subservient to, not the main object of, pursuit.

Vegetation is highly worthy of our attention; and in itself is of the utmost consequence to mankind, and productive of many of the greatest comforts and elegancies of life. To plants we owe timber, bread, beer, honey, wine, oil, linen, cotton, etc. what not only strengthens our hearts, and exhilarates our spirits, but what secures from inclemencies of weather and adorns our persons. Man, in his true state of nature, seems to be subsisted by spontaneous vegetation: in middle climes, where grasses prevail, he mixes some animal food with the produce of the field and garden: and it is towards the polar extremes only that, like his kindred bears and wolves, he gorges himself with flesh alone, and is driven, to what hunger has never been known to compel the very beasts, to prey on his own species.*

The productions of vegetation have had a vast influence on the commerce of nations, and have been the great promoters of navigation, as may be seen in the articles of sugar, tea, tobacco, opium, ginseng, betel, paper, etc. As every climate has its peculiar produce, our natural wants bring on a mutual intercourse; so that by means of trade each distant part is supplied with the growth of every latitude. But, without the knowledge of plants and their culture, we must have been content with our hips and haws, without enjoying the delicate fruits of India and the salutiferous drugs of Peru.

Instead of examining the minute distinctions of every various species of each obscure genus, the botanist should endeavour to make himself acquainted with those that are useful. You shall see a man readily ascertain every herb of the field, yet hardly know wheat from barley, or at least one sort of wheat or barley from another.

But of all sorts of vegetation the grasses seem to be most neglected; neither the farmer nor the grazier seem to distinguish the

* See the late Voyages to the South-seas. (W)

annual from the perennial, the hardy from the tender, nor the succulent and nutritive from the dry and juiceless.

The study of grasses would be of great consequence to a northerly, and grazing kingdom. The botanist that could improve the swerd of the district where he lived would be an useful member of society: to raise a thick turf on a naked soil would be worth volumes of systematic knowledge; and he would be the best commonwealth's man that could occasion the growth of 'two blades of grass where one alone was seen before'.

I am, etc.

Letter 41

Selborne, July 3, 1778

DEAR SIR,

In a district so diversified with such a variety of hill and dale, aspects, and soils, it is no wonder that great choice of plants should be found. Chalks, clays, sands, sheep-walks, and downs, bogs, heaths, woodlands, and champaign fields, cannot but furnish an ample *Flora*. The deep rocky lanes abound with *filices*, and the pastures and moist woods with *fungi*. If in any branch of botany we may seem to be wanting, it must be in the large aquatic plants, which are not to be expected on a spot far removed from rivers, and lying up amidst the hill country at the spring heads. To enumerate all the plants that have been discovered within our limits would be a needless work; but a short list of the more rare, and the spots where they are to be found, may be neither unacceptable nor unentertaining:

Helleborus fœtidus, stinking hellebore, bear's foot, or setter-wort, all over the High-wood and Coney-croft-hanger: this continues a great branching plant the winter through, blossoming about January, and is very ornamental in shady walks and shrubberies. The good women give the leaves powdered to children troubled with worms; but it is a violent remedy, and ought to be administered with caution.

Helleborus viridis, green hellebore—in the deep stony lane on the left hand just before the turning to Norton-farm, and at the top of Middle Dorton under the hedge: this plant dies down to the ground early in autumn, and springs again about February, flowering almost as soon as it appears above ground.

Vaccinium oxycoccos, creeping bilberries, or cranberries—in the bogs of Bin's-pond;

Vaccinium myrtillus, whortle, or bilberries—on the dry hillocks of Wolmer-forest;

Drosera rotundifolia, round-leaved sundew. } In the bogs of Bin's-
—— *longifolia*, long-leaved ditto. } pond.

Comarum palustre, purple comarum, or marsh cinque foil—in the bogs of Bin's-pond;

Hypericon androsæmum, Tutsan, St John's Wort—in the stony, hollow lanes;

Vinca minor, less periwinkle—in Selborne-hanger and Shrubwood;

Monotropa hypopithys, yellow monotropa, or bird's nest—in Selborne-hanger under the shady beeches, to whose roots it seems to be parasitical—at the north-west end of the Hanger;

Chlora perfoliata, Blackstonia perfoliata, Hudsoni, perfoliated yellow-wort—on the banks in the King's-field;

Paris quadrifolia, herb Paris, true-love, or one-berry—in the Church-litten-coppice;

Chrysosplenium oppositifolium, opposite golden saxifrage—in the dark and rocky hollow lanes;

Gentiana amarella, autumnal gentian, or fellwort—on the Zig-zag and Hanger;

Lathræa squammaria, tooth-wort—in the Church-litten-coppice under some hazels near the foot-bridge, in Trimming's garden-hedge, and on the dry wall opposite Grange-yard;

Dipsacus pilosus, small teasel—in the Short and Long Lith.

Lathyrus sylvestris, narrow-leaved, or wild lathyrus—in the bushes at the foot of the Short Lith, near the path;

Ophrys spiralis, ladies traces—in the Long Lith, and towards the south-corner of the common;

Ophrys nidus avis, birds' nest ophrys—in the Long Lith under the shady beeches among the dead leaves; in Great Dorton among the bushes, and on the Hanger plentifully;

Serapias latifolia, helleborine—in the High-wood under the shady beeches;

Daphne laureola, spurge laurel—in Selborne-Hanger and the High-wood.

Daphne mezereum, the mezereon—in Selborne-Hanger among the shrubs at the south-east end above the cottages.

Lycoperdon tuber, truffles—in the Hanger and High-wood.

Sambucus ebulus, dwarf elder, wallwort, or danewort—among the rubbish and ruined foundations of the Priory.

Of all the propensities of plants none seem more strange than their different periods of blossoming. Some produce their flowers in the winter, or very first dawnings of spring; many when the spring is established; some at midsummer, and some not till autumn. When we see the *helleborus fœtidus* and *helleborus niger* blowing at Christmas, the *helleborus hyemalis* in January, and the *helleborus viridis* as soon as ever it emerges out of the ground, we do not wonder, because they are kindred plants that we expect should keep pace the one with the other. But other congenerous vegetables differ so widely in their time of flowering that we cannot but admire. I shall only instance at present in the *crocus sativus*, the vernal, and the autumnal crocus, which have such an affinity, that the best botanists only make them varieties of the same *genus*, of which there is only one *species*; not being able to discern any difference in the *corolla*, or in the internal structure. Yet the vernal crocus expands it's flowers by the beginning of March at farthest, and often in very rigorous weather; and cannot be retarded but by some violence offered: while the autumnal (the Saffron) defies the influence of the spring and summer, and will not blow till most plants begin to fade and run to seed. This circumstance is one of the wonders of the creation, little noticed, because a common occurrence: yet ought not to be overlooked on account of it's being familiar, since it would be as difficult to be explained as the most stupendous phænomenon in nature.

Say, what impels, amidst surrounding snow,
Congeal'd, the crocus' *flamy bud to grow?*
Say, what retards, amidst the summer's blaze,
Th' autumnal bulb *till pale, declining days?*
The God of Seasons; whose pervading power
Controls the sun, or sheds the fleecy shower:
He bids each flower his quick'ning word obey;
Or to each lingering bloom enjoins delay.

Letter 42

Omnibus animalibus reliquis certus et uniusmodi, et in suo cuique genere incessus est: aves solæ vario meatu feruntur, et in terra, et in aere.
['*In all other living creatures there is a definite and single means of progression, appropriate to each in his own genus; only birds possess differing methods of locomotion, for use on the ground and in the air.*' PLIN. HIST. NAT. LIB. X, cap. 38.]

Selborne, Aug. 7, 1778

DEAR SIR,

A good ornithologist should be able to distinguish birds by their air as well as by their colours and shape; on the ground as well as on the wing, and in the bush as well as in the hand. For, though it must not be said that every species of birds has a manner peculiar to itself, yet there is somewhat in most *genera* at least, that at first sight discriminates them, and enables a judicious observer to pronounce upon them with some certainty. Put a bird in motion

. . . Et vera incessu patuit . . .

['. . . *And what bird it really was became apparent from its manner of flight.*]

Thus kites and buzzards sail round in circles with wings expanded and motionless; and it is from their gliding manner that the former are still called in the north of England *gleads*, from the Saxon verb *glidan* to glide. The kestrel, or wind-hover, has a peculiar mode of hanging in the air in one place, his wings all the while being briskly agitated. Hen-harriers fly low over heaths or fields of corn, and beat the ground regularly like a pointer or setting-dog. Owls move in a buoyant manner, as if lighter than the air; they seem to want ballast. There is a peculiarity belonging to ravens that must draw the attention even of the most incurious—they spend all their leisure time in striking and cuffing each other on the wing in a kind of playful skirmish; and, when they move from one place to another, frequently turn on their backs with a loud croak, and seem to be falling to the ground. When this odd gesture betides them, they are scratching themselves with one foot, and thus lose the center of gravity. Rooks sometimes dive and tumble in a frolicksome manner; crows and daws swagger in their walk; wood-peckers fly *volatu undoso*, opening and closing their wings at every stroke, and so are always rising or falling in curves. All of this genus use their tails, which incline downward, as a support while they run up trees. Parrots, like all other hooked-clawed birds, walk aukwardly, and make use of their bill as a third foot, climbing and ascending with ridiculous caution. All the *gallinæ* parade and walk gracefully, and run nimbly; but fly with difficulty, with an impetuous whirring, and in a straight line. Magpies and jays flutter with powerless wings, and make no dispatch; herons seem incumbered with too much sail for their light bodies; but these vast hollow wings are necessary in carrying burdens, such as large fishes, and the like; pigeons, and particularly the sort called smiters, have a way of clashing their wings the one against the other over their backs with a loud snap; another variety called tumblers turn themselves over in the air. Some birds have movements peculiar to the season of love: thus ring-doves, though strong and rapid at other times, yet in the spring hang about on the wing in a toying and playful manner; thus the cock-snipe, while breeding, forgetting his former flight, fans the air like the wind-hover; and the green-finch in particular exhibits such languishing and faultering gestures as to appear like a wounded and dying bird; the king-fisher darts along like an arrow; fern-owls, or goat-suckers, glance in the dusk over the tops of trees like a meteor: starlings as it were swim along, while missel-thrushes use a wild and desultory flight; swallows sweep over the surface of the ground and water, and distinguish themselves by rapid turns and quick evolutions; swifts dash round in circles; and the bank-martin moves with frequent vacillations like a butterfly. Most of the small birds fly by jerks, rising and falling as they advance. Most small birds hop; but wagtails and larks walk, moving their legs alternately. Skylarks rise and fall perpendicularly as they sing: woodlarks hang poised in the air; and titlarks rise and fall in large curves, singing in their descent. The white-throat uses odd jerks and gesticulations over the tops of hedges and bushes. All the duck-kind waddle; divers and auks walk as if fettered, and stand erect on their tails: these are the *compedes* of Linnæus. Geese and cranes, and most wild-fowls, move in figured flights, often changing their position. The secondary *remiges* of Tringæ, wild-ducks, and some others, are very long, and give their wings, when in motion, an hooked appearance. Dab-chicks, moor-hens, and coots, fly erect, with their legs hanging down, and hardly make any dispatch; the reason is plain, their wings are placed too forward out of the true centre of gravity; as the legs of auks and divers are situated too backward.

Letter 43

Selborne, Sept. 9, 1778

DEAR SIR,

From the motion of birds, the transition is natural enough to their notes and language, of which I shall say something. Not that I would pretend to understand their language like the vizier; who, by the recital of a conversation which passed between two owls, reclaimed a sultan,* before delighting in conquest and devastation; but I would be thought only to mean that many of the winged tribes have various sounds and voices adapted to express their various passions, wants, and feelings; such as anger, fear, love, hatred, hunger, and the like. All species are not equally eloquent; some are copious and fluent as it were in their utterance, while others are confined to a few important sounds: no bird, like the fish kind, is quite mute, though some are rather silent. The language of birds is very ancient, and, like other ancient modes of speech, very elliptical: little is said, but much is meant and understood.

The notes of the eagle-kind are shrill and piercing; and about the season of nidification much diversified, as I have been often assured by a curious observer of Nature, who long resided at Gibraltar, where eagles abound. The notes of our hawks much resemble those of the king of birds. Owls have very expressive notes; they hoot in a fine vocal sound, much resembling the *vox humana*, and reducible by a pitch-pipe to a musical key. This note seems to express complacency and rivalry among the males: they use also a quick call and an horrible scream; and can snore and hiss when they mean to menace. Ravens, besides their loud croak, can exert a deep and solumn note that makes the woods to echo; the amorous sound of a crow is strange and ridiculous; rooks, in the breeding season, attempt sometimes in the gaiety of their hearts to sing, but with no great success; the parrot-kind have many modulations of voice, as appears by their aptitude to learn human sounds: doves coo in an amorous and mournful manner, and are emblems of despairing lovers; the woodpecker sets up a sort of loud and hearty laugh; the fern-owl, or goat-sucker, from the dusk till day-break, serenades his mate with the clattering of castanets. All the tuneful *passeres* express their complacency by sweet modulations, and a variety of melody. The swallow, as has been observed in a former letter, by a shrill alarm bespeaks the attention of the other hirundines, and bids them be aware that the hawk is at hand. Aquatic and gregarious birds, especially the nocturnal, that shift their quarters in the dark, are very noisy and loquacious; as cranes, wild-geese, wild-ducks, and the like; their perpetual clamour prevents them from dispersing and losing their companions.

In so extensive a subject, sketches and outlines are as much as can be expected; for it would be endless to instance in all the

* See *Spectator*, Vol. VII, No. 512. (W)

infinite variety of the feathered nation. We shall therefore confine the remainder of this letter to the few domestic fowls of our yards, which are most known, and therefore best understood. At first the peacock, with his gorgeous train demands our attention; but, like most of the gaudy birds, his notes are grating and shocking to the ear: the yelling of cats, and the braying of an ass, are not more disgustful. The voice of the goose is trumpet-like, and clanking; and once saved the Capitol at Rome, as grave historians assert: the hiss also of the gander is formidable and full of menace, and 'protective of his young'. Among ducks the sexual distinction of voice is remarkable; for, while the quack of the female is loud and sonorous, the voice of the drake is inward and harsh and feeble, and scarce discernible. The cock turkey struts and gobbles to his mistress in a most uncouth manner; he hath also a pert and petulant note when he attacks his adversary. When a hen turkey leads forth her young brood she keeps a watchful eye: and if a bird of prey appear, though ever so high in the air, the careful mother announces the enemy with a little inward moan, and watches him with a steady and attentive look; but, if he approach, her note becomes earnest and alarming, and her outcries are redoubled.

No inhabitants of a yard seem possessed of such a variety of expression and so copious a language as common poultry. Take a chicken of four or five days old, and hold it up to a window where there are flies, and it will immediately seize it's prey, with little twitterings of complacency; but if you tender it a wasp or a bee, at once it's note becomes harsh, and expressive of disapprobation and a sense of danger. When a pullet is ready to lay she intimates the event by a joyous and easy soft note. Of all the occurrences of their life that of *laying* seems to be the most important; for no sooner has a hen disburdened herself, than she rushes forth with a clamorous kind of joy, which the cock and the rest of his mistresses immediately adopt. The tumult is not confined to the family concerned, but catches from yard to yard, and spreads to every homestead within hearing, till at last the whole village is in an uproar. As soon as a hen becomes a mother her new relation demands a new language; she then runs clocking and screaming about, and seems agitated as if possessed. The father of the flock has also a considerable vocabulary; if he finds food, he calls a favourite concubine to partake; and if a bird of prey passes over, with a warning voice he bids his family beware. The gallant chanticleer has, at command, his amorous phrases, and his terms of defiance. But the sound by which he is best known is his crowing: by this he has been distinguished in all ages as the countryman's clock or larum, as the watchman that proclaims the divisions of the night. Thus the poet elegantly stiles him:

. . . the crested cock, whose clarion sounds
The silent hours.

A neighbouring gentleman one summer had lost most of his chickens by a sparrow-hawk, that came gliding down between a faggot pile and the end of his house to the place where the coops stood. The owner, inwardly vexed to see his flock thus diminishing, hung a setting net adroitly between the pile and the house, into which the caitiff dashed and was entangled. Resentment suggested the law of retaliation; he therefore clipped the hawk's wings, cut off his talons, and, fixing a cork on his bill, threw him down among the brood-hens. Imagination cannot paint the scene that ensued; the expressions that fear, rage, and revenge, inspired, were new, or at least such as had been unnoticed before: the exasperated matrons upbraided, they execrated, they insulted, they triumphed. In a word, they never desisted from buffeting their adversary till they had torn him in an hundred pieces.

Letter 44

Selborne

. . . monstrent

. . . .

Quid tantum Oceano properent se tingere soles
Hyberni; vel quæ tardis mora noctibus obstet.

['*Let them demonstrate . . . how wintry suns only hasten to bathe themselves in the ocean, or what delay hinders the slow-moving nights.*']

Gentlemen who have outlets might contrive to make ornament subservient to utility; a pleasing eye-trap might also contribute to promote science: an obelisk in a garden or park might be both an embellishment and an heliotrope.

Any person that is curious, and enjoys the advantage of a good horizon, might, with little trouble, make two heliotropes; the one for the winter, the other for the summer solstice: and these two erections might be constructed with very little expense; for two pieces of timber frame-work, about ten or twelve feet high, and four feet broad at the base, and close lined with plank, would answer the purpose.

The erection for the former should, if possible, be placed within sight of some window in the common sitting parlour; because men, at that dead season of the year, are usually within doors at the close of the day; while that for the latter might be fixed for any given spot in the garden or outlet; whence the owner might contemplate, in a fine summer's evening, the utmost extent that the sun makes to the northward at the season of the longest days. Now nothing would be necessary but to place these two objects with so much exactness, that the westerly limb of the sun, at setting, might but just clear the winter heliotrope to the west of it on the shortest day; and that the whole disc of the sun, at the longest day, might exactly at setting also clear the summer heliotrope to the north of it.

By this simple expedient it would soon appear that there is no such thing, strictly speaking, as a solstice; for, from the shortest day, the owner would, every clear evening, see the disc advancing, at it's setting, to the westward of the object; and, from the longest day, observe the sun retiring backwards every evening at it's setting, towards the object westward, till, in a few nights, it would set quite behind it, and so by degrees to the west of it: for when the sun comes near the summer solstice, the whole disc of it would at first set behind the object; after a time the northern limb would first appear, and so every night gradually more, till at length the whole diameter would set northward of it for about three nights; but on the middle night of the three, sensibly more remote than the former or following. When beginning it's recess from the summer tropic, it would continue more and more to be hidden every night, till at length it would descend quite behind the object again; and so nightly more and more to the westward.

Letter 45

Selborne

. . . *Mugire videbis*
Sub pedibus terram, et descendere montibus ornos.

['*You will perceive the earth groaning beneath your feet, and the ash-trees slithering down from the mountains.*']

When I was a boy I used to read, with astonishment and implicit assent, accounts in Baker's *Chronicle* of walking hills and travelling mountains. John Philips, in his *Cyder*, alludes to the credit that was given to such stories with a delicate but quaint vein of humour peculiar to the author of the *Splendid Shilling*.

> *I nor advise, nor reprehend the choice*
> *Of Marcley Hill; the apple no where finds*
> *A kinder mould: yet 'tis unsafe to trust*
> *Deceitful ground: who knows but that once more*
> *This mount may journey, and his present site*
> *Forsaken, to thy neighbour's bounds transfer*
> *Thy goodly plants, affording matter strange*
> *For law debates!*

But, when I came to consider better, I began to suspect that though our hills may never have journeyed far, yet that the ends of many of them have slipped and fallen away at distant periods, leaving the cliffs bare and abrupt. This seems to have been the case with Nore and Whetham Hills; and especially with the ridge between Harteley Park and Ward le ham, where the ground has slid into vast swellings and furrows; and lies still in such romantic confusion as cannot be accounted for from any other cause. A strange event, that happened not long since, justifies our suspicions; which, though it befell not within the limits of this parish, yet as it was within the hundred of Selborne, and as the circumstances were singular, may fairly claim a place in a work of this nature.

The months of January and February, in the year 1774, were remarkable for great melting snows and vast gluts of rain, so that by the end of the latter month the land-springs, or *lavants,* began to prevail, and to be near as high as in the memorable winter of 1764. The beginning of March also went on in the same tenor; when, in the night between the 8th and 9th of that month, a considerable part of the great woody hanger at Hawkley was torn from it's place, and fell down, leaving a high freestone cliff naked and bare, and resembling the steep side of a chalk-pit. It appears that this huge fragment, being perhaps sapped and undermined by waters, foundered, and was ingulfed, going down in a perpendicular direction; for a gate which stood in the field, on the top of the hill, after sinking with it's posts for thirty or forty feet, remained in so true and upright a position as to open and shut with great exactness, just as in it's first situation. Several oaks also are still standing, and in a state of vegetation, after taking the same desperate leap. That great part of this prodigious mass was absorbed in some gulf below, is plain also from the inclining ground at the bottom of the hill, which is free and unincumbered; but would have been buried in heaps of rubbish, had the fragment parted and fallen forward. About an hundred yards from the foot of this hanging coppice stood a cottage by the side of a lane; and two hundred yards lower, on the other side of the lane, was a farm-house, in which lived a labourer and his family; and, just by, a stout new barn. The cottage was inhabited by an old woman and her son and his wife. These people in the evening, which was very dark and tempestuous, observed that the brick floors of their kitchens began to heave and part; and that the walls seemed to open, and the roofs to crack: but they all agree that no tremor of the ground, indicating an earthquake, was ever felt; only that the wind continued to make a most tremendous roaring in the woods and hangers. The miserable inhabitants, not daring to go to bed, remained in the utmost solicitude and confusion, expecting every moment to be buried under the ruins of their shattered edifices. When day-light came they were at leisure to contemplate the devastations of the night: they then found that a deep rift, or chasm, had opened under their houses, and torn them, as it were, in two; and that one end of the barn had suffered in a similar manner; that a pond near the cottage had undergone a strange reverse, becoming deep at the shallow end, and so *vice versa*; that many large oaks were removed out of their perpendicular, some thrown down, and some fallen into the heads of neighbouring trees; and that a gate was thrust forward, with it's hedge, full six feet, so as to require a new track to be made to it. From the foot of the cliff the general course of the ground, which is pasture, inclines in a moderate descent for half a mile, and is interspersed with some hillocks, which were rifted, in every direction, as well towards the great woody hanger, as from it. In the first pasture the deep clefts began: and running across the lane, and under the buildings, made such vast shelves that the road was impassable for some time; and so over to an arable field on the other side, which was strangely torn and disordered. The second pasture field, being more soft and springy, was protruded forward without many fissures in the turf, which was raised in long ridges, resembling graves, lying at right angles to the motion. At the bottom of this enclosure the soil and turf rose many feet against the bodies of some oaks that obstructed their farther course and terminated this awful commotion.

The perpendicular height of the precipice, in general, is twenty-three yards; the length of the lapse, or slip, as seen from the fields below, one hundred and eighty-one; and a partial fall, concealed in the coppice, extends seventy yards more: so that the total length of this fragment that fell was two hundred and fifty-one yards. About fifty acres of land suffered from this violent convulsion; two houses were entirely destroyed; one end of a new barn was left in ruins, the walls being cracked through the very stones that composed them; a hanging coppice was changed to a naked rock; and some grass grounds and an arable field so broken and rifted by the chasms as to be rendered, for a time, neither fit for the plough or safe for pasturage, till considerable labour and expense had been bestowed in levelling the surface and filling in the gaping fissures.

Letter 46

. . . *resonant arbusta* . . .
['. . . *the hangers resound* . . .']

Selborne

There is a steep abrupt pasture field interspersed with furze close to the back of this village, well known by the name of the Short Lithe, consisting of a rocky dry soil, and inclining to the afternoon sun. This spot abounds with the *gryllus campestris*, or field-cricket; which, though frequent in these parts, is by no means a common insect in many other counties.

As their cheerful summer cry cannot but draw the attention of a naturalist, I have often gone down to examine the œconomy of these *grylli*, and study their mode of life: but they are so shy and cautious that it is no easy matter to get a sight of them; for, feeling a person's footsteps as he advances, they stop short in the midst of their song, and retire backward nimbly into their burrows, where they lurk till all suspicion of danger is over.

At first we attempted to dig them out with a spade, but without any great success; for either we could not get to the bottom of the hole, which often terminated under a great stone; or else, in breaking up the ground, we inadvertently squeezed the poor insect to death. Out of one so bruised we took a multitude of eggs, which were long and narrow, of a yellow colour, and covered with a very tough skin. By this accident we learned to distinguish the male from the female; the former of which is shining black, with a golden stripe across his shoulders; the latter is more dusky, more capacious about the abdomen, and carries a long sword-shaped weapon at her tail, which probably is the instrument with which she deposits her eggs in crannies and safe receptacles.

Where violent methods will not avail, more gentle means will often succeed; and so it proved in the present case; for, though a spade be too boisterous and rough an implement, a pliant stalk of grass, gently insinuated into the caverns, will probe their windings to the bottom, and quickly bring out the inhabitant; and thus the humane inquirer may gratify his curiosity without injuring the object of it. It is remarkable that, though these insects are furnished with long legs behind, and brawny thighs for leaping, like grasshoppers: yet when driven from their holes they show no activity, but crawl along in a shiftless manner, so as easily to be taken: and again, though provided with a curious apparatus of wings, yet they never exert them when there seems to be the greatest occasion. The males only make that shrilling noise perhaps out of rivalry and emulation, as is the case with many animals which exert some sprightly note during their breeding time: it is raised by a brisk friction of one wing against the other. They are solitary beings, living singly male or female, each as it may happen; but there must be a time when the sexes have some intercourse, and then the wings may be useful perhaps during the hours of night. When the males meet they will fight fiercely, as I found by some which I put into the crevices of a dry stone wall, where I should have been glad to have made them settle. For though they seemed distressed by being taken out of their knowledge, yet the first that got possessions of the chinks would seize on any that were obtruded upon them with a vast row of serrated fangs. With their strong jaws, toothed like the shears of a lobster's claws, they perforate and round their curious regular cells, having no fore-claws to dig, like the mole-cricket. When taken in hand I could not but wonder that they never offered to defend themselves, though armed with such formidable weapons. Of such herbs as grow before the mouths of their burrows they eat indiscriminately; and on a little platform, which they make just by, they drop their dung; and never, in the day time, seem to stir more than two or three inches from home. Sitting in the entrance of their caverns they chirp all night as well as day from the middle of the month of May to the middle of July; and in hot weather, when they are most vigorous, they make the hills echo; and, in the stiller hours of darkness, may be heard to a considerable distance. In the beginning of the season their notes are more faint and inward; but become louder as the summer advances, and so die away again by degrees.

Sounds do not always give us pleasure according to their sweetness and melody; nor do harsh sounds always displease. We are more apt to be captivated or disgusted with the associations which they promote, than with the notes themselves. Thus the shrilling of the field-cricket, though sharp and stridulous, yet marvellously delights some hearers, filling their minds with a train of summer ideas of every thing that is rural, verdurous, and joyous.

About the tenth of March the crickets appear at the mouths of their cells, which they then open and bore, and shape very elegantly. All that ever I have seen at that season were in their pupa state, and had only the rudiments of wings, lying under a skin or coat, which must be cast before the insect can arrive at it's perfect state;* from whence I should suppose that the old ones of last year do not always survive the winter. In August their holes begin to be obliterated, and the insects are seen no more till spring.

Not many summers ago I endeavoured to transplant a colony to the terrace in my garden, by boring deep holes in the sloping turf. The new inhabitants stayed some time, and fed and sung; but wandered away by degrees, and were heard at a farther distance every morning; so that it appears that on this emergency they made use of their wings in attempting to return to the spot from which they were taken.

One of these crickets, when confined in a paper cage and set in the sun, and supplied with plants moistened with water, will feed and thrive, and become so merry and loud as to be irksome in the same room where a person is sitting; if the plants are not wetted it will die.

Letter 47

Selborne

DEAR SIR,

Far from all resort of mirth
Save the cricket on the hearth. MILTON'S *Il Penseroso*

While many other insects must be sought after in fields and woods, and waters, the *gryllus domesticus*, or house-cricket, resides altogether within our dwellings, intruding itself upon our notice whether we will or no. This species delights in new-built houses,

* We have observed that they cast these skins in April, which are then seen lying at the mouths of their holes. (W)

being, like the spider, pleased with the moisture of the walls; and besides, the softness of the mortar enables them to burrow and mine between the joints of the bricks or stones, and to open communications from one room to another. They are particularly fond of kitchens and bakers' ovens, on account of their perpetual warmth.

Tender insects that live abroad either enjoy only the short period of one summer, or else doze away the cold uncomfortable months in profound slumbers; but these, residing as it were in a torrid zone, are always alert and merry: a good Christmas fire is to them like the heats of the dog-days. Though they are frequently heard by day, yet is their natural time of motion only in the night. As soon as it grows dusk, the chirping increases, and they come running forth, and are from the size of a flea to that of their full stature. As one should suppose, from the burning atmosphere which they inhabit, they are a thirsty race, and show a great propensity for liquids, being found frequently drowned in pans of water, milk, broth, or the like. Whatever is moist they affect; and therefore often gnaw holes in wet woollen stockings and aprons that are hung to the fire: they are the housewife's barometer, foretelling her when it will rain; and are prognostic sometimes, she thinks, of ill or good luck; of the death of a near relation, or the approach of an absent lover. By being the constant companions of her solitary hours they naturally become the objects of her superstition. These crickets are not only very thirsty, but very voracious; for they will eat the scummings of pots, and yeast, salt, and crumbs of bread; and any kitchen offal or sweepings. In the summer we have observed them to fly, when it became dusk, out of the windows, and over the neighbouring roofs. This feat of activity accounts for the sudden manner in which they often leave their haunts, as it does for the method by which they come to houses where they were not known before. It is remarkable, that many sorts of insects seem never to use their wings but when they have a mind to shift their quarters and settle new colonies. When in the air they move '*volatu undoso*', in waves or curves, like wood-peckers, opening and shutting their wings at every stroke, and so are always rising or sinking.

When they increase to a great degree, as they did once in the house where I am now writing, they become noisome pests, flying into the candles, and dashing into people's faces; but may be blasted and destroyed by gunpowder discharged into their crevices and crannies. In families, at such times, they are, like

Selborne – Borden road

Pharaoh's plague of frogs, 'in their bedchambers, and upon their beds, and in their ovens, and in their kneading-troughs.'* Their shrilling noise is occasioned by a brisk attrition of their wings. Cats catch hearth crickets, and, playing with them as they do with mice, devour them. Crickets may be destroyed, like wasps, by phials half filled with beer, or any liquid, and set in their haunts; for, being always eager to drink, they will crowd in till the bottles are full.

Letter 48

Selborne

How diversified are the modes of life not only of incongruous but even of congenerous animals; and yet their specific distinctions are not more various than their propensities. Thus, while the field-cricket delights in sunny dry banks, and the house-cricket rejoices amidst the glowing heat of the kitchen hearth or oven, the *gryllus gryllo talpa* (the mole-cricket,) haunts moist meadows, and frequents the sides of ponds and banks of streams, performing all it's functions in a swampy wet soil. With a pair of fore-feet, curiously adapted to the purpose, it burrows and works under ground like the mole, raising a ridge as it proceeds, but seldom throwing up hillocks.

As mole-crickets often infest gardens by the sides of canals, they are unwelcome guests to the gardener, raising up ridges in their subterraneous progress, and rendering the walks unsightly. If they take to the kitchen quarters, they occasion great damage among the plants and roots, by destroying whole beds of cabbages, young legumes, and flowers. When dug out they seem very slow and helpless, and make no use of their wings by day; but at night they come abroad, and make long excursions, as I have been convinced by finding stragglers, in a morning, in improbable places. In fine weather, about the middle of April, and just at the close of day, they begin to solace themselves with a low, dull, jarring note, continued for a long time without interruption, and not unlike the chattering of the fern-owl, or goat-sucker, but more inward.

About the beginning of May they lay their eggs, as I was once an eye-witness: for a gardener at an house, where I was on a visit, happening to be mowing, on the 6th of that month, by the side

* Exod. viii, 3. (W)

of a canal, his scythe struck too deep, pared off a large piece of turf, and laid open to view a curious scene of domestic œconomy:

> . . . *ingentem lato dedit ore fenestram:*
> *Apparet domus intus, et atria longa patescunt:*
> *Apparent . . . penetralia.*

['*He made a vast wide-mouthed aperture, and forthwith the interior of the palace stood revealed, with its long halls open, to the view. Revealed also were the inner chambers.*' AENEID II, 482.]

There were many caverns and winding passages leading to a kind of chamber, neatly smoothed and rounded, and about the size of a moderate snuff-box. Within this secret nursery were deposited near an hundred eggs of a dirty yellow colour, and enveloped in a tough skin, but too lately excluded to contain any rudiments of young, being full of a viscous substance. The eggs lay but shallow, and within the influence of the sun, just under a little heap of fresh-moved mould, like that which is raised by ants.

When mole-crickets fly they move '*cursu undoso*', rising and falling in curves, like the other species mentioned before. In different parts of this kingdom people call them fen-crickets, churn-worms, and eve-churrs, all very apposite names.

Anatomists, who have examined the intestines of these insects, astonish me with their accounts; for they say that, from the structure, position, and number of their stomachs, or maws, there seems to be good reason to suppose that this and the two former species ruminate or chew the cud like many quadrupeds!*

* The following note was written by Professor Owen for Bennett's edition of *Selborne*, 1837. 'In the Hunterian Collection are preparations of the singularly complex stomach here alluded to, as it exists in the mole cricket, and in the locust. The structure is similar in both as to the number of stomachs, but they differ in their relative positions. The first cavity or crop . . . in the mole cricket is appended, like the crop of a granivorous bird, to one side of the gullet, communicating with it by a lateral opening. . . . The gizzard is small, but armed internally with longitudinal rows of complex teeth. Two large lateral pouches open into the lower part or termination of the gizzard. The anology between this digestive apparatus and that of the ruminants is vague, and does not extend beyond the number of cavities. It is more like that of the bird; and since the comminuting or masticating organs are situated . . . in the stomach, it cannot be supposed that the food is again returned to the mouth, where it has already received all the division which the oral instruments can effect.' (S)

Letter 49

Selborne, May 7, 1779

It is now more than forty years that I have paid some attention to the ornithology of this district, without being able to exhaust the subject: new occurrences still arise as long as any inquiries are kept alive.

In the last week of last month five of those most rare birds, too uncommon to have obtained an English name, but known to naturalists by the terms of *himantopus*, or *loripes*, and *charadrius himantopus*, were shot upon the verge of Frensham-pond, a large lake belonging to the bishop of Winchester, and lying between Wolmer-forest, and the town of Farnham, in the county of Surrey. The pond keeper says there were three brace in the flock; but that, after he had satisfied his curiosity, he suffered the sixth to remain unmolested. One of these specimens I procured, and found the length of the legs to be so extraordinary, that, at first sight, one might have supposed the shanks had been fastened on to impose on the credulity of the beholder: they were legs in *caricatura*; and had we seen such proportions on a Chinese or Japan screen we should have made large allowances for the fancy of the draughtsman. These birds are of the plover family, and might with propriety be called the stilt plovers. Brisson, under that idea, gives them the apposite name of *l'echasse*. My specimen, when drawn and stuffed with pepper, weighed only four ounces and a quarter, though the naked part of the thigh measured three inches and an half, and the legs four inches and an half. Hence we may safely assert that these birds exhibit, weight for inches, incomparably the greatest length of legs of any known bird. The flamingo, for instance, is one of the most long legged birds, and yet it bears no manner of proportion to the *himantopus*; for a cock flamingo weighs, at an average, about four pounds avoirdupois; and his legs and thighs measure usually about twenty inches. But four pounds are fifteen times and a fraction more than four ounces and one quarter, and if four ounces and a quarter have eight inches of legs, four pounds must have one hundred and twenty inches and a fraction of legs; *viz*. somewhat more than ten feet; such a monstrous proportion as the world never saw! * If you should try the experiment

* There is an obvious miscalculation here, which was first corrected in Bell's edition of 1877, it having apparently escaped detection by all previous editors. The computation should be made according to the cube root of the weight of the bird. (S)

in still larger birds the disparity would still increase. It must be matter of great curiosity to see the stilt plover move; to observe how it can wield such a length of lever with such feeble muscles as the thighs seem to be furnished with. At best one should expect it to be but a bad walker: but what adds to the wonder is that it has no back toe. Now without that steady prop to support it's steps it must be liable, in speculation, to perpetual vacillations, and seldom able to preserve the true center of gravity.

The old name of *himantopus* is taken from Pliny; and, by an aukward metaphor, implies that the legs are as slender and pliant as if cut out of a thong of leather. Neither Willughby nor Ray, in all their curious researches, either at home or abroad, ever saw this bird. Mr Pennant never met with it in all Great-Britain, but observed it often in the cabinets of the curious at Paris. Hasselquist says that it migrates to Egypt in the autumn: and a most accurate observer of Nature has assured me that he has found it on the banks of the streams in Andalusia.

Our writers record it to have been found only twice in Great-Britain. From all these relations it plainly appears that these long legged plovers are birds of South Europe, and rarely visit our island; and when they do are wanderers and stragglers, and impelled to make so distant and northern an excursion from motives or accidents for which we are not able to account. One thing may fairly be deduced, that these birds come over to us from the continent, since nobody can suppose that a species not noticed once in an age, and of such a remarkable make, can constantly breed unobserved in this kingdom.

Letter 50

Selborne, April 21, 1780

DEAR SIR,

The old Sussex tortoise, that I have mentioned to you so often, is become my property. I dug it out of it's winter dormitory in March last, when it was enough awakened to express it's resentments by hissing; and, packing it in a box with earth, carried it eighty miles in post-chaises. The rattle and hurry of the journey so perfectly roused it that, when I turned it out on a border, it walked twice down to the bottom of my garden; however, in the evening, the weather being cold, it buried itself in the loose mould, and continues still concealed.

As it will be under my eye, I shall now have an opportunity of enlarging my observations on it's mode of life, and propensities; and perceive, already that, towards the time of coming forth, it opens a breathing place in the ground near it's head, requiring, I conclude, a freer respiration, as it becomes more alive. This creature not only goes under the earth from the middle of November to the middle of April, but sleeps great part of the summer; for it goes to bed in the longest days at four in the afternoon, and often does not stir in the morning till late. Besides, it retires to rest for every shower; and does not move at all in wet days.

When one reflects on the state of this strange being, it is a matter of wonder to find that Providence should bestow such a profusion of days, such a seeming waste of longevity, on a reptile that appears to relish it so little as to squander more than two thirds of it's existence in a joyless stupor, and be lost to all sensation for months together in the profoundest of slumbers.

More Particulars respecting the Old Family Tortoise, omitted in the Natural History

Because we call this creature an abject reptile, we are too apt to undervalue his abilities, and depreciate his powers of instinct. Yet he is, as Mr Pope says of his lord,

> . . . *Much too wise to walk into a well;*

and has so much discernment as not to fall down an haha; but to stop and withdraw from the brink with the readiest precaution.

Though he loves warm weather he avoids the hot sun; because his thick shell, when once heated, would, as the poet says of solid armour—'scald with safety'. He therefore spends the more sultry hours under the umbrella of a large cabbage-leaf, or amidst the waving forests of an asparagus-bed.

But as he avoids heat in the summer, so, in the decline of the year, he improves the faint autumnal beams, by getting within the reflection of a fruit-wall; and, though he never has read that planes inclining to the horizon receive a greater share of warmth, he inclines his shell, by tilting it against the wall, to collect and admit every feeble ray.

Pitiable seems the condition of this poor embarrassed reptile: to be cased in a suit of ponderous armour, which he cannot lay aside; to be imprisoned, as it were, within his own shell, must preclude, we should suppose, all activity and disposition for enterprize. Yet there is a season of the year (usually the beginning of

June) when his exertions are remarkable. He then walks on tiptoe, and is stirring by five in the morning; and, traversing the garden, examines every wicket and interstice in the fences, through which he will escape if possible: and often has eluded the care of the gardener, and wandered to some distant field. The motives that impel him to undertake these rambles seem to be of the amorous kind; his fancy then becomes intent on sexual attachments, which transport him beyond his usual gravity, and induce him to forget for a time his ordinary solemn deportment.

While I was writing this letter, a moist and warm afternoon, with the thermometer at 50, brought forth troops of shell-snails; and, at the same juncture, the tortoise heaved up the mould and put out it's head; and the next morning came forth, as it were raised from the dead; and walked about till four in the afternoon. This was a curious coincidence! a very amusing occurrence! to see such a similarity of feelings between the two *φερεοικοι*! for so the Greeks call both the shell-snail and the tortoise.

Summer birds are, this cold and backward spring, unusually late: I have seen but one swallow yet. This conformity with the weather convinces me more and more that they sleep in the winter.

Letter 51

Selborne, Sept. 3, 1781

I have now read your miscellanies through with much care and satisfaction; and am to return you my best thanks for the honourable mention made in them of me as a naturalist, which I wish I may deserve.

In some former letters I expressed my suspicions that many of the house-martins do not depart in the winter far from this village. I therefore determined to make some search about the south-east end of the hill, where I imagined they might slumber out the uncomfortable months of winter. But supposing that the examination would be made to the best advantage in the spring, and observing that no martins had appeared by the 11th of April last; on that day I employed some men to explore the shrubs and cavities of the suspected spot. The persons took pains, but without any success: however, a remarkable incident occurred in the midst of our pursuit—while the labourers were at work a house-martin, the first that had been seen this year, came down the village in the sight of several people, and went at once into a nest, where it stayed a short time, and then flew over the houses; for some days after no martins were observed, not till the 16th of April, and then only a pair. Martins in general were remarkably late this year.

Letter 52

Selborne, Sept. 9, 1781

I have just met with a circumstance respecting swifts, which furnishes an exception to the whole tenor of my observations ever since I have bestowed any attention on that species of hirundines. Our swifts, in general, withdrew this year about the first day of August, all save one pair, which in two or three days was reduced to a single bird. The perseverance of this individual made me suspect that the strongest of motives, that of an attachment to her young, could alone occasion so late a stay. I watched therefore till the twenty-fourth of August, and then discovered that, under the eaves of the church, she attended upon two young, which were fledged, and now put out their white chins from a crevice. These remained till the twenty-seventh, looking more alert every day, and seeming to long to be on the wing. After this day they were missing at once; nor could I ever observe them with their dam coursing round the church in the act of learning to fly, as the first broods evidently do. On the thirty-first I caused the eaves to be searched, but we found in the nest only two callow, dead, stinking swifts, on which a second nest had been formed. This double nest was full of the black shining cases of the *hippoboscæ hirundinis*.

The following remarks on this unusual incident are obvious. The first is, that though it may be disagreeable to swifts to remain beyond the beginning of August, yet that they can subsist longer is undeniable. The second is, that this uncommon event, as it was owing to the loss of the first brood, so it corroborates my former remark, that swifts breed regularly but once; since, was the contrary the case, the occurrence above could neither be new nor rare.

P.S. One swift was seen at Lyndon, in the county of Rutland, in 1782, so late as the third of September.

Letter 53

As I have sometimes known you make inquiries about several kinds of insects, I shall here send you an account of one sort which I little expected to have found in this kingdom. I had often observed that one particular part of a vine growing on the walls of my house was covered in the autumn with a black dust-like appearance, on which the flies fed eagerly; and that the shoots and leaves thus affected did not thrive; nor did the fruit ripen. To this substance I applied my glasses; but could not discover that it had any thing to do with animal life, as I at first expected: but, upon a closer examination behind the larger boughs, we were surprised to find that they were coated over with husky shells, from whose sides proceeded a cotton-like substance, surrounding a multitude of eggs. This curious and uncommon production put me upon recollecting what I have heard and read concerning the *coccus vitis viniferæ* of Linnæus, which, in the south of Europe, infests many vines, and is an horrid and loathsome pest. As soon as I had turned to the accounts given of this insect, I saw at once that it swarmed on my vine; and did not appear to have been at all checked by the preceding winter, which had been uncommonly severe.

Not being then at all aware that it had any thing to do with England, I was much inclined to think that it came from Gibraltar among the many boxes and packages of plants and birds which I had formerly received from thence; and especially as the vine infested grew immediately under my study-window, where I usually kept my specimens. True it is that I had received nothing from thence for some years: but as insects, we know, are conveyed from one country to another in a very unexpected manner, and have a wonderful power of maintaining their existence till they fall into a *nidus* proper for their support and increase, I cannot but suspect still that these *cocci* came to me originally from Andalusia. Yet, all the while, candour obliges me to confess that Mr Lightfoot has written me word that he once, and but once, saw these insects on a vine at Weymouth in Dorsetshire; which, it is here to be observed, is a seaport town to which the *coccus* might be conveyed by shipping.

As many of my readers may possibly never have heard of this strange and unusual insect, I shall here transcribe a passage from a natural history of Gibraltar, written by the Reverend John White, late vicar of Blackburn in Lancashire, but not yet published:

'In the year 1770 a vine which grew on the east-side of my house, and which had produced the finest crops of grapes for years past, was suddenly overspread on all the woody branches with large lumps of a white fibrous substance resembling spiders webs, or rather raw cotton. It was of a very clammy quality, sticking fast to every thing that touched it, and capable of being spun into long threads. At first I suspected it to be the produce of spiders, but could find none. Nothing was to be seen connected with it but many *brown oval husky shells*, which by no means looked like insects, but rather resembled bits of the dry bark of the vine. The tree had a plentiful crop of grapes set, when this pest appeared upon it; but the fruit was manifestly injured by this foul incumbrance. It remained all the summer, still increasing, and loaded the woody and bearing branches to a vast degree. I often pulled off great quantities by handfuls; but it was so slimy and tenacious that it could by no means be cleared. The grapes never filled to their natural perfection, but turned watery and vapid. Upon perusing the works afterwards of M. de Reaumur, I found this matter perfectly described and accounted for. Those husky shells, which I had observed, were no other than the *female coccus*, from whose sides this cotton-like substance exudes, and serves as a covering and security for their eggs.'

To this account I think proper to add, that, though the female *cocci* are stationary, and seldom remove from the place to which they stick, yet the male is a winged insect; and that the black dust which I saw was undoubtedly the excrement of the females, which is eaten by ants as well as flies. Though the utmost severity of our winter did not destroy these insects, yet the attention of the gardener in a summer or two has entirely relieved my vine from this filthy annoyance.

As we have remarked above that insects are often conveyed from one country to another in a very unaccountable manner, I shall here mention an emigration of small *aphides*, which was observed in the village of Selborne no longer ago than August the 1st, 1785.

At about three o'clock in the afternoon of that day, which was very hot, the people of this village were surprised by a shower of *aphides*, or *smother-flies*, which fell in these parts. Those that were walking in the street at that juncture found themselves covered with these insects, which settled also on the hedges and gardens, blackening all the vegetables where they alighted. My annuals were discoloured with them, and the stalks of a bed of onions were quite coated over for six days after. These armies were then, no doubt, in a state of emigration, and shifting their quarters; and might have come, as far as we know, from the great hop-plantations of Kent or Sussex, the wind being all that day in the easterly quarter. They were observed at the same time in great clouds about Farnham, and all along the vale from Farnham to Alton.*

Letter 54

DEAR SIR,

When I happen to visit a family where gold and silver fishes are kept in a glass bowl, I am always pleased with the occurrence, because it offers me an opportunity of observing the actions and propensities of those beings with whom we can be little acquainted in their natural state. Not long since I spent a fortnight at the house of a friend where there was such a *vivary*, to which I paid no small attention, taking every occasion to remark what passed within it's narrow limits. It was here that I first observed the manner in which fishes die. As soon as the creature sickens, the head sinks lower and lower, and it stands as it were on it's head; till, getting weaker, and losing all poise, the tail turns over, and at last it floats on the surface of the water with it's belly uppermost. The reason why fishes, when dead, swim in that manner is very obvious; because, when the body is no longer balanced by the fins of the belly, the broad muscular back preponderates by it's own gravity, and turns the belly uppermost, as lighter from it's being a cavity, and because it contains the swimming-bladders, which contribute to render it buoyant. Some that delight in gold and silver fishes have adopted a notion that they need no aliment. True it is that they will subsist for a long time without any apparent food but what they can collect from pure water frequently changed; yet they must draw some support from animalcula, and other nourishment supplied by the water; because, though they seem to eat nothing, yet the consequences of eating often drop from them. That they are best pleased with such *jejune* diet may easily be confuted, since if you toss them crumbs they will seize them with great readiness, not to say greediness: however, bread should be given sparingly, lest, turning sour, it corrupt the water. They will also

* For various methods by which several insects shift their quarters, see Derham's *Physico-Theology*. (W)

feed on the water-plant called *lemna* (duck's meat); and also on small fry.

When they want to move a little they gently protrude themselves with their *pinnæ pectorales*; but it is with their strong muscular tails only that they and all fishes shoot along with such inconceivable rapidity. It has been said that the eyes of fishes are immoveable: but these apparently turn them forward or backward in their sockets as their occasions require. They take little notice of a lighted candle, though applied close to their heads, but flounce and seem much frightened by a sudden stroke of the hand against the support whereon the bowl is hung; especially when they have been motionless, and are perhaps asleep. As fishes have no eyelids, it is not easy to discern when they are sleeping or not, because their eyes are always open.

Nothing can be more amusing than a glass bowl containing such fishes: the double refractions of the glass and water represent them, when moving, in a shifting and changeable variety of dimensions, shades, and colours; while the two mediums, assisted by the concavo-convex shape of the vessel, magnify and distort them vastly; not to mention that the introduction of another element and it's inhabitants into our parlours engages the fancy in a very agreeable manner.

Gold and silver fishes, though originally natives of China and Japan, yet are become so well reconciled to our climate as to thrive and multiply very fast in our ponds and stews. Linnæus ranks this species of fish under the genus of *cyprinus*, or carp, and calls it *cyprinus auratus*.

Some people exhibit this sort of fish in a very fanciful way; for they cause a glass bowl to be blown with a large hollow space within, that does not communicate with it. In this cavity they put a bird occasionally; so that you may see a goldfinch or a linnet hopping as it were in the midst of the water, and the fishes swimming in a circle round it. The simple exhibition of the fishes is agreeable and pleasant; but in so complicated a way becomes whimsical and unnatural, and liable to the objection due to him,

Qui variare cupit rem prodigialiter unam.

['*Who longs to ring the changes in wondrous manner upon a single theme.*' HORACE, ARS POETICA, 29.]

Letter 55

October 10, 1781

DEAR SIR,

I think I have observed before that much the most considerable part of the house-martins withdraw from hence about the first week in October; but that some, the latter broods I am now convinced, linger on till towards the middle of that month: and that at times, once perhaps in two or three years, a flight, for one day only, has shown itself in the first week of November.

Having taken notice, in October 1780, that the last flight was numerous, amounting perhaps to one hundred and fifty; and that the season was soft and still; I was resolved to pay uncommon attention to these late birds; to find, if possible, where they roosted, and to determine the precise time of their retreat. The mode of life of these latter hirundines is very favourable to such a design; for they spend the whole day in the sheltered district, between me and the Hanger, sailing about in a placid, easy manner, and feasting on those insects which love to haunt a spot so secure from ruffling winds. As my principal object was to discover the place of their roosting, I took care to wait on them before they retired to rest, and was much pleased to find that, for several evenings together, just at a quarter past five in the afternoon, they all scudded away in great haste towards the south-east, and darted down among the low shrubs above the cottages at the end of the hill. This spot in many respects seems to be well calculated for their winter residence: for in many parts it is as steep as the roof of any house, and therefore secure from the annoyances of water; and it is moreover clothed with beechen shrubs, which, being stunted and bitten by sheep, make the thickest covert imaginable; and are so entangled as to be impervious to the smallest spaniel: besides, it is the nature of underwood beech never to cast it's leaf all the winter; so that, with the leaves on the ground and those on the twigs, no shelter can be more complete. I watched them on to the thirteenth and fourteenth of October, and found their evening retreat was exact and uniform; but after this they made no regular appearance. Now and then a straggler was seen; and on the twenty-second of October, I observed two in the morning over the village, and with them my remarks for the season ended.

From all these circumstances put together, it is more than probable that this lingering flight, at so late a season of the year, never departed from the island. Had they indulged me that autumn with a November visit, as I much desired, I presume that, with proper assistants, I should have settled the matter past all doubt; but though the third of November was a sweet day, and in appearance exactly suited to my wishes, yet not a martin was to be seen; and so I was forced, reluctantly, to give up the pursuit.

I have only to add that were the bushes, which cover some acres, and are not my own property, to be grubbed and carefully examined, probably those late broods, and perhaps the whole aggregate body of the house-martins of this district, might be found there, in different secret dormitories; and that, so far from withdrawing into warmer climes, it would appear that they never depart three hundred yards from the village.

Letter 56

They who write on natural history cannot too frequently advert to instinct, that wonderful limited faculty, which, in some instances, raises the brute creation as it were above reason, and in others leaves them so far below it. Philosophers have defined instinct to be that secret influence by which every species is impelled naturally to pursue, at all times, the same way or track, without any teaching or example; whereas reason, without instruction, would often vary and do that by many methods which instinct effects by one alone. Now this maxim must be taken in a qualified sense; for there are instances in which instinct does vary and conform to the circumstances of place and convenience.

It has been remarked that every species of bird has a mode of nidification peculiar to itself; so that a school-boy would at once pronounce on the sort of nest before him. This is the case among fields and woods, and wilds; but, in the villages round London, where mosses and gossamer, and cotton from vegetables, are hardly to be found, the nest of the chaffinch has not that elegant finished appearance, nor is it so beautifully studded with lichens, as in a more rural district: and the wren is obliged to construct it's house with straw and dry grasses, which do not give it that rotundity and compactness so remarkable in the edifices of that little architect. Again, the regular nest of the house-martin is hemispheric; but where a rafter, or a joist, or a cornice, may happen to stand in the way, the nest is so contrived as to conform to the obstruction, and becomes flat or oval, or compressed.

In the following instances instinct is perfectly uniform and consistent. There are three creatures, the squirrel, the field-mouse, and the bird called the nut-hatch, (*sitta Europæa*), which live much on hazle-nuts; and yet they open them each in a different way. The first, after rasping off the small end, splits the shell in two with his long fore-teeth, as a man does with his knife; the second nibbles a hole with his teeth, so regular as if drilled with a wimble, and yet so small that one would wonder how the kernel can be extracted through it; while the last picks an irregular ragged hole with it's bill: but as this artist has no paws to hold the nut firm while he pierces it, like an adroit workman, he fixes it, as it were in a vice, in some cleft of a tree, or in some crevice; when, standing over it, he perforates the stubborn shell. We have often placed nuts in the chink of a gate-post where nut-hatches have been known to haunt, and have always found that those birds have readily penetrated them. While at work they make a rapping noise that may be heard at a considerable distance.

You that understand both the theory and practical part of music may best inform us why harmony or melody should so strangely affect some men, as it were by recollection, for days after a concert is over. What I mean the following passage will most readily explain:

Præhabebat porro vocibus humanis, instrumentisque harmonicis musicam illam avium: non quod alia quoque non delectaretur; sed quod ex musica humana relinqueretur in animo continens quædam, attentionemque et somnum conturbans agitatio; dum ascensus, exscensus, tenores, ac mutationes illæ sonorum, et consonantiarum euntque, redeuntque per phantasiam: cum nihil tale relinqui possit ex modulationibus avium, quæ, quod non sunt perinde a nobis imitabiles, non possunt perinde internam facultatem commovere. GASSENDUS *in* VITA PEIRESKII.*

* It was Gilbert White's habit, once he had found a piece of information which really attracted him, to use it again and again, sending copies of it to friends, quoting it in letters, or, as in the case of one of his best-known poems, *The Invitation to Selborne*, attaching different names to slightly varying copies, thereby making it impossible to decide which version should be regarded as definitive.

The passage from Gassendi's *Life of Peiresc* on the subject of music, which he used in this letter, he used also in a letter to the Rev. R. Churton, dated January 4, 1783, and again in a letter to his niece Mary White, dated the 22nd of the same month.

What is particularly amusing about it, however, is the fact that White had evidently entirely forgotten that it was from the same niece that he had first received the quotation only two months before! I have before me as I write, a letter from Mary to her uncle, dated from South Lambeth, Nov. 23, 1782, containing various quotations which he had evidently asked her to copy for him in London from books to which he did not have access in Selborne—among them being the identical passage from Gassendi! (S)

[‘*Moreover he preferred the music of the birds to the voices of men and musical instruments, not that he did not also take pleasure in these, but because from the music made by men there remained in his mind a certain continual agitation which distracted his attention and disturbed his sleep, while the rising and falling* (of the melody) *and the sustaining and changes of the notes and harmonies kept running to and fro through his imagination. But no such thing could remain after the songs of the birds, because being not to the same extent capable of imitation by us, they are likewise less able to affect our inner sense.*’]

This curious quotation strikes me much by so well representing my own case, and by describing what I have so often felt, but never could so well express. When I hear fine music I am haunted with passages therefrom night and day; and especially at first waking, which, by their importunity, give me more uneasiness than pleasure: elegant lessons still tease my imagination, and recur irresistibly to my recollection at seasons, and even when I am desirous of thinking of more serious matters.

I am, etc.

Letter 57

A rare, and I think a new, little bird frequents my garden, which I have great reason to think is the pettichaps: it is common in some parts of the kingdom; and I have received formerly several dead specimens from Gilbraltar. This bird much resembles the whitethroat, but has a more white or rather silvery breast and belly; is restless and active, like the willow-wrens, and hops from bough to bough, examining every part for food; it also runs up the stems of the crown-imperials, and, putting it’s head into the bells of those flowers, sips the liquor which stands in the *nectarium* of each petal. Sometimes it feeds on the ground, like the hedge-sparrow, by hopping about on the grass-plots and mown walks.

One of my neighbours, an intelligent and observing man, informs me that, in the beginning of May, and about ten minutes before eight o’clock in the evening, he discovered a great cluster of house-swallows, thirty at least he supposes, perching on a willow that hung over the verge of James Knight’s upper-pond. His attention was first drawn by the twittering of these birds, which sat motionless in a row on the bough, with their heads all one way, and, by their weight, pressing down the twig so that it nearly touched the water. In this situation he watched them till he could see no longer. Repeated accounts of this sort, spring and fall, induce us greatly to suspect that house-swallows have some strong attachment to water, independent of the matter of food; and, though they may not retire into that element, yet they may conceal themselves in the banks of pools and rivers during the uncomfortable months of winter.

One of the keepers of Wolmer-forest sent me a peregrine-falcon, which he shot on the verge of that district as it was devouring a wood-pigeon. The *falco peregrinus*, or haggard falcon, is a noble species of hawk seldom seen in the southern counties. In winter 1767 one was killed in the neighbouring parish of Faringdon, and sent by me to Mr Pennant into North-Wales.* Since that time I have met with none till now. The specimen measured above was in fine preservation, and not injured by the shot: it measured forty-two inches from wing to wing, and twenty-one from beak to tail, and weighed two pounds and an half standing weight. This species is very robust, and wonderfully formed for rapine: it's breast was plump and muscular; it's thighs long, thick, and brawny; and it's legs remarkably short and well set: the feet were armed with most formidable, sharp, long talons: the eyelids and cere of the bill were yellow; but the irides of the eyes dusky; the beak was thick and hooked, and of a dark colour, and had a jagged process near the end of the upper mandible on each side: it's tail, or train, was short in proportion to the bulk of it's body: yet the wings, when closed, did not extend to the end of the train. From it's large and fair proportions it might be supposed to have been a female: but I was not permitted to cut open the specimen. For one of the birds of prey, which are usually lean, this was in high case: in it's craw were many barley-corns, which probably came from the crop of the wood-pigeon, on which it was feeding when shot: for voracious birds do not eat grain; but, when devouring their quarry, with undistinguishing vehemence swallow bones and feathers, and all matters, indiscriminately. This falcon was probably driven from the mountains of North Wales or Scotland, where they are known to breed, by rigorous weather and deep snows that had lately fallen.

I am, etc.

* See my tenth and eleventh letter to that gentleman. (W)

9.1.62
Trees growing in chalk wall
in Hucker's Lane

Letter 58

My near neighbour, a young gentleman in the service of the East-India Company,* has brought home a dog and a bitch of the Chinese breed from Canton; such as are fattened in that country for the purpose of being eaten: they are about the size of a moderate spaniel; of a pale yellow colour, with coarse bristling hairs on their backs; sharp upright ears, and peaked heads, which give them a very fox-like appearance. Their hind legs are unusually straight, without any bend at the hock or ham, to such a degree as to give them an aukward gait when they trot. When they are in motion their tails are curved high over their backs like those of some hounds, and have a bare place each on the outside from the tip midway, that does not seem to be matter of accident, but somewhat singular. Their eyes are jet-black, small, and piercing; the insides of their lips and mouths of the same colour, and their tongues blue. The bitch has a dew claw on each hind leg; the dog has none. When taken out into a field the bitch showed some disposition for hunting, and dwelt on the scent of a covey of partridges till she sprung them, giving her tongue all the time. The dogs in South America are dumb; but these bark much in a short thick manner, like foxes; and have a surly, savage demeanour like their ancestors, which are not domesticated, but bred up in sties, where they are fed for the table with rice-meal and other farinaceous food. These dogs, having been taken on board as soon as weaned, could not learn much from their dam; yet they did not relish flesh when they came to England. In the islands of the pacific ocean the dogs are bred up on vegetables, and would not eat flesh when offered them by our circumnavigators.

We believe that all dogs, in a state of nature, have sharp, upright fox-like ears; and that hanging ears, which are esteemed so graceful, are the effect of choice breeding and cultivation. Thus, in the Travels of Ysbrandt Ides from Muscovy to China, the dogs which draw the Tartars on snow-sledges near the river Oby are engraved with prick-ears, like those from Canton. The Kamschatdales also train the same sort of sharp-eared peak-nosed dogs to draw their sledges; as may be seen in an elegant print engraved for Captain Cook's last voyage round the world.

Now we are upon the subject of dogs it may not be impertinent to add, that spaniels, as all sportsmen know, though they hunt

* Charles Etty, son of the Vicar of Selborne. (S)

partridges and pheasants as it were by instinct, and with much delight and alacrity, yet will hardly touch their bones when offered as food; nor will a mongrel dog of my own, though he is remarkable for finding that sort of game. But, when we came to offer the bones of partridges to the two Chinese dogs, they devoured them with much greediness, and licked the platter clean.

No sporting dogs will flush woodcocks till inured to the scent and trained to the sport, which they then pursue with vehemence and transport; but then they will not touch their bones, but turn from them with abhorrence, even when they are hungry.

Now, that dogs should not be fond of the bones of such birds as they are not disposed to hunt is no wonder; but why they reject and do not care to eat their natural game is not so easily accounted for, since the end of hunting seems to be, that the chase pursued should be eaten. Dogs again will not devour the more rancid water-fowls, nor indeed the bones of any wild-fowls; nor will they touch the fœtid bodies of birds that feed on offal and garbage: and indeed there may be somewhat of providential instinct in this circumstance of dislike; for vultures,* and kites, and ravens, and crows, etc. were intended to be messmates with dogs † over their carrion; and seem to be appointed by Nature as fellow-scavengers to remove all cadaverous nuisances from the face of the earth.

I am, etc.

Letter 59

The fossil wood buried in the bogs of Wolmer-forest is not yet all exhausted; for the peat-cutters now and then stumble upon a log. I have just seen a piece which was sent by a labourer of Oakhanger to a carpenter of this village; this was the but-end of a small oak, about five feet long, and about five inches in diameter. It had apparently been severed from the ground by an axe, was very ponderous, and as black as ebony. Upon asking the carpenter for what purpose he had procured it; he told me that it was to be sent to his brother, a joiner at Farnham, who was to make use of it in cabinet work, by inlaying it along with whiter woods.

Those that are much abroad on evenings after it is dark, in

* Hasselquist, in his Travels to the Levant, observes that the dogs and vultures at Grand Cairo maintain such a friendly intercourse as to bring up their young together in the same place. (W)

† The Chinese word for a dog to an European ear sounds like *quihloh.* (W)

spring and summer, frequently hear a nocturnal bird passing by on the wing, and repeating often a short quick note. This bird I have remarked myself, but never could make out till lately. I am assured now that it is the Stone-curlew, (*charadrius oedicnemus*).* Some of them pass over or near my house almost every evening after it is dark, from the uplands of the hill and North field, away down towards Dorton; where, among the streams and meadows, they find a greater plenty of food. Birds that fly by night are obliged to be noisy; their notes often repeated become signals or watchwords to keep them together, that they may not stray or lose each the other in the dark.

The evening proceedings and manœuvres of the rooks are curious and amusing in the autumn. Just before dusk they return in long strings from the foraging of the day, and rendezvous by thousands over Selborne-down, where they wheel round in the air, and sport and dive in a playful manner, all the while exerting their voices, and making a loud cawing, which, being blended and softened by the distance that we at the village are below them, becomes a confused noise or chiding; or rather a pleasing murmur, very engaging to the imagination, and not unlike the cry of a pack of hounds in hollow, echoing woods, or the rushing of the wind in tall trees, or the tumbling of the tide upon a pebbly shore. When this ceremony is over, with the last gleam of day, they retire for the night to the deep beechen woods of Tisted and Ropley. We remember a little girl † who, as she was going to bed, used to remark on such an occurrence, in the true spirit of physico-theology, that the rooks were saying their prayers; and yet this child was much too young to be aware that the scriptures have said of the Deity—that 'he feedeth the ravens who call upon him'.

I am, etc.

Letter 60

In reading Dr Huxham's *Observationes de Aëre*, etc., written at Plymouth, I find by those curious and accurate remarks, which contain an account of the weather from the year 1727 to the year 1748, inclusive, that though there is frequent rain in that district of Devonshire, yet the quantity falling is not great; and that some years it has been very small: for in 1731 the rain measured only

* Stone-curlews are seen but seldom in Selborne nowadays. (S)

† White's niece, Molly White. (S)

17^{inch}—266^{thou} and in 1741, 20—354; and again in 1743 only 20—908. Places near the sea have frequent scuds, that keep the atmosphere moist, yet do not reach far up into the country; making thus the maritime situations appear wet, when the rain is not considerable. In the wettest years at Plymouth the Doctor measured only once 36; and again once, *viz.* 1734, 37—114: a quantity of rain that has twice been exceeded at Selborne in the short period of my observations. Dr Huxham remarks, that frequent small rains keep the air moist; while heavy ones render it more dry, by beating down the vapours. He is also of opinion that the dingy, smoky appearance of the sky, in very dry seasons, arises from the want of moisture sufficient to let the light through, and render the atmosphere transparent; because he had observed several bodies more diaphanous when wet than dry; and did never recollect that the air had that look in rainy seasons.

My friend, who lives just beyond the top of the down, brought his three swivel guns to try them in my outlet, with their muzzles towards the Hanger, supposing that the report would have had a great effect; but the experiment did not answer his expectation. He then removed them to the Alcove on the Hanger; when the sound, rushing along the Lythe and Comb-wood, was very grand; but it was at the Hermitage that the echoes and repercussions delighted the hearers; not only filling the Lythe with the roar, as if all the beeches were tearing up by the roots; but, turning to the left, they pervaded the vale above Combwood-ponds; and after a pause seemed to take up the crash again, and to extend round Harteley-hangers, and to die away at last among the coppices and coverts of Ward le ham. It has been remarked before that this district is an *anathoth*, a place of responses or echoes, and therefore proper for such experiments: we may farther add that the pauses in echoes, when they cease and yet are taken up again, like the pauses in music, surprise the hearers, and have a fine effect on the imagination.

The gentleman above mentioned has just fixed a barometer* in his parlour at Newton Valence. The tube was first filled here (at Selborne) twice with care, when the mercury agreed and stood exactly with my own; but, being filled again twice at Newton, the mercury stood, on account of the great elevation of that house, three-tenths of an inch lower than the barometers at this village, and so continues to do, be the weight of the atmosphere what it may. The plate of the barometer at Newton is figured as low as

* The Newton barometer is now in the Gilbert White Museum in Selborne. (S)

27; because in stormy weather the mercury there will sometimes descend below 28. We have supposed Newton-house to stand two hundred feet higher than this house: but if the rule holds good, which says that mercury in a barometer sinks one-tenth of an inch for every hundred feet elevation, then the Newton barometer, by standing three-tenths lower than that of Selborne, proves that Newton-house must be three hundred feet higher than that in which I am writing, instead of two hundred.

It may not be impertinent to add, that the barometers at Selborne stand three-tenths of an inch lower than the barometers at South Lambeth; whence we may conclude that the former place is about three hundred feet higher than the latter; and with good reason, because the streams that rise with us run into the Thames at Weybridge, and so to London. Of course therefore there must be lower ground all the way from Selborne to South Lambeth; the distance between which, all the windings and indentings of the streams considered, cannot be less than an hundred miles.

I am, etc.

Letter 61

Since the weather of a district is undoubtedly part of it's natural history, I shall make no further apology for the four following letters, which will contain many particulars concerning some of the great frosts and a few respecting some very hot summers, that have distinguished themselves from the rest during the course of my observations.

As the frost in January 1768 was, for the small time it lasted, the most severe that we had then known for many years, and was remarkably injurious to ever-greens, some account of it's rigour, and reason of it's ravages, may be useful, and not unacceptable to persons that delight in planting and ornamenting; and may particularly become a work that professes never to lose sight of utility.

For the last two or three days of the former year there were considerable falls of snow, which lay deep and uniform on the ground without any drifting, wrapping up the more humble vegetation in perfect security. From the first day to the fifth of the new year more snow succeeded; but from that day the air became entirely clear; and the heat of the sun about noon had a considerable influence in sheltered situations.

It was in such an aspect that the snow on the author's

ever-greens was melted every day, and frozen intensely every night; so that the laurustines, bays, laurels, and arbutuses looked, in three or four days, as if they had been burnt in the fire; while a neighbour's plantation of the same kind, in a high cold situation, where the snow was never melted at all, remained uninjured.

From hence I would infer that it is the repeated melting and freezing of the snow that is so fatal to vegetation, rather than the severity of the cold. Therefore it highly behoves every planter, who wishes to escape the cruel mortification of losing in a few days the labour and hopes of years, to bestir himself on such emergencies; and, if his plantations are small, to avail himself of mats, cloths, pease-haum, straw, reeds, or any such covering, for a short time; or, if his shrubberies are extensive, to see that his people go about with prongs and forks, and carefully dislodge the snow from the boughs, since the naked foliage will shift much better for itself, than where the snow is partly melted and frozen again.

It may perhaps appear at first like a paradox; but doubtless the more tender trees and shrubs should never be planted in hot aspects; not only for the reason assigned above, but also because, thus circumstanced, they are disposed to shoot earlier in the spring, and grow on later in the autumn than they would otherwise do, and so are sufferers by lagging or early frosts. For this reason also plants from Siberia will hardly endure our climate: because, on the very first advances of spring, they shoot away, and so are cut off by the severe nights of March or April.

Dr Fothergill and others have experienced the same inconvenience with respect to the more tender shrubs from North-America; which they therefore plant under north-walls. There should also perhaps be a wall to the east to defend them from the piercing blasts from that quarter.

This observation might without any impropriety be carried into animal life; for discerning bee-masters now find that their hives should not in the winter be exposed to the hot sun, because such unseasonable warmth awakens the inhabitants too early from their slumbers; and, by putting their juices into motion too soon, subjects them afterwards to inconveniences when rigorous weather returns.

The coincidents attending this short but intense frost were, that the horses fell sick with an epidemic distemper, which injured the winds of many, and killed some; that colds and coughs were general among the human species; that it froze under people's beds for several nights; that meat was so hard frozen that it could not be spitted, and could not be secured but in cellars; that several redwings and thrushes were killed by the frost; and that the large titmouse continued to pull straws lengthwise from the eaves of thatched houses and barns in a most adroit manner, for a purpose that has been explained already.*

On the 3rd of January, Benjamin Martin's thermometer within doors, in a closed parlour where there was no fire, fell in the night to 20, and on the 4th to 18, and the 7th to 17½, a degree of cold which the owner never since saw in the same situation; and he regrets much that he was not able at that juncture to attend his instrument abroad. All this time the wind continued north and north-east; and yet on the 8th roost-cocks, which had been silent, began to sound their clarions, and crows to clamour, as prognostic of milder weather; and, moreover, moles began to heave and work, and a manifest thaw took place. From the latter circumstance we may conclude that thaws often originate under ground from warm vapours which arise; else how should subterraneous animals receive such early intimations of their approach? Moreover, we have often observed that cold seems to descend from above; for, when a thermometer hangs abroad in a frosty night, the intervention of a cloud shall immediately raise the mercury ten degrees; and a clear sky shall again compel it to descend to it's former gage.

And here it may be proper to observe, on what has been said above, that though frosts advance to their utmost severity by somewhat of a regular gradation, yet thaws do not usually come on by as regular a declension of cold; but often take place immediately from intense freezing; as men in sickness often mend at once from a paroxysm.

To the great credit of Portugal laurels and American junipers, be it remembered that they remained untouched amidst the general havock: hence men should learn to ornament chiefly with such trees as are able to withstand accidental severities, and not subject themselves to the vexation of a loss which may befall them once perhaps in ten years, yet may hardly be recovered through the whole course of their lives.

As it appeared afterwards the ilexes were much injured, the cypresses were half destroyed, the arbutuses lingered on, but never recovered; and the bays, laurustines, and laurels, were killed to the ground; and the very wild hollies, in hot aspects, were so much affected that they cast all their leaves.

* See Letter 41 to Mr Pennant. (W)

By the 14th of January the snow was entirely gone; the turnips emerged not damaged at all, save in sunny places; the wheat looked delicately, and the garden plants were well preserved; for snow is the most kindly mantle that infant vegetation can be wrapped in: were it not for that friendly meteor no vegetable life could exist at all in northerly regions. Yet in Sweden the earth in April is not divested of snow for more than a fortnight before the face of the country is covered with flowers.

Letter 62*

There were some circumstances attending the remarkable frost in January 1776 so singular and striking, that a short detail of them may not be unacceptable.

The most certain way to be exact will be to copy the passages from my journal, which were taken from time to time as things occurred. But it may be proper previously to remark that the first week in January was uncommonly wet, and drowned with vast rains from every quarter: from whence may be inferred, as there is great reason to believe is the case, that intense frosts seldom take place till the earth is perfectly glutted and chilled with water;† and hence dry autumns are seldom followed by rigorous winters.

January 7th.—Snow driving all the day, which was followed by frost, sleet, and some snow, till the 12th, when a prodigious mass overwhelmed all the works of men, drifting over the tops of the gates and filling the hollow lanes.

On the 14th the writer was obliged to be much abroad; and thinks he never before or since has encountered such rugged Siberian weather. Many of the narrow roads were now filled above the tops of the hedges; through which the snow was driven into most romantic and grotesque shapes, so striking to the imagination as not to be seen without wonder and pleasure. The poultry dared not to stir out of their roosting-places; for cocks and hens are so dazzled and confounded by the glare of snow that they would soon

* This letter is numbered wrongly as 61 in the first edition. (S)

† The autumn preceding January 1768 was very wet, and particularly the month of September, during which there fell at Lyndon, in the county of Rutland, *six inches and an half* of rain. And the terrible long frost of 1739–40 set in after a rainy season, and when the springs were very high.‡ (W)

‡ It is interesting to compare the weather immediately preceding the intense and prolonged frosts of January and February 1947 with that of the weather preceding that of January 1776. (S)

perish without assistance. The hares also lay sullenly in their seats, and would not move till compelled by hunger; being conscious, poor animals, that the drifts and heaps treacherously betray their footsteps, and prove fatal to numbers of them.

From the 14th the snow continued to increase, and began to stop the road waggons and coaches, which could no longer keep on their regular stages; and especially on the western roads, where the fall appears to have been deeper than in the south. The company at Bath, that wanted to attend the Queen's birth-day, were strangely incommoded: many carriages of persons, who got in their way to town from Bath as far as Marlborough, after strange embarrassments, here met with a *ne plus ultra*. The ladies fretted, and offered large rewards to labourers, if they would shovel them a track to London: but the relentless heaps of snow were too bulky to be removed; and so the 18th passed over, leaving the company in very uncomfortable circumstances at the *Castle* and other inns.

On the 20th the sun shone out for the first time since the frost began; a circumstance that has been remarked before much in favour of vegetation. All this time the cold was not very intense, for the thermometer stood at 29, 28, 25, and thereabout; but on the 21st it descended to 20. The birds now began to be in a very pitiable and starving condition. Tamed by the season, sky-larks settled in the streets of towns, because they saw the ground was bare; rooks frequented dunghills close to houses; and crows watched horses as they passed, and greedily devoured what dropped from them; hares now came into men's gardens, and, scraping away the snow, devoured such plants as they could find.

On the 22d the author had occasion to go to London through a sort of Laplandian-scene, very wild and grotesque indeed. But the metropolis itself exhibited a still more singular appearance than the country; for, being bedded deep in snow, the pavement of the streets could not be touched by the wheels or the horses' feet, so that the carriages ran about without the least noise. Such an exemption from din and clatter was strange, but not pleasant; it seemed to convey an uncomfortable idea of desolation:

. . . *ipsa silentia terrent.*

['*The very silence is frightening.*' VIRG. AEN. II, 755.]

On the 27th much snow fell all day, and in the evening the frost became very intense. At South Lambeth, for the four following nights, the thermometer fell to 11, 7, 6, 6; and at Selborne to 7, 6, 10; and on the 31st of January, just before sunrise, with rime on the trees and on the tube of the glass, the quicksilver sunk exactly to zero, being 32 degrees below the freezing point: but by eleven in the morning, though in the shade, it sprung up to $16\frac{1}{2}$ *—a most unusual degree of cold this for the south of England! During these four nights the cold was so penetrating that it occasioned ice in warm chambers and under beds; and in the day the wind was so keen that persons of robust constitutions could scarcely endure to face it. The Thames was at once so frozen over both above and below bridge that crowds ran about on the ice. The streets were now strangely incumbered with snow, which crumbled and trod dusty; and, turning grey, resembled bay-salt; what had fallen on the roofs was so perfectly dry that, from first to last, it lay twenty-six days on the houses in the city; a longer time than had been remembered by the oldest housekeepers living. According to all appearances we might now have expected the continuance of this rigorous weather for weeks to come, since every night increased in severity; but behold, without any apparent cause, on the 1st of February a thaw took place, and some rain followed before night; making good the observation above, that frosts often go off as it were at once, without any gradual declension of cold. On the 2d of February the thaw persisted; and on the 3d swarms of little insects were frisking and sporting in a court-yard at South Lambeth, as if they had felt no frost. Why the juices in the small bodies and smaller limbs of such minute beings are not frozen is a matter of curious inquiry.

Severe frosts seem to be partial, or to run in currents; for, at the same juncture, as the author was informed by accurate correspondents, at Lyndon in the county of Rutland, the thermometer stood at 19: at Blackburn, in Lancashire, at 19: and at Manchester at 21, 20, and 18. Thus does some unknown circumstance strangely overbalance latitude, and render the cold sometimes much greater in the southern than in the northern parts of this kingdom.

The consequences of this severity were, that in Hampshire, at the melting of the snow, the wheat looked well, and the turnips came forth little injured. The laurels and laurustines were somewhat damaged, but only in *hot aspects*. No ever-greens were quite destroyed; and not half the damage sustained that befell in Janu-

* At Selborne the cold was greater than at any other place that the author could hear of with certainty: though some reported at the time that at a village in Kent the thermometer fell two degrees below zero, *viz.* 34 degrees below the freezing point.

The thermometer used at Selborne was graduated by Benjamin Martin. (W)

ary 1768. Those laurels that were a little scorched on the south-sides were perfectly untouched on their north-sides. The care taken to shake the snow day by day from the branches seemed greatly to avail the author's evergreens. A neighbour's laurel-hedge, in a high situation, and facing to the north, was perfectly green and vigorous; and the Portugal laurels remained unhurt.

As to the birds, the thrushes and blackbirds were mostly destroyed; and the partridges, by the weather and poachers, were so thinned that few remained to breed the following year.

Letter 63

As the frost in December 1784 was very extraordinary, you, I trust, will not be displeased to hear the particulars; and especially when I promise to say no more about the severities of winter after I have finished this letter.

The first week in December was very wet, with the barometer very low. On the 7th, with the barometer at 28—five tenths, came on a vast snow, which continued all that day and the next, and most part of the following night; so that by the morning of the 9th the works of men were quite overwhelmed, the lanes filled so as to be impassable, and the ground covered twelve or fifteen inches without any drifting. In the evening of the 9th the air began to be so very sharp that we thought it would be curious to attend to the motions of a thermometer: we therefore hung out two; one made by Martin and one by Dollond, which soon began to shew us what we were to expect; for, by ten o'clock, they fell to 21, and at eleven to 4, when we went to bed. On the 10th, in the morning, the quicksilver of Dollond's glass was down to *half a degree below zero*; and that of Martin's, which was absurdly graduated only to four degrees a*bove zero*, sunk quite into the brass guard of the ball; so that when the weather became most interesting this was useless. On the 10th, at eleven at night, though the air was perfectly still, Dolland's glass went down to *one degree below zero!* This strange severity of the weather made me very desirous to know what degree of cold there might be in such an exalted and near situation as Newton. We had therefore, on the morning of the 10th, written to Mr ——, and entreated him to hang out his thermometer, made by Adams; and to pay some attention to it morning and evening; expecting wonderful phænomena, in so elevated a region, at two hundred feet or more above my house. But, behold! on the 10th, at eleven at night, it was down only to 17, and the next morning at 22, when mine was at ten. We were so disturbed at this unexpected reverse of comparative local cold, that we sent one of my glasses up, thinking that of Mr —— must, some how, be wrongly constructed. But, when the instruments came to be confronted, they went exactly together; so that, for one night at least, the cold at Newton was 18 degrees less than at Selborne; and, through the whole frost, 10 or 12 degrees; and indeed, when we came to observe consequences, we could readily credit this; for all my laurustines, bays, ilexes, arbutuses, cypresses, and even my Portugal laurels,* and (which occasions more regret) my fine sloping laurel hedge, were scorched up; while, at Newton, the same trees have not lost a leaf!

We had steady frost on to the 25th, when the thermometer in the morning was down to 10 with us, and at Newton only to 21. Strong frost continued till the 31st, when some tendency to thaw was observed; and, by January the 3d, 1785, the thaw was confirmed, and some rain fell.

A circumstance that I must not omit, because it was new to us, is, that on Friday, December the 10th, being bright sun-shine, the air was full of icy *spiculæ*, floating in all directions, like atoms in a sun-beam let into a dark room. We thought them at first particles of the rime falling from my tall hedges; but were soon convinced to the contrary, by making our observations in open places where no rime could reach us. Were they watery particles of the air frozen as they floated; or were they evaporations from the snow frozen as they mounted?

We were much obliged to the thermometers for the early information they gave us; and hurried our apples, pears, onions, potatoes, etc. into the cellar, and warm closets; while those who had not, or neglected such warnings, lost all their stores of roots and fruits, and had their very bread and cheese frozen.

I must not omit to tell you that, during those two Siberian days, my parlour-cat was so electric, that had a person stroked her, and been properly insulated, the shock might have been given to a whole circle of people.

I forgot to mention before, that, during the two severe days, two

* Mr Miller, in his Gardener's Dictionary, says positively that the Portugal laurels remained untouched in the remarkable frost of 1739–40. So that either that accurate observer was much mistaken, or else the frost of December 1784 was much more severe and destructive than that in the year above mentioned. (W)

men, who were tracing hares in the snow, had their feet frozen; and two men, who were much better employed, had their fingers so affected by the frost, while they were thrashing in a barn, that a mortification followed, from which they did not recover for many weeks.

This frost killed all the furze and most of the ivy, and in many places stripped the hollies of all their leaves. It came at a very early time of the year, before old November ended; and yet it may be allowed from it's effects to have exceeded any since 1739–40.

Letter 64

As the effects of heat are seldom very remarkable in the northerly climate of England, where the summers are often so defective in warmth and sun-shine as not to ripen the fruits of the earth so well as might be wished, I shall be more concise in my account of the severity of a summer season, and so make a little amends for the prolix account of the degrees of cold, and the inconveniences that we suffered from late rigorous winters.

The summers of 1781 and 1783 were unusually hot and dry; to them therefore I shall turn back in my journals, without recurring to any more distant period. In the former of these years my peach and nectarine-trees suffered so much from the heat that the rind on the bodies was scalded and came off; since which the trees have been in a decaying state. This may prove a hint to assiduous gardeners to fence and shelter their wall-trees with mats or boards, as they may easily do, because such annoyance is seldom of long continuance. During that summer also, I observed that my apples were coddled, as it were, on the trees; so that they had no quickness of flavour, and would not keep in the winter. This circumstance put me in mind of what I have heard travellers assert, that they never ate a good apple or apricot in the south of Europe, where the heats were so great as to render the juices vapid and insipid.

The great pests of a garden are wasps, which destroy all the finer fruits just as they are coming into perfection. In 1781 we had none; in 1783 there were myriads; which would have devoured all the produce of my garden, had not we set the boys to take the nests, and caught thousands with hazel twigs tipped with bird-lime: we have since employed the boys to take and destroy the large breeding wasps in the spring. Such expedients have a great effect on these marauders, and will keep them under. Though wasps do not abound but in hot summers, yet they do not prevail in every hot summer, as I have instanced in the two years above mentioned.

In the sultry season of 1783 honey-dews were so frequent as to deface and destroy the beauties of my garden. My honey-suckles, which were one week the most sweet and lovely objects that the eye could behold, became the next the most loathsome; being enveloped in a viscous substance, and loaded with black aphides, or smother-flies. The occasion of this clammy appearance seems to be this, that in hot weather the effluvia of flowers in fields and meadows and gardens are drawn up in the day by a brisk evaporation, and then in the night fall down again with the dews, in which they are entangled; that the air is strongly scented, and therefore impregnated with the particles of flowers in summer weather, our senses will inform us; and that this clammy sweet substance is of the vegetable kind we may learn from bees, to whom it is very grateful: and we may be assured that it falls in the night, because it is always seen first in warm still mornings.

On chalky and sandy soils, and in the hot villages about London, the thermometer has been often observed to mount as high as 83 or 84; but with us, in this hilly and woody district, I have hardly ever seen it exceed 80; nor does it often arrive at that pitch. The reason, I conclude, is, that our dense clayey soil, so much shaded by trees, is not so easily heated through as those above-mentioned: and, besides, our mountains cause currents of air and breezes; and the vast effluvia from our woodlands temper and moderate our heats.

Letter 65

The summer of the year 1783 was an amazing and portentous one, and full of horrible phæmonena; for, besides the alarming meteors and tremendous thunder-storms that affrighted and distressed the different counties of this kingdom, the peculiar haze, or smokey fog, that prevailed for many weeks in this island, and in every part of Europe, and even beyond it's limits, was a most extraordinary appearance, unlike any thing known within the memory of man. By my Journal I find that I had noticed this strange occurrence from June 23 to July 20 inclusive, during which period the wind varied to every quarter without making any alteration in the air. The sun, at noon, looked as blank as a clouded moon, and shed a rust-coloured ferruginous light on the ground, and floors of rooms; but was particularly lurid and blood-coloured at rising and setting. All the time the heat was so intense that butchers' meat could hardly be eaten on the day after it was killed; and the flies swarmed so in the lanes and hedges that they rendered the horses half frantic, and riding irksome. The country people began to look with a superstitious awe, at the red, louring aspect of the sun; and indeed there was reason for the most enlightened person to be apprehensive; for, all the while, Calabria and part of the isle of Sicily, were torn and convulsed with earthquakes; and about that juncture a volcano sprung out of the sea on the coast of Norway. On this occasion Milton's noble simile of the sun, in his first book of *Paradise Lost*, frequently occurred to my mind; and it is indeed particularly applicable, because, towards the end, it alludes to a superstitious kind of dread, with which the minds of men are always impressed by such strange and unusual phæmonena.

> . . . *As when the sun, new risen,*
> *Looks through the horizontal,* misty *air,*
> Shorn *of his* beams; *or from behind the moon,*
> *In* dim *eclipse,* disastrous twilight sheds
> *On half the nations, and with* fear *of* change
> Perplexes *monarchs.* . . .

Letter 66

We are very seldom annoyed with thunder-storms; and it is no less remarkable than true, that those which arise in the south have hardly been known to reach this village; for before they get over us, they take a direction to the east or to the west, or sometimes divide into two, and go in part to one of those quarters, and in part to the other; as was truly the case in summer 1783, when though the country round was continually harassed with tempests, and often from the south, yet we escaped them all; as appears by my journal of that summer. The only way that I can at all account for this fact—for such it is—is that, on that quarter, between us and the sea, there are continual mountains, hill behind hill, such as Nore-hill, the Barnet, Butser-hill, and Ports-down, which some how divert the storms, and give them a different direction. High promontories, and elevated grounds, have always been observed to attract clouds and disarm them of their mischievous contents, which are discharged into the trees and summits as soon as they come in contact with those turbulent meteors; while the humble vales escape, because they are so far beneath them.

But, when I say I do not remember a thunder-storm from the south, I do not mean that we never have suffered from thunder-storms at all; for on June 5th, 1784, the thermometer in the morning being at 64, and at noon at 70, the barometer at 29—six tenths one-half, and the wind north, I observed a blue mist, smelling strongly of sulphur, hanging along our sloping woods, and seeming to indicate that thunder was at hand. I was called in about two in the afternoon, and so missed seeing the gathering of the clouds in the north; which they who were abroad assured me had something uncommon in it's appearance. At about a quarter after two the storm began in the parish of Hartley, moving slowly from north to south; and from thence it came over Norton-farm, and so to Grange-farm, both in this parish. It began with vast drops of rain, which were soon succeeded by round hail, and then by convex pieces of ice, which measured three inches in girth. Had it been as extensive as it was violent, and of any continuance (for it was very short), it must have ravaged all the neighbourhood. In the parish of Hartley it did some damage to one farm; but Norton, which lay in the centre of the storm, was greatly injured; as was Grange, which lay next to it. It did but just reach to the middle of the village, where the hail had broke my north windows, and all my garden-lights and hand-glasses, and many of my neighbours' windows. The extent of the storm was about two miles in length and one in breadth. We were just sitting down to dinner; but were soon diverted from our repast by the clattering of tiles and the jingling of glass. There fell at the same time prodigious torrents of rain on the farms above-mentioned, which occasioned a flood as violent as it was sudden: doing great damage to the meadows and fallows, by deluging the one and washing away the soil of the other. The hollow lane towards Alton was so torn and disordered as not to be passable till mended, rocks being removed that weighed 200 weight. Those that saw the effect which the great hail had on ponds and pools say that the dashing of the water made an extraordinary appearance, the froth and spray standing up in the air three feet above the surface. The rushing and roaring of the hail, as it approached, was truly tremendous.

Though the clouds at South Lambeth, near London, were at that juncture thin and light, and no storm was in sight, nor within hearing, yet the air was strongly electric; for the bells of an electric machine at that place rang repeatedly, and fierce sparks were discharged.

When I first took the present work in hand I proposed to have added an *Annus Historico-naturalis*, or the Natural History of the Twelve Months of the Year; which would have comprised many incidents and occurrences that have not fallen in my way to be mentioned in my series of letters: but, as Mr Aikin of Warrington has lately published somewhat of this sort, and as the length of my correspondence has sufficiently put your patience to the test, I shall here take a respectful leave of you and natural history together;

And am,
With all due deference and regard,
Your most obliged,
And most humble servant,
GIL. WHITE

Selborne, June 25, 1787

Appendix

A State of the Parish of Selborne, taken October 4, 1783.

The number of tenements or families, 136.

The number of inhabitants in the street is	313	Total 676; near five inhabitants to each tenement.
In the rest of the parish	363	

In the time of the Rev. Gilbert White, vicar, who died in 1727–8, the number of inhabitants was computed at about 500.

Average of baptisms for 60 years.

From 1720 to 1729, both years inclusive	Males	6,9	12,9
	Females	6,0	
From 1730 to 1739, both years inclusive	Males	8,2	15,3
	Females	7,1	
From 1740 to 1749, inclusive	Males	9,2	15,8
	Females	6,6	
From 1750 to 1759, inclusive	Males	7,6	15,7
	Females	8,1	
From 1760 to 1769, inclusive	Males	9,1	18,0
	Females	8,9	
From 1770 to 1779, inclusive	Males	10,5	20,3
	Females	9,8	

Total of baptisms of Males	515	980
Females	465	

Total of baptisms from 1720 to 1779, both inclusive..60 years..980.

Average of burials for 60 years.

From 1720 to 1729, both years inclusive	Males	4,8	9,9
	Females	5,1	
From 1730 to 1739, both years inclusive	Males	4,8	10,6
	Females	5,8	
From 1740 to 1749, inclusive	Males	4,6	8,4
	Females	3,8	
From 1750 to 1759, inclusive	Males	4,9	10,0
	Females	5,1	
From 1760 to 1769, inclusive	Males	6,9	13,4
	Females	6,5	
From 1770 to 1779, inclusive	Males	5,0	11,7
	Females	6,0	

Total of burials of Males	315	640
Females	325	

Total of burials from 1720 to 1779, both inclusive..60 years..640.

Baptisms exceed burials by more than one third.

Baptisms of Males exceed Females by one tenth, or one in ten.

Burials of Females exceed Males by one in thirty.

It appears that a child, born and bred in this parish, has an equal chance to live above forty years.

Twins thirteen times, many of whom dying young have lessened the chances for life.

Chances for life in men and women appear to be equal.

A Table of the Baptisms, Burials, and Marriages, from January 2, 1761, to December 25, 1780, in the Parish of Selborne.

	BAPTISMS			BURIALS			
	Males	Females	Total	Males	Females	Total	MAR.
1761.	8	10	18	2	4	6	3
1762.	7	8	15	10	14	24	6
1763.	8	10	18	3	4	7	5
1764.	11	9	20	10	8	18	6
1765.	12	6	18	9	7	16	6
1766.	9	13	22	10	6	16	4
1767.	14	5	19	6	5	11	2
1768.	7	6	13	2	5	7	6
1769.	9	14	23	6	5	11	2
1770.	10	13	23	4	7	11	3
1771.	10	6	16	3	4	7	4
1772.	11	10	21	6	10	16	3
1773.	8	5	13	7	5	12	3
1774.	6	13	19	2	1	10	1
1775.	20	7	27	13	8	21	6
1776.	11	10	21	4	6	10	6
1777.	8	13	21	7	3	10	4
1778.	7	13	20	3	4	7	5
1779.	14	8	22	5	6	11	5
1780.	8	9	17	11	4	15	3
	198	188	386	123	123	246	83

During this period of twenty years the births of males exceeded those of females .. 10.

The burials of each sex were equal.

And the births exceeded the deaths .. 140.

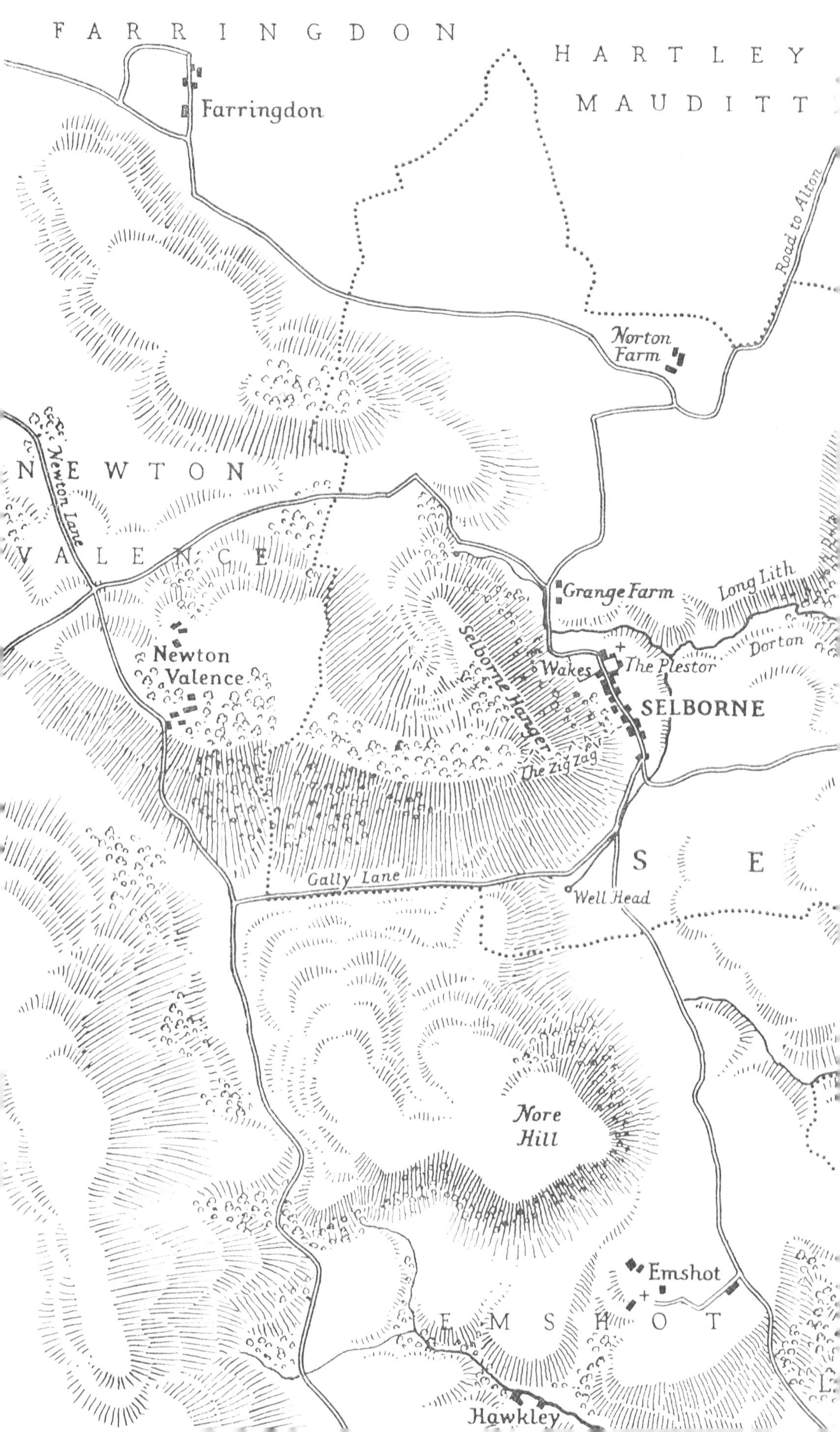

FARRINGDON
HARTLEY MAUDITT
Farringdon
Road to Alton
Norton Farm
NEWTON
VALENCE
Newton Lane
Grange Farm
Long Lith
Selborne Hanger
Wakes
The Plestor
Dorton
Newton Valence
SELBORNE
The Zig Zag
S E
Gally Lane
Well Head
Nore Hill
Emshot
EMSHOT
Hawkley